W9-DBW-284

Héros de l'Olympe

La Maison d'Hadès

Rick Riordan

Héros de l'Olympe

La Maison d'Hadès

Traduit de l'anglais (américain)
par Mona de Pracontal

Du même auteur chez Albin Michel Wiz :

PERCY JACKSON
Le Voleur de foudre
La Mer des Monstres
Le Sort du Titan
La Bataille du Labyrinthe
Le Dernier Olympien

HÉROS DE L'OLYMPE
Le Héros perdu
Le Fils de Neptune
La Marque d'Athéna

KANE CHRONICLES
La Pyramide rouge
Le Trône de feu
L'Ombre du serpent

Titre original :
THE HEROES OF OLYMPUS BOOK FOUR :
THE HOUSE OF HADES
(Première publication : Hyperion Books for Children, New York, 2013)

À mes merveilleux lecteurs :
Désolé, encore un que vous ne pourrez pas lâcher...
Enfin, désolé... faut le dire vite, hein !
Sérieux, les garçons et les filles, je vous adore.

1 HAZEL

Pendant le troisième assaut, Hazel faillit recevoir un rocher en pleine figure. Elle sondait le brouillard du regard en se demandant pourquoi ils avaient tant de mal à traverser cette malheureuse chaîne de montagnes, quand la sirène d'alarme du navire retentit.

– Bâbord toute ! cria Nico, perché sur le mât de misaine du navire volant.

Léo tira d'un coup sec sur la roue du gouvernail. Les rames aériennes de l'*Argo II* fendirent les nuages comme autant de lames de couteau, et le vaisseau obliqua sur la gauche.

Hazel commit l'erreur de jeter un coup d'œil par-dessus le bastingage. Une masse sphérique et sombre fonçait vers eux. *Pourquoi la lune se jette-t-elle sur nous ?* eut-elle juste le temps de penser, avant de plonger au sol en étouffant un cri. L'énorme pierre passa au ras de sa tête, si près que le souffle lui ébouriffa les cheveux.

CRAC !!!!

Le mât de misaine vola en éclats ; les voiles et les espars tombèrent pêle-mêle sur le pont, Nico au milieu. Le rocher, qui faisait bien la taille d'une fourgonnette, poursuivit sa trajectoire dans le brouillard comme s'il était appelé par une affaire pressante.

– Nico !

Hazel se releva et crapahuta dans sa direction, pendant que Léo ramenait le navire à l'équilibre.

– Ça va, bougonna Nico, les jambes empêtrées dans les voiles.

Hazel l'aida à se dégager et tous deux rejoignirent la proue. Elle regarda par-dessus bord, avec précaution cette fois-ci. Les nuages s'écartèrent juste le temps de montrer le haut de la montagne qu'ils survolaient : une flèche de roche noire qui couronnait des versants vert mousse. Un dieu de la montagne était campé au sommet, un des *numina montanum* dont Jason avait parlé. En grec, des *ourae*. Dans une langue comme dans l'autre, ils étaient des vicelards.

Comme tous ceux avec qui ils avaient déjà eu maille à partir, celui-ci ne portait qu'une simple tunique de coton blanc sur sa peau grenue et noire comme du basalte. Il mesurait dans les six mètres et avait une musculature d'athlète, une opulente barbe blanche, une tignasse ébouriffée et des yeux exaltés d'ermite fou. Il lâcha une tirade qu'Hazel ne comprit pas, mais de toute évidence ce n'étaient pas des mots doux. À mains nues, il détacha un autre fragment de roche du flanc de sa montagne et entreprit de le façonner en boulette.

La scène disparut, avalée par le brouillard, mais quand le dieu de la montagne éructa de nouveaux cris, d'autres *numina* répondirent au loin et leurs voix résonnèrent dans les vallées.

– Stupides dieux des montagnes ! hurla Léo. C'est la troisième fois que je remplace mon mât ! Vous croyez que ça pousse sur les arbres ou quoi ?

– Ben, répliqua Nico en fronçant les sourcils, les mâts sont faits avec des troncs d'arbre, non ?

– C'est pas la question !

Léo empoigna une de ses manettes (empruntées à une Wii Nintendo !), et lui donna un tour. Deux mètres plus loin, une trappe s'ouvrit sur le pont et il en surgit un canon en bronze céleste. Hazel eut juste le temps de se couvrir les oreilles avant qu'il crache une douzaine de sphères métalliques qui fendirent le ciel dans un sillage de flammes vertes. En vol, les sphères se hérissèrent de piquants qui se déployèrent comme des pales d'hélico, puis elles s'enfoncèrent en vrille dans le brouillard.

Quelques instants plus tard, un chapelet d'explosions retentit dans les montagnes, suivi de protestations outragées.

– Prenez ça ! cria Léo.

Malheureusement, à en juger par leurs précédentes escarmouches avec des *numina*, Hazel soupçonna que la dernière invention guerrière de Léo les avait agacés, guère plus.

Un autre rocher rasa le flanc de tribord.

– Léo, hurla Nico, mets les bouts !

Léo marmonna quelques commentaires bien sentis sur les *numina*, mais il obtempéra et tourna la roue du gouvernail. Les moteurs vrombirent. Des gréements magiques s'attachèrent d'eux-mêmes et le vaisseau vira à bâbord. En quelques instants l'*Argo II* prit de la vitesse et battit en retraite vers le nord-ouest, selon le cap qu'il suivait depuis deux jours.

Hazel ne souffla que lorsqu'ils eurent laissé les montagnes loin derrière eux. Le brouillard se dissipa. À leurs pieds, le soleil du matin brillait sur la campagne italienne : des collines verdoyantes et des champs dorés, un paysage qui n'était pas sans rappeler la Californie du Nord. Pour un peu, Hazel se serait crue voguant vers le Camp Jupiter.

Le Camp Jupiter... D'y penser, elle eut le cœur gros. Elle n'y vivait que depuis neuf mois, depuis le jour où Nico l'avait ramenée des Enfers, pourtant il lui manquait plus que La Nouvelle-Orléans, sa ville natale et – sans l'ombre d'une hésitation ! – plus que l'Alaska, où elle était morte en 1942.

Son lit de camp, dans la caserne de la Cinquième Cohorte, lui manquait. Tout comme les repas dans le réfectoire du mess, servis par les esprits des vents qui virevoltaient dans l'air, assiettes à la main, et les légionnaires qui discutaient des jeux de guerre en riant. Elle aurait voulu se promener dans les rues de la Nouvelle-Rome avec Frank Zhang, main dans la main. Elle aurait voulu, pour une fois, savoir ce que c'était d'être une fille ordinaire, avec un vrai petit ami, gentil et attentionné.

Et, plus que tout, elle aurait aimé se sentir en sécurité. Elle n'en pouvait plus d'être constamment inquiète et sur le qui-vive.

Debout sur le gaillard d'arrière, elle regardait Nico retirer des échardes de ses bras et Léo pianoter sur le tableau de bord du navire.

– C'était grave soûlant, cette histoire ! dit Léo. Est-ce que je réveille les autres ?

Hazel fut tentée de dire oui, mais les autres membres de l'équipage avaient assuré le quart de nuit et bien mérité leur repos. Défendre le vaisseau s'avérait épuisant. Il ne se passait pas plus de quelques heures sans qu'un monstre romain trouve l'*Argo II* appétissant et décide d'en faire son goûter.

Quelques semaines plus tôt, Hazel n'aurait pas imaginé qu'on pût dormir pendant une attaque de *numina*, mais là, elle aurait parié que ses amis ronflaient toujours paisiblement dans leurs cabines. Quant à elle, dès qu'elle en avait la possibilité, elle sombrait dans un sommeil quasi comateux.

– Ils ont besoin de repos, répondit-elle. À nous de trouver un nouvel itinéraire.

– Mouais.

Léo regarda son écran en faisant la grimace. Avec sa chemise déchirée et son jean couvert de graisse de moteur, il avait l'air de s'être battu contre une locomotive – et d'avoir perdu la partie.

Depuis que leurs amis Percy et Annabeth étaient tombés dans le Tartare, Léo n'avait quasiment pas cessé de travailler. Il était encore plus motivé qu'avant, habité par une colère nouvelle.

Hazel s'inquiétait pour lui. En même temps ce changement était un soulagement pour elle, dans une certaine mesure. Car quand Léo souriait et plaisantait, il ressemblait trop à Sammy, son grand-père... et le premier copain d'Hazel, en 1942.

Non mais pourquoi sa vie était-elle si compliquée ?

– Un autre itinéraire, marmonna Léo. Tu en vois un ?

Une carte d'Italie était affichée sur l'écran. La chaîne des Apennins traversait la Botte sur toute sa longueur. Un point vert, représentant l'*Argo II*, clignotait sur le côté ouest, quelques centaines de kilomètres au nord de Rome. Normalement, leur itinéraire aurait été simple. Ils voulaient rejoindre la région de l'Épire, en Grèce, et y chercher un temple ancien nommé la Maison d'Hadès (ou de Pluton, pour reprendre son nom latin, ou encore, comme Hazel l'appelait à part soi, du « Père le plus absent du monde »).

Pour gagner l'Épire, en principe, c'était simple : cap toujours sur l'est, en traversant les Apennins puis l'Adriatique. Sauf que jusqu'à présent, chaque fois qu'ils tentaient de franchir l'épine dorsale de l'Italie, ils se faisaient attaquer par les dieux des montagnes.

Voilà deux jours qu'ils contournaient par le nord, espérant trouver un col sans danger. En vain. Les *numina montanum* étaient des fils de Gaïa, la déesse qu'Hazel aimait le moins au monde, pour le dire poliment, et cela faisait d'eux des ennemis incroyablement acharnés. L'*Argo II* avait beau prendre de l'altitude, il n'arrivait pas à éviter leurs assauts, et malgré tous ses dispositifs de défense, il était clair que le vaisseau volant ne pouvait pas traverser la chaîne de montagnes sans s'exposer à être réduit en miettes.

– C'est notre faute, dit Hazel. À Nico et à moi. Les *numina* sentent notre présence.

Elle jeta un coup d'œil à son demi-frère. Depuis qu'ils l'avaient arraché aux géants, Nico avait repris des forces, mais il était encore horriblement maigre. Son tee-shirt et son jean noirs flottaient sur son corps squelettique. Ses longs cheveux noirs encadraient un visage aux yeux creusés et cernés.

Son teint mat avait pris une couleur maladive, pâle et verdâtre.

En années humaines, Nico avait quatorze ans, seulement un de plus qu'Hazel, mais cela ne disait pas tout. Comme Hazel, Nico di Angelo était un demi-dieu venu d'une autre époque. Il irradiait une énergie *ancienne* – une mélancolie qui lui venait de savoir qu'il n'appartenait pas au monde moderne.

Hazel ne le connaissait pas depuis très longtemps, mais elle comprenait sa tristesse, qu'elle partageait, d'ailleurs. Les enfants d'Hadès (ou de Pluton, peu importe) avaient rarement la vie douce. Et à en juger par ce que Nico lui avait dit la veille, leur plus grand défi était encore à venir. Ce serait pour leur arrivée à la Maison d'Hadès, mais il l'avait suppliée de ne pas en parler aux autres.

Nico serra la poignée de son épée en fer stygien.

– Les esprits de la terre n'aiment pas les enfants des Enfers. C'est comme ça, on leur donne la chair de poule. Cela dit, je crois que les *numina* pourraient détecter le navire de toute façon. N'oublie pas qu'on a l'Athéna Parthénos à bord. C'est une vraie balise magique, cet engin.

Hazel frissonna à la pensée de la gigantesque statue qui prenait presque toute la place dans la soute. Ils avaient tant sacrifié pour l'extirper de la caverne où elle était enfermée, dans le sous-sol de Rome, et maintenant ils ne savaient pas quoi en faire. Jusqu'à présent, elle n'avait servi qu'à attirer l'attention d'autres monstres sur leur présence.

Léo passa le doigt le long de la carte.

– Donc traverser les montagnes est exclu. Le souci, c'est qu'elles s'étendent assez loin dans les deux sens.

– On pourrait y aller par voie de mer, suggéra Hazel. En contournant la pointe sud de l'Italie.

– Ça fait long, observa Nico. En plus on n'a pas... (Sa voix se brisa.) Tu sais... notre spécialiste des mers, Percy.

Le nom flotta dans l'air comme un nuage porteur d'orage.

Percy Jackson, fils de Poséidon... c'était sans doute le demi-dieu qu'Hazel admirait le plus. Il lui avait sauvé la vie un nombre incalculable de fois pendant leur quête en Alaska, mais quand il avait eu besoin de son aide à elle, à Rome, elle n'avait pas su le secourir. Impuissante, elle les avait regardés, Annabeth et lui, dégringoler dans la fosse.

Elle inspira profondément. Percy et Annabeth étaient toujours en vie. C'était une certitude, son cœur le lui disait. Elle pouvait encore les aider pourvu qu'elle parvienne à la Maison d'Hadès, pourvu qu'elle sache relever le défi dont Nico lui avait parlé...

– Et si on continuait vers le nord ? demanda-t-elle. Il doit bien y avoir un col, un défilé, quelque chose...

Léo se mit à tripoter la sphère d'Archimède en bronze qu'il avait montée sur le tableau de bord – son dernier jouet en date, et le plus dangereux. Chaque fois qu'elle la regardait, Hazel sentait sa gorge se serrer. Elle avait peur que Léo se trompe de combinaison en manipulant la sphère et les expédie tous par-dessus bord, fasse sauter le navire ou le transforme en grille-pain géant.

Cette fois-ci encore, ils eurent de la chance. Un objectif sortit de la sphère et projeta une image de la chaîne des Apennins en 3D au-dessus du tableau de bord.

– Ch'aipas, répondit Léo. Je ne vois aucun défilé valable côté nord, mais je préfère encore ça à rebrousser chemin. Rome, c'est bon, j'ai donné.

Personne ne protesta. Le passage à Rome avait été mal vécu par tous.

– Quelle que soit notre décision, dit Nico, il faut qu'on se dépêche. Chaque jour de plus dans le Tartare, pour Annabeth et Percy, c'est...

Il n'eut pas besoin de finir sa phrase. Tous espéraient que Percy et Annabeth survivraient assez longtemps pour trouver les Portes de la Mort du côté Tartare. Ensuite, à supposer que l'*Argo II* parvienne à la Maison d'Hadès, ils parviendraient *peut-être* à ouvrir les Portes de la Mort du côté des mortels, à sauver leurs amis puis à condamner définitivement les Portes, ce qui empêcherait les monstres au service de Gaïa de se réincarner sans cesse dans le monde des mortels, comme ils le faisaient.

Oui... rien, dans ce plan-là, ne pouvait louper.

Nico regarda la campagne italienne et fit la moue.

– Faudrait peut-être quand même réveiller les autres. Ça nous concerne tous.

– Non, rétorqua Hazel. Nous pouvons trouver une solution.

Elle n'aurait pu expliquer d'où lui venait cette conviction, mais depuis le départ de Rome, l'unité du groupe se fissurait. Ils apprenaient à peine à fonctionner en équipe que *BING !* les deux membres les plus importants du groupe étaient tombés dans le Tartare. Percy en avait été la base, le soutien ; il leur avait donné de l'assurance pendant toute la traversée de l'Atlantique et l'entrée en mer Méditerranée. Quant à Annabeth, c'était elle qui dirigeait la quête, en fait. À elle seule elle avait sauvé l'Athéna Parthénos. C'était la plus intelligente d'eux sept, celle qui trouvait toutes les réponses.

Si Hazel réveillait les autres coéquipiers chaque fois qu'ils rencontraient une difficulté, ils n'en avaient pas fini de se disputer, et ils se sentiraient encore plus impuissants.

Elle devait se montrer à la hauteur d'Annabeth et Percy. C'était à elle de prendre les choses en main. Elle ne pouvait croire que son rôle dans cette quête se limiterait à ce dont Nico l'avait avertie : éliminer l'obstacle qui les attendait à la Maison d'Hadès. Elle chassa cette pensée de son esprit.

– Il faut qu'on fasse preuve d'imagination, dit-elle. Qu'on trouve un moyen pour traverser les montagnes ou pour empêcher les *numina* de nous repérer.

Nico soupira, avant de répondre :

– Si j'étais seul, j'essaierais le vol d'ombre, mais ça ne peut pas marcher pour un bateau entier. En plus, pour être honnête, je ne suis pas sûr d'avoir encore la force de me transporter, même moi seul.

– Je pourrais tenter de créer un camouflage, suggéra Léo sans enthousiasme. Genre un écran de fumée qui nous cacherait dans les nuages.

Hazel baissa le regard sur les collines, songeant à ce qui se trouvait sous leur tapis de verdure : le royaume de son père, le seigneur des Enfers. Elle avait rencontré Pluton une seule fois et, encore, sans savoir qui il était. Une chose était sûre, elle n'avait jamais espéré d'aide de sa part, ni au cours de sa première vie, ni quand elle était un fantôme aux Enfers, ni depuis que Nico l'avait ramenée au monde des vivants.

Thanatos, le dieu de la mort et serviteur de son père, lui avait laissé entendre que Pluton lui faisait une faveur en l'ignorant. Après tout, elle n'était pas censée être en vie. Si Pluton prenait acte de sa présence parmi les mortels, peut-être serait-il contraint de la renvoyer aux Enfers.

Autrement dit, invoquer Pluton était la chose à éviter. Pourtant...

S'il te plaît, papa, se surprit-elle à prier. *Il faut absolument que je parvienne à ton temple en Grèce, la Maison d'Hadès. Si tu m'entends, montre-moi ce que je dois faire.*

Un infime mouvement en bordure d'horizon accrocha son regard. Un petit point beige fusait à travers champs à une vitesse incroyable, laissant derrière lui un sillage de vapeur, comme un avion.

Hazel n'en croyait pas ses yeux. Elle n'osait l'espérer, cependant ce ne pouvait être que...

– Arion !

– Quoi ? fit Nico.

Léo poussa un cri de joie en voyant grossir le nuage de poussière.

– T'as raté cet épisode, man, dit-il, mais c'est son cheval. On l'a pas vu depuis le Kansas !

Hazel rit, pour la première fois en plusieurs jours. C'était trop bon de revoir son vieux pote !

Arrivé à environ deux kilomètres au nord de l'*Argo II*, le petit point beige fit le tour d'une colline et s'arrêta à son sommet. Il était difficile à distinguer, mais lorsque le cheval hennit, le son porta jusqu'au navire volant. Hazel n'eut plus aucun doute, c'était Arion.

– Il faut qu'on le voie, dit-elle. Il est là pour nous aider.

– Ouais, d'accord. (Léo se gratta la tête.) Mais, euh, on avait décidé qu'on ne ferait plus atterrir le navire, tu te rappelles ? Vu que Gaïa veut nous tuer, tout ça, tu sais.

– Rapproche-moi de lui, ça suffira, répondit Hazel, le cœur battant. Je descendrai avec l'échelle de corde. Je crois qu'Arion a quelque chose à me dire.

2 HAZEL

Jamais Hazel ne s'était sentie aussi heureuse. À part, peut-être, le soir de la fête de la victoire au Camp Jupiter, quand elle avait embrassé Frank pour la première fois... Mais le classement était serré !

Dès qu'elle posa le pied à terre, elle courut vers Arion et jeta les bras autour de son cou.

– Tu m'as manqué ! s'écria-t-elle, le visage enfoui dans l'encolure tiède du cheval, qui sentait le sel de mer et les pommes. Où étais-tu passé ?

Arion hennit. Hazel regrettait de ne pas parler le cheval, comme Percy, mais elle comprit l'idée générale. Arion paraissait impatient, comme s'il voulait lui dire : *Ce n'est pas le moment de s'attendrir, gamine !*

– Tu veux m'emmener quelque part ? devina-t-elle.

Arion agita la tête, tout en piaffant sur place. L'urgence brillait dans ses grands yeux bruns.

Hazel avait encore du mal à croire qu'il était bel et bien là, devant elle. Il pouvait courir sur n'importe quelle surface, y compris la mer, mais elle avait craint qu'il ne les suive pas jusque dans les terres anciennes. La Méditerranée était trop dangereuse pour les demi-dieux et leurs alliés.

Arion ne serait pas venu si Hazel n'était pas dans une situation particulièrement dangereuse. Et il semblait tellement agité… Si ce cheval intrépide exprimait de l'inquiétude, Hazel aurait dû trembler de peur.

Or elle était tout bonnement ravie. Elle en avait plus qu'assez, du mal de mer et du mal de l'air. À bord de l'*Argo II*, elle se sentait à peu près aussi utile qu'un sac de lest. Quel bonheur de retrouver le plancher des vaches, même si c'était le territoire de Gaïa, effectivement. Hazel se sentait prête pour une chevauchée.

– Hazel ! appela Nico du navire. Qu'est-ce qui se passe ?

– Tout va bien !

Là-dessus elle se pencha et fit sortir du sol une pépite d'or. Elle contrôlait son pouvoir de mieux en mieux. Il était très rare, maintenant, que des pierres précieuses jaillissent à ses pieds par accident, et elle n'avait plus aucun mal à tirer de l'or du sol.

Elle tendit la pépite à Arion… dont c'était la gourmandise préférée. Puis elle leva la tête en souriant vers Léo et Nico, qui la regardaient du haut de l'échelle, trente mètres plus haut.

– Arion veut m'emmener quelque part, expliqua-t-elle.

Les garçons échangèrent un regard alarmé.

– Euh… (Léo pointa du doigt vers le nord.) S'il te plaît, ne me dis pas qu'il veut t'emmener là-dedans ?

Hazel avait été tellement prise par ses retrouvailles avec Arion qu'elle n'avait pas remarqué les perturbations qui se formaient dans le ciel. À moins de deux kilomètres, au sommet de la colline d'à côté, une tempête s'était levée au-dessus d'un vieux bâtiment en ruine – les vestiges d'un temple romain, peut-être, ou d'une forteresse. Un entonnoir nuageux s'allongeait vers la colline tel un long doigt noir.

Hazel eut un goût de sang dans la bouche. Elle se tourna vers Arion :

– C'est là que tu veux aller ?

Arion hennit, l'air de dire : *Fais pas ta chochotte !*

Bien… Hazel avait appelé au secours. Était-ce la réponse de son père ?

Elle l'espérait, pourtant elle avait l'intuition qu'une force autre que Pluton était engagée dans cette tempête, une force sombre et puissante, et qui n'était pas nécessairement bienveillante.

Il n'empêche que c'était sa chance d'aider ses amis – et de mener le jeu, au lieu de se contenter de suivre.

Elle resserra les lanières qui retenaient son épée de cavalerie en or impérial et monta sur le dos d'Arion.

– Ça va aller ! lança-t-elle à Nico et Léo. Ne bougez pas et attendez-moi.

– Combien de temps ? demanda Nico. Et si tu ne revenais pas ?

– T'inquiète pas, je vais revenir, assura-t-elle, espérant ne pas se tromper.

Elle donna le signal du départ à Arion d'un coup de talon et ils foncèrent droit sur la tornade en formation.

3 Hazel

La colline disparaissait dans un cône de vapeur noire tourbillonnante.

Arion s'y jeta sans hésiter.

Hazel se retrouva au sommet de l'entonnoir nuageux. Elle eut l'impression d'avoir pénétré dans une autre dimension, où les couleurs étaient bannies. La tempête enfermait la colline dans une sphère d'obscurité opaque et trouble. Le ciel brassait du gris. Les ruines étaient tellement blanchies par le temps qu'elles en brillaient presque. Même la robe caramel d'Arion avait pris une teinte cendrée.

Dans l'œil de la tempête, l'air était immobile. Hazel sentit sa peau picoter comme si elle s'était frictionnée avec de l'alcool.

Devant elle se dressait un mur couvert de mousse, percé d'une voûte qui donnait sur une sorte de cloître.

Elle avait du mal à distinguer quoi que ce soit dans cette pénombre, mais elle sentit une présence à l'intérieur, qui l'attirait comme un aimant attire la limaille : avec une force irrésistible.

Elle hésita, pourtant, et tira sur les rênes d'Arion. Il piaffa avec impatience, et le sol se mit à craqueler sous ses sabots. Partout où il passait, l'herbe, la terre et les pierres devenaient blanches comme du givre. Hazel repensa au glacier Hubbard en Alaska, qui s'était complètement fissuré sous ses pas. Elle repensa à l'abominable caverne, à Rome, dont l'éboulement avait précipité Annabeth et Percy dans le Tartare.

Elle espéra que ce sommet de colline noir et blanc n'allait pas à son tour céder sous elle, mais décida qu'il valait mieux continuer d'avancer.

– D'accord, mon grand, allons-y, dit-elle d'une voix étouffée, comme si elle parlait dans un oreiller.

Arion franchit la voûte au petit trot. Les murs en ruine encadraient une cour carrée de la taille d'un terrain de tennis. Chacun était percé d'une autre voûte, donnant respectivement sur le nord, l'est et l'ouest. Deux chemins pavés se croisaient au milieu, traçant une croix. Une brume blanchâtre flottait dans l'air, en filaments qui se tordaient et ondulaient comme s'ils étaient vivants.

Ce n'est pas une brume, comprit Hazel. C'est *la Brume.*

Toute sa vie, elle en avait entendu parler : la Brume, ce voile surnaturel qui cachait le monde des mythes aux yeux des humains. La Brume pouvait tromper les humains, et même les demi-dieux, en faisant passer des monstres pour des animaux inoffensifs et des dieux pour des hommes et des femmes ordinaires.

Hazel n'avait jamais imaginé qu'il s'agissait vraiment d'une fumée mais là, en regardant les volutes s'enrouler autour des jambes d'Arion et circuler entre les voûtes brisées du cloître en ruine, elle avait la chair de poule. Elle n'aurait pu dire comment, toutefois elle le savait avec certitude : cette vapeur blanche était de la magie à l'état pur.

Au loin, un chien hurla. Arion, qui pourtant n'avait jamais peur de rien, se cabra et renâcla.

– T'inquiète pas. (Hazel passa la main sur l'encolure du cheval.) On fait équipe, tu sais. Je vais descendre, d'accord ?

Elle se laissa glisser à terre. Aussitôt, Arion fit demi-tour et rebroussa chemin.

– Arion, att...

Mais il avait déjà disparu par la voûte.

Autant pour l'esprit d'équipe.

Hazel avança vers le centre de la cour. La Brume lui collait à la peau comme la vapeur glacée d'un congélateur.

– Y a quelqu'un ? lança-t-elle.

– Y a quelqu'un, répondit une voix.

La silhouette pâle d'une femme s'encadra dans la voûte du mur nord. Non... dans l'entrée est, plutôt. Non, côté ouest, en fait. *Trois* images vaporeuses de la même femme avançaient d'un seul pas vers le centre des ruines. Sa silhouette faite de Brume était floue, et deux languettes de fumée bondissaient à ses talons comme des chiots. Ses animaux de compagnie ?

Arrivées au milieu de la cour, les trois formes se fondirent en une seule, qui s'incarna en une jeune femme à la queue-de-cheval plantée haut sur la tête, à la mode de la Grèce antique. Elle portait une robe noire sans manches, tellement soyeuse qu'on avait l'impression de voir une nappe d'encre couler de ses épaules. Elle ne faisait pas plus de vingt ans, mais Hazel savait que cela ne voulait rien dire.

– Hazel Levesque, dit la femme.

Elle était belle, mais d'une pâleur mortelle. Une fois, au temps de La Nouvelle-Orléans, Hazel avait été obligée d'aller à la veillée funèbre d'une camarade de classe. Elle se souvenait du corps sans vie de la jeune fille, dans son cercueil ouvert. Son visage avait été maquillé joliment, pour donner l'impression qu'elle était juste en train de se reposer, et Hazel avait trouvé ça terrifiant.

La femme qui se tenait devant elle lui rappelait cette jeune fille – à cette différence près que la femme avait les yeux ouverts et entièrement noirs. Elle inclina la tête et parut se diviser de nouveau en trois personnes... des images rémanentes floues, comme sur la photo de quelqu'un qui bougeait trop vite pour l'objectif.

– Qui êtes-vous ? demanda Hazel, et ses doigts cherchèrent le manche de son épée d'or impérial. Je veux dire, quelle déesse ?

Car Hazel avait au moins cette certitude. Cette femme émettait du pouvoir. Tout ce qui les entourait, les volutes de Brume, la tempête monochrome, la lueur surnaturelle des ruines, tout cela était dû à sa présence.

– Ah, fit la femme en hochant la tête. Je vais éclairer ta lanterne.

Brusquement, elle se retrouva nantie de deux flambeaux à l'ancienne, en roseau, qui crachotaient des flammes. La Brume se replia vers les murs du cloître. Aux pieds chaussés de sandales de la femme, les deux animaux vaporeux prirent corps. L'un était un labrador retriever noir, l'autre un rongeur à la fourrure grise, tout en longueur – une belette, peut-être ?

La femme sourit placidement.

– Je suis Hécate, dit-elle. Déesse de la magie. Nous devons parler de beaucoup de choses si nous voulons que tu survives à cette soirée.

4 Hazel

Hazel avait envie de s'enfuir en courant, mais ses pieds étaient comme collés au sol blanc de givre.

De part et d'autre de la croisée des chemins pavés, deux torchères de métal foncé jaillirent de terre comme des pousses. Hécate y plaça ses flambeaux, puis elle décrivit un cercle autour d'Hazel, à pas lents et sans la quitter du regard, comme si elles dansaient un étrange pas de deux.

Le chien noir et la belette ne la quittaient pas d'une semelle.

– Tu es comme ta mère, trancha Hécate.

– Vous la connaissiez ? demanda Hazel, la gorge serrée.

– Bien sûr. Marie était diseuse de bonne aventure. Elle vendait des amulettes, des sortilèges et des gris-gris. Je suis la déesse de la magie.

Les yeux noir intense d'Hécate appelaient Hazel à eux, semblaient vouloir lui aspirer son âme. Pendant sa première vie, à La Nouvelle-Orléans, Hazel avait été le souffre-douleur de ses camarades d'école. Ils disaient que Marie Levesque était une sorcière. Et les religieuses murmuraient qu'elle traitait avec le diable.

Si les bonnes sœurs avaient peur de ma mère, songea Hazel, *qu'est-ce qu'elles diraient de cette déesse ?*

– Beaucoup de gens ont peur de moi, dit Hécate comme si elle avait lu dans ses pensées. Mais la magie n'est ni bonne ni mauvaise. C'est un outil, comme un couteau. Un couteau est-il mauvais ? C'est seulement celui qui le manie qui est mauvais.

– Ma mère ne..., bafouilla Hazel, ne croyait pas à la magie, pas vraiment en tout cas. Elle faisait semblant, pour gagner de l'argent.

La belette couina en montrant les dents. Puis elle émit un chuintement au niveau de son postérieur. Dans d'autres circonstances, une belette qui lâche un pet, ça aurait fait rire Hazel, mais là, non. Pas drôle. Le rongeur la regardait avec des yeux rouges et menaçants, vifs comme de minuscules braises.

– Tranquille, Galè, dit Hécate, qui haussa les épaules en un geste d'excuse. Galè n'aime pas entendre parler de non-croyants et d'arnaqueurs. Tu comprends, elle a été sorcière, à une époque.

– Votre belette était une sorcière ?

– C'est un putois, en fait. Mais oui, Galè a été une odieuse sorcière humaine, jadis. Elle n'avait aucune hygiène et en plus de gros problèmes, euh, de digestion, on va dire. (Hécate agita la main devant son nez.) Ça a fait du tort à la réputation de mes autres adeptes.

– D'accord.

Hazel se retint de regarder la belette. Elle ne souhaitait vraiment pas en apprendre davantage sur les problèmes intestinaux du rongeur.

– Bref, reprit Hécate, je l'ai transformée en putois. Elle est bien mieux en putois.

Hazel ravala sa salive. Elle regarda le chien noir, qui frottait affectueusement le museau dans la main de la déesse.

– Et votre labrador... ?

– Oh, c'est Hécube, l'ancienne reine de Troie, répondit Hécate comme si c'était évident.

Le chien grogna.

– Tu as raison, Hécube, dit la déesse. Nous n'avons pas de temps à perdre en présentations. Sache, Hazel, que même si ta mère prétendait ne pas croire à la magie, elle avait un véritable pouvoir. Et vers la fin, elle s'en est rendu compte. Lorsqu'elle a cherché un sortilège pour invoquer le dieu Pluton, c'est moi qui l'ai aidée.

– Vous... ?

– Oui. (Hécate décrivait toujours des cercles autour d'Hazel.) J'ai vu que ta mère avait du potentiel. J'en vois encore plus en toi.

Hazel eut le tournis. Elle se souvint de la confession de sa mère, juste avant sa mort : lui racontant comment elle avait invoqué Pluton, comment le dieu était tombé amoureux d'elle et comment, à cause de la cupidité de son vœu, sa fille Hazel avait reçu une malédiction à la naissance. Hazel pouvait faire sortir des gemmes et des métaux précieux du sol, mais quiconque s'en servait souffrait et mourait.

Et à présent cette déesse disait qu'elle était à l'origine de tout cela.

– Cette magie a fait souffrir ma mère. Et toute ma vie...

– Sans moi tu ne serais pas née, interrompit Hécate d'une voix neutre. Je n'ai pas le temps d'écouter ta colère. Et tu n'as pas le temps non plus. Si je ne t'aide pas, tu vas mourir.

Le chien noir gronda. Le putois claqua des dents et lâcha un gaz.

Hazel eut l'impression que ses poumons se remplissaient de sable brûlant.

– M'aider comment ? demanda-t-elle.

Hécate leva ses bras blancs. Les trois arcades par où elle avait fait son entrée furent envahies de Brume. Des images en noir et blanc déferlèrent, lumineuses et clignotantes, comme celles des vieux films muets qui passaient parfois au cinéma quand Hazel était petite.

Dans la voûte nord, des demi-dieux grecs et romains armés de pied en cap se battaient au sommet d'une colline, sous un grand pin. L'herbe était jonchée de blessés et de mourants. Hazel se vit elle-même, à cheval sur Arion, qui fonçait sur le champ de bataille en criant, s'efforçant de faire cesser les combats.

Dans la voûte est, elle vit l'*Argo II* tomber en chute libre dans le ciel, au-dessus des Apennins. Les gréements étaient en flammes. Un rocher fracassa le gaillard d'arrière. Un autre traversa la coque. Le vaisseau éclata comme une citrouille pourrie et les moteurs explosèrent.

Les images de l'arcade ouest étaient encore pires. Hazel vit Léo qui tombait à travers les nuages, inconscient – ou mort ? Elle vit Frank, seul, qui titubait le long d'un tunnel sombre en tenant son bras, le tee-shirt imbibé de sang. Et elle se vit elle-même dans une immense grotte remplie de fils lumineux qui faisaient penser à une toile d'araignée phosphorescente. Elle se débattait pour s'extirper de ces fils, tandis qu'un peu plus loin Percy et Annabeth gisaient, inertes, devant deux portes en métal noir et argent.

– Choisir, dit Hécate. Tu es à la croisée des chemins, Hazel Levesque. Et je suis la déesse des carrefours.

Le sol gronda aux pieds d'Hazel. Elle baissa les yeux et aperçut un scintillement de pièces d'argent : tout autour d'elle, des milliers d'anciens *denarii* romains affleuraient à la surface du sol, qui avait l'air pris d'ébullition. Hazel avait été tellement troublée par les visions dans les arcades qu'elle avait dû appeler jusqu'au plus petit bout d'argent enfoui dans la campagne environnante.

– Dans ce lieu, le passé est très près de la surface, dit Hécate. Autrefois, deux grandes voies romaines se croisaient ici. C'étaient un lieu où on échangeait des informations, où se tenaient des marchés. Les amis s'y retrouvaient, les ennemis s'y combattaient. Des armées entières devaient choisir la direction qu'elles allaient prendre. Les carrefours sont toujours des lieux de décision.

– Comme... comme Janus.

Hazel se souvint du sanctuaire de Janus sur la colline des Temples, au Camp Jupiter. Les demi-dieux y allaient quand ils avaient une décision à prendre. Ils jouaient à pile ou face en espérant que le dieu aux deux visages leur serait un bon guide. Hazel avait toujours détesté ce sanctuaire. Elle n'avait jamais compris pourquoi ses amis étaient tellement disposés à céder à un dieu leur responsabilité et leur liberté de choix. Après tout ce qu'elle avait vécu, Hazel faisait presque autant confiance à la sagesse des dieux qu'à une machine à sous de La Nouvelle-Orléans.

La déesse de la magie poussa un soupir agacé.

– Pfft ! Janus et ses portes ! Il voudrait vous faire croire que les choix sont toujours entre noir et blanc, oui ou non, dedans ou dehors. En réalité ce n'est pas si simple. Chaque fois que tu arrives à un croisement, tu as trois directions possibles... quatre si tu comptes la possibilité de rebrousser chemin. Et maintenant, Hazel, tu es à un de ces croisements.

Hazel regarda de nouveau chacune des arcades grouillantes d'images : une guerre entre demi-dieux, la destruction de l'*Argo II*, la catastrophe pour elle et ses amis.

– Tous les choix sont mauvais, dit-elle.

– Tous les choix comportent des risques, rectifia Hécate. Mais quel est ton but ?

– Mon but ? (Hazel montra les arcades d'un geste découragé.) Rien de tout ça.

La chienne Hécube gronda. Galè le putois trottina autour des pieds de la déesse en pétant et en grinçant des dents.

– Tu pourrais rebrousser chemin, suggéra Hécate, retourner à Rome... mais c'est ce qu'attendent les soldats de Gaïa. Aucun de vous ne survivrait.

– Alors... qu'est-ce que vous me proposez ?

Hécate rejoignit la torche la plus proche. Elle préleva une poignée de flammes à mains nues et les façonna pour dessiner une carte de l'Italie en 3D.

– Tu pourrais partir vers l'ouest. (Elle glissa le doigt à l'extérieur de la carte de feu.) Rentrer aux États-Unis avec votre trophée, l'Athéna Parthénos. Là-bas, vos camarades grecs et romains sont à deux doigts de la guerre. En partant maintenant, tu pourrais sauver de nombreuses vies.

– Je *pourrais*, répéta Hazel. Mais Gaïa est censée s'éveiller en Grèce. C'est là que les géants se rassemblent.

– Exact. Gaïa a choisi la date du 1er août qui est la fête de Spes, déesse de l'espoir, pour reprendre le pouvoir. En s'éveillant le jour de la fête de l'Espoir, elle compte détruire tout espoir à tout jamais. Mais même en arrivant en Grèce à temps, pourrais-tu l'en empêcher ? Je ne sais pas. (Hécate passa le doigt sur les cimes de feu des Apennins.) Tu pourrais prendre la direction de l'est, en traversant les montagnes, mais Gaïa fera tout pour vous empêcher de traverser l'Italie. Elle a dressé ses dieux des montagnes contre vous.

– On a remarqué, dit Hazel.

– Toute tentative pour traverser les Apennins entraînera la destruction de votre vaisseau. L'ironie de la chose, c'est que ça pourrait bien être l'option la moins dangereuse pour ton équipage. Je prédis que vous survivriez tous à l'explosion. Il est possible, bien qu'improbable, que vous parveniez quand même à gagner l'Épire et à fermer les Portes de la Mort. Que vous trouviez Gaïa et l'empêchiez de s'éveiller. Mais pendant ce temps, les deux camps de demi-dieux auront été détruits. Vous n'auriez nulle part où rentrer. (Hécate sourit.) Le plus probable, c'est que vous vous trouviez en rade dans les montagnes après la destruction de votre navire. Ça signerait la fin de votre quête, mais cela vous épargnerait beaucoup de souffrances à tes amis et toi pour les jours à venir. La guerre contre les géants devrait être gagnée ou perdue sans vous.

Gagnée ou perdue sans nous.

Hazel, malgré une pointe de culpabilité, se dit que cette perspective avait son petit charme. Elle ne voulait plus souffrir ni voir ses amis souffrir. Ils en avaient suffisamment bavé comme ça.

Elle regarda l'arcade du milieu, derrière Hécate. Percy et Annabeth étaient par terre, inertes et démunis, devant ces portes noir et argent. Une imposante silhouette sombre, vaguement humanoïde, se dessinait maintenant au-dessus d'eux, un pied levé comme pour écraser Percy.

– Et eux ? demanda Hazel d'une voix rauque. Percy et Annabeth ?

Hécate répondit avec un haussement d'épaules :

– Ouest, est ou sud, peu importe, ils mourront.

– Hors de question, rétorqua Hazel.

– Alors il ne te reste qu'un seul chemin, mais c'est le plus dangereux.

Le doigt d'Hécate traversa ses Apennins miniatures en traçant une ligne blanche lumineuse dans les flammes.

– Il y a un col secret par ici, au nord, dans un endroit qui est sous ma domination. Hannibal l'avait emprunté, jadis, pour marcher sur Rome.

La déesse dessina une grande boucle, remontant jusqu'en haut de l'Italie pour redescendre le long de la côte ouest de la Grèce.

– Une fois que vous aurez franchi le col, vous ferez route vers le nord, direction Bologne puis Venise. De là, vous passerez par la mer Adriatique pour atteindre votre destination, l'Épire, en Grèce.

Hazel n'était pas très forte en géographie. Elle ne savait pas du tout à quoi ressemblait l'Adriatique et elle n'avait jamais entendu parler de Bologne. Quant à Venise, le nom lui évoquait de vagues images de gondoles et de canaux, rien de plus. Malgré tout, une chose sautait aux yeux :

– Ça fait un détour immense !

– Oui, et c'est pour cette raison que Gaïa ne s'attendra pas à ce que vous preniez ce chemin. Je peux vous dissimuler en partie, mais le succès de votre expédition dépendra de toi, Hazel Levesque. Il faut que tu apprennes à manier la Brume.

– Moi ? (Hazel sentit son cœur se décrocher.) Mais manier la Brume comment ?

Hécate éteignit sa carte d'Italie. Elle agita la main vers Hécube, la chienne noire. Une masse de Brume se forma autour du labrador et l'enveloppa entièrement, tel un cocon blanc. Puis, avec un bruit de bouchon qui saute, elle se dissipa. À la place de la chienne, il y avait maintenant un chaton noir aux yeux dorés.

– Miaou, fit-il avec mauvaise humeur.

– Je suis la déesse de la Brume, expliqua Hécate. Je suis la gardienne du voile qui sépare le monde des dieux du monde des humains. Mes enfants apprennent à se servir de la Brume à leur avantage, pour créer des illusions ou pour influencer les mortels. D'autres demi-dieux en sont capables. Et si tu veux aider tes amis, Hazel, tu vas devoir t'y mettre toi aussi.

– Mais... (Hazel regarda le chat. Elle avait beau savoir qu'en réalité c'était Hécube, le labrador noir, elle n'arrivait pas à y croire. Le chat semblait tellement *réel.*) Je ne pourrais jamais en faire autant.

– Ta mère avait ce talent, dit Hécate. Tu l'as toi aussi, et de façon plus marquée encore. En tant qu'enfant de Pluton revenue d'entre les morts, tu comprends ce voile qui sépare les deux mondes mieux que la plupart des demi-dieux. Tu es capable de contrôler la Brume. Si tu ne le fais pas... eh bien, ton frère Nico t'a déjà avertie, n'est-ce pas ? Les esprits lui ont chuchoté à l'oreille, ils lui ont parlé de ton avenir. À votre arrivée à la Maison d'Hadès, vous tomberez sur une ennemie redoutable. Ni la force ni l'épée ne pourront rien contre elle. Toi seule pourras la vaincre, et tu devras recourir à la magie.

Hazel eut les jambes en coton. Elle revit le visage sombre de Nico, crut sentir de nouveau ses doigts qui s'enfonçaient dans son bras. *Tu ne peux pas le dire aux autres. Pas pour le moment. Ils ont déjà atteint les limites de leur courage.*

– Qui ? demanda-t-elle d'une voix rauque. Qui est cette ennemie ?

– Je ne prononcerai pas son nom, dit Hécate. Ce serait l'alerter sur ta présence alors que tu n'es pas encore prête à l'affronter. Prends la direction du nord, Hazel. Et en chemin, entraîne-toi à invoquer la Brume. En arrivant à Bologne, cherche les deux nains. Ils te conduiront à un trésor qui pourrait vous aider à rester en vie dans la Maison d'Hadès.

– Je ne comprends pas.

– Miaou, renchérit le chaton.

– Oui, oui, Hécube.

La déesse agita de nouveau la main et le chat disparut. Le labrador noir avait repris sa place.

– Tu comprendras au moment voulu, Hazel, promit la déesse. De temps en temps j'enverrai Galè voir où tu en es.

Le putois souffla entre les dents, une étincelle malicieuse dans ses petits yeux rouges.

– Merveilleux, marmonna Hazel.

– Il faut que tu sois prête avant d'arriver en Épire, reprit Hécate. Si vous réussissez, alors peut-être nous reverrons-nous... pour la bataille finale.

Une bataille finale, songea Hazel. Ô joie.

Elle se demanda si elle pouvait contrecarrer les prédictions qu'elle avait vues dans la Brume : Léo tombant du ciel ; Frank titubant dans le noir, seul et gravement blessé ; Percy et Annabeth à la merci d'un obscur géant.

Elle détestait les énigmes des dieux et leurs conseils abscons. Et commençait à prendre les carrefours en aversion.

– Pourquoi m'aidez-vous ? demanda-t-elle à la déesse. Au Camp Jupiter, on nous a appris que vous étiez du côté des Titans lors de la dernière guerre.

Les yeux noirs d'Hécate brillèrent.

– C'est que je suis un Titan moi-même ! Fille de Persès et d'Astéria. Je régnais déjà sur la Brume bien avant que les Olympiens prennent le pouvoir. Malgré cela, il y a plusieurs millénaires, lors de la première guerre des Titans, je me suis rangée du côté de Zeus pour combattre Cronos. Je n'étais pas aveugle à la cruauté de Cronos et j'espérais que Zeus ferait un meilleur roi.

Elle eut un petit rire amer.

– Quand Déméter a perdu sa fille Perséphone, enlevée par ton père soit dit en passant, je l'ai guidée à travers la plus sombre des nuits avec mes torches et je l'ai aidée à la chercher. Et lorsque les géants se sont éveillés pour la première fois, là encore, j'ai pris le parti des dieux. J'ai combattu Clytios, mon pire ennemi, conçu par Gaïa pour neutraliser et détruire toutes mes magies.

– Clytios. (Hazel n'avait jamais entendu ce nom, mais le simple fait de le prononcer lui donnait une sensation d'engourdissement. Elle jeta un coup d'œil aux images qui clignotaient sous l'arcade nord : la silhouette gigantesque dressée au-dessus d'Annabeth et Percy.) Est-ce lui, la menace qui nous attend à la Maison d'Hadès ?

– Oh, il vous y attendra, c'est sûr, répondit la déesse. Mais tu devras d'abord éliminer la sorcière. Faute de quoi...

Elle claqua des doigts et l'obscurité se fit dans toutes les arcades. Plus de Brume, plus d'images.

– Nous sommes tous confrontés à des choix, dit la déesse. Quand Cronos s'est éveillé pour la deuxième fois, j'ai commis une erreur. Je lui ai donné mon soutien. J'étais lasse du mépris des soi-disant « grands » dieux. Malgré des années de loyaux services, ils se méfiaient de moi, refusaient de m'accorder un siège dans leur salle...

Galè le putois couina avec colère.

– Ça n'a plus d'importance, ajouta Hécate avec un soupir. Je me suis réconciliée avec l'Olympe. Même maintenant, alors qu'ils sont en position de faiblesse et que leurs avatars grecs et romains se déchirent, je suis disposée à les aider. Grecs ou Romains, moi je ne change pas, j'ai toujours été Hécate, et seulement Hécate. Je t'aiderai à affronter les géants si tu me prouves ta valeur. La balle est dans ton camp, Hazel Levesque. Vas-tu me faire confiance... ou m'ignorer comme les dieux olympiens l'ont fait trop souvent ?

Le sang battit aux tempes d'Hazel. Pouvait-elle faire confiance à cette déesse de l'ombre, responsable du pouvoir magique de sa mère qui avait gâché sa vie ? Non, désolée. Et elle ne raffolait pas de la chienne d'Hécate ni de son putois flatulent non plus.

Mais elle savait qu'elle ne pouvait pas abandonner Percy et Annabeth à la mort.

– Je vais prendre la direction du nord, annonça-t-elle. Nous passerons par ton col secret dans les montagnes.

Hécate hocha la tête et une légère lueur de satisfaction passa sur son visage.

– Tu as bien choisi, même si le chemin sera difficile. De nombreux monstres se dresseront contre vous. Même certains de mes serviteurs se sont rangés du côté de Gaïa dans l'espoir de détruire le monde des mortels.

La déesse retira ses torches des porte-flambeaux.

– Prépare-toi, fille de Pluton. Si tu l'emportes contre la sorcière, nous nous reverrons.

– Je l'emporterai, affirma Hazel. Hécate ? Autre chose. Je n'emprunte pas un de vos chemins, je vais tracer le mien.

Hécate haussa les sourcils. Son putois se tortilla et sa chienne gronda.

– Nous trouverons le moyen de stopper Gaïa, poursuivit Hazel. Nous sauverons nos amis prisonniers dans le Tartare. Nous préserverons le navire et l'équipage *et* nous empêcherons le Camp Jupiter et la Colonie des Sang-Mêlé de se faire la guerre. Nous ferons tout ça.

La tempête redoubla de violence ; les parois sombres de l'entonnoir nuageux tournaient de plus en plus vite.

– Intéressant, dit Hécate, comme si Hazel était un résultat inattendu dans une expérience scientifique. Voilà un numéro de magie que j'aimerais bien voir.

Une vague d'obscurité balaya tout. Quand Hazel recouvrit la vue, la tempête, la déesse et ses serviteurs avaient disparu. Elle était debout sur la colline, dans le soleil du matin, seule parmi les ruines, à part Arion, à côté d'elle, qui faisait les cent pas en hennissant avec impatience.

– Je suis d'accord avec toi, dit-elle au cheval. Allons-nous-en d'ici.

– Qu'est-ce qui s'est passé ? demanda Léo dès qu'Hazel grimpa à bord de l'*Argo II*.

Hazel avait les mains encore tremblantes après son entrevue avec la déesse. Elle s'appuya sur le bastingage et regarda, en contrebas, le sillage de poussière soulevé par Arion, qui filait par les collines d'Italie. Elle avait espéré que son ami resterait avec eux, mais elle ne pouvait pas lui reprocher de souhaiter quitter ces lieux au plus vite.

Le soleil matinal, jouant sur la rosée, faisait étinceler la campagne. Au flanc de la colline, les ruines antiques se dressaient, silencieuses et blanches – plus aucune trace de chemins pavés, ni de déesses, ni de belettes pétomanes.

– Hazel ? demanda Nico.

Elle sentit ses genoux céder. Nico et Léo la rattrapèrent par les bras et l'aidèrent à s'asseoir sur les marches du pont avant. C'était gênant de s'effondrer comme une princesse de conte de fées, mais Hazel n'avait plus une once d'énergie. Le souvenir des images aperçues sous les arcades l'emplissait d'effroi.

– J'ai rencontré Hécate, articula-t-elle avec effort.

Mais elle ne leur raconta pas tout. Elle n'avait pas oublié ce que Nico avait dit : *Ils ont déjà atteint les limites de leur courage.* Elle leur parla du col secret dans les montagnes et du détour qu'Hécate avait proposé pour rejoindre l'Épire.

Quand elle se tut, Nico lui prit la main. L'inquiétude se lisait dans ses yeux.

– Hazel, tu as rencontré Hécate à un croisement. C'est... il n'y a pas beaucoup de demi-dieux qui survivent à ça. Et ceux qui survivent en ressortent changés pour toujours. Tu es sûre que...

– Je vais bien, insista-t-elle.

Mais elle savait que c'était faux. Elle se souvint du sentiment de colère et d'audace qui l'animait quand elle avait dit à la déesse qu'elle tracerait son propre chemin et réussirait en tout. Maintenant elle se sentait fanfaronne et ridicule. Son courage l'avait abandonnée.

– Et si Hécate nous faisait marcher ? demanda Léo. C'est peut-être un piège, cet itinéraire.

Hazel secoua la tête.

– À mon avis, si c'était un piège, elle aurait fait des efforts pour mieux me le vendre. Et crois-moi, elle ne l'a pas fait.

Léo sortit une calculette de sa trousse à outils et tapa quelques chiffres.

– Ça fait un détour de presque cinq cents kilomètres pour aller à Venise. Ensuite on devra redescendre vers l'Adriatique. Et tu as parlé de nains à la bolognaise ou je rêve ?

– Des nains à Bologne. Je crois que c'est une ville, Bologne. Maintenant pourquoi on doit chercher des nains là-bas... aucune idée. Une histoire de trésor qui nous aiderait dans notre quête.

– Hum, fit Léo. Je veux dire, les trésors je suis à fond pour, mais...

– C'est notre meilleure option, trancha Nico, qui aida Hazel à se relever. Il faut qu'on rattrape le temps perdu, qu'on voyage le plus vite possible. La vie de Percy et d'Annabeth en dépend peut-être.

– Vite ? fit Léo en souriant. Ça, je sais faire.

Il se rua vers le tableau de commande et se mit à pianoter.

Nico prit Hazel par le bras et la tira à l'écart.

– Qu'est-ce qu'elle t'a dit d'autre ? lui demanda-t-il. Elle a parlé de...

Hazel coupa court.

– Je ne peux pas, dit-elle.

Elle se sentait submergée par les images qu'elle avait vues : Percy et Annabeth sans défense, au pied de ces portes de métal noir, et le géant qui se dressait au-dessus d'eux ; elle-même prisonnière d'un labyrinthe lumineux, incapable de leur porter secours.

Mais tu devras d'abord éliminer la sorcière, avait dit Hécate. *Toi seule pourras la vaincre. Faute de quoi...*

La fin, pensa Hazel. Toutes portes fermées. Tout espoir condamné.

Nico l'avait avertie. Il avait conversé avec les morts, les avait entendus murmurer des allusions à leur avenir. Deux enfants des Enfers allaient pénétrer dans la Maison d'Hadès. Ils allaient y rencontrer un ennemi insurmontable. Sur les deux, un seul parviendrait aux Portes de la Mort.

Hazel ne se sentait pas capable de regarder son frère dans les yeux.

– Je te raconterai plus tard, promit-elle en s'efforçant de maîtriser sa voix. Pour le moment, on devrait se reposer tant que c'est encore possible. Ce soir, on va traverser les Apennins.

5 Annabeth

NEUF JOURS.

Pendant sa chute, Annabeth pensa à Hésiode, le poète de la Grèce antique qui avait calculé qu'il fallait neuf jours pour tomber de la terre au Tartare.

Elle espérait qu'Hésiode se trompait. Elle avait perdu la notion du temps. Depuis quand Percy et elle tombaient-ils ? Quelques heures ? Une journée ? Ça lui semblait une éternité. Ils s'étaient attrapés par la main à l'instant où ils avaient basculé dans le gouffre. À un moment donné, Percy l'avait tirée contre lui et serrée fort dans ses bras, et depuis ils poursuivaient ainsi leur dégringolade dans le noir absolu.

Le vent sifflait aux oreilles d'Annabeth. L'air devenait de plus en plus chaud et humide, comme s'ils s'enfonçaient dans la gorge d'un dragon géant. Elle sentait des élancements dans sa cheville récemment fracturée, mais elle n'aurait pas su dire si elle était toujours prise dans des fils d'araignée ou non.

Cette maudite Arachné. Bien qu'elle se soit retrouvée prisonnière de sa propre toile, écrasée par une voiture et précipitée dans le Tartare, la monstrueuse femme-araignée avait eu sa revanche.

Un de ses fils s'était enroulé autour de la cheville d'Annabeth et l'avait entraînée dans la fosse, Percy avec elle.

Annabeth ne pouvait pas imaginer qu'Arachné soit encore vivante, quelque part au-dessous d'eux, dans l'obscurité. Elle ne voulait pas croiser de nouveau cette monstresse en arrivant au fond. D'un autre côté, à supposer qu'il y ait vraiment un fond, la bonne nouvelle était qu'Annabeth et Percy mourraient sans doute en s'écrasant au sol, alors les araignées géantes étaient le cadet de leurs soucis.

Elle passa les bras autour des épaules de Percy et refoula ses sanglots. Elle ne s'était jamais attendue à avoir la vie facile. La plupart des demi-dieux mouraient jeunes, tués par des monstres abominables. C'était comme ça depuis l'Antiquité. Après tout, les Grecs avaient inventé la tragédie. Ils savaient qu'il n'y avait pas de fin heureuse pour les grands héros.

Il n'empêche, c'était trop injuste. Elle avait traversé tant d'épreuves pour récupérer cette statue d'Athéna. Et au moment où elle avait enfin réussi, où les choses prenaient enfin une bonne tournure et où elle retrouvait Percy, ils avaient basculé vers leur mort.

Même les dieux n'auraient pas pu inventer un sort aussi pernicieux.

Mais Gaïa n'était pas comme les autres divinités. La déesse de la terre était plus vieille, plus cruelle et plus sanguinaire. Annabeth n'avait pas de mal à se l'imaginer en train de rire de leur sort affreux.

Elle approcha les lèvres de l'oreille de Percy et lui souffla :

– Je t'aime.

Elle n'était pas sûre qu'il puisse l'entendre, mais s'il fallait qu'ils meurent, elle voulait que ce soit les dernières paroles qu'elle prononce.

Elle chercha désespérément un plan qui les sauverait. Annabeth était fille d'Athéna. Elle avait fait ses preuves dans les tunnels souterrains de Rome et relevé une série de défis par la seule force de son intelligence. Mais elle ne parvenait pas à trouver le moyen de ralentir ou d'inverser leur chute.

Ni l'un ni l'autre n'avaient le pouvoir de voler, contrairement à Jason qui contrôlait les vents ou à Frank qui pouvait se transformer en animal ailé. S'ils heurtaient le fond à la vitesse finale... elle avait assez de connaissances scientifiques pour savoir que l'impact serait final, lui aussi.

Elle cherchait sérieusement le moyen de faire un parachute avec leurs tee-shirts – c'est dire à quel point elle était désespérée ! – quand elle remarqua un changement. L'obscurité avait pris une teinte rougeâtre. Elle se rendit compte qu'elle distinguait à présent les cheveux de Percy. Le sifflement à ses oreilles avait acquis l'ampleur d'un grondement. La chaleur devenait insupportable et l'air était chargé d'une puanteur d'œufs pourris.

Soudain, le boyau par lequel ils tombaient s'élargit sur une immense caverne. Annabeth aperçut le fond, à environ huit cents mètres. Stupéfaite, elle mit quelques secondes à reprendre ses esprits. L'île de Manhattan tout entière aurait pu tenir dans cette grotte – dont elle ne voyait d'ailleurs même pas les limites. Des nuages rouges flottaient dans l'air, pareils à des amas de sang vaporisé. Le paysage, du moins ce qu'elle pouvait en voir, se composait de plaines de roche noire ponctuées de montagnes déchiquetées et de fosses pleines de flammes. À la gauche d'Annabeth, le sol se brisait en une série de falaises, telles des marches colossales menant encore plus avant dans les profondeurs de l'abîme.

La puanteur de soufre lui rendait la réflexion difficile, mais Annabeth concentra son attention sur la partie du sol qui se trouvait juste au-dessous d'eux et aperçut un ruban de liquide noir... un *fleuve*.

– Percy ! lui hurla-t-elle à l'oreille. De l'eau !

Elle se mit à gesticuler frénétiquement. L'expression de Percy était difficile à déchiffrer dans la pénombre rouge. Il avait l'air en état de choc et terrifié, mais il hocha la tête comme s'il comprenait.

Percy avait un pouvoir sur l'eau. En supposant que c'était bien un cours d'eau, il arriverait peut-être à amortir leur chute, d'une manière ou l'autre. Annabeth avait entendu les histoires les plus abominables sur les fleuves des Enfers. Leurs flots effaçaient les souvenirs, ou réduisaient les corps et les âmes en cendres. Elle refusa d'y penser. C'était leur seule chance.

Le fleuve se rapprochait à toute allure. À la dernière seconde, Percy poussa un hurlement de défi. Les flots se levèrent en un énorme geyser qui les engloutit tous les deux.

6 Annabeth

Elle ne mourut pas sous le choc, en revanche le froid faillit avoir raison d'elle.

La claque de l'eau glaciale chassa brutalement l'air de ses poumons. Elle sentit ses bras et jambes se raidir et lâcha Percy malgré elle. Alors elle se mit à couler. Des plaintes étranges emplissaient ses oreilles : le murmure de millions de voix brisées par la douleur, comme si le fleuve n'était que douleurs distillées. Les voix étaient pires encore que le froid. Elles alourdissaient Annabeth, l'engourdissaient.

À quoi bon lutter ? lui disaient-elles. *Tu es morte, de toute façon. Tu ne partiras jamais d'ici.*

Elle pouvait couler et se noyer, laisser le fleuve emporter son corps. Ce serait plus facile. Il lui suffisait de fermer les yeux et...

Percy lui empoigna la main et ça la ramena brusquement à la réalité. Elle ne pouvait pas le voir dans cette eau trouble, mais elle n'avait plus du tout envie de mourir. Ensemble, ils touchèrent le lit du fleuve et se propulsèrent d'un coup de pied à la surface.

Annabeth hoqueta, heureuse de respirer l'air, sulfureux ou pas. L'eau faisait des remous autour d'eux et elle comprit que Percy créait un tourbillon pour les maintenir à flot.

Même si elle ne distinguait rien des alentours, elle savait que c'était un fleuve. Et les fleuves ont des rives.

– Terre, fit-elle d'une voix cassée. Va sur le côté.

Percy avait l'air mort de fatigue. D'habitude l'eau le revigorait, mais pas cette eau-là. Pour la contrôler, il avait dû tout donner. Le tourbillon commençait à retomber. Annabeth passa un bras autour de la taille de Percy et se mit à nager vers le côté en résistant au courant qui voulait les entraîner. Le fleuve œuvrait contre elle : des milliers de voix plaintives geignaient à ses oreilles, s'insinuaient dans son cerveau.

La vie n'est que désespoir. Tout est vain et tout mène à la mort.

– Vain, murmura Percy.

Il claquait des dents de froid. Il cessa de nager et se mit à couler.

– Percy ! cria Annabeth. Le fleuve cherche à t'embrouiller ! C'est le Cocyte, le fleuve des Lamentations. Un pur ramassis de malheurs.

– Malheurs, acquiesça-t-il.

– Résiste !

Elle redoubla d'efforts pour les maintenir tous les deux à la surface. Encore un bon coup du sort pour amuser Gaïa : *Annabeth meurt en essayant d'empêcher son copain, le fils de Poséidon, de se noyer.*

Je te ferai pas ce plaisir, vieille sorcière, se dit Annabeth.

Elle serra Percy plus fort dans ses bras et l'embrassa.

– Parle-moi de la Nouvelle-Rome, le pressa-t-elle. Qu'est-ce que tu avais comme projets pour nous ?

– Nouvelle-Rome... pour nous...

– Ouais, Cervelle d'Algues. Tu avais dit qu'on pourrait faire notre vie là-bas. Raconte !

Annabeth n'avait jamais eu envie de quitter la Colonie des Sang-Mêlé. C'était le seul lieu où elle se sentait vraiment chez elle. Mais, quelques jours plus tôt, à bord de l'*Argo II*, Percy lui avait dit qu'il les voyait bien vivre tous les deux parmi les demi-dieux romains. Dans leur ville de la Nouvelle-Rome, les anciens de la légion pouvaient s'établir en toute sécurité, aller à la fac, se marier et même avoir des enfants.

– L'architecture, murmura Percy, et le brouillard qui troublait ses yeux commença de se dissiper. J'ai pensé que tu aimerais leurs maisons, leurs jardins. Il y a une rue pleine de fontaines, c'est cool.

Annabeth gagnait du terrain contre le courant. Ses bras et jambes pesaient comme des sacs de sable mouillé, mais Percy l'aidait, à présent. Elle distingua la ligne sombre du rivage à un jet de pierre.

– La fac, hoqueta-t-elle. Tu crois qu'on pourrait y aller ensemble ?

– Ou... ouais, acquiesça-t-il avec un peu plus d'assurance.

– Qu'est-ce que tu étudierais, Percy ?

– Je sais pas, avoua-t-il.

– Les sciences de la mer, suggéra-t-elle. L'océanographie ?

– Le surf ?

Elle éclata de rire et le son envoya une onde de choc dans l'eau. Les plaintes se réduisirent à un simple bruit de fond. Annabeth se demanda si personne avait jamais ri au Tartare avant – un rire de plaisir tout bête. Elle en doutait.

Elle fit appel à ses toutes dernières forces pour gagner le rivage. Ses pieds s'enfoncèrent dans le fond sablonneux. Elle et Percy se traînèrent à terre en frissonnant et hoquetant, puis s'écroulèrent sur le sable noir.

Annabeth aurait voulu se pelotonner contre Percy et dormir. Elle aurait voulu fermer les yeux, espérer que tout ça ne soit qu'un cauchemar et se réveiller sur l'*Argo II*, en sécurité parmi ses amis (enfin, dans la mesure où un demi-dieu peut être en sécurité...).

Mais non. Ils étaient dans le Tartare pour de vrai. À leurs pieds coulait le Cocyte, charriant ses flots de misère liquide. L'air chargé de soufre brûlait les poumons d'Annabeth et lui piquait la peau. En regardant ses bras, elle vit qu'ils étaient déjà couverts d'une méchante éruption. Elle voulut se redresser et laissa échapper un petit cri de douleur.

Ce n'était pas une plage de sable. Ils étaient assis sur une étendue d'éclats de verre noir, dont certains s'étaient plantés dans les mains d'Annabeth.

En résumé : l'air était de l'acide, l'eau de la souffrance et le sol du verre cassé. Tout, ici, était conçu pour faire mal et tuer. Annabeth tenta de reprendre son souffle et se demanda si les voix du Cocyte n'avaient pas raison, finalement. C'était peut-être vain de lutter pour survivre. Ils seraient morts d'ici à une heure, de toute façon.

À côté d'elle, Percy toussa.

– Tu sens cette odeur ? Mon ex-beau-père sentait exactement pareil, dit-il.

Annabeth se força à sourire. Elle n'avait jamais rencontré Gaby Pue-Grave, mais elle avait entendu assez d'histoires à son sujet. Percy essayait de lui remonter le moral et ça lui réchauffa le cœur.

Si elle était tombée toute seule dans le Tartare, se dit Annabeth, elle aurait été condamnée. Après tout ce qu'elle avait vécu dans le sous-sol de Rome pour retrouver l'Athéna Parthénos, ça aurait été trop. Elle se serait roulée en boule et elle aurait pleuré, jusqu'à devenir un fantôme de plus à grossir les flots du Cocyte.

Mais elle n'était pas seule. Elle avait Percy. Et cela voulait dire qu'elle ne pouvait pas abandonner.

Elle s'obligea à faire le point. Son pied était toujours enveloppé dans l'attelle de fortune qu'elle s'était faite avec des planchettes et du plastique à bulles, et toujours couvert de fils d'araignée. Cependant, quand elle le bougeait, ça ne lui faisait pas mal. L'ambroisie qu'elle avait mangée dans les tunnels souterrains de Rome avait dû finir par consolider les os.

Son sac à dos avait disparu, perdu dans la chute ou emporté par le fleuve. La pensée d'être privée de l'ordinateur portable de Dédale, avec toutes ses données et ses logiciels exceptionnels, lui crevait le cœur, mais elle avait d'autres soucis autrement plus graves. Elle s'aperçut que son poignard en bronze céleste manquait à l'appel, lui aussi.

Cette découverte l'accabla ; c'était son arme depuis ses sept ans. Mais elle ne pouvait pas s'attarder là-dessus, il serait bien temps de pleurer plus tard. Qu'avaient-ils d'autre ?

Pas de nourriture, pas d'eau... Rien, pour résumer.

Ouaip, un bon début !

Annabeth jeta un coup d'œil à Percy. Il avait une mine plutôt épouvantable. Ses cheveux bruns collaient à son front, son tee-shirt était en lambeaux. Ses doigts étaient à vif, écorchés par le rebord de la fosse auquel il s'était accroché avant leur chute. Mais ce qui inquiéta le plus Annabeth, c'était qu'il tremblait et qu'il avait les lèvres bleues.

– Il faut qu'on bouge sinon on va faire de l'hypothermie, dit-elle. Tu peux te lever ?

Il fit oui de la tête. Tous deux se levèrent avec effort.

Annabeth passa le bras autour de la taille de Percy, mais elle n'aurait su dire qui soutenait qui. Elle balaya les alentours du regard. Au-dessus d'eux, le boyau par lequel ils étaient tombés avait complètement disparu. Elle ne vit même pas le toit de la grotte – rien que les nuages couleur sang en suspension dans l'air gris et trouble. Un peu comme un mélange de jus de tomate et de ciment.

La plage de verre noir s'enfonçait sur une cinquantaine de mètres pour se terminer au sommet d'une falaise. De là où elle se tenait, Annabeth ne pouvait pas voir ce qu'il y avait en contrebas, mais des reflets rougeoyants dansaient sur le rebord, comme provenant de flammes immenses.

Un souvenir lointain tentait de refaire surface dans son esprit – une histoire de Tartare et de feu. Avant qu'elle ait le temps de creuser dans sa mémoire, Percy reprit bruyamment son souffle.

– Regarde, dit-il en pointant du doigt vers l'aval.

À une trentaine de mètres d'eux, un cabriolet italien bleu layette était planté dans le sable. Il avait un air tristement familier : la copie conforme de celui qui avait percuté Arachné en la propulsant dans la fosse.

Annabeth espérait se tromper, mais combien de voitures de sport italiennes pouvait-il bien y avoir dans le Tartare ? Malgré sa réticence, il fallait qu'elle aille vérifier. Elle attrapa Percy par la main et tous deux partirent en crapahutant vers l'épave. Un des pneus s'était détaché et flottait dans un bras mort du Cocyte. Les vitres de la Fiat avaient volé en éclats qui brillaient comme des flocons de givre sur la plage noire. Sous la capote défoncée gisaient les vestiges déchirés d'un immense cocon de soie – le piège qu'Annabeth avait amené Arachné à tisser à force de ruse. Il était vide, sans l'ombre d'un doute. Des marques dans le sable traçaient une piste vers l'aval... comme si une créature à plusieurs pattes s'était réfugiée en trottant dans l'obscurité.

– Elle est vivante.

Annabeth était tellement horrifiée, tellement scandalisée par l'injustice de la chose qu'elle sentit son estomac se retourner et lutta pour ne pas vomir.

– C'est le Tartare, dit Percy. Le terrain de jeu des monstres. Peut-être qu'ils ne peuvent pas être tués, ici.

Il jeta un regard gêné à Annabeth, se rendant compte qu'il ne contribuait pas franchement au moral des troupes.

– Ou, reprit-il, peut-être qu'elle est gravement blessée et qu'elle s'est traînée dans un coin pour mourir.

– On va dire ça, acquiesça Annabeth.

Percy tremblait toujours. Annabeth avait froid, elle aussi, malgré la chaleur moite de l'air. Les coupures de ses mains continuaient de saigner, ce qui était inhabituel pour elle. Normalement, elle cicatrisait vite. Sa respiration était de plus en plus hachée.

– Cet endroit nous tue, dit-elle. Je parle sérieusement, il va nous tuer, sauf si...

Le Tartare. Le feu. Le souvenir lointain se précisa. Elle porta le regard vers la falaise et son rebord éclairé par des flammes invisibles en contrebas.

C'était une idée complètement dingue. Mais c'était peut-être aussi leur seule chance.

– Sauf si quoi ? la relança Percy. Tu as un plan génial ?

– Génial, je sais pas, murmura Annabeth, mais j'ai un plan. Il faut qu'on trouve le fleuve de feu.

7 Annabeth

En arrivant au bord de la falaise, Annabeth eut la certitude d'avoir signé leur arrêt de mort.

La falaise formait un à-pic d'environ vingt-cinq mètres. À ses pieds se déployait la version films d'horreur du Grand Canyon : un fleuve de feu se frayait un chemin au milieu d'une crevasse d'obsidienne, jetant d'horribles ombres rougeoyantes sur les parois de pierre déchiquetée.

Même d'en haut, la chaleur était extrême. Annabeth sentait encore le froid du Cocyte dans ses os et en prime, maintenant, elle avait le visage qui brûlait. Respirer lui demandait de plus en plus d'efforts, comme si elle avait des boulettes de polystyrène dans la poitrine. Les blessures de ses mains saignaient plutôt plus que moins. Quant à la plaie de sa cheville, quasiment cicatrisée tout à l'heure, elle semblait se rouvrir d'elle-même. Annabeth avait retiré son attelle de fortune, et à présent elle le regrettait. Chaque pas lui arrachait une grimace.

À supposer qu'ils parviennent à descendre jusqu'au fleuve de feu, ce dont elle doutait, son plan n'en était pas moins digne d'un esprit complètement dérangé.

– Euh... (Percy examinait la falaise. Il montra du doigt une minuscule fissure qui traversait la paroi rocheuse en diagonale et sur toute sa hauteur.) Qu'est-ce que tu penses de cette corniche ? Ça pourrait le faire.

Il ne dit pas que ce serait une folie. Il arrivait même à jouer l'optimisme. Annabeth lui en fut reconnaissante, mais en même temps elle avait peur de l'entraîner vers sa perte.

Cela dit, s'ils restaient là, ils mourraient de toute façon. Des cloques se formaient déjà sur leurs bras au contact de l'air du Tartare. L'endroit était à peu près aussi sain qu'une zone de contamination nucléaire.

Percy s'engagea le premier sur la corniche, tellement étroite qu'ils pouvaient tout juste y poser le pied, et ils commencèrent la descente. Des mains, ils cherchaient la moindre fissure où se retenir sur la paroi lisse comme du verre. Chaque fois qu'Annabeth prenait appui sur sa mauvaise cheville, elle se retenait de crier. Elle avait déchiré les manches de son tee-shirt pour en envelopper ses paumes ensanglantées, mais elle avait toujours les doigts faibles et glissants.

Un peu plus bas devant elle, Percy poussa un grognement en tendant la main vers une autre prise.

– Alors, il s'appelle comment, ton fleuve de feu ?

– Le Phlégéthon, répondit Annabeth. Reste concentré.

– Le Phlégéthon ? Sérieux ? (Il fit un pas de plus en se tortillant. Ils étaient arrivés au tiers de la paroi : encore assez haut pour mourir en cas de chute.) Ça fait un peu Téléthon.

– S'il te plaît, ne me fais pas rire.

– J'essaie juste de détendre l'atmosphère.

– Merci, grommela-t-elle en ramenant de justesse son mauvais pied qui avait failli glisser du rebord. Je sourirai dans ma chute mortelle.

Ils continuèrent, pas à pas. La sueur piquait les yeux d'Annabeth et ses bras tremblaient. À sa grande surprise, cependant, ils finirent par atteindre le pied de la falaise.

Elle chancela et Percy la rattrapa. Elle fut affolée par la chaleur fiévreuse de sa peau. Le visage de Percy s'était couvert de boutons rouges qui lui donnaient l'air d'avoir la petite vérole.

Quant à elle, sa vision s'était voilée. Elle avait la gorge râpeuse et l'estomac qui faisait des nœuds.

Il faut qu'on se dépêche, pensa-t-elle.

– Maintenant, au bord du fleuve, dit-elle à Percy, en s'efforçant de ne pas laisser sa panique percer dans sa voix. On va y arriver.

En titubant, ils se frayèrent un chemin sur des saillies de verre glissantes, contournant de gros rochers et des stalagmites qui les auraient embrochés au premier faux pas. Leurs vêtements en lambeaux fumaient sous la chaleur dégagée par le fleuve, mais ils persévérèrent jusqu'au bord du Phlégéthon, et tombèrent à genoux.

– Il faut qu'on boive, dit Annabeth.

Percy, les yeux mi-clos, oscilla. Il lui fallut trois bonnes secondes pour répondre.

– Euh... boire du feu ?

– Le Phlégéthon coule du royaume d'Hadès au Tartare. (Annabeth avait énormément de mal à parler. La chaleur et l'acidité de l'air fermaient sa gorge.) Le fleuve sert à punir les êtres mauvais. Mais... dans certaines légendes, on l'appelle le fleuve de la Guérison.

– Dans *certaines* légendes ?

Annabeth ravala sa salive et lutta pour ne pas s'évanouir.

– Le Phlégéthon maintient les êtres mauvais en état de subir les tourments qui les attendent aux Champs du Châtiment. Je crois que c'est l'équivalent de l'ambroisie et du nectar, mais pour les Enfers.

Percy grimaça en voyant un nuage de scories rougeoyantes approcher de son visage.

– Mais c'est du feu. Comment veux-tu que...

– Comme ça.

Annabeth plongea les mains dans le fleuve. Idiot ? Peut-être, mais elle était convaincue qu'ils n'avaient pas le choix. S'ils attendaient davantage, ils perdraient connaissance et mourraient. Il valait mieux tenter quelque chose de fou en espérant que ça marche.

Au premier contact, le feu n'était pas douloureux. Il paraissait froid, ce qui signifiait sans doute que la chaleur était si intense qu'elle mettait les nerfs d'Annabeth en surcharge. Sans se laisser le temps de changer d'avis, elle remplit ses mains de flammes liquides et les porta à la bouche.

Elle s'attendait à un goût d'essence. C'était incroyablement pire. Une fois, il y a longtemps, dans un restaurant indien de San Francisco, elle avait commis l'erreur de goûter au piment rouge qui décorait le plat. Après avoir à peine grignoté un bout minuscule, elle avait eu l'impression que son système respiratoire allait exploser. Boire au Phlégéthon, c'était comme avaler un grand smoothie de piment rouge. Ses sinus se remplirent de feu liquide. Sa bouche se transforma en bain de friture. Des larmes bouillantes se mirent à couler de ses yeux et tous les pores de sa peau s'ouvrirent. Elle roula par terre en suffoquant et crachant, secouée de tremblements violents.

– Annabeth !

Percy l'attrapa par les deux bras et l'empêcha de justesse de tomber dans le fleuve.

Les convulsions cessèrent. Annabeth reprit son souffle avec effort et parvint à se redresser. Elle se sentait horriblement faible et nauséeuse, mais s'aperçut à la deuxième inspiration qu'elle respirait plus aisément. Les cloques commençaient à s'effacer de ses bras.

– Ça a marché, dit-elle, la voix rauque. Percy, il faut que tu boives.

– Je...

Ses yeux se révulsèrent et il s'effondra contre elle.

Désespérée, Annabeth préleva du feu au creux de ses mains et, ignorant la douleur, le fit couler dans la bouche de Percy. Aucune réaction.

Elle répéta la tentative, cette fois-ci en le lui versant carrément dans la gorge. Il toussa et crachota. Annabeth le maintint entre ses bras quand il se mit à trembler, secoué par le feu magique qui parcourait son corps. Sa fièvre tomba. Ses boutons s'estompèrent. Il parvint à se redresser, claqua les lèvres et dit :

– Beurk. Piquant, mais dégueulasse.

Annabeth rit faiblement. Elle était tellement soulagée que la tête lui tournait un peu.

– Ouais, c'est bien résumé.

– Tu nous as sauvé la vie.

– Pour le moment. Le problème, c'est qu'on est toujours au Tartare.

Percy cligna des yeux. Il regarda autour de lui comme s'il prenait conscience maintenant seulement du lieu où ils étaient.

– Par Héra ! Je n'avais jamais imaginé... enfin je sais pas trop ce que j'imaginais. Peut-être que le Tartare était vide, tu sais, une espèce de fosse sans fond. Mais ici, c'est un véritable lieu.

Annabeth repensa au paysage qu'elle avait entrevu pendant leur chute : une série de plateaux qui s'enfonçaient toujours plus dans les ténèbres.

– On n'a pas tout vu, dit-elle. Si ça se trouve, ici ce n'est que la minuscule entrée de l'abîme, le perron, si tu veux.

– Le paillasson devant la porte, marmonna Percy.

Ils levèrent tous les deux les yeux vers les nuages couleur sang qui flottaient dans la brume grise. Ils savaient qu'ils n'auraient jamais la force de remonter en haut de cette falaise, même s'ils le voulaient. Ce qui ne leur laissait que deux possibilités : aller vers l'amont ou vers l'aval, en longeant la rive du Phlégéthon.

– On trouvera une sortie, reprit Percy. Les Portes de la Mort.

Annabeth frissonna. Elle se souvint de ce que Percy avait dit juste avant qu'ils ne tombent tous les deux dans le Tartare. Il avait fait promettre à Nico di Angelo de mener l'*Argo II* en Épire, du côté « mortels » des Portes de la Mort.

On vous retrouvera là-bas, avait-il dit.

Maintenant, Annabeth trouvait cette idée-là encore plus folle que de boire du feu. Comment pourraient-ils parcourir le Tartare pour chercher les Portes de la Mort ? Sachant qu'ils avaient à peine pu tituber sur cent mètres dans ce lieu empoisonné sans mourir ?

– Il le faut, dit Percy. Pas seulement pour nous. Pour tous ceux que nous aimons. Les Portes doivent être fermées des deux côtés, sinon les monstres continueront à sortir. Et les armées de Gaïa s'empareront du monde.

Annabeth savait qu'il avait raison. Pourtant... quand elle essaya d'imaginer un plan susceptible de marcher, elle se sentit terrassée par les obstacles logistiques. Ils n'avaient aucun moyen de savoir où étaient les Portes. Ils ne savaient pas combien de temps l'expédition nécessiterait, ni même si le temps s'écoulait à la même vitesse dans le Tartare que dans leur monde. Alors comment organiser un rendez-vous avec leurs amis ? En plus Nico avait parlé d'une légion composée des monstres les plus forts de Gaïa, placée en faction du côté « Tartare » des Portes. Annabeth et Percy n'allaient pas l'attaquer de front !

Elle décida de ne rien évoquer de tout ça. Tous deux connaissaient parfaitement les handicaps de départ. Par ailleurs, avec son bain dans le Cocyte, Annabeth avait eu plus que sa dose de pleurnicheries et de gémissements. Elle se jura de ne plus jamais se plaindre.

– Bien. (Elle respira à fond, s'estimant heureuse de ne pas avoir mal aux poumons.) En restant près du fleuve, on aura la possibilité de se régénérer en cas de besoin. Si on part vers l'aval...

Ce qui arriva alors fut si rapide qu'Annabeth serait morte si elle avait été seule.

Les yeux de Percy se posèrent sur un point, derrière elle. Annabeth fit volte-face et vit une énorme masse noire qui se jetait sur elle en grondant : un corps flasque, des pattes grêles hérissées de piquants, des yeux brûlants de rage.

Elle eut le temps de penser : *Arachné*. Mais se trouva paralysée par la terreur, les sens engourdis par l'odeur écœurante du monstre.

Puis elle entendit un *TCHINK !* familier : le bruit du stylo-bille de Percy se transformant en épée. Sa lame fendit l'air au-dessus de sa tête en traçant un arc de bronze étincelant. Un hurlement atroce retentit dans le canyon.

Sonnée, Annabeth resta debout sans bouger tandis qu'une poussière jaune – les vestiges d'Arachné – tombait autour d'elle, comme le pollen d'un arbre.

– T'as rien ?

Percy balaya des yeux les falaises et les rochers, craignant de voir surgir d'autres monstres. Personne. La poussière dorée de l'araignée se posait sur les blocs d'obsidienne.

Annabeth le regardait avec stupeur. La lame de bronze céleste de Turbulence brillait d'un éclat décuplé dans l'obscurité du Tartare. Au contact de l'air chaud et épais, elle sifflait avec la férocité d'un serpent contrarié.

– Elle... elle m'aurait tuée, balbutia Annabeth.

Percy donna un coup de pied dans un rocher couvert de poussière jaune, l'air sombre et mécontent.

– Elle a eu la mort trop douce, vu toutes les tortures qu'elle t'a fait subir. Elle méritait pire.

Annabeth était assez d'accord sur le fond, mais la dureté qu'elle entendait dans la voix de Percy la gêna. Elle n'avait jamais vu quelqu'un animé d'une telle colère ni d'un tel désir de vengeance. Pour sa part, elle était presque contente qu'Arachné ait connu une mort rapide.

– Comment tu as fait pour réagir aussi vite ?

Percy haussa les épaules.

– Faut bien qu'on se protège l'un l'autre, non ? Bon alors tu disais... vers l'aval ?

Annabeth hocha la tête, encore dans le coton. Sur la berge rocailleuse, la poussière jaune s'évapora. Ils savaient maintenant que les monstres pouvaient être tués dans le Tartare, c'était déjà ça. Ce qu'elle ignorait, c'était combien de temps Arachné resterait morte. Annabeth n'avait pas l'intention de rester assez longtemps pour l'apprendre.

– Ouais, vers l'aval, répondit-elle avec effort. Si le fleuve prend sa source dans les niveaux supérieurs des Enfers, il devrait s'enfoncer plus profondément dans le Tartare...

– ... et mener à un territoire plus dangereux, compléta Percy. Et c'est sans doute là que se trouvent les Portes de la Mort. On en a de la chance !

8 Annabeth

Ils n'avaient parcouru que quelques centaines de mètres quand Annabeth entendit des voix.

Elle avançait à pas lourds, dans un état proche de l'hébétement, s'efforçant quand même d'échafauder un plan. En tant que fille d'Athéna, la logistique était sa spécialité, mais il est difficile d'être fine stratège avec l'estomac qui gronde et la gorge qui brûle. Si les flammes liquides du Phlégéthon l'avaient guérie et requinquée, elles n'avaient nullement soulagé ni sa faim ni sa soif. Le fleuve n'était pas censé apporter le bien-être, supposa Annabeth. Juste maintenir les morts en état de subir d'autres châtiments atroces.

Épuisée, elle commença à dodeliner de la tête. C'est alors qu'elle les entendit : des voix féminines engagées dans une vive discussion. Ça la réveilla instantanément.

– Percy, à terre ! chuchota-t-elle.

Sur ces mots, elle le tira derrière le rocher le plus proche et se tapit si près de la berge que ses chaussures touchèrent presque les flammes du fleuve. De l'autre côté, sur l'étroit sentier qui séparait les falaises du Phlégéthon, les éclats de voix approchaient.

Annabeth essaya de calmer sa respiration. Les sons étaient vaguement humains, mais ça ne voulait rien dire. A priori toutes les créatures du Tartare étaient leurs ennemis. Elle ne comprenait pas que les monstres ne les aient pas déjà repérés, d'ailleurs. Surtout sachant qu'ils détectaient leur présence *à l'odorat*, en particulier pour les demi-dieux puissants comme Percy, fils de Poséidon. Annabeth doutait fort que se cacher derrière un rocher leur servirait à grand-chose, une fois que les monstres auraient levé leur piste.

Pourtant, les créatures approchaient en discutant sans changer de ton. Leur démarche inégale – *tac, boum, tac, boum* – n'accélérait pas non plus.

– Bientôt, fit l'une d'elles d'une voix éraillée comme si elle s'était gargarisée dans le Phlégéthon.

– Oh, par les dieux ! rétorqua une autre voix qui paraissait beaucoup plus jeune et plus humaine, et n'était pas sans rappeler celle d'une ado exaspérée qui se chamaille avec ses copines. (Curieusement, cette voix disait quelque chose à Annabeth.) Ce que vous êtes agaçantes, c'est pas possible ! Je vous l'ai déjà dit, c'est à trois jours d'ici.

Percy attrapa Annabeth par le poignet. Il la regarda avec inquiétude, comme si lui aussi reconnaissait Voix d'Ado.

Suivit un concert de grognements. Les créatures – environ une demi-douzaine, estima Annabeth – venaient de s'arrêter de l'autre côté du rocher, mais rien ne donnait à penser qu'elles avaient senti la piste des demi-dieux.

Annabeth se demanda s'ils avaient une odeur différente dans le Tartare, ou si les autres présences étaient si fortes qu'elles couvraient l'aura des demi-dieux.

– C'est à se demander, lança une troisième voix, aussi rocailleuse et antique que la première, si tu connais vraiment le chemin, ma petite.

– Oh, ferme ta boîte à crocs, Séréphone ! dit Voix d'Ado. On peut savoir à quand remonte ta dernière incursion dans le monde des mortels ? Parce que moi j'y étais il y a deux ans. Je sais comment y aller ! En plus, je comprends ce qui se joue là-haut. Toi, t'en as pas la moindre idée !

– Notre mère la Terre t'a pas nommée chef ! protesta une quatrième voix.

Les criailleries, piétinements et autres feulements rageurs redoublèrent : on aurait dit une bagarre entre chats de gouttière. Jusqu'à ce que, soudain, la nommée Séréphone s'exclame :

– Ça suffit !

Le calme se fit.

– Nous allons te suivre pour le moment, déclara Séréphone. Mais si tu ne nous guides pas bien, si on découvre que tu as menti en nous parlant de l'appel de Gaïa...

– Je ne mens pas ! protesta Voix d'Ado. Croyez-moi, j'ai de bonnes raisons de m'engager dans cette bataille. J'ai des ennemis à dévorer et vous pourrez vous gorger de sang de héros comme s'il en pleuvait ! Du moment que vous me laissez un morceau de choix, un seul : celui qui s'appelle Percy Jackson.

Annabeth refoula le grondement qui lui montait à la gorge. Elle en avait oublié sa peur et voulait bondir par-dessus le rocher pour réduire les monstresses en poussière à coups de poignard... sauf qu'elle n'avait plus son poignard.

– Croyez-moi, dit Voix d'Ado. Gaïa nous a bel et bien appelées et on va se payer une bonne tranche de rigolade. Avant la fin de cette guerre, les mortels et les demi-dieux trembleront en entendant mon nom : Kelli !

Annabeth retint de justesse un cri. Elle jeta un coup d'œil à Percy : même à la lueur rougeoyante du Phlégéthon, son visage était blême.

Des empousai, articula-t-elle muettement. *Des vampires.*

Percy hocha gravement la tête.

Il se souvenait de Kelli. Deux ans plus tôt, à la journée d'orientation du lycée de Percy, lui et leur amie Rachel Dare s'étaient fait attaquer par des *empousai* déguisées en pom-pom girls. L'une d'elles était Kelli. Plus tard, cette même *empousa* les avait attaqués dans l'atelier de Dédale. Annabeth, d'un coup de poignard dans le dos, l'avait expédiée... ici. Au Tartare.

Les créatures se remirent en route et leurs voix s'estompèrent. Annabeth crapahuta jusqu'au bord du rocher et risqua un coup d'œil. Effectivement, cinq bonnes femmes s'éloignaient en clopinant sur des jambes dépareillées : à gauche une prothèse de bronze articulée, à droite une patte couverte de fourrure qui se terminait par un sabot fendu. Leurs chevelures étaient faites de flammes et leur peau d'un blanc livide. Elles portaient des robes à la mode de l'Antiquité grecque, en haillons, sauf celle qui menait la bande, Kelli, qui arborait un chemisier en partie brûlé et déchiré sur une jupette plissée... sa tenue de pom-pom girl.

Annabeth serra les dents. Elle avait rencontré des monstres de tout poil au cours des dernières années, mais elle détestait tout particulièrement les *empousai*.

Non seulement elles étaient dotées de griffes et de crocs redoutables, mais elles manipulaient la Brume avec une grande adresse. Elles pouvaient changer d'apparence et pratiquer l'Enjôlement, faire tomber les défenses des mortels. Les hommes étaient particulièrement vulnérables. La tactique préférée d'une *empousa*, c'était de rendre le garçon amoureux, puis de boire son sang et dévorer sa chair. Comme technique de drague, on faisait mieux.

Kelli avait failli tuer Percy. À force de manipulations, elle avait convaincu Luke, le plus vieil ami d'Annabeth, de commettre des méfaits de plus en plus atroces au nom de Cronos.

Annabeth regrettait vraiment de ne pas avoir son poignard.

Percy se leva.

– Elles vont aux Portes de la Mort, murmura-t-il. Tu sais ce que ça signifie ?

Rien que d'y penser, Annabeth avait la chair de poule, mais la triste vérité, c'était que cette escouade de mangeuses de chair humaine venues des tréfonds de l'horreur était probablement la seule chance que le Tartare avait à leur offrir.

– Ouais, dit-elle. Il faut qu'on les suive.

9 Léo

Léo passa la nuit à se battre avec une statue d'Athéna haute d'une bonne douzaine de mètres.

Depuis qu'ils l'avaient hissée à bord, Léo s'entêtait à chercher comment elle marchait. Car il était convaincu qu'elle avait des pouvoirs exceptionnels. Il y avait forcément, quelque part, un interrupteur caché ou une plaque de pression invisible.

Il était censé dormir, mais ça, c'était impossible. Alors il passa des heures à parcourir pouce par pouce la statue, qui occupait presque tout le pont inférieur. Les pieds d'Athéna dépassaient jusque dans l'infirmerie, et il fallait passer au ras de ses orteils d'ivoire pour aller chercher une aspirine. Son corps était allongé sur tout le couloir de bâbord, et sa main tendue, où se dressait une statue grandeur nature de Niké, l'effigie triomphante, se déployait dans la salle des moteurs dans un geste qui semblait dire : *Tenez, goûtez donc à la Victoire !* Côté arrière, le visage serein d'Athéna prenait presque toute la place dans les écuries à pégases, heureusement inoccupées. S'il avait été un cheval magique, Léo n'aurait pas aimé loger sous le regard d'une déesse de la sagesse en version XXL.

Comme la statue était à l'étroit dans le couloir, coincée entre les murs, Léo dut grimper dessus puis se glisser sous ses jambes pour se mettre en quête de manettes ou boutons secrets.

Là non plus, il ne trouva rien.

Il avait fait des recherches sur la statue. Il savait qu'elle avait une structure en bois creuse, plaquée d'or et d'ivoire, ce qui expliquait sa grande légèreté. Elle était en très bon état compte tenu qu'elle datait de plus de deux mille ans, qu'elle avait été volée lors du pillage d'Athènes, trimbalée jusqu'à Rome et, là, remisée en secret dans la grotte d'une araignée où elle avait passé le plus clair des deux derniers millénaires. Des artifices de magie, s'ajoutant à la qualité du travail des sculpteurs, devaient expliquer sa conservation.

Annabeth avait dit que... Il essaya ne pas penser à Annabeth. Il se sentait toujours coupable de la chute d'Annabeth et Percy dans le Tartare. Léo savait que c'était sa faute. Il aurait dû s'assurer que toute l'équipe était à bord de l'*Argo II* avant de s'occuper de la statue. Il aurait dû se rendre compte que le sol de la caverne n'était pas solide.

Mais ce n'était pas en se morfondant qu'il allait ramener Annabeth et Percy. Il devait s'attacher aux problèmes qu'il était capable de résoudre.

Bref, Annabeth avait dit que la statue était la clé qui permettrait de vaincre Gaïa. Elle pouvait mettre fin au désaccord entre demi-dieux grecs et demi-dieux romains. Léo imaginait que ça allait au-delà de la simple force du symbole : peut-être que les yeux d'Athéna décochaient des rayons laser, ou que le serpent lové à l'arrière de son bouclier crachait du poison. Ou bien que la petite Niké s'animait et se mettait à jouer les guerriers ninjas.

Léo pouvait penser à un tas de trucs sympas que la statue pourrait faire si c'était lui qui l'avait conçue, mais plus il l'examinait, plus il était frustré. L'Athéna Parthénos exsudait la magie. Même lui s'en rendait compte. Pourtant elle n'avait pas l'air de faire grand-chose, à part être impressionnante.

Le navire donna de la bande, sans doute dans une manœuvre d'évitement. Léo se fit violence pour ne pas courir à la barre. Jason, Piper et Frank étaient de quart avec Hazel, à présent. Ils pouvaient faire face. En plus, Hazel avait tenu à prendre le gouvernail elle-même pour franchir le col secret dont lui avait parlé la déesse de la magie.

Léo espérait qu'Hazel avait raison, pour ce long détour par le nord. Lui-même ne faisait pas confiance à dame Hécate. Il ne voyait pas pourquoi une déesse aussi déplaisante aurait soudain décidé de les aider.

Cela dit, de façon générale, il se méfiait de la magie. C'était le problème qu'il avait avec l'Athéna Parthénos. Elle n'avait pas de pièces mobiles. Apparemment son action, quelle qu'elle fût, reposait entièrement sur la sorcellerie. Ce n'était guère du goût de Léo. Léo aimait les choses qu'on pouvait comprendre, comme les machines.

Il finit par être trop fatigué pour penser clairement. Il attrapa une couverture et se coucha en chien de fusil dans la salle des moteurs, bercé par le ronronnement des générateurs. Buford le guéridon mécanique était dans un coin, en mode veille, et poussait de petits ronflements de vapeur : *Chhh, pfft, chhh, pfft.*

Léo aimait sa cabine, bien sûr, mais il se sentait plus en sécurité au cœur du vaisseau : dans une pièce pleine de mécanismes qu'il savait contrôler. En plus, peut-être qu'à force de passer du temps dans l'intimité de l'Athéna Parthénos il s'imprégnerait de ses secrets.

– C'est toi ou moi, ma grande, murmura-t-il en tirant la couverture sur son menton. Tu finiras bien par coopérer.

Il ferma les yeux et s'endormit. Malheureusement, cela voulait dire faire des rêves.

Il était dans l'ancien atelier de sa mère, où elle était morte dans un incendie quand Léo avait huit ans, et courait de toutes ses forces.

Il ne savait pas qui ou quoi le pourchassait, au juste, mais il sentait que « ça » gagnait du terrain – une grande masse sombre et haineuse.

Il titubait contre des établis, renversait des boîtes à outils, se prenait les pieds dans des câbles électriques. Il repéra la sortie et fonça, mais une silhouette lui barra le passage : une femme vêtue d'une robe faite de lés de terre qui ondoyaient, au visage couvert d'un voile de poussière.

Où vas-tu petit héros ? demanda Gaïa. *Reste, que je te présente mon fils préféré.*

Léo obliqua abruptement sur la gauche, mais le rire de la déesse de la terre fusa dans son dos.

La nuit où ta mère est morte, je t'avais prévenu. Je t'avais dit que les Parques ne m'autorisaient pas à te tuer tout de suite, mais à présent tu as choisi ta voie. Ta mort est proche, Léo Valdez.

Il se cogna contre une longue table, l'ancien poste de travail de sa mère. Derrière, le mur était décoré avec des dessins faits par Léo enfant. Il poussa un sanglot de désespoir et fit volte-face, mais la créature qui le poursuivait se dressait maintenant sur son chemin. C'était un colosse enveloppé d'ombres, à la forme vaguement humanoïde, dont la tête touchait presque le plafond, six mètres plus haut.

Des flammes jaillirent des paumes de Léo. Il projeta la déflagration vers le géant, mais l'obscurité absorba le feu. Les mains de Léo plongèrent alors vers sa ceinture à outils – et trouvèrent les poches cousues. Il essaya de parler, de dire n'importe quoi pour sauver sa vie, mais il ne put émettre le moindre son, comme si on avait retiré tout l'air de ses poumons.

Mon fils ne permettra aucun feu ce soir, dit Gaïa des profondeurs de l'entrepôt. *Il est le vide qui consume toute magie, le froid qui consume toute chaleur, le silence qui consume toute parole.*

Léo aurait voulu crier : *Et moi je suis le mec qui se tire ailleurs !*

Comme sa voix ne lui obéissait pas, il fit appel à ses pieds. Il piqua sur la droite, échappa d'un sprint aux mains du géant d'ombre et sortit en flèche par la porte la plus proche.

Soudain, il se retrouva à la Colonie des Sang-Mêlé, ou plutôt parmi ses ruines. Les bungalows n'étaient plus que des carcasses carbonisées. Les champs calcinés rougeoyaient sous le clair de lune. Le réfectoire était réduit à un amas de pierres blanches. La Grande Maison brûlait et les flammes dansaient dans ses fenêtres comme la folie dans les yeux d'un démon.

Léo courait toujours, convaincu que le géant était à ses trousses.

Il louvoyait entre les corps à terre de demi-dieux grecs et romains. Il aurait voulu voir s'ils étaient encore en vie. Il aurait voulu leur porter secours. Mais il pressentait que le temps lui était compté.

Il fonça vers les seules personnes vivantes qu'il voyait, un groupe de Romains debout sur le terrain de volley-ball. Deux centurions, appuyés avec désinvolture sur leurs javelots, bavardaient avec un grand blond efflanqué en toge pourpre. Léo trébucha. C'était l'affreux Octave, l'augure du Camp Jupiter qui réclamait toujours la guerre à cor et à cri.

Octave se tourna face à lui, mais il semblait en état de transe. Les traits de son visage étaient relâchés, ses yeux fermés. Lorsqu'il parla, ce fut avec la voix de Gaïa : *Cela est inévitable. Les Romains ont franchi New York et avancent vers l'est. Ils marchent sur ton camp et rien ne pourra les ralentir.*

Léo fut tenté d'envoyer son poing dans la figure d'Octave. Au lieu de quoi, il continua de courir.

Il gravit la colline des Sang-Mêlé. Au sommet, la foudre avait fendu le pin géant.

Il s'arrêta, soudain chancelant. Tout l'arrière de la colline avait été emporté. Le monde, derrière, avait disparu. Léo ne vit rien d'autre que des nuages, tout en bas – un lointain tapis argenté, sous un ciel sombre.

– Alors ? lança une voix tranchante.

Il tressaillit.

À la hauteur du pin foudroyé, une femme était agenouillée devant une grotte qui s'était ouverte entre les racines de l'arbre.

Ce n'était pas Gaïa. Elle ressemblait davantage à une version en chair et en os de l'Athéna Parthénos, avec sa robe dorée et ses bras d'une blancheur d'ivoire. Lorsqu'elle se redressa, Léo faillit tomber à la renverse dans le vide.

Elle avait un visage d'une beauté majestueuse, des pommettes hautes, de grands yeux sombres, des tresses noir réglisse remontées en une complexe coiffure à la grecque, sertie d'une spirale d'émeraudes et de diamants qui, trouva Léo, faisait un peu sapin de Noël. Nez plissé, lèvres retroussées, son expression était un pur concentré de haine.

– Le fils du rétameur, lança-t-elle d'un ton méprisant. Tu n'es pas un danger, mais il faut bien que je commence ma vengeance sur quelqu'un. Choisis.

Léo tenta de parler, mais la panique le submergea. Pris entre cette reine de la haine et le géant qui le pourchassait, il ne savait plus quoi faire.

– Il va bientôt arriver, avertit la femme. Mon ami de l'ombre ne te laissera pas le privilège du choix. C'est la falaise ou la grotte, petit !

D'un coup, Léo comprit ce qu'elle voulait dire. Il était coincé. Il pouvait sauter de la falaise, mais ce serait du suicide. Quand bien même il y aurait de la terre sous ces nuages, il mourrait dans sa chute – à moins qu'il ne continue de tomber, pour toujours.

Mais la caverne... il regarda le trou sombre qui s'ouvrait entre les racines du pin. Il s'en dégageait une odeur de mort et de pourriture. Il entendit un bruissement de corps qui se mouvaient à l'intérieur, des chuchotements dans les ombres.

C'était le séjour des morts. S'il descendait là-dedans, il n'en reviendrait jamais.

– Oui, fit la femme, qui portait un étrange pendentif autour du cou, une sorte de labyrinthe circulaire en bronze serti d'émeraudes. (La colère brillait dans ses yeux et Léo comprit enfin tout le sens de l'expression « fou de rage » : la colère avait rendu cette dame littéralement folle.) La Maison d'Hadès t'attend. Tu serais le premier rongeur insignifiant à mourir dans mon Labyrinthe. Tu n'as qu'une seule issue, Léo Valdez. Profites-en.

D'un geste, elle montra la falaise.

– Vous êtes marteau, parvint à rétorquer Léo.

C'était assez mal trouvé. Elle l'attrapa violemment par le poignet.

– Et si je te tuais maintenant, sans attendre mon ami de l'ombre, hein ?

Des pas secouèrent la colline. Le géant approchait, enveloppé d'ombres, immense, massif et déterminé à tuer.

– Tu savais qu'on pouvait mourir pendant un rêve ? demanda la femme. Quand on est entre les mains d'une enchanteresse !

Le bras de Léo commença de fumer. La main de la femme brûlait comme de l'acide. Il tenta de se dégager, mais elle le tenait dans un étau d'acier.

Il ouvrit la bouche pour hurler. La silhouette imposante du géant se dressait devant lui, masquée par des épaisseurs de fumée noire.

Le géant leva le poing et une voix se força un chemin à l'intérieur du rêve.

– Léo ! (Jason le secouait par l'épaule.) Hé, mec, pourquoi tu serres Niké dans tes bras ?

Léo ouvrit les yeux en battant des paupières. Il tenait dans ses bras la statue à taille humaine placée dans la main d'Athéna Parthénos. Il avait dû s'agiter dans son sommeil. Il agrippait la déesse de la victoire exactement comme il le faisait avec son oreiller quand il était petit et faisait des cauchemars. (C'était trop la honte, en famille d'accueil.)

Il la lâcha, se redressa et se frotta le visage.

– Pour rien, marmonna-t-il. On se faisait un petit câlin, c'est tout. Euh, on en est où ?

Jason ne le taquina pas. C'était une chose que Léo appréciait chez son ami. Les yeux bleu glacier de Jason étaient francs et graves. La petite cicatrice qu'il avait au coin de la bouche tressaillait, comme chaque fois qu'il avait une mauvaise nouvelle à annoncer.

– Ça y est, on a traversé les montagnes. On approche de Bologne. Tu devrais nous rejoindre au mess, Nico a du nouveau.

10 Léo

Lorsqu'il avait conçu le mess, Léo avait intégré dans les murs un système de diffusion qui montrait des scènes de la Colonie des Sang-Mêlé en temps réel. Au début il avait trouvé que c'était une riche idée. Maintenant il en était moins sûr.

Les images du quotidien de là-bas – les soirées de chant autour du feu de camp, les dîners au pavillon-réfectoire, les parties de volley-ball devant la Grande Maison – avaient l'air de donner le cafard à ses amis. Et plus ils s'éloignaient de Long Island, pire c'était. Avec les fuseaux horaires qui changeaient sans cesse, Léo ressentait la distance chaque fois qu'il regardait aux murs. Ici en Italie le soleil venait de se lever. À la Colonie des Sang-Mêlé, on était encore en pleine nuit. Des flambeaux étaient allumés à la porte de chaque bungalow. Le clair de lune brillait sur les vagues du détroit de Long Island. La plage était couverte de traces de pas, comme si un grand groupe venait d'en partir.

Avec stupeur, Léo se rendit compte que la veille – enfin la nuit dernière, peu importe – c'était le 4 juillet, le jour de l'Indépendance aux États-Unis. Ils avaient raté la fête annuelle de la Colonie des Sang-Mêlé et son feu d'artifice d'enfer concocté par les frères et sœurs de Léo, du bungalow 9.

Il décida de ne pas y faire allusion à la réunion de l'équipe, mais il eut une pensée pour leurs copains de la Colonie. Il espérait qu'ils s'étaient bien amusés ; eux aussi avaient besoin d'un coup de pouce au moral.

Il se souvint des images de la Colonie qu'il avait vues dans son rêve : les bâtiments en ruine, le sol jonché de cadavres ; Octave sur le terrain de volley, parlant comme si de rien n'était avec la voix de Gaïa.

Il regarda ses œufs au bacon. Il aurait aimé pouvoir couper les vidéos.

– Bon, disait Jason, maintenant que nous sommes là...

Il était assis en tête de table, un peu par défaut. Depuis qu'ils avaient perdu Annabeth, Jason faisait de son mieux pour jouer le rôle de chef du groupe. Vu son expérience de préteur au Camp Jupiter, il avait sans doute l'habitude de diriger, mais Léo voyait bien que son ami était stressé. Ses yeux étaient plus cernés que d'habitude. Ses cheveux blonds étaient en bataille, comme s'il avait oublié de se coiffer, ce qui n'était pas son genre.

Léo jeta un coup d'œil aux autres. Hazel avait les yeux voilés par la fatigue, elle aussi, ce qui n'avait rien d'étonnant puisqu'elle avait passé la nuit à guider leur vaisseau à travers les Apennins. Ses cheveux couleur cannelle étaient retenus en arrière par un bandana – un look « commando » plutôt craquant, se dit Léo, qui se sentit instantanément coupable de cette pensée.

Assis à côté d'elle, il y avait son copain, Frank Zhang, affublé d'un jogging noir et d'un tee-shirt de Rome pour touristes où il était écrit *CIAO !* (pathétique, non ?). Il y avait épinglé son insigne de centurion, malgré le fait que les demi-dieux de l'*Argo II* étaient maintenant considérés comme les ennemis publics numéros 1 à 7 au Camp Jupiter. Son expression sévère ne faisait que renforcer sa malencontreuse ressemblance avec un sumo. Ensuite il y avait le demi-frère d'Hazel, Nico di Angelo. Misère, ce gars lui filait les jetons. Il était enfoncé dans son siège dans son uniforme habituel, blouson d'aviateur en cuir noir, jean et tee-shirt noirs, avec son horrible bague-tête de mort en argent et son épée en fer stygien au côté. Ses cheveux noirs étaient hérissés en touffes désordonnées, comme des ailes de chauve-souris miniature. Il avait des yeux tristes au regard un peu vide, comme s'il avait sondé les profondeurs du Tartare – ce qui était le cas.

Le seul demi-dieu absent était Piper, qui était de quart à la barre avec leur ex-entraîneur sportif et actuel chaperon Gleeson Hedge, satyre de son état.

Dommage. Piper, par sa présence et ses talents de fille d'Aphrodite, savait calmer le jeu. Après le rêve qu'il avait fait, Léo aurait eu besoin de se sentir apaisé.

En même temps c'était sans doute une bonne chose qu'elle soit sur le pont à chaperonner leur chaperon. Maintenant qu'ils étaient entrés dans les terres anciennes, ils devaient être constamment sur leurs gardes. Léo n'était pas tranquille à l'idée de laisser M'sieur Hedge naviguer en solo. Le satyre avait la détente facile, or le tableau de bord du navire était plein de dangereux boutons multicolores sur lesquels il suffisait d'appuyer pour... *BOUM !* rayer de la carte un des pittoresques villages italiens qu'ils survolaient.

Léo avait tellement décroché qu'il ne se rendait pas compte que Jason parlait toujours.

– ... la Maison d'Hadès, disait-il. Nico ?

Nico s'avança.

– J'ai communiqué avec les morts hier soir.

Il pouvait balancer ce genre de phrases comme ça, aussi facilement qu'il aurait dit : *J'ai reçu un texto d'un pote.*

– J'ai pu en apprendre davantage sur ce qui nous attend, poursuivit Nico. Jadis, la Maison d'Hadès était une des principales destinations de pèlerinage pour les Grecs. Ils y allaient pour parler aux morts et honorer leurs ancêtres.

Léo fronça les sourcils.

– Ça me fait penser au *Día de los Muertos*. Ma tante Rosa prenait ces histoires très au sérieux.

Il se souvint qu'elle le traînait au cimetière local de Houston et qu'ils nettoyaient les tombes des membres de leur famille, y déposaient des offrandes de limonade, de biscuits et de marguerites. Tante Rosa obligeait Léo à rester pique-niquer, comme si la compagnie des morts allait lui ouvrir l'appétit.

Frank poussa un grognement.

– Ouais, fit-il. Les Chinois font pareil. Le culte des ancêtres, le ménage des tombes au printemps. (Il jeta un coup d'œil à Léo.) Ta tante Rosa se serait bien entendue avec ma grand-mère.

Léo eut une vision d'horreur de sa tante Rosa et d'une vieille Chinoise en tenue de catcheuse, se jetant l'une sur l'autre avec des massues à clous.

– Ouais, répondit-il, je suis sûr qu'elles auraient été potes comme cochons.

Nico se racla la gorge.

– Dans beaucoup de cultures on honore les morts à certaines dates, mais la Maison d'Hadès était ouverte toute l'année. Les pèlerins pouvaient véritablement parler aux morts. En Grèce, le lieu s'appelait le Nécromanteion, l'oracle de la Mort. Il fallait franchir plusieurs niveaux de tunnels, déposer des offrandes et boire des potions spéciales...

– Des potions spéciales, marmonna Léo. Miam.

Jason lui lança un regard qui signifiait « Arrête ton cirque, mec », puis il dit :

– Continue, Nico.

– Les pèlerins croyaient que chaque niveau du temple vous rapprochait un peu plus des Enfers, jusqu'au moment où les morts apparaissaient devant vous. S'ils étaient contents de vos offrandes ils répondaient à vos questions, parfois même vous disaient l'avenir.

– Et s'ils n'étaient pas contents ? demanda Frank en tapotant sur son mug de chocolat chaud.

– Certains pèlerins ne trouvaient rien, expliqua Nico. D'autres devenaient fous ou mouraient après avoir quitté le temple. D'autres encore se perdaient dans les tunnels et on ne les revoyait jamais.

– L'important, s'empressa de dire Jason, c'est que Nico a obtenu des infos qui pourraient nous aider.

– Oui. (Nico ne débordait pas d'enthousiasme.) Le fantôme avec qui j'ai parlé hier soir est un ancien prêtre d'Hécate. Il a confirmé ce que la déesse a dit hier à Hazel au carrefour. Pendant la première guerre contre les géants, Hécate était du côté des dieux. Elle a tué un des géants, celui qui avait été conçu pour servir d'anti-Hécate. Un certain Clytios.

– Un mec ténébreux, devina Léo. Enveloppé d'ombres.

Hazel se tourna vers lui en plissant ses yeux dorés :

– Comment tu le sais ?

– J'ai fait un rêve, on va dire.

Personne n'eut l'air surpris. La plupart des demi-dieux faisaient des rêves très forts sur ce qui se passait dans le monde.

Léo se mit à raconter le sien et tous l'écoutèrent attentivement. Il s'efforça de ne pas regarder les images qui défilaient sur les murs pendant qu'il décrivait la Colonie en ruine. Il leur parla du géant d'ombre et de la femme étrange au sommet de la colline des Sang-Mêlé, qui lui offrait de choisir sa mort.

Jason repoussa son assiette de pancakes.

– Donc le géant est Clytios. J'imagine qu'il garde les Portes de la Mort et nous y attend.

Frank attrapa un des pancakes, le roula et l'entama. Il n'était pas du genre à se laisser couper l'appétit par un risque de mort imminente.

– Et qui est la femme du rêve de Léo ? demanda-t-il.

– Elle, c'est mon problème, dit Hazel. (Elle fit disparaître un diamant entre ses doigts en un tour de passe-passe.) Hécate m'a parlé d'une ennemie redoutable à la Maison d'Hadès, une sorcière que personne ne pourrait vaincre à part moi, en recourant à la magie.

– Tu connais la magie ? demanda Léo.

– Pas encore.

– Ah. (Il chercha un truc encourageant à dire, mais les yeux pleins de rage de la femme lui revinrent à l'esprit, ainsi que la brûlure de son étreinte d'acier.) T'as une idée de qui c'est ?

Hazel secoua la tête.

– Tout ce que je sais… (Elle jeta un coup d'œil à Nico, et ils eurent une espèce de dispute muette. Léo eut l'impression que ces deux-là avaient parlé de la Maison d'Hadès entre eux et qu'ils ne leur communiquaient pas tous les détails de leurs échanges.) C'est qu'elle ne sera pas facile à vaincre.

– Mais il y a une bonne nouvelle quand même, dit Nico. Le fantôme à qui j'ai parlé m'a raconté comment Hécate l'avait battu pendant la première guerre. Elle s'est servie de ses torches pour enflammer ses cheveux et il est mort brûlé vif. Autrement dit, le feu est son point faible.

Tous les regards se tournèrent vers Léo.

– Ah, d'accord, fit-il.

Jason hocha la tête avec enthousiasme, comme si c'était une excellente nouvelle – comme s'il s'attendait à ce que Léo s'avance sans mollir vers un colosse d'ombre et balance quelques boules de feu, et que tous leurs problèmes soient réglés. Il n'avait pas le cœur de le décevoir, mais il entendait encore la voix de Gaïa : *Il est le vide qui consume toute magie, le froid qui consume toute chaleur, le silence qui consume toute parole.*

Léo était assez convaincu qu'il faudrait plus que quelques allumettes pour enflammer le géant.

– C'est une bonne piste, insista Jason. Au moins, nous savons comment tuer le géant. Quant à la sorcière, si Hécate considère qu'Hazel peut la vaincre, je le crois aussi.

Hazel baissa les yeux.

– Maintenant il nous reste à parvenir à la Maison d'Hadès, à passer au travers des sentinelles de Gaïa...

– Et d'un paquet de fantômes, ajouta Nico d'un ton lugubre. Il se peut que les esprits de ce temple soient hostiles.

– ... et à trouver les Portes de la Mort, poursuivit Hazel. En se débrouillant, bien sûr, pour arriver au même moment qu'Annabeth et Percy et les sauver.

Frank avala une bouchée de pancake.

– On y arrivera, dit-il. On n'a pas le choix.

Léo admira l'optimisme du gros malabar ; il aurait bien voulu le partager.

– Donc, dit-il, avec ce détour, je compte quatre ou cinq jours pour arriver en Épire, à condition qu'on ne soit pas retardés par des attaques de monstres et tout ce genre de trucs, vous savez.

– Oui, ce genre de trucs qui n'arrive jamais, dit Jason d'un ton pince-sans-rire.

Léo se tourna vers Hazel.

– Hécate t'a dit que Gaïa prévoyait sa grande fête de réveil le 1er août, c'est ça ? Le jour de la fête de quoi ?

– De Spes, dit Hazel. La déesse de l'espoir.

– En théorie, dit Jason, la fourchette à la main, ça nous laisse le temps. On est seulement le 5 juillet. On devrait pouvoir refermer les Portes de la Mort puis trouver le QG des géants et les empêcher d'éveiller Gaïa avant le 1er août.

– En théorie, acquiesça Hazel. Mais je persiste à me demander comment on va faire pour traverser la Maison d'Hadès sans perdre ni la raison ni la vie.

Personne ne fit de suggestion.

Frank posa son pancake comme si brusquement il le trouvait moins bon.

– Le 5 juillet ! La vache, j'y avais même pas pensé...

– Y a pas de souci, mec, dit Léo. T'es canadien, non ? Je m'attendais pas à ce que tu me fasses un cadeau de fêt' nat'... sauf si t'en as vraiment envie.

– C'est pas ça. Ma grand-mère... elle me disait toujours que le 7 était un chiffre porte-malheur. Un chiffre fantôme. Ça ne lui avait pas plu quand je lui avais dit qu'on serait sept demi-dieux pour la quête. Et juillet est le septième mois.

– Ouais, mais... (Léo tapotait nerveusement sur la table du bout des doigts. Il se rendit compte qu'il était en train de pianoter « je t'aime » en morse, comme il le faisait enfant avec sa mère. Plutôt gênant, si ses amis comprenaient le morse.) Mais c'est juste une coïncidence, non ?

L'expression de Frank n'eut rien pour le rassurer.

– En Chine, autrefois, dit ce dernier, les gens appelaient le septième mois le *mois des fantômes*. C'était là que le monde des esprits et le monde des humains étaient le plus proches. Les vivants et les morts pouvaient circuler de l'un à l'autre. Dites-moi que c'est une coïncidence si nous cherchons les Portes de la Mort pendant le mois des fantômes.

Seul le silence lui répondit.

Léo aurait aimé penser qu'il n'y avait aucun rapport entre une vieille croyance chinoise et les Grecs et les Romains. Rien à voir, n'est-ce pas ? Pourtant Frank était la preuve vivante que les cultures étaient liées. La famille Zhang remontait à la Grèce antique. Elle était passée par Rome et la Chine, avant de s'établir au Canada.

De surcroît, Léo repensait tout le temps à sa rencontre avec Némésis, la déesse de la vengeance, au Grand Lac Salé. Némésis l'avait traité de *septième roue*, de héros en trop pour la quête. Et si elle avait voulu dire septième comme dans *fantôme* ?

Jason appuya les mains sur ses accoudoirs.

– Occupons-nous des choses sur lesquelles nous pouvons agir, dit-il. On se rapproche de Bologne. Peut-être qu'on aura des éléments de réponse quand on aura trouvé ces nains dont Hécate...

Le bateau fit une embardée comme s'il venait de percuter un iceberg. L'assiette de Léo glissa en travers de la table. Nico tomba à la renverse et se cogna la tête contre le buffet. Il s'écroula par terre, sous une cascade de verres et d'assiettes magiques.

– Nico !

Hazel courut l'aider.

– Qu'est-ce qui... ? commença Frank, qui voulut se lever, mais le navire tangua dans l'autre sens. Il perdit l'équilibre et finit à plat ventre sur la table, la figure dans les œufs brouillés de Léo.

– Regardez ! s'exclama Jason.

Sur les murs, les images de la Colonie des Sang-Mêlé disparaissaient en clignotant.

– J'y crois pas, murmura Léo.

Il était parfaitement impossible que l'affichage magique puisse montrer autre chose que des scènes de la Colonie, pourtant soudain, un visage énorme et déformé s'étala sur tout le mur de bâbord : des dents jaunes et de travers, une barbe rousse hirsute, un nez couvert de verrues et des yeux qui se disaient zut – l'un beaucoup plus grand et plus haut placé que l'autre. On aurait dit que le visage voulait entrer dans le mess en mangeant l'écran.

Les autres murs se floutèrent, eux aussi, puis montrèrent des images du pont. Piper était toujours à la barre, mais quelque chose clochait. Elle était bâillonnée, enveloppée de gros adhésif des épaules aux genoux, et avait les jambes attachées au tableau de bord.

Au grand mât, Hedge était bâillonné et saucissonné de la même façon, avec en prime une créature à l'allure bizarre – à mi-chemin entre le gnome et le chimpanzé, affublé d'une tenue ringarde – qui dansait autour de lui en lui faisant des queues-de-cheval dans les cheveux avec des élastiques roses.

Sur le mur de bâbord, l'énorme visage hideux n'était plus en gros plan et Léo put voir la créature en entier : un autre gnome chimpanzé, encore plus mal fagoté. Celui-là sautillait sur le pont en fourrant des objets dans un grand sac de toile :

le poignard de Piper, les manettes Wii de Léo. Là-dessus, il entreprit de desceller la sphère d'Archimède du tableau de bord.

– Non ! hurla Léo.

– Ouhh..., gémit Nico, toujours par terre.

– Piper ! cria Jason.

– Un singe ! s'exclama Frank.

– Ce ne sont pas des singes, marmonna Hazel. Je crois que ce sont des nains.

– Ils me piquent mes affaires ! ajouta Léo, qui fonça vers l'écoutille.

11 LÉO

Léo entendit vaguement Hazel crier : « Vas-y, je m'occupe de Nico ! »

Comme s'il allait faire demi-tour. Il espérait que Nico di Angelo ne s'était pas fait mal, bien sûr, mais il avait d'autres chats à fouetter.

Il grimpa les marches quatre à quatre, Frank et Jason sur ses talons.

Sur le pont, la situation était encore pire qu'il ne l'avait imaginé.

Tandis que Piper et Hedge se débattaient contre leurs liens d'adhésif, un des démoniaques nains-chimpanzés parcourait le pont d'un pas sautillant, fourrant dans son sac tout ce qui n'était pas solidement attaché. Il devait faire un mètre vingt – il était en tout cas plus petit que Gleeson Hedge, et il avait les jambes arquées et des pieds de chimpanzé. Il portait des couleurs qui juraient tellement entre elles que Léo en eut le tournis : un pantalon vert écossais à l'ourlet retenu par des épingles à nourrice, des bretelles rouge vif, un chemisier de femme rose et noir. En prime, une demi-douzaine de montres en or à chaque bras et un chapeau de cow-boy à imprimé zèbre, avec l'étiquette du prix qui pendait du bord. Sa peau était couverte de plaques de fourrure rouge, mais quatre-vingt-dix pour cent de son système pileux semblait concentré dans une paire de sourcils étonnants.

Léo formulait mentalement la question : *Où est l'autre nain ?* quand il entendit un *clic !* derrière lui et se rendit compte qu'il avait conduit ses amis dans un piège.

– Baissez-vous ! cria-t-il.

Lui-même toucha le sol à l'instant ou la déflagration secouait ses tympans.

Ne jamais ranger de caisses de grenades magiques à un endroit où des nains peuvent les attraper, songea-t-il dans un brouillard.

Il était en vie, c'était déjà ça. Depuis quelque temps, Léo s'essayait à la fabrication d'armes diverses, toutes inspirées de la sphère d'Archimède qu'il avait miraculeusement retrouvée à Rome. Il avait conçu, entre autres, des grenades qui projetaient de l'acide, des flammes, du shrapnel ou du pop-corn au beurre frais (eh ! ça arrive, d'avoir un petit creux en plein combat !). À en juger par le tintement qui lui vrillait les oreilles, le nain avait fait exploser la grenade assourdissante, celle que Léo avait remplie d'un extrait liquide très pur et très rare de musique d'Apollon. Ça ne tuait pas, mais Léo avait l'impression qu'il venait de faire un plat dans le grand bain.

Il essaya de se relever. Impossible ; bras et jambes en coton. Il sentit qu'on le tirait par la taille, peut-être un ami qui voulait l'aider ? Non. Ses amis ne sentaient pas la cage à singes inondée de parfum à deux balles.

Il se tourna sur le dos avec effort. Il voyait tout en rose et flou, comme si le monde était pris dans de la jelly à la fraise tagada. Un visage grotesque et ricanant se penchait sur lui. Le nain à la fourrure brune était encore plus mal attifé que son compère : un chapeau melon vert pomme, des pendants d'oreilles en strass et une chemise d'arbitre de foot, rayée noir et blanc. Il agita avec arrogance son dernier trophée, la ceinture à outils de Léo, puis s'éloigna en dansant.

Léo essaya de l'attraper par le bras, mais il avait les doigts engourdis. Le nain gambada jusqu'à la baliste la plus proche, que son pote à poil rouge s'ingéniait à amorcer.

Le nain à poil brun sauta sur le projectile comme si c'était un skate-board, et son acolyte le propulsa dans le ciel.

Poil Rouge caracola à la hauteur de Gleeson Hedge, colla un gros poutou sur la joue du satyre puis sauta sur le bastingage. De là il s'inclina en tirant son chapeau à Léo, puis fit un salto arrière par-dessus bord.

Léo parvint à se lever. Jason était déjà debout et avançait en se cognant partout. Frank s'était transformé en gorille à dos argenté (Léo ne comprenait pas trop pourquoi... pour mieux communier avec les nains-chimpanzés ?) mais la grenade assourdissante l'avait mis dans un sale état. Il était affalé sur le pont, langue pendante, yeux de gorille révulsés.

– Piper !

Jason tituba jusqu'au gouvernail et retira délicatement son bâillon.

– Ne perdez pas de temps avec moi ! s'écria-t-elle. Rattrapez-les !

Ficelé au mât, Hedge marmonna :

– HHHmmmmm-hmmm !

Léo devina que ça signifiait « Tuez-les ! » Traduction facile, puisque la plupart des phrases de l'entraîneur sportif comprenaient le mot « tuer ».

Léo jeta un coup d'œil au tableau de bord. Sa sphère d'Archimède n'y était plus. Il porta la main à sa taille, où aurait dû se trouver sa ceinture à outils. Léo commençait à reprendre ses esprits et un vif sentiment d'indignation s'empara de lui. Ces nains avaient attaqué son vaisseau. Ils lui avaient volé ses biens les plus précieux.

En contrebas s'étendait la ville de Bologne, mosaïque de bâtiments aux toits de tuiles rouges au cœur d'une vallée bordée de collines verdoyantes. Si Léo n'arrivait pas à retrouver les nains dans ce labyrinthe de rues... Non. Il était hors de question de ne pas y arriver. Et tout autant d'attendre que ses amis reprennent connaissance.

Il se tourna vers Jason :

– Tu te sens assez bien pour contrôler les vents ? J'ai besoin que tu me déposes.

– Bien sûr, fit Jason en fronçant les sourcils. Mais...

– Parfait. Ces singes, là, faut qu'on les rattrape.

Jason et Léo se posèrent dans une vaste *piazza* bordée de cafés et de bâtiments administratifs en marbre blanc. Les rues voisines étaient pleines de vélos et de Vespa mais la place elle-même était vide, hormis les pigeons et quelques vieux qui buvaient des expressos.

Personne n'eut l'air de remarquer l'énorme navire de guerre grec qui planait au-dessus de la place, pas plus que Jason qui venait de débouler, une épée d'or à la main, et Léo, armé de... ben, en fait, Léo armé de rien.

– Par où ? demanda Jason.

Léo le regarda.

– En fait, je sais pas, dit-il. Une seconde, que je sorte mon GPS détecteur de nains de ma ceinture à outils... Attends ! j'ai pas de GPS détecteur de nains et j'ai pas ma ceinture à outils !

– Je vois, grommela Jason, qui leva les yeux vers le navire flottant, comme pour se repérer, puis pointa du doigt vers l'autre côté de la place.

– La baliste a propulsé le premier nain dans cette direction, je crois. Viens.

Ils traversèrent un océan de pigeons puis s'engagèrent dans une rue pleine de boutiques et de marchands de glaces. Les trottoirs étaient bordés de colonnades blanches couvertes de graffitis.

Quelques mendiants faisaient la manche (Léo ne parlait pas italien, mais il reçut le message cinq sur cinq).

Il portait sans arrêt la main à la taille, dans l'espoir que sa ceinture à outils serait revenue par magie. Mais non. Il essayait de ne pas paniquer, mais il en était venu à compter sur cette ceinture pour presque tout. C'était comme si on lui avait volé une main.

– On va la retrouver, lui promit Jason.

En temps normal, ça aurait suffi à rassurer Léo. Jason avait le don de garder son calme en situation de crise, et il avait tiré Léo d'un mauvais pas plus souvent qu'à son tour. Mais aujourd'hui, Léo ne pouvait penser qu'à une chose : ce stupide *fortune cookie* qu'il avait brisé à Rome. La déesse Némésis avait promis de l'aider et elle l'avait fait ; effectivement, il avait trouvé le code d'activation de la sphère d'Archimède à l'intérieur du biscuit porte-bonheur. À l'époque, Léo n'avait pas le choix, il avait été obligé d'y recourir pour sauver ses amis. Mais la déesse l'avait averti que son aide avait un prix.

Léo se demandait s'il aurait jamais fini de le payer, ce prix. Percy et Annabeth avaient disparu. Le vaisseau avait dévié de plusieurs centaines de kilomètres de sa trajectoire, laquelle devait les amener face à un défi hors normes. Les amis de Léo comptaient sur lui pour éliminer un géant terrifiant. Et pour couronner le tout, maintenant, il était privé de sa ceinture à outils et de sa sphère d'Archimède.

Léo était tellement occupé à s'apitoyer sur son sort que Jason dut le secouer par le bras.

– Regarde.

Tiré de ses pensées, Léo leva les yeux. Ils avaient débouché sur une placette, dominée par une énorme statue de Neptune en bronze, nu comme un ver.

– Oh, misère.

Léo détourna le regard. C'était trop tôt le matin pour avoir l'entrejambe d'un dieu sous le nez.

Le dieu de la mer était perché sur une grande colonne de marbre au milieu d'une fontaine hors-service (ce qui n'était pas dépourvu d'ironie). Des cupidons ailés étaient assis de chaque côté de Neptune, l'air peinards. Neptune lui-même (évitez l'entrejambe) avait une posture déhanchée à la Elvis le Pelvis. Il tenait mollement son trident dans la main droite et tendait la main gauche, comme pour bénir Léo ou, qui sait, tenter de le faire léviter.

– Tu crois qu'il y a un indice ? demanda Léo, perplexe.

Jason fronça les sourcils.

– Je ne sais pas trop. Il y a des statues des dieux partout, en Italie. J'aurais préféré tomber sur Jupiter. Ou Minerve. Sur n'importe qui à part Neptune, en fait.

Léo grimpa dans le bassin à sec. Il posa la main sur le socle de la statue et un flot d'impressions afflua à son cerveau en remontant par le bout de ses doigts. Il sentit la présence de rouages en bronze céleste, de manettes magiques, de ressorts et de pistons.

– C'est une statue mécanique, dit-il. Peut-être l'entrée de la tanière secrète des nains ?

– Ô-ô-ô ! glapit une voix toute proche. Une tanière secrète ?

– Je veux une tanière secrète ! cria une autre voix au-dessus de leurs têtes.

Jason recula d'un pas, l'épée à la main. Léo faillit se déboîter les cervicales, à essayer de regarder dans deux directions à la fois. Le nain à poil rouge et chapeau de cow-boy était assis à la terrasse du café le plus proche, à une dizaine de mètres, et buvait un expresso qu'il tenait avec son pied de singe. Poil Brun-chapeau melon vert était perché sur le socle de marbre, aux pieds de Neptune, pile au-dessus de la tête de Léo.

– Si on avait une tanière secrète, dit Poil Rouge, il me faudrait une perche de pompier.

– Et un toboggan ! ajouta Poil Brun, qui sortait des outils au hasard de la ceinture de Léo et les jetait en l'air : marteaux, clés à molette, agrafeuses...

– Arrête ! cria Léo, qui essaya d'attraper le nain par les pieds, sans arriver à atteindre le socle.

– On est trop petit ? railla Poil Brun.

– C'est toi qui me traites de petit ? (Léo chercha du regard un objet à lui lancer à la tête, mais il ne vit que des pigeons et doutait de pouvoir en attraper un.) Rends-moi ma ceinture, espèce de...

– Allons, allons ! dit Poil Brun. On ne s'est même pas présentés. Je suis Acmon. Et mon frère, là-bas...

– ... est le plus beau des deux ! (Le nain au pelage rouge leva sa tasse à café. À en juger par ses yeux fiévreux et son sourire dément, il n'avait pas besoin de caféine supplémentaire.) Passalos ! Chanteur de chansons ! Buveur de cafés ! Voleur de tout ce qui brille !

– Je t'en prie ! cria son frère Acmon. Je suis bien meilleur voleur que toi !

– N'importe quoi ! fit Passalos en plissant le nez. Et il sortit un poignard – le poignard de Piper – et entreprit de se curer les dents.

– Hé ! s'écria Jason. Mais c'est le poignard de ma copine !

Il se jeta sur Passalos, mais le nain au pelage rouge était bien trop rapide. Il se propulsa de son siège, rebondit sur la tête de Jason, fit un flip avant, atterrit à côté de Léo et passa ses bras velus autour de sa taille.

– Tu me sauves ? supplia le nain.

– Bas les pattes !

Léo essaya de le repousser, mais Passalos lui échappa d'une culbute arrière. D'un coup, le jean de Léo tomba à ses chevilles.

Il dévisagea Passalos, quelques mètres plus loin, qui agitait un petit zigzag en métal en souriant jusqu'aux oreilles. Qui sait comment, le nain s'était débrouillé pour voler la fermeture éclair du jean de Léo.

– Rends-moi-cette-stupide-fermeture-éclair ! bafouilla Léo, qui essayait de brandir le poing tout en remontant son pantalon.

– Peuh ! Pas assez brillant ! fit Passalos, et il la jeta par terre.

Jason attaqua, l'épée à la main. Passalos se propulsa à la verticale et se retrouva perché sur le socle de la statue, à côté de son frère.

– Dis-moi que j'ai pas le sens de la parade ! se vanta-t-il.

– D'accord, fit Acmon. T'as pas le sens de la parade.

– Bah ! Donne-moi la ceinture à outils. Je veux voir.

– Nan ! (Acmon le repoussa d'un coup de coude.) T'as eu le poignard et la boule brillante.

– Ouais, elle est sympa la boule brillante.

Passalos retira son chapeau de cow-boy. Tel un magicien faisant apparaître un lapin, il en sortit la sphère d'Archimède ; là-dessus, il se mit à tripoter les boutons anciens en bronze.

– Arrête ! hurla Léo. C'est une machine fragile.

Jason vint le rejoindre et lança un regard noir aux deux nains.

– Vous êtes qui, d'abord ? leur demanda-t-il.

– Nous sommes les Cercopès ! (Acmon toisa Jason en plissant les yeux.) Je parie que tu es un fils de Jupiter, hein ? Je les repère toujours.

– Exactement comme Cul Noir, renchérit Passalos.

– Cul Noir ?

Léo dut se faire violence pour ne pas sauter de nouveau aux pieds des nains. Il était sûr que Passalos allait bousiller la sphère d'Archimède d'une seconde à l'autre.

– Oui, vous savez, répondit Acmon en souriant. Héraclès. On l'appelait Cul Noir parce qu'il se promenait les fesses à l'air. Et il était tellement tanné par le soleil que son derrière, hein...

– Au moins il avait de l'humour ! intervint Passalos. Il allait nous tuer parce qu'on l'avait volé, mais il nous a laissé la vie sauve parce qu'il aimait bien nos blagues. Pas comme vous deux, grognon-grognon !

– Hé, j'ai énormément d'humour ! lança Léo avec mauvaise humeur. Rendez-nous nos affaires et je vous raconterai une histoire drôle avec une chute qui déchire.

– Jolie tentative ! (Acmon sortit une clé à rochet de la ceinture à outils et la fit tourner comme une crécelle.) Oh c'est bô... c'est bô ! Ça, un peu que je la garde ! Merci, Cul Bleu !

Cul Bleu ?

Léo baissa les yeux. Son pantalon était retombé autour de ses chevilles, découvrant son boxer bleu.

– Là ça suffit ! cria-t-il, furieux. Mes affaires. Tout de suite. Ou je te montre comment c'est un nain qui flambe, tu vas voir, tu vas kiffer.

Des flammes jaillirent du creux de ses paumes.

– Ouais, passons aux choses sérieuses, enchaîna Jason.

Il pointa son épée vers le ciel. Des nuages noirs s'amassèrent au-dessus de la *piazza*, puis le tonnerre gronda.

– Yaïe, trop peur ! couina Acmon.

– Moi aussi ! renchérit Passalos. Si seulement on avait une tanière secrète où se réfugier !

– Hélas cette statue n'est pas l'entrée d'une tanière secrète, dit Acmon. Elle a une visée différente.

Léo sentit son estomac se tordre. Les flammes s'éteignirent dans ses mains et il comprit que quelque chose n'allait pas du tout. Il hurla :

– C'est un piège !

Et bondit hors du bassin. Malheureusement, Jason était absorbé par l'orage qu'il s'efforçait de déclencher.

Léo roula sur le dos au moment où cinq filins dorés jaillissaient des doigts de la statue de Neptune. L'un d'eux lui passa au ras des pieds. Les autres se portèrent droit sur Jason, l'attrapèrent comme un bouvillon de rodéo et le hissèrent en l'air, tête en bas.

Un éclair crépita sur les dents du trident de Neptune et des arcs électriques parcoururent la statue, mais les Cercopès s'étaient déjà éclipsés.

– Bravo ! s'écria Acmon, assis à la terrasse du café. Tu me plais beaucoup en cochon pendu, fils de Jupiter !

– Oui, embraya Passalos. Tu sais qu'Héraclès nous avait pendus par les pieds. Ah qu'il est doux le goût de la vengeance !

Léo forma une boule de feu et la lança à Passalos, qui essayait de jongler avec deux pigeons et la sphère d'Archimède.

– Iiiiik !

Le nain esquiva l'explosion d'un bond en lâchant la sphère et les pigeons, lesquels s'envolèrent.

– Il est temps de partir ! déclara Acmon.

Sur ce, il souleva son chapeau melon et détala en sautant de table en table. Passalos zyeuta la sphère d'Archimède, qui avait roulé entre les pieds de Léo.

Une nouvelle boule de feu crépitait entre les mains de ce dernier.

– Ose un peu, grommela-t-il.

– Salut ! lança Passalos et, avec un flip arrière, il courut rejoindre son frère.

Léo ramassa la sphère d'Archimède et fonça auprès de Jason, toujours pendu la tête en bas, entièrement ficelé à part son bras droit, qui tenait l'épée. Il essayait de trancher les filins avec sa lame en or, mais sans succès.

– Tiens bon, lui dit Léo. Je vais voir si je peux trouver un interrupteur ou...

– Vas-y, grogna Jason. Je te rattraperai dès que je me serai dépêtré.

– Mais...

– Ne les perds pas !

S'il y avait une chose qui ne faisait pas envie à Léo, c'était de se retrouver seul avec les nains-singes, mais les Cercopès tournaient déjà le coin d'une rue, de l'autre côté de la placette. Léo abandonna Jason en cochon pendu et se lança à leurs trousses.

12 LÉO

Les nains ne se donnaient pas beaucoup de mal pour le semer, ce qui éveilla la méfiance de Léo. Ils gambadaient sur les toits de tuiles rouges en se maintenant pile à la lisière de son champ de vision, renversaient au passage des jardinières de fleurs aux fenêtres, poussaient des cris, semaient une traînée de vis et d'écrous puisés dans la ceinture à outils de Léo... presque comme s'ils voulaient qu'il les suive.

Il leur courait après en ronchonnant chaque fois qu'il perdait son jean. En tournant à un coin de rue, il découvrit deux vieilles tours en pierre qui se dressaient vers le ciel, côte à côte et nettement plus hautes que tous les autres édifices du quartier – des tours de guet de l'époque médiévale, peut-être ? Elles étaient inclinées dans des sens différents, comme les leviers de vitesse d'une voiture de course.

Les Cercopès escaladèrent la tour de droite. Arrivés au sommet, ils passèrent derrière et disparurent.

Étaient-ils à l'intérieur ? Léo aperçut, tout en haut, de minuscules fenêtres quadrillées de barreaux, mais à son avis ces derniers n'arrêteraient pas les nains. Il attendit une minute ; les Cercopès ne se montrèrent pas. Ce qui voulait dire que Léo devait grimper là-haut et les chercher.

– Formidable, marmonna-t-il.

Pas de copain volant pour le transporter, et il ne pouvait pas compter sur le navire non plus – trop loin. Il aurait peut-être pu improviser un système volant avec la sphère d'Archimède, mais pas sans sa ceinture à outils. Léo réfléchit en balayant les environs du regard. À une vingtaine de mètres, des portes en verre s'ouvrirent et une vieille dame sortit en clopinant, chargée de sacs de courses.

– Une supérette ? Hum...

Léo tapota ses poches. À sa grande surprise, il lui restait des euros de son précédent passage à Rome. Ces bouffons de nains avaient tout piqué, sauf son argent.

Il courut au magasin aussi vite que le lui permettait son jean sans fermeture éclair.

Léo parcourut les rayons en cherchant des choses qui pouvaient lui servir. Il ne savait pas dire en italien « Bonjour, où sont vos produits chimiques dangereux, s'il vous plaît ? », mais ce n'était pas plus mal. Il n'avait pas envie de se retrouver dans une prison italienne.

Heureusement, il n'eut pas besoin de lire les étiquettes. Rien qu'en attrapant un tube de dentifrice, par exemple, il savait s'il contenait du nitrate de potassium ou non. Il trouva du charbon. Il trouva du sucre et du bicarbonate de soude. Le magasin vendait des allumettes, de l'insecticide et de l'aluminium. En gros tout ce dont il avait besoin, plus une corde à linge qui pourrait faire office de ceinture. Il ajouta dans son panier quelques biscuits apéritif *made in Italy*, histoire de noyer le poisson, puis il passa à la caisse. Une femme aux grands yeux lui posa des questions qu'il ne comprit pas, mais il se débrouilla pour payer et se faire donner un sac, puis ressortit en vitesse.

Il se tapit sous le premier porche d'où il pouvait surveiller les tours et se mit au travail. À l'aide des flammes qu'il faisait naître au creux de ses mains, il chauffa des matériaux et fit une petite cuisine qui aurait pris des jours entiers, autrement.

De temps en temps, il jetait un coup d'œil à la tour, mais les nains ne donnaient aucun signe de vie. Léo ne pouvait qu'espérer qu'ils étaient encore là. Fabriquer son arsenal lui prit quelques minutes à peine – Léo touchait vraiment sa bille –, mais elles lui parurent des heures.

Jason ne le rejoignit pas. Peut-être qu'il était encore pendu à la fontaine de Neptune, ou qu'il parcourait les rues de Bologne à sa recherche. Personne d'autre ne vint du bateau pour l'aider. Ils étaient sans doute tous occupés à retirer les élastiques roses des cheveux de Hedge.

Autrement dit, Léo ne pouvait compter que sur lui-même, son sac de biscuits et quelques armes improvisées à partir de sucre et de dentifrice. Ah, et la sphère d'Archimède, évidemment. Il espérait qu'il ne l'avait pas bousillée en la remplissant de poudre chimique.

Il courut jusqu'à la tour et trouva l'entrée. Il s'engagea dans l'escalier en colimaçon, mais un gardien assis derrière une caisse l'arrêta en vitupérant en italien.

– Sérieux, mec ? fit Léo. Écoutez, vous avez des nains au plafond. Et je suis l'agent exterminateur. (Il brandit la bombe d'insecticide.) *Capito ?* Exterminateur *molto buono*, pschitt pschitt. Ahhhh !

Il mima un nain en train de fondre de terreur, ce que, bizarrement, le gardien n'eut pas l'air de comprendre. Il se contenta de tendre la main pour demander de l'argent.

– Purée, grommela Léo, je viens de dépenser tous mes sous en explosifs artisanaux. (Il farfouilla dans son sac de courses.) Hum... est-ce que par hasard vous accepteriez ces... euh... ces trucs, là ?

Léo tendit un paquet rouge et jaune marqué Fonzies. Il supposait que c'était un genre de chips. À sa grande surprise, le gardien haussa les épaules, prit le paquet et lâcha :

– *Avanti !*

Léo repartit en notant dans un coin de sa tête de faire le plein de Fonzies. Apparemment, en Italie, c'était mieux que du liquide.

L'escalier n'en finissait pas. À croire que la tour n'avait été qu'un prétexte pour construire un escalier.

Il s'arrêta sur un palier et s'appuya contre une étroite fenêtre à barreaux pour reprendre son souffle. Il transpirait comme un bœuf et son cœur battait contre ses côtes. Ces bouffons de Cercopès. Léo s'attendait à ce qu'ils décampent en le voyant, sans lui laisser le temps de se servir de ses armes, mais il fallait bien qu'il essaie.

Il reprit son ascension.

Enfin, les jambes molles comme des nouilles trop cuites, il atteignit le sommet.

La pièce faisait la taille d'un placard à balais, avec des fenêtres à barreaux à chacun des quatre murs. Des sacs à trésors étaient empilés dans les coins, débordant d'objets brillants. Léo repéra le poignard de Piper, un vieux livre relié de cuir, quelques appareils mécaniques qui avaient l'air intéressants et assez de pièces et bijoux en or pour donner une indigestion au cheval d'Hazel.

Au début il crut que les nains étaient partis. Puis, levant la tête, il aperçut Acmon et Passalos accrochés aux poutres du toit par leurs pieds de chimpanzé. Ils jouaient au poker antigravité. En apercevant Léo, ils laissèrent tomber leurs cartes comme des confettis et applaudirent.

– J't'avais bien dit qu'il viendrait ! jubila Acmon.

Passalos haussa les épaules, retira une de ses montres en or et la tendit à son frère.

– T'as gagné. Je pensais pas qu'il était aussi bête.

Ils se laissèrent tomber au sol. Acmon portait la ceinture à outils de Léo – si près... Léo dut se faire violence pour ne pas se jeter dessus.

Passalos redressa son chapeau de cow-boy et ouvrit d'un coup de pied la grille de la fenêtre la plus proche.

– Qu'est-ce qu'on va lui faire escalader maintenant, frérot ? Le dôme de San Luca ?

Léo aurait aimé étrangler les nains, mais il se força à sourire.

– Quelle bonne idée ! Mais avant de partir, les garçons, vous avez oublié un truc brillant.

– Impossible, rétorqua Acmon avec une moue hautaine. Nous avons tout passé au crible.

– Vraiment ?

Léo tendit son sac plastique. Les nains se rapprochèrent. Comme Léo l'avait espéré, leur curiosité l'emportait.

– Regardez.

Il sortit sa première arme, une boule de produits chimiques séchés roulés dans de l'aluminium, et l'alluma au creux de sa main.

En connaisseur, il s'écarta juste avant l'explosion tandis que les nains, eux, étaient penchés sur la boule, les yeux grands ouverts. Dentifrice, sucre et insecticide, ça ne valait pas la musique d'Apollon, mais ça donnait quand même une bonne bombinette.

Les Cercopès portèrent les mains aux yeux en hurlant. Ils voulurent se ruer vers la fenêtre, mais Léo fit sauter ses pétards maison en les envoyant entre les pieds nus des nains pour les déséquilibrer. Puis, pour achever joliment le tableau, il tourna un bouton sur la sphère d'Archimède et libéra une colonne de brouillard blanc et nauséabond qui s'étala dans toute la pièce.

La fumée ne gênait pas Léo. Insensible au feu, il avait résisté à l'haleine de dragon, traversé des feux de camp enfumés et nettoyé maintes fois des forges rougeoyantes de flammes. Profitant qu'ils toussaient et crachaient leurs poumons, il arracha sa ceinture à outils à Acmon, en fit tranquillement sortir des tendeurs et ligota les nains.

– Mes yeux ! protesta Acmon. Ma ceinture à outils !

– J'ai les pieds en feu, gémit Passalos. Pas brillant ! Pas brillant du tout !

Après avoir vérifié que les Cercopès étaient solidement ficelés, Léo les traîna dans un coin et se mit à inspecter leurs trésors. Il récupéra le poignard de Piper, quelques-uns de ses prototypes de grenade et une dizaine d'autres objets que les nains avaient emportés de l'*Argo II*.

– S'il te plaît, pleurnicha Acmon. Prends pas nos quibrille !

– On te fait une offre ! suggéra Passalos. On te donne dix pour cent si tu nous libères !

– Je crois pas, nan, marmonna Léo. Là tout est à moi.

– Vingt pour cent !

À ce moment-là, un coup de tonnerre retentit. Un éclair illumina la pièce, et les barreaux de la fenêtre la plus proche tombèrent au sol, réduits en rogatons de fer rougeoyants.

Jason entra par la fenêtre tel Peter Pan, le corps crépitant d'électricité, l'épée fumante.

Léo émit un sifflement admiratif.

– Ben mon poto. En voilà une entrée fracassante ! Mais tu arrives après la bataille...

Jason fronça les sourcils. Et remarqua les Cercopès, ficelés comme des saucissons.

– Qu'est-ce que..., commença-t-il.

– Eh ouais, fit Léo. Moi tout seul avec mes petites mains. Ça s'appelle le talent. Comment tu m'as trouvé ?

– Euh, la fumée, dit Jason, encore estomaqué. Et j'ai entendu des détonations. Vous vous battiez au revolver ou quoi ?

– On peut le dire comme ça.

Léo lui lança le poignard de Piper et se remit à fouiller dans le butin des nains. Il se souvenait qu'Hazel avait parlé d'un trésor qui les aiderait pour la quête, mais il ne savait pas quoi chercher. Il y avait des pièces et des pépites d'or, des bijoux, des trombones, des emballages d'alu, des boutons de manchette.

Il n'arrêtait pas de revenir à deux objets qui n'avaient pas l'air à leur place dans cet assortiment. Le premier était un instrument de navigation ancien, qui ressemblait à un astrolabe provenant d'un bateau. Il avait beau être très abîmé et compter sans doute des pièces manquantes, Léo le trouvait fascinant.

– Prends-le ! offrit Passalos. C'est Ulysse qui l'a fabriqué, tu sais. Prends-le et détache-nous.

– Ulysse ? demanda Jason. Tu veux dire le grand Ulysse ?

– Celui-là même ! couina Passalos. Il l'a fait pendant sa vieillesse à Ithaque. Une de ses dernières inventions, et on la lui a chouravée !

– Comment ça marche ? demanda Léo.

– Oh, ça marche pas, fit Acmon. Il manque un cristal, c'est ça ? ajouta-t-il en interrogeant son frère du regard.

– Une vraie énigme, dit Passalos. La nuit où on le lui a volé, il n'arrêtait pas de murmurer dans son sommeil : « Il aurait fallu prendre un cristal. » Jamais compris ce qu'il voulait dire. Mais on te donne le qui-brille. On peut partir, maintenant ?

Léo ne savait pas pourquoi il voulait l'astrolabe. Il était cassé, c'était clair, et l'intuition de Léo lui disait que ce n'était pas ce qu'Hécate leur demandait de trouver. Mais il le glissa quand même dans une des poches magiques de sa ceinture à outils.

Il reporta son attention sur le deuxième objet insolite du butin : le livre relié de cuir. Son titre était écrit à la feuille d'or, dans une langue que Léo ne reconnaissait pas, et il n'avait rien de brillant à part ces lettres dorées sur sa couverture. Or Léo devinait bien que les Cercopès n'étaient pas de gros lecteurs.

– Qu'est-ce que c'est ? demanda-t-il en agitant le volume sous les nez des nains, qui larmoyaient encore à cause de la fumée.

– Rien ! dit Acmon. C'est juste un livre. On le lui a volé à cause de la jolie couverture dorée.

– Volé à qui ? demanda Léo.

Acmon et Passalos échangèrent un regard inquiet.

– Un dieu mineur, répondit Passalos. À Venise. C'est rien, je t'assure.

– Venise. (Jason se tourna vers Léo en fronçant les sourcils.) Ce n'est pas censé être notre prochaine étape ?

– Ouaip.

Léo examina le livre. Il ne pouvait pas lire le texte, mais il y avait beaucoup d'illustrations : des faucilles, différentes plantes, un dessin du soleil, une paire de bœufs tirant un char. Il ne voyait pas quelle importance tout cela pouvait avoir, mais si le livre avait appartenu à un dieu mineur à Venise – qu'Hécate leur avait assignée comme prochaine destination – alors c'était forcément là l'objet qu'ils cherchaient, non ?

– Où peut-on le trouver, au juste, ce dieu mineur ? reprit Léo.

– Non ! hurla Acmon. Tu peux pas le lui rapporter ! S'il apprend qu'on le lui a volé...

– Il vous tuera, coupa Jason. Et c'est ce qu'on va faire si vous ne nous le dites pas, et nous, on est bien plus près.

Sur ce, il appuya la pointe de son épée au creux de la gorge velue d'Acmon.

– D'accord ! D'accord ! piailla le nain. La Casa Nera ! Calle Frezzeria !

– C'est une adresse, ça ? demanda Léo.

Les nains hochèrent tous les deux vigoureusement la tête.

– Je vous en supplie, ne lui dites pas que c'est nous qui l'avons volé ! dit Passalos. Il n'est pas gentil du tout.

– Qui est-ce ? demanda Jason. Quel dieu ?

– Je... je ne peux pas le dire, bafouilla Passalos.

– T'as intérêt, l'avertit Léo.

– Non, protesta Passalos d'un ton pitoyable. Je veux dire pour de vrai ! Je n'arrive pas à prononcer son nom. Tr... Tri... C'est trop dur !

– Truh, tenta Acmon. Tru-toh... Il y a trop de syllabes !

Ils éclatèrent en sanglots tous les deux.

Léo ne savait pas si les Cercopès leur disaient la vérité ou non, mais c'était dur de rester en colère contre des nains en pleurs, si pénibles et mal fagotés qu'ils soient.

Jason écarta son épée.

– Qu'est-ce que tu veux faire, Léo ? On les renvoie dans le Tartare ?

– Pitié, non ! gémit Acmon. Ça pourrait nous prendre des semaines de revenir !

– En supposant que Gaïa nous laisse ressortir ! renchérit Passalos. C'est elle qui contrôle les Portes de la Mort, maintenant. Elle sera très fâchée contre nous.

Léo regarda les nains. Il s'était battu contre des flopées de monstres avant, et il n'avait jamais eu d'états d'âme pour les réduire en poussière, mais là, c'était différent. Il devait reconnaître que, quelque part, il les admirait, ces petits lascars. Ils jouaient des tours marrants aux gens et ils adoraient les trucs brillants. Ça parlait à Léo. En plus, Annabeth et Percy étaient en ce moment même au Tartare, encore en vie espérait-il, et devaient peiner pour rejoindre les Portes de la Mort. L'idée d'envoyer ces deux garçons-singes jumeaux faire face au même défi cauchemardesque... ben, ça passait pas.

Il s'imagina Gaïa se moquant de sa faiblesse : un demi-dieu trop compatissant pour tuer des monstres. Il se rappela le rêve qu'il avait fait, montrant la Colonie des Sang-Mêlé en ruine, ses champs jonchés de cadavres grecs et romains. Octave disant, avec la voix de Gaïa : *Les Romains ont franchi New York et avancent vers l'est. Ils marchent sur ton camp et rien ne pourra les ralentir.*

– Rien ne pourra les ralentir, répéta Léo, songeur. Je me demande...

– Tu me parles ? demanda Jason.

Léo se tourna vers les nains :

– Je vais vous proposer un marché.

Une étincelle s'alluma dans le regard d'Acmon :

– Trente pour cent ?

– On va vous laisser tous vos trésors, à part nos affaires, l'astrolabe et ce livre, qu'on va rapporter au type de Venise.

– Mais il va nous tuer ! gémit Passalos.

– On ne dira pas où on l'a trouvé, promit Léo. Et on ne va pas vous tuer. On va vous rendre votre liberté.

– Euh... Léo ? demanda Jason, soucieux.

Acmon poussa un couinement de plaisir.

– Je savais que tu étais aussi malin qu'Héraclès ! s'exclama-t-il. Je vais t'appeler *Cul Noir, le Retour* !

– Ouais, non merci, répondit Léo. Mais en échange de la vie sauve, vous allez faire quelque chose pour nous. Je vais vous envoyer dans un endroit où vous devrez harceler les gens, leur voler leurs affaires, leur pourrir la vie par tous les moyens possibles. Vous devrez suivre mes instructions à la lettre. Et vous devez jurer sur le Styx de le faire.

– Nous jurons ! dit Passalos. Voler les affaires des gens, c'est notre spécialité !

– J'adore le harcèlement ! ajouta Acmon. Où est-ce qu'on va ?

Léo sourit.

– Vous avez entendu parler de New York ?

13 PERCY

Percy avait déjà emmené sa copine faire des promenades romantiques ; celle-ci n'en faisait pas partie.

Ils longeaient le Phlégéthon en trébuchant sur le sol noir et vitreux, sautant par-dessus les fissures, se cachant derrière un rocher si jamais les demoiselles vampires qu'ils suivaient ralentissaient.

Ce n'était pas commode de garder la bonne distance : assez loin pour ne pas se faire repérer, mais assez près pour ne pas perdre Kelli et ses acolytes de vue dans la pénombre brumeuse. Percy sentait sa peau cuire à la chaleur qui montait du fleuve. Et à chaque inspiration, il avait l'impression d'absorber de la fibre de verre parfumée au soufre. Lorsqu'ils avaient soif, la seule solution qui s'offrait à eux était de se désaltérer d'une gorgée de feu liquide.

Pas à dire, Percy savait traiter les filles comme des princesses.

Le côté positif, c'était que la cheville d'Annabeth avait l'air guérie. Elle ne boitait quasiment plus. Ses égratignures et coupures avaient toutes disparu. Elle avait noué ses cheveux blonds en queue-de-cheval avec une bande de tissu déchirée dans sa jambe de jean, et les flammes du fleuve faisaient danser des étincelles dans ses yeux gris. Toute KO qu'elle était, couverte de suie, et en haillons, aux yeux de Percy, Annabeth était superbe.

Bon, ils étaient dans le Tartare, et alors ? Leurs chances de survie étaient minces, et alors ? Percy était tellement heureux d'être avec elle qu'il lui venait l'envie ridicule de sourire.

Physiquement aussi, il se sentait mieux, bien qu'à voir ses vêtements, on aurait cru qu'il était passé au travers d'un cyclone de verre cassé. Il avait soif, il avait faim et il était mort de trouille (même s'il n'était pas question qu'il le dise à Annabeth), mais il s'était libéré du désespoir froid qu'inspirait le Cocyte. Et l'eau de feu avait beau avoir un goût immonde, visiblement c'était un bon remontant.

Le temps était impossible à évaluer. Ils marchaient, longeant le fleuve qui s'enfonçait dans le paysage dur et désolé. Heureusement, les *empousai* étaient loin d'être des coureuses de fond. Elles allaient cahin-caha sur leurs jambes bancales, l'une de bronze et l'autre d'âne, sans cesser de se chamailler et de persifler, l'air peu pressées d'arriver aux Portes de la Mort.

À un moment donné, les démones accélérèrent, tout excitées, et s'amassèrent autour de ce qui ressemblait à un cadavre échoué sur la berge du fleuve. Percy n'arriva pas à voir ce que c'était : un monstre ? Un animal ? Les *empousai* s'y attaquèrent avec délectation.

Après qu'elles eurent abandonné les lieux, Annabeth et Percy y arrivèrent à leur tour. Il ne restait que quelques éclats d'os et des taches luisantes qui séchaient à la chaleur du fleuve. Pour Percy, il ne faisait aucun doute que les *empousai* dévoreraient des demi-dieux avec le même appétit.

– Viens. (Il éloigna doucement Annabeth de la scène du morbide festin.) Il ne faut pas qu'on les perde de vue.

Tout en marchant, Percy repensa à la première fois où il s'était battu contre Kelli, à la journée d'orientation du collège Goode, lorsque Rachel Dare et lui s'étaient trouvés pris au piège dans la salle de concert. À l'époque, la situation leur avait paru désespérée. Maintenant, il aurait donné n'importe quoi pour avoir un problème aussi simple. Au moins, alors, ils étaient dans le monde des mortels. Tandis qu'ici il n'y avait nulle part où fuir.

Waouh. S'il en était à avoir la nostalgie de la guerre contre Cronos, ça craignait. Il espérait toujours que les choses allaient s'arranger pour Annabeth et lui, mais leurs vies devenaient de plus en plus dangereuses, comme si les trois Parques, là-haut, filaient leur avenir avec du barbelé plutôt que du fil, rien que pour voir jusqu'où elles pouvaient pousser deux demi-dieux.

Quelques kilomètres plus loin, les *empousai* disparurent derrière une corniche. Lorsque Percy et Annabeth y arrivèrent à leur tour, ils se trouvèrent au bord d'une autre immense falaise. Le Phlégéthon débordait en cascade de feu liquide, qui s'échelonnait sur plusieurs paliers. Les démones descendaient la falaise en sautant de corniche en corniche comme des chèvres de montagne.

Percy sentit sa gorge se serrer. Même si Annabeth et lui parvenaient au pied de la falaise vivants, les perspectives n'étaient pas joyeuses. En contrebas s'étendait une plaine sinistre, gris cendre, hérissée çà et là d'arbres noirs maigrelets comme des pattes de mouche. Le sol était entièrement cloqué. De temps en temps, une bulle gonflait et explosait, libérant une larve monstrueuse.

D'un coup, Percy n'avait plus faim.

Les monstres tout nouvellement éclos rampaient et sautillaient tous dans la même direction : une masse de brouillard noir qui avalait l'horizon comme un front d'orage. Le Phlégéthon coulait lui aussi dans cette direction, jusqu'au milieu de la plaine où il rejoignait un autre fleuve d'eau noire – le Cocyte, peut-être ? Tous deux formaient une seule cataracte bouillonnante et fumante qui roulait vers le ténébreux brouillard.

Plus Percy regardait cette tempête d'obscurité, au loin, moins il avait envie de s'en rapprocher. Elle pouvait masquer n'importe quoi : un océan, une fosse sans fond, une armée de monstres. Mais si les Portes de la Mort se trouvaient par là, c'était leur seule chance de jamais rentrer chez eux.

Il risqua un coup d'œil par-dessus le bord de la falaise.

– Si seulement on pouvait voler, murmura-t-il.

Annabeth se frotta les bras.

– Tu te souviens des baskets ailées de Luke ? Je me demande si elles sont encore quelque part par là.

Percy s'en souvenait. Ces chaussures avaient été ensorcelées pour mener quiconque les portait dans le Tartare. Elles avaient failli emporter leur ami Grover.

– Je préférerais un planeur, dit-il.

– Pas sûre que ce soit une bonne idée.

Annabeth montra du doigt, au-dessus de leurs têtes, des formes ailées qui louvoyaient en spirales sombres entre les nuages rouge sang.

– Des Euménides ? demanda Percy.

– Ou des démons d'une autre espèce. Il y en a des milliers dans le Tartare.

– Y compris l'espèce qui mange les planeurs. OK, on descend à pied.

Il avait perdu de vue les *empousai*. Elles avaient disparu derrière une des corniches, mais ça n'avait plus d'importance. Leur destination était malheureusement claire, à présent. Comme tous les asticots de monstres qui grouillaient sur les plaines du Tartare, elles devaient se diriger elles aussi vers l'horizon de nuages sombres. Percy avait du mal à contenir son enthousiasme.

14 PERCY

Ils s'engagèrent sur la première corniche rocheuse, à flanc de falaise. Toute l'énergie de Percy était concentrée sur les difficultés de cette descente : ne pas glisser, ne pas déclencher d'éboulis de cailloux qui les feraient repérer par les *empousai* et, bien sûr, empêcher qu'ils tombent dans le vide, Annabeth et lui.

Alors qu'ils arrivaient à la mi-hauteur du précipice, Annabeth dit :

– On s'arrête, d'accord ? Juste deux minutes.

Elle avait les jambes qui tremblaient fortement, et Percy s'en voulut de ne pas avoir proposé une pause plus tôt.

Ils s'assirent sur une saillie de pierre qui jouxtait une cascade de flammes. Percy passa le bras autour des épaules d'Annabeth, qui s'appuya contre lui, à bout de forces.

Lui-même n'était guère plus frais. Il avait l'estomac tellement ratatiné par la faim qu'il ne devait pas être plus gros qu'une boule de gomme. L'horrible vérité était que si jamais ils passaient devant une carcasse de monstre, il serait peut-être tenté de jouer les *empousai* et de se jeter dessus.

Mais il avait Annabeth. À eux deux, ils trouveraient un moyen de sortir du Tartare. Il n'accordait pas beaucoup d'importance aux Parques et aux prophéties, mais il croyait en une chose : Annabeth et lui étaient destinés l'un à l'autre.

Ils n'avaient pas survécu à tant d'épreuves pour se faire tuer maintenant.

– Ça pourrait être pire, suggéra Annabeth.

– Ouais ?

Percy ne voyait pas comment, mais il voulait paraître positif. Elle se lova contre lui. Ses cheveux sentaient la fumée et, en fermant les yeux, il aurait presque pu se croire au feu de camp de la Colonie des Sang-Mêlé.

– On aurait pu tomber dans le Léthé, dit-elle. Et perdre tous nos souvenirs.

Percy frissonna. L'amnésie, estimait-il, il avait suffisamment donné. Pas plus tard que le mois précédent, Héra avait effacé tous ses souvenirs pour le parachuter parmi les demi-dieux romains. C'est ainsi qu'il avait déboulé au Camp Jupiter sans savoir ni qui il était, ni d'où il venait. Et quelques années plus tôt, il s'était battu contre un Titan sur la berge du Léthé, près du palais d'Hadès. Il l'avait aspergé d'eau du fleuve et complètement dépouillé de sa mémoire.

– Ouais, le Léthé, fit-il. Pas mon endroit préféré.

– C'était comment son nom, au Titan, déjà ?

– Euh... Japet. Il avait dit que ça signifiait l'Empaleur, un truc de ce genre.

– Non, je veux dire le nom que tu lui as donné après avoir effacé sa mémoire. Steve ?

– Bob, dit Percy.

– Bob le Titan.

Annabeth eut un petit rire. Percy avait les lèvres tellement sèches que même sourire lui faisait mal. Il se demanda ce qu'était devenu Japet, après qu'ils l'eurent abandonné sans mémoire au palais d'Hadès... était-il toujours content d'être Bob, gentil, joyeux et ignorant de tout ? Percy espérait que oui, mais les Enfers faisaient ressortir ce que chacun – monstre, héros ou dieu – avait de pire en lui.

Il balaya du regard les plaines cendrées. En principe, les autres Titans étaient ici, dans le Tartare. Peut-être enchaînés, peut-être tapis dans une des crevasses sombres qui les entouraient, peut-être libres d'errer sans but. Percy et ses alliés avaient anéanti Cronos, le pire des Titans, mais ses vestiges pouvaient bien se trouver quelque part dans ces profondeurs infernales – un milliard de particules de Titan en colère flottant dans les nuages rouge sang ou dans le brouillard noir.

Percy chassa cette pensée de son esprit. Il embrassa Annabeth sur le front et lui dit :

– Il faut qu'on reparte. Tu veux une gorgée de feu ?

– Non merci, sans façon.

Ils se relevèrent avec effort. Le reste de la falaise semblait impossible à descendre : à peine quelques corniches extrêmement étroites, mais ils s'y engagèrent.

Le corps de Percy passa en pilotage automatique. Ses doigts se raidirent ; il sentait des cloques se former sur ses chevilles. La faim le faisait trembler.

Il se demanda s'ils allaient mourir d'inanition ou si l'eau de feu leur permettrait de tenir. Il se rappela le supplice de Tantale, placé pour toujours dans un étang d'eau fraîche, sous un arbre fruitier, sans pouvoir jamais boire ni attraper le moindre fruit.

Bon sang, Percy n'avait plus pensé à Tantale depuis des années. Cet imbécile avait eu droit à une courte période de liberté conditionnelle, pendant laquelle il avait dû assurer la direction de la Colonie des Sang-Mêlé. Il était sans doute de retour aux Champs du Châtiment, maintenant. Percy n'avait jamais eu de peine pour lui, mais à présent il commençait à compatir. Il imaginait la souffrance que ça devait être, d'avoir de plus en plus faim sans jamais pouvoir manger, et ce éternellement.

Avance, avance, se disait-il.

Cheeseburgers, lui répondait son estomac.

La ferme, pensait-il.

Avec des frites, gémissait son estomac.

Un milliard d'années et des dizaines d'ampoules aux pieds plus tard, Percy arriva au bas de la falaise. Il aida Annabeth à descendre et ils s'écroulèrent par terre tous les deux.

Devant eux, sur des kilomètres, s'étendait ce paysage désolé, hérissé de gros arbres aux branches en pattes de mouche, au sol bouillonnant sous l'éclosion des larves de monstres. À leur droite, le Phlégéthon se scindait en plusieurs bras qui parcouraient la plaine et dessinaient un immense delta de feu et de fumée. Côté nord, le long du cours principal du fleuve, le sol était perforé d'entrées de grotte. Çà et là, des flèches rocheuses faisaient saillie, pareilles à des points d'exclamation.

La terre, sous la main de Percy, était d'une chaleur et d'une douceur inquiétantes. Il essaya d'en attraper une poignée, puis se rendit compte que sous une mince couche d'humus et de débris, le sol n'était qu'une immense membrane... comme de la peau.

Il faillit vomir mais résista. Il n'avait rien dans l'estomac, à part du feu.

Il ne parla pas de sa découverte à Annabeth, mais eut soudain la sensation qu'ils étaient observés par une présence sombre et malveillante. Il ne pouvait pas mettre le doigt dessus car elle était tout autour d'eux. D'ailleurs « observés » n'était pas le mot juste. « Observer » impliquait un regard, des yeux. Or cette chose était tout simplement *consciente* qu'ils étaient là. Les corniches rocheuses par lesquelles ils étaient descendus ressemblaient moins à des marches, à présent, et plus à des rangées de dents énormes... Les flèches de pierre faisaient penser à des côtes cassées. Et si le sol était en peau...

Percy refoula violemment ces conjectures. Cet endroit le rendait parano, c'était tout.

Annabeth se leva en essuyant la suie qui couvrait son visage. Elle regarda la masse sombre à l'horizon.

– On sera complètement exposés dans cette plaine, dit-elle.

Cent mètres plus loin, une bulle explosa à la surface du sol. Un monstre s'en extirpa... C'était un Telchine au pelage lisse et luisant, corps de phoque et bras et jambes humains mais atrophiés. Il ne put guère ramper plus de quelques mètres avant qu'une créature jaillisse d'une grotte, si vite que Percy n'entrevit rien d'autre qu'une tête de reptile. Le monstre referma ses crocs sur le Telchine gémissant et le fit disparaître dans son antre.

Revenu à la vie au Tartare pour quelques secondes, juste le temps de se faire dévorer. Percy se demanda si ce Telchine resurgirait ailleurs dans le Tartare, et combien de temps ça lui prendrait.

Il ravala le goût aigre de l'eau de feu.

– Ouais, fit-il, ça promet.

Annabeth l'aida à se relever. Il jeta un dernier coup d'œil aux falaises, mais il n'était pas question de rebrousser chemin. Il aurait donné mille drachmes d'or pour que Frank Zhang soit avec eux en ce moment : ce brave Frank, qui avait le don de surgir quand on avait besoin de lui et qui aurait pu se changer en aigle ou en dragon volant pour leur faire traverser ce stupide désert.

Ils se mirent en route en longeant le fleuve au plus près, pour éviter les entrées de grotte.

Alors qu'ils contournaient une flèche de pierre, Percy repéra un mouvement du coin de l'œil : quelque chose qui se faufilait entre les pierres à leur droite.

Un monstre les suivait-il ? Ou était-ce juste une créature maléfique quelconque en route pour les Portes de la Mort ?

Brusquement, il se rappela pourquoi ils s'étaient lancés dans cette direction, au départ, et pila net.

– Les *empousai*, dit-il en attrapant Annabeth par le bras. Où sont-elles passées ?

Annabeth balaya l'horizon sur trois cent soixante degrés, une lueur d'inquiétude dans ses yeux gris.

Les démones s'étaient peut-être fait dévorer par le reptile de la grotte. Si elles étaient toujours devant eux, normalement ils auraient dû les voir, sur ces plaines nues.

À moins qu'elles ne se soient cachées...

Percy tira son épée. Trop tard.

Les cinq *empousai* surgirent de derrière les rochers qui les entouraient en formant un cercle. Le piège parfait.

Kelli s'avança en boitant sur ses jambes dépareillées. Sa chevelure de feu flambait sur sa tête comme une cascade du Phlégéthon miniature. Les lambeaux de sa tenue de pom-pom girl étaient maculés de taches couleur rouille et Percy était quasi sûr que ce n'était pas du ketchup. Elle riva ses yeux de braise sur lui et découvrit les crocs.

– Trop cool, Percy Jackson, minauda-t-elle. J'ai même pas besoin de retourner dans le monde des mortels pour te tuer !

15 PERCY

Percy se souvenait trop bien de la capacité de nuisance dont Kelli avait fait preuve la dernière fois qu'ils s'étaient affrontés, dans le Labyrinthe. Malgré l'étrange paire de jambes dont elle était dotée, elle pouvait bouger à une vitesse sidérante quand elle le voulait. Elle avait esquivé les traits d'épée de Percy et lui aurait dévoré le visage, si Annabeth ne lui avait pas planté son poignard dans le dos.

Et maintenant elle était flanquée de quatre copines.

– Ah ! ton amie Annabeth est de la fête ! (Kelli partit d'un rire stridulant.) Ouais, je me souviens parfaitement d'elle.

Elle porta la main à son sternum, par où la pointe du couteau d'Annabeth était ressortie quand celle-ci l'avait frappée dans le dos.

– Qu'est-ce qui t'arrive, fille d'Athéna ? T'as perdu ton canif ? Zut alors, je m'en serais servie pour te tuer.

Percy réfléchissait à toute vitesse. Annabeth et lui se trouvaient côte à côte pour affronter des ennemis, comme tant d'autres fois. Mais là, ni l'un ni l'autre n'étaient en forme pour combattre. Annabeth n'avait même pas d'arme. Ils étaient deux contre cinq. Ils n'avaient nulle part où fuir, aucun secours à attendre.

Une pensée lui effleura l'esprit : s'il appelait Kitty O'Leary, sa chienne des Enfers qui avait la faculté du vol d'ombre ?

Oui, mais même si elle entendait son appel, pourrait-elle les rejoindre au Tartare ? C'était là où se retrouvaient les monstres quand ils mouraient. La faire venir ici pouvait causer sa mort, ou la ramener à son état de monstre féroce. Non... Percy ne pouvait pas faire un coup pareil à sa chienne.

En résumé... pas de secours.

Il ne restait que la tactique préférée d'Annabeth : la ruse, les paroles, les atermoiements.

– Alors, commença-t-il. Tu aimerais bien savoir ce qu'on fait là, hein ?

Kelli ricana.

– Trop pas. Je veux juste vous tuer.

Ça aurait dû mettre fin à la conversation, mais c'était compter sans Annabeth.

– Dommage, embraya celle-ci. Parce que vous n'avez aucune idée de ce qui se passe dans le monde des mortels.

Les autres *empousai* resserrèrent légèrement le cercle en guettant l'ordre de Kelli, mais l'ancienne pom-pom girl se contenta de grogner et s'accroupir hors du rayon d'action de l'épée de Percy.

– On en sait suffisamment, lâcha-t-elle. Gaïa a parlé.

– Vous allez droit à la défaite et elle sera cuisante, asséna Annabeth avec une assurance qui bluffa même Percy. (Elle regarda une à une chacune des *empousai*, puis pointa un doigt accusateur sur Kelli.) Elle prétend vous mener à la victoire ? Elle ment ! À son dernier séjour dans le monde des mortels, Kelli était chargée de veiller à ce que mon ami Luke reste fidèle à Cronos. Sauf qu'à la fin il l'a renié. Il a sacrifié sa vie pour chasser Cronos. Les Titans ont perdu parce que Kelli avait échoué. Et maintenant Kelli veut vous mener à la catastrophe de nouveau.

Les autres *empousai* piétinèrent sur place, l'air mal à l'aise.

– Ça suffit !

Les ongles de Kelli s'allongèrent en griffes. Du regard, elle tailla Annabeth en pièces.

Percy aurait mis la main au feu que Kelli avait eu le béguin pour Luke Castellan. Luke faisait de l'effet aux filles – y compris aux vampires à jambe d'âne, du coup il n'était pas sûr que ce soit une bonne idée de l'évoquer.

– Elle ment ! reprit Kelli. Les Titans ont perdu la guerre, exact. Eh ben tant mieux, ça faisait partie du plan ! Maintenant notre mère la Terre et ses géants vont détruire le monde et nous, on va se repaître de demi-dieux !

Les autres femelles vampires grincèrent frénétiquement des dents. Une fois, Percy s'était retrouvé entouré de requins dans une eau rouge de sang. C'était de loin moins effrayant qu'une bande d'*empousai* prêtes à se nourrir.

Il se prépara à l'attaque, mais combien pouvait-il en passer au fil de son épée avant d'être submergé ? Ça ne suffirait pas.

– Les demi-dieux se sont unis ! cria alors Annabeth. Réfléchissez à deux fois avant de nous attaquer. Les Grecs et les Romains vous combattront côte à côte. Vous n'avez aucune chance !

Les *empousai* reculèrent, l'air inquiètes, en chuintant entre leurs crocs :

– *Romani... Romani...*

Percy devina qu'elles avaient eu maille à partir avec la douzième légion et que ça ne s'était pas bien passé pour elles.

– Eh ouais, *Romani* à donf, les filles. (Il remonta sa manche pour leur montrer la marque qu'on lui avait imprimée sur le bras, au Camp Jupiter : les lettres *SPQR*, assorties du trident de Neptune.) Mélangez des Grecs et des Romains et ça vous donne quoi ? Ça vous donne... *BA-BOUM !*

Il tapa du pied de toutes ses forces et les *empousai* sautèrent en l'air. L'une d'elles tomba du rocher où elle s'était perchée.

Ça redonna confiance à Percy, mais elles reprirent vite leur sang-froid et se resserrèrent autour d'Annabeth et lui.

– Vous êtes bien téméraires, pour deux demi-dieux perdus dans le Tartare ! commenta Kelli. Abaisse ton épée, Percy Jackson, et je te tuerai vite fait. Crois-moi, il y a des façons de mourir bien pires, ici.

– Une seconde ! lança Annabeth, tentant une nouvelle stratégie. Les *empousai* sont les servantes d'Hécate, ou je me trompe ?

Kelli retroussa les babines.

– Ouais, et alors ?

– Alors Hécate est dans notre camp, maintenant. Elle a un bungalow à la Colonie des Sang-Mêlé. Je suis amie avec certains de ses enfants demi-dieux. Si vous nous attaquez, elle va se fâcher.

Percy avait envie d'embrasser Annabeth, tellement elle était forte.

Une des autres *empousai* grogna et demanda :

– Est-ce que c'est vrai, Kelli ? Notre maîtresse a-t-elle fait la paix avec l'Olympe ?

– La ferme, Séréphone ! piailla Kelli. Mais par les dieux ce que t'es soûlante !

– Je ne veux pas contrarier la Dame de l'Ombre.

Annabeth s'engouffra dans l'ouverture.

– Vous auriez intérêt à suivre Séréphone, vous autres. Elle est plus âgée et plus sage.

– Oui ! cria Séréphone. Suivez-moi !

Kelli frappa si vite que Percy n'eut pas le temps de lever son épée. Heureusement, ce ne fut pas à lui qu'elle s'en prit. Elle se jeta sur Séréphone et, pendant une demi-seconde, on ne vit plus qu'une mêlée de crocs et de griffes qui s'entrechoquaient.

Puis ce fut fini. Kelli, triomphante, s'immobilisa sur un tas de poussière, des lambeaux de la robe de Séréphone encore accrochés à ses griffes.

– Y a-t-il d'autres questions ? lança-t-elle à ses sœurs. Hécate est la déesse de la Brume ! Ses voies sont impénétrables. Qui sait quel camp elle souhaite véritablement soutenir ? C'est aussi la déesse des carrefours et elle veut que nous prenions nos décisions par nous-mêmes. Je choisis le chemin qui nous apportera le plus de sang de demi-dieu ! Je choisis Gaïa !

Ses compagnes approuvèrent en sifflant entre leurs crocs.

Annabeth adressa un coup d'œil à Percy, et il comprit qu'elle était à court d'idées. Elle avait fait tout son possible. Elle avait poussé Kelli à tuer une de ses sœurs. Ils n'avaient d'autre option, maintenant, que de se battre.

– Pendant deux longues années, j'ai tourné dans le vide, dit Kelli. T'as idée à quel point c'est *pénible*, Annabeth Chase, d'être volatilisée ? Et de se reformer lentement, tout en étant pleinement consciente, de souffrir le martyre pendant des mois et des années en attendant que ton corps se reconstitue, et puis enfin de briser la croûte de ce lieu infernal et te hisser à la force de tes griffes à la lumière du jour ? Tout ça parce qu'une *gamine* t'a poignardée dans le dos ?

Elle planta son regard torve dans les yeux d'Annabeth.

– Je me demande ce qui se passe quand un demi-dieu se fait tuer dans le Tartare, ajouta-t-elle. Je crois que ce n'est encore jamais arrivé. On va voir.

Percy bondit en dessinant un grand arc de cercle avec Turbulence, son épée. Il faucha une des démones, la coupant en deux par la taille, mais Kelli esquiva et s'élança vers Annabeth. Les deux autres *empousai* attaquèrent Percy ; l'une agrippa son bras armé tandis que la seconde lui sautait sur le dos.

Percy les ignora et partit en titubant dans la direction d'Annabeth, déterminé à mourir pour la défendre s'il le fallait, mais Annabeth se débrouillait plutôt bien. Elle se jeta au sol et roula sur le côté pour éviter les griffes de Kelli, puis se releva, une pierre à la main, et lui écrasa le nez.

Kelli poussa un hurlement. Annabeth ramassa une poignée de gravillons et la lui jeta aux yeux.

Pendant ce temps, Percy se débattait de toutes ses forces pour se débarrasser de sa passagère, mais elle enfonçait les griffes dans ses épaules. Quant à la deuxième *empousa*, elle bloquait son bras, ce qui l'empêchait de se servir de Turbulence.

Du coin de l'œil, il vit Kelli sauter et labourer le bras d'Annabeth de ses griffes. Avec un cri, Annabeth tomba.

Percy, jambes chancelantes, tenta de se rapprocher d'elle. L'*empousa* qu'il avait sur le dos planta alors les crocs dans son cou. Une douleur aiguë parcourut tout son corps. Ses genoux ployèrent.

Reste debout, se dit-il. *Tu dois les battre.*

Là-dessus l'autre vampire mordit son poignet et Turbulence lui échappa.

C'en était joué. L'heure où sa chance se tarissait était finalement arrivée. Kelli, plantée devant Annabeth, savourait son triomphe. Les deux autres *empousai* encerclaient Percy, la bave aux lèvres, salivant à la perspective de leur prochaine morsure.

Alors une ombre s'étendit sur Percy. Un cri de guerre puissant et grave résonna au-dessus de leurs têtes ; il se répercuta par les plaines du Tartare, tandis qu'un Titan s'abattait sur le champ de bataille.

16 PERCY

Percy crut qu'il avait des hallucinations. Il n'était tout simplement pas possible qu'une immense créature argentée tombe du ciel, écrase Kelli comme une crêpe et la réduise en monticule de poussière de monstre.

Pourtant c'est exactement ce qui se passa. Le Titan faisait trois mètres de haut ; il avait une tignasse argentée à la Einstein, des yeux d'argent et des bras musclés qui jaillissaient hors des manches explosées d'un uniforme de portier bleu marine. Il tenait à la main un balai géant. Et le comble, c'était son badge, marqué « Bob ».

Annabeth étouffa un cri et tenta de lui échapper en rampant sur le sol, mais le géant ne s'intéressait pas à elle. Il se tourna face aux deux *empousai* restantes qui menaçaient Percy.

L'une eut la bêtise d'attaquer. Elle bondit à la vitesse d'un tigre, mais c'était perdu d'avance... un javelot jaillit du manche à balai de Bob et, d'un seul coup mortel, le géant la réduisit en poussière. La survivante de la bande des cinq vampires prit ses jambes à son cou. Bob lança son balai comme si c'était un boomerang géant ; il pourfendit l'*empousa* et revint se placer dans la main de Bob.

– DU BALAI ! (Souriant jusqu'aux oreilles, le Titan se lança dans une petite danse de la victoire.) Du balai, du balai, du balai !

Percy était incapable d'articuler un mot. Il n'arrivait pas à croire qu'il s'était vraiment produit quelque chose de bien. Annabeth avait l'air en état de choc, elle aussi.

– Co... comment... ? bafouilla-t-elle.

– Percy m'a appelé ! répondit gaiement le portier. Eh oui !

Annabeth, toujours à terre, s'écarta un peu. Son bras saignait gravement.

– Il t'a appelé ? Il... une seconde. Tu es Bob ? Le fameux Bob ?

Le portier, remarquant les blessures d'Annabeth, fronça les sourcils.

– Gros bobo, fit-il, et il s'agenouilla près d'elle.

Annabeth se recroquevilla.

– C'est bon, dit Percy, encore sonné par la douleur. C'est un ami.

Il se souvenait de sa première rencontre avec Bob. Le Titan avait soigné une vilaine blessure qu'il avait à l'épaule rien qu'en la touchant. De fait, Bob tapota l'avant-bras d'Annabeth, et la plaie se referma instantanément.

Bob gloussa, content de lui, puis trottina vers Percy et soigna son bras et son cou ensanglantés. Le Titan avait les mains étonnamment douces et chaudes.

– C'est mieux comme ça ! déclara Bob en plissant joyeusement ses étranges yeux d'argent. Je suis Bob, l'ami de Percy !

– Euh... ouais, répondit Percy avec effort. Merci de ton aide. Je suis vraiment super heureux de te revoir.

– Oui ! Bob. C'est moi. Bob, Bob, Bob. (Le portier piétina sur place, visiblement content de son nom.) J'aide. J'ai entendu mon nom. Là-haut dans le palais d'Hadès, personne n'appelle Bob, sauf pour faire le ménage. Bob, balaie ces os. Bob, ramasse ces âmes torturées. Bob, il y a un zombie qui a explosé dans la salle à manger.

Annabeth lança un regard interrogateur à Percy, mais il n'avait pas d'explication.

– Et puis j'ai entendu mon ami m'appeler ! continua le géant avec un immense sourire. Percy a dit : « Bob ! »

Il attrapa Percy par le bras et l'aida à se relever.

– C'est trop fort, Bob, dit Percy. Sérieusement. Mais comment as-tu...

– Oh, on parlera plus tard. (Le visage de Bob se rembrunit.) Il faut partir avant qu'ils vous trouvent. Ils arrivent. Oui, pour de bon.

– *Ils arrivent* ? demanda Annabeth.

Percy balaya l'horizon du regard. Il ne repéra aucun monstre, rien que les mornes plaines grises.

– Oui, renchérit Bob. Mais Bob connaît un chemin. Venez, les amis ! On va s'amuser !

17 FRANK

Frank se réveilla sous la forme d'un python, ce qui l'intrigua.

Se changer en animal ne le déconcertait pas. Il le faisait tout le temps. Mais ce qu'il n'avait jamais fait jusque-là, c'était de se transformer d'un animal à l'autre dans son sommeil. Or il était quasiment sûr de ne pas s'être endormi en serpent.

Il s'était aperçu qu'il passait une bien meilleure nuit s'il se roulait en boule sur sa couchette sous la forme d'un bouledogue. Allez savoir pourquoi, ses cauchemars l'atteignaient moins. Les hurlements qui résonnaient constamment dans sa tête se taisaient presque.

Il ignorait complètement comment il s'était changé en python réticulé, mais cela expliquait qu'il ait rêvé qu'il avalait une vache. Il en avait les mâchoires encore endolories.

Il rassembla ses forces et reprit sa forme humaine. Immédiatement, la migraine le tarauda de nouveau, et les voix recommencèrent.

– *Combats-les !* hurlait Mars. *Prends ce navire ! Défends Rome !*

Et la voix d'Arès riposta :

– *Tue les Romains ! Du sang, des morts, des armes lourdes !*

Les personnalités grecque et romaine de son père se disputaient dans la tête de Frank avec la bande-son habituelle – explosions, fusils d'assaut, vrombissements d'avion de guerre, toute une gamme de bruits de combat qui résonnait comme un caisson de grave derrière ses yeux.

Il se redressa sur son lit, étourdi par la douleur. Comme il le faisait tous les matins, il respira profondément puis regarda la lampe posée sur son bureau : une minuscule flamme qui brûlait nuit et jour, alimentée par de l'huile d'olive magique prise dans la réserve du navire.

Le feu... la plus grande peur de Frank. Garder une flamme nue dans sa chambre le terrifiait, mais ça l'aidait aussi à se concentrer. Le bruit dans sa tête passa en arrière-plan, ce qui lui permit de réfléchir.

Il commençait à mieux maîtriser cette situation, mais il avait été pratiquement bon à rien pendant plusieurs jours. Dès que les combats avaient éclaté au Camp Jupiter, les deux voix du dieu de la guerre s'étaient mises à hurler sans discontinuer dans sa tête. Et Frank s'était senti pris dans un brouillard, tout juste capable de fonctionner. Il avait eu un comportement incompréhensible et il était sûr que ses camarades pensaient qu'il avait disjoncté.

Il ne pouvait pas leur raconter ce qui lui arrivait. Ils n'auraient rien pu y faire de toute façon, et, à les entendre parler, Frank devinait qu'eux n'avaient pas leurs parents divins qui tempêtaient sous leurs crânes.

C'était bien la chance de Frank. Mais il fallait qu'il surmonte cela, il n'avait pas le choix. Ses amis avaient besoin de lui, et encore plus maintenant qu'Annabeth avait disparu.

Annabeth avait été gentille avec lui. Même quand il était dans une telle confusion qu'il faisait n'importe quoi, Annabeth s'était montrée patiente et toujours prête à l'aider. Arès pouvait bien hurler qu'il ne fallait pas faire confiance aux enfants d'Athéna et Mars lui intimer l'ordre de trucider les Grecs, Frank avait appris à respecter Annabeth.

Maintenant qu'elle n'était plus là, Frank était le seul du groupe à avoir un profil de stratège militaire. Ils auraient besoin de lui pour le voyage à venir.

Il se leva et s'habilla. Heureusement, il avait pu s'acheter des vêtements à Sienne, deux jours plus tôt, pour remplacer ceux que Léo avait expédiés dans le ciel avec Buford le guéridon volant (trop long à expliquer). Il enfila un Levi's et un tee-shirt vert kaki, puis tendit la main vers son pull préféré, avant de se rappeler qu'il n'en avait pas besoin. Il faisait trop chaud. Mais c'était surtout qu'il n'avait plus besoin de ses poches pour y mettre à l'abri le tison de bois dont dépendait la durée de sa vie. C'était Hazel qui veillait dessus désormais.

Cela aurait pu être une source d'inquiétude ; si le tison brûlait, Frank mourrait – rideau. Mais Frank faisait plus confiance à Hazel qu'à lui-même. Savoir qu'elle était la gardienne de son point faible le rassurait, c'était un peu comme attacher sa ceinture de sécurité avant une course-poursuite.

Il passa son arc et son carquois sur l'épaule. Aussitôt, ils prirent l'apparence d'un sac à dos ordinaire. Frank adorait ça. Sans Léo pour le lui montrer, il n'aurait jamais découvert que son carquois détenait ce pouvoir de camouflage.

– *Léo !* ragea Mars. *Il doit mourir !*

– *Étrangle-le !* renchérit Arès. *Étrangle-les tous ! De qui il s'agit, déjà ?*

Les deux recommencèrent à se disputer, couvrant de leurs cris les explosions de bombes dans la tête de Frank.

Il s'appuya au mur. Cela faisait des jours qu'il entendait ces voix réclamant la mort de Léo Valdez.

Après tout, c'était Léo qui avait déclenché la guerre avec le Camp Jupiter en attaquant le forum à la baliste-scorpion. Certes, il était possédé par un eidolon lorsqu'il avait agi, mais cela n'empêchait pas Mars de réclamer vengeance. Léo aggravait les choses en chambrant Frank sans arrêt, et Arès exigeait que Frank riposte à chaque insulte.

Frank tenait les voix à distance, mais ce n'était pas simple.

Pendant leur traversée de l'Atlantique, Léo avait dit une chose qui lui était restée gravée dans l'esprit. Lorsqu'ils avaient appris que Gaïa avait mis leurs têtes à prix, Léo s'était demandé quelle valeur elle lui avait donnée.

Je pourrais comprendre que mon cours n'atteigne pas celui de Percy ou de Jason, à la rigueur, avait-il dit, *mais est-ce que je suis coté à, je sais pas, deux Frank ? Trois Frank ?*

Encore une des blagues idiotes de Léo, mais elle avait touché un point sensible. À bord de l'*Argo II*, Frank se sentait vraiment inutile. D'accord, il pouvait se transformer en animal. Et alors ? Sa principale contribution, jusqu'à présent, avait été de se changer en belette pour leur permettre de s'enfuir d'un atelier souterrain, et encore, c'était Léo qui en avait eu l'idée. Frank était plus connu pour le fiasco du poisson rouge géant d'Atlanta et, la veille à peine, pour s'être transformé en gorille de deux cents kilos sans autre résultat que de se faire rétamer par une grenade assourdissante.

Il n'avait pas encore eu droit à des vannes de gorille, mais il connaissait Léo, ça n'allait pas tarder.

Tue-le !

Torture-le ! Et tue-le après !

Les deux personnalités du dieu de la guerre semblaient se battre à coups de poing et de pied dans la tête de Frank, en se servant de ses sinus comme tapis de sol.

– *Du sang ! Des flingues !*

– *Rome ! La Guerre !*

– *Calmez-vous !* ordonna Frank.

Étonnamment, les voix obtempérèrent.

– *Ben voilà une bonne chose,* se dit Frank.

Peut-être pouvait-il enfin maîtriser ces pénibles mini-dieux hurleurs. Peut-être que la journée serait bonne.

Cet espoir fut anéanti dès qu'il arriva sur le pont du navire.

– Mais c'est quoi, ces créatures ? demanda Hazel.

L'*Argo II* était amarré à un quai qui grouillait d'activité. D'un côté se trouvait un chenal de navigation d'environ cinq cents mètres de large. De l'autre s'étendait la ville de Venise, avec ses toits de tuiles rouges, ses églises aux dômes de métal, ses clochers et ses bâtiments délavés par le soleil, dans toutes les nuances de rouge, de blanc, d'ocre, de rose et d'orange.

Un peu partout, il y avait des statues de lions – juchées sur des socles, au-dessus des portes d'entrée, sur les portiques des édifices les plus grands. Elles étaient si nombreuses que Frank supposa que le lion était la mascotte de la ville.

Là où on aurait dû voir des rues, des canaux verts s'étiraient le long des maisons, sillonnés de bateaux à moteur. Les quais étaient pris d'assaut par des touristes qui s'affairaient devant des stands de tee-shirts, se déversaient par grappes des boutiques, s'affalaient aux terrasses de café sur des kilomètres tels des bancs d'otaries. Frank avait trouvé Rome pleine de touristes ; là, c'était de la folie.

Cependant, Hazel et le reste de ses camarades ne faisaient attention à rien de tout cela. Ils s'étaient rassemblés au bastingage de tribord pour regarder les dizaines de monstres hirsutes qui se mêlaient à la foule.

Ils étaient gros comme des vaches, avaient le dos creux comme de vieux canassons, une fourrure grise et feutrée, des pattes grêles et des sabots noirs fendus. Leurs têtes paraissaient beaucoup trop lourdes pour leurs cous, et leurs longs museaux de fourmilier touchaient presque le sol. Ils avaient des crinières extrêmement fournies qui leur couvraient complètement les yeux.

Frank suivit du regard une des créatures qui parcourait lentement le front de mer en reniflant et en donnant des coups de langue sur le pavé. Les touristes la laissaient passer sans manifester la moindre inquiétude. Certains, même, la caressaient. Frank se demanda comment les mortels pouvaient être aussi calmes. Alors le monstre clignota et changea un bref instant d'aspect, prenant celui d'un vieux beagle.

– Hum, fit Jason. Les mortels les prennent pour des chiens errants.

– Ou même des chiens domestiques qui se promènent, dit Piper. Mon père a tourné un film à Venise, une fois. Je me souviens qu'il m'avait dit qu'il y avait des chiens partout. Les Vénitiens adorent les chiens.

Frank fronça les sourcils. Il oubliait toujours que Piper était la fille de Tristan McLean, la grande star de cinéma. Elle n'en parlait pas beaucoup. Et pour quelqu'un qui avait grandi à Hollywood, elle avait plutôt les pieds sur terre. C'était tant mieux, pensait Frank. Nul besoin de paparazzi pour immortaliser ses échecs épiques dans cette quête.

– Mais c'est quoi ? dit-il en répétant la question d'Hazel. On dirait des... des vaches affamées avec un pelage de mouton.

Il attendit que quelqu'un éclaire sa lanterne. Personne n'avança la moindre hypothèse.

– Peut-être qu'ils sont inoffensifs, suggéra Léo. Ils ignorent les mortels.

– Inoffensifs ! ricana Gleeson Hedge. (Le satyre était affublé de sa tenue habituelle : short de gym, polo et sifflet d'arbitre. Il avait la mine plus patibulaire que jamais, mais un des élastiques roses des nains farceurs de Bologne était resté dans ses cheveux. Frank n'osa pas le lui dire.) Valdez, combien de monstres inoffensifs avons-nous rencontrés jusqu'à présent ? On devrait leur balancer une charge de catapulte et voir ce qui se passe !

– Euh, non, dit Léo.

Pour une fois, Frank était d'accord avec Léo. Les monstres étaient trop nombreux. Il serait impossible de les toucher sans causer des dommages collatéraux dans la foule de touristes. Sans compter que si ces créatures paniquaient et se mettaient à galoper...

– On va devoir passer parmi eux en espérant qu'ils seront pacifiques, dit Frank, à qui cette idée répugnait déjà. On n'a pas le choix si on veut retrouver le propriétaire du livre.

Léo prit entre ses mains le manuel relié cuir qu'il tenait sous le bras. Il avait collé sur la couverture un Post-it avec l'adresse que les nains de Bologne lui avaient donnée.

– *La Casa Nera,* lut-il. *Calle Frezzeria.*

– La maison noire, traduisit Nico di Angelo. Calle Frezzeria, c'est la rue.

Frank se retint de tressaillir en se rendant compte que Nico était juste à côté de lui. Il était tellement silencieux et songeur, ce gars, qu'on avait presque l'impression qu'il se dématérialisait quand il ne parlait pas. Des deux, c'était Hazel qui était revenue de chez les morts, mais Nico qui ressemblait le plus à un fantôme.

– Tu parles italien ? demanda Frank.

Nico lui décocha un regard qui disait : *Pose pas de questions.* Ce qui ne l'empêcha de s'exprimer avec calme.

– Frank a raison, dit-il. Nous devons trouver cette maison. Le seul moyen, c'est de parcourir la ville à pied. Et Venise est un vrai labyrinthe. On va devoir prendre le risque de s'exposer à la foule et à ces... ces je sais pas quoi.

Un roulement de tonnerre gronda dans le ciel limpide. Ils avaient essuyé plusieurs orages durant la nuit. Frank avait cru que c'était fini, mais maintenant il en était moins sûr. L'air était lourd et moite comme dans un sauna.

– Je devrais peut-être rester à bord, dit Jason en scrutant l'horizon, le front soucieux. Il y avait beaucoup de *venti* dans la tempête de cette nuit. S'ils décident d'attaquer le navire de nouveau...

Il n'eut pas besoin de finir sa phrase. Tous avaient eu la malchance de se frotter à des esprits des vents en colère. Jason était le seul qui arrivait à les mater.

Gleeson Hedge poussa un grognement et dit :

– Ben sans moi, les gars. Si c'est pour jouer les chiffes molles et se balader dans Venise sans cogner ces bestiaux chevelus, non merci. J'aime pas les expéditions où on s'ennuie.

– Y a pas de souci, M'sieur Hedge, répondit Léo en souriant. Il nous reste le mât de misaine à réparer. Et puis j'aurais besoin de vous en salle des machines. J'ai eu l'idée d'une nouvelle installation.

L'étincelle qui brillait dans les yeux de Léo inquiéta Frank. Depuis qu'il avait trouvé la sphère d'Archimède, Léo essayait beaucoup de « nouvelles installations ». En général, elles explosaient ou dégageaient des tourbillons de fumée qui montaient dans la cabine de Frank.

– Ben, euh..., fit Piper en piétinant sur place. Je ne sais pas qui va y aller, mais il faudrait quelqu'un qui sache s'y prendre avec les animaux. Personnellement, je dois reconnaître que j'ai un problème avec les vaches.

Frank devina qu'il y avait une histoire derrière ce que disait Piper, mais il s'abstint de poser la question.

– Je vais y aller, annonça-t-il.

Il ne savait pas exactement pourquoi il se portait volontaire, peut-être parce qu'il voulait être utile, pour une fois. Ou peut-être parce qu'il n'avait pas envie qu'un des autres lui brûle la politesse : *Les animaux ? Frank peut se transformer en animal ! On n'a qu'à l'envoyer !*

Léo lui tapota l'épaule et lui tendit le livre relié de cuir.

– Super. Si tu passes devant une quincaillerie, tu pourrais me prendre des tasseaux et un bidon de cinq litres de goudron ?

– Léo ! le réprimanda Hazel, on n'est pas venus pour faire des courses.

– Je vais accompagner Frank, proposa Nico.

Frank sentit son œil se mettre à sauter. Les voix des dieux, dans sa tête, grimpèrent en crescendo : *Tue-le ! Saleté de Grec ! Non ! J'adore ces saletés de Grecs !*

– Euh... Tu sais t'y prendre avec les animaux ? demanda-t-il.

Nico eut un sourire dépourvu d'humour.

– En fait la plupart des animaux me détestent. Ils sentent la mort. Mais il y a quelque chose dans cette ville... (Son expression se fit encore plus grave.) Une forte présence de la mort. Beaucoup d'esprits sans repos. Si je viens, je pourrai peut-être les tenir à distance. En plus, comme tu l'as remarqué, je parle italien.

Léo se gratta la tête.

– Une forte présence de la mort, hein ? Perso, j'essaie d'éviter une forte présence de la mort, mais amusez-vous bien, les gars !

Frank aurait été incapable de dire ce qu'il appréhendait le plus : des monstro-vaches à poil long, des hordes d'esprits sans repos, ou aller seul quelque part avec Nico di Angelo.

– Je vais venir avec vous. (Hazel passa son bras sous celui de Frank.) Trois, c'est le nombre idéal pour une quête de demi-dieux, n'est-ce pas ?

Frank s'efforça de ne pas laisser paraître son soulagement ; il ne voulait pas blesser Nico. Mais il jeta un rapide coup d'œil à Hazel et lui dit du regard : *Merci merci merci !*

Nico scrutait les canaux comme s'il se demandait quelles formes nouvelles et intéressantes d'esprits maléfiques y rôdaient.

– Bien, fit-il. En route, alors. Allons chercher le propriétaire de ce livre.

18 Frank

Venise aurait peut-être plu à Frank s'ils n'avaient pas été au cœur de la saison touristique, et si la ville n'avait pas été infestée de grosses créatures chevelues. Entre les maisons et les canaux, les trottoirs étaient déjà trop étroits pour tous les badauds qui s'y bousculaient et s'arrêtaient pour prendre des photos. Les monstres ne faisaient qu'empirer la cohue. Ils déambulaient en reniflant les pavés, le museau au sol, et se cognaient dans les mortels.

L'un d'eux trouva quelque chose d'intéressant au bord d'un canal. Il s'attaqua à un interstice entre deux pierres à coups de langue et de museau et finit par en déloger une racine verdâtre, qu'il avala goulûment.

– Ben ce sont des mangeurs de plantes, dit Frank. C'est une bonne nouvelle.

– Sauf s'ils agrémentent leur régime de demi-dieux, rétorqua Hazel en glissant la main dans la sienne. Espérons que non.

Ça fit tellement plaisir à Frank de tenir Hazel par la main que soudain la foule, la chaleur et les monstres ne le parurent plus si terribles. Il se sentit désiré, *utile*.

Bien sûr, Hazel n'avait pas besoin qu'il la protège. Il suffisait de la voir charger, juchée sur Arion, l'épée à la main, pour comprendre qu'elle savait se défendre. Pourtant, Frank aimait être près d'elle et s'imaginer qu'il était son garde du corps. Si l'un de ces monstres tentait de lui faire du mal, Frank n'hésiterait pas à se changer en rhinocéros pour le pousser dans le canal.

Est-ce qu'il savait faire le rhino ? Il n'avait encore jamais essayé.

Nico s'arrêta.

– C'est là.

Ils s'étaient engagés dans une ruelle, laissant le canal derrière eux. À quelques mètres se trouvait une petite place bordée d'immeubles de quatre étages. L'endroit était étonnamment désert, comme si les mortels sentaient qu'il était dangereux. Au milieu de la placette pavée, une douzaine de monstro-vaches hirsutes reniflaient le pied couvert de mousse d'un vieux puits.

– Ça en fait beaucoup dans un seul endroit, dit Frank.

– Oui mais regarde là-bas, dit Nico. Derrière l'arcade.

Nico devait avoir l'œil plus aiguisé que lui. Plissant des yeux, Frank aperçut, de l'autre côté de la place, une voûte de pierre ornée de lions, qui donnait sur une rue étroite. Juste derrière, il y avait une maison à la façade peinte en noir – le seul bâtiment noir que Frank ait vu à Venise jusqu'à présent.

– La Casa Nera, devina-t-il.

Hazel lui serra la main plus fort.

– Je n'aime pas cet endroit, dit-elle. Il dégage une sensation de... de froid.

Frank se demanda ce qu'elle voulait dire. Quant à lui, il transpirait toujours comme un phoque.

Nico, pourtant, hocha la tête. Il examina les fenêtres de l'hôtel particulier, presque toutes fermées par des volets en bois.

– Tu as raison, Hazel, ce quartier est plein de lémures.

– Des lémures ? demanda Frank d'une voix inquiète. Tu veux parler des petites bestioles à fourrure de Madagascar ?

– Non, des esprits en colère. Les lémures remontent à l'époque romaine. Ils sont présents dans beaucoup de villes italiennes, mais je n'en ai jamais senti autant dans un seul lieu. Ma mère m'a dit que... (Il hésita.) Elle me racontait des histoires sur les fantômes de Venise.

Une fois de plus, Frank s'interrogea sur le passé de Nico, mais il n'osait pas poser de questions. Il croisa le regard d'Hazel.

Vas-y, crut-il y lire. *Nico a besoin de s'entraîner à parler aux gens.*

Dans la tête de Frank, le bruit des fusils d'assaut et des bombes atomiques grimpa de quelques décibels. Mars et Arès s'époumonaient en chants guerriers, chacun essayant de couvrir la voix de l'autre. Frank s'efforça d'en faire abstraction.

– Nico, ta mère était italienne ? demanda-t-il. Elle était de Venise ?

Nico hocha la tête à contrecœur.

– C'est ici qu'elle a rencontré Hadès, dans les années 1930. Comme la Seconde Guerre mondiale menaçait, elle s'est réfugiée aux États-Unis avec ma sœur et moi. Je veux dire mon autre sœur, Bianca. Je ne me souviens de pas grand-chose en Italie, mais je parle toujours la langue.

Frank chercha quoi répondre. *Ah, c'est cool* ne lui paraissait pas de circonstance.

Il se fit la réflexion qu'il était en compagnie de non pas un, mais de *deux* demi-dieux ayant été arrachés au temps. Techniquement, ils avaient tous les deux environ soixante-dix ans de plus que lui.

– Ça a dû être difficile pour ta mère, finit-il par dire. Mais je crois qu'on peut faire beaucoup de choses pour quelqu'un qu'on aime.

Hazel serra la main de Frank en signe d'approbation. Nico riva le regard sur les pavés.

– Ouais, dit-il avec amertume. Beaucoup.

Frank n'était pas sûr de comprendre. Il avait du mal à imaginer Nico di Angelo faisant quoi que ce soit par amour, à part peut-être pour Hazel. Mais il estima qu'il s'était suffisamment avancé sur le terrain personnel.

– Alors, ces lémures... Comment faire pour les éviter ?

– Je suis déjà sur le coup, répondit Nico. Je leur envoie le message de se tenir à distance et de nous ignorer. Avec un peu de chance, ça devrait suffire. Sinon... sinon, ça risque d'être chaud.

Hazel pinça les lèvres et dit :

– Bien, on y va ?

Lorsqu'ils arrivèrent au milieu de la place, tout tourna mal, mais les fantômes n'y étaient pour rien.

Ils contournaient le puits en essayant de rester à distance des monstro-vaches lorsque Hazel buta contre un pavé détaché. Frank la rattrapa. Six ou sept de ces grosses bêtes grises tournèrent la tête. Frank aperçut un œil vert qui brillait sous la crinière de l'une d'elles et fut pris, aussitôt, d'une forte nausée, comme quand il se gavait de glace.

Les créatures émirent des sons de gorge graves et répétés, qui faisaient penser à des cornes de brume.

– Gentil les vaches, murmura Frank, qui se plaça entre les monstro-vaches et ses amis. Les gars, je crois qu'on devrait battre en retraite lentement.

– Je suis désolée, murmura Hazel, je suis vraiment pas douée.

– C'est pas ta faute, dit Nico. Regarde à tes pieds.

Frank baissa les yeux et retint son souffle.

Sous leurs chaussures, les pavés bougeaient : des vrilles vertes, hérissées d'épines, se frayaient un chemin dans les interstices.

Nico recula. Les racines s'allongèrent dans sa direction, essayant de le suivre. Elles s'épaissirent et se mirent à dégager une vapeur verte qui sentait le chou bouilli.

– On dirait que ces racines aiment les demi-dieux, observa Frank.

La main d'Hazel se porta sur la poignée de son épée.

– Et les monstro-vaches aiment ces racines, enchaîna-t-elle.

Le troupeau entier regardait dans leur direction, à présent, dans un tapage de meuglements et de coups de sabots. Frank comprenait suffisamment bien le comportement animal pour recevoir le message : *Vous piétinez notre nourriture. Ça fait de vous des ennemis.*

Il s'efforça de réfléchir. Les monstro-vaches étaient trop nombreuses pour qu'ils songent à les combattre. Il y avait quelque chose dans ces yeux qu'elles cachaient sous leurs crinières hirsutes... Un infime aperçu avait suffi à donner la nausée à Frank. Son intuition lui disait que s'il croisait vraiment le regard d'une de ces créatures, ça lui ferait un effet autrement plus grave qu'un haut-le-cœur.

– Ne les regardez pas dans les yeux, recommanda-t-il à ses amis. Je vais les distraire. Vous deux, reculez lentement vers la maison noire.

Les monstro-vaches se tendirent, prêtes à attaquer.

– Oubliez, dit Frank. Courez !

En fin de compte, Frank ne savait pas faire le rhinocéros, et il perdit un temps précieux à essayer.

Nico et Hazel foncèrent à toutes jambes vers la ruelle. Frank se planta devant les monstro-vaches dans l'espoir de détourner leur attention. Il hurla de tous ses poumons en se projetant mentalement dans la peau d'un redoutable rhinocéros, mais avec le tintamarre qu'Arès et Mars faisaient sous son crâne, il eut du mal à se concentrer. Et resta le bon vieux Frank.

Deux monstro-vaches se détachèrent du troupeau pour donner la chasse à Hazel et Nico.

– Non ! hurla Frank. Moi ! Je suis le rhinocéros !

Les bêtes restantes l'encerclèrent. Elles grondèrent en chassant par leurs naseaux des faisceaux de gaz vert émeraude. Frank recula pour éviter les vapeurs, mais la puanteur faillit le renverser.

Bon, d'accord, pas le rhinocéros. Mais alors quoi ? Frank savait qu'il disposait de quelques secondes seulement avant de se faire piétiner ou empoisonner par le troupeau, mais son esprit était enrayé. Il n'arrivait pas à retenir l'image d'un animal assez longtemps pour se transformer.

Il jeta un coup d'œil distrait à l'un des balcons de l'hôtel particulier et remarqua une sculpture en pierre : le symbole de Venise.

Un instant plus tard, Frank était devenu un grand lion adulte. Il poussa un rugissement de défi et s'arracha d'un bond au cercle de monstro-vaches pour se poser huit mètres plus loin, sur la margelle du vieux puits de pierre.

Les monstres grondèrent rageusement. Trois d'entre eux attaquèrent ensemble, mais Frank était prêt à les recevoir. Ses instincts de lion étaient taillés pour la vitesse au combat.

Il réduisit les deux premières monstro-vaches en poussière en quelques coups de griffes, puis planta les crocs dans la gorge de la troisième et la jeta au sol.

Il en restait sept, plus les deux qui pourchassaient Hazel et Nico. Frank devait monopoliser l'attention du troupeau. Il rugit, et les monstro-vaches reculèrent.

Elles étaient bien plus nombreuses que lui, certes, mais Frank était un prédateur de haute volée. Les monstro-vaches le savaient. De plus elles venaient de le voir expédier trois des leurs au Tartare.

Jouant de son avantage, il décolla d'un bond de la margelle, les babines retroussées sur ses crocs luisants. Le troupeau s'éloigna en bloc.

S'il pouvait le contourner, puis faire volte-face et courir rejoindre ses amis...

Tout se passa bien jusqu'au moment où il fit le premier pas en arrière vers la voûte. Une des monstro-vaches, la plus courageuse ou la plus idiote, y vit un signe de faiblesse. Elle chargea Frank et lui envoya un jet de gaz vert en pleine face.

Il la réduisit en poussière d'un coup de patte, mais le mal était fait. Il eut beau se retenir de respirer, il sentit quand même la fourrure de son museau qui brûlait. Ses yeux piquaient. Il tituba, étourdi, à moitié aveugle et vaguement conscient que Nico hurlait son nom.

– Frank ! *Frank !*

Il essaya de se concentrer. Il avait repris sa forme humaine et tenait à peine sur ses jambes ; il était secoué de haut-le-cœur et avait l'horrible impression que la peau de son visage partait en lambeaux. Le nuage de gaz vert flottait à hauteur de ses yeux, entre les monstro-vaches et lui. Elles le regardaient avec méfiance, se demandant sans doute s'il avait d'autres tours dans son sac.

Il jeta un coup d'œil par-dessus son épaule. Sous la voûte de pierre, Nico lui faisait signe de se dépêcher en agitant son épée de fer stygien. À ses pieds, deux flaques sombres tachaient le trottoir : certainement les vestiges des monstro-vaches qui s'étaient lancées à leurs trousses.

Quant à Hazel... Elle était appuyée contre le mur derrière son frère. Parfaitement immobile.

Frank oublia le troupeau de monstres et courut vers eux. Ignorant Nico, il attrapa Hazel par les épaules : la tête de la jeune fille tomba sur sa poitrine.

– Elle a reçu un jet de gaz vert en pleine figure, expliqua Nico d'une voix malheureuse. Je... je n'ai pas été assez rapide.

Frank n'arrivait pas à voir si elle respirait encore. En lui la colère le disputa au désespoir. Il avait toujours eu peur de Nico. À présent, il aurait aimé pousser le fils d'Hadès dans le canal le plus proche à grands coups de pied. C'était peut-être injuste, mais ce n'était pas son problème. Les dieux qui hurlaient dans sa tête aussi, c'était injuste.

– Il faut la ramener au navire, dit Nico.

Les monstro-vaches piétinaient avec méfiance, juste de l'autre côté de la voûte. Elles poussèrent leurs beuglements de corne de brume. Des rues voisines, d'autres monstres répondirent. Les renforts n'allaient pas tarder à encercler les demi-dieux.

– On n'y arrivera jamais à pied, dit Nico. Frank, change-toi en aigle géant. T'inquiète pas pour moi. Ramène-la à l'*Argo II* !

Entre son visage qui le brûlait et les dieux qui hurlaient sous son crâne, Frank n'était pas sûr d'arriver à changer de corps, mais il s'apprêtait à essayer quand une voix, derrière eux, déclara :

– Vos amis ne pourront rien pour elle, ils ne connaissent pas l'antidote.

Frank fit volte-face. Sur le pas de la porte de la maison noire se tenait un jeune homme en jean et chemise de toile. Il avait des cheveux bruns et bouclés et un sourire avenant, mais Frank doutait qu'il soit bienveillant. Il n'était sans doute même pas humain.

Pour l'heure, il s'en fichait.

– Vous pouvez la guérir, vous ? demanda-t-il.

– Bien sûr, répondit l'homme. Mais vous avez intérêt à entrer sans traîner. Je crois que vous avez mis en colère tous les catoblépas de Venise.

19 Frank

Ils s'engouffrèrent dans la maison in extremis.

À peine leur hôte eut-il tiré les verrous derrière eux que les monstro-vaches se jetèrent contre la porte en meuglant, la faisant trembler sur ses gonds.

– Elles ne pourront pas entrer, dit l'homme en jean. Vous ne craignez plus rien, maintenant !

– Plus rien ? protesta Frank. Hazel est en train de mourir !

Leur hôte fronça les sourcils, l'air agacé d'entendre Frank ternir sa bonne humeur.

– Oui, oui, dit-il. Amenez-la par ici.

Frank prit Hazel dans ses bras et ils s'enfoncèrent dans le bâtiment à la suite de l'homme. Nico proposa de l'aider, mais Frank déclina. Hazel était un poids plume et Frank était galvanisé par l'adrénaline. Il sentait Hazel trembler, ce qui était rassurant car ça signifiait qu'elle était encore en vie, mais sa peau était froide. Ses lèvres avaient pris une teinte verdâtre – où était-ce parce que Frank avait la vision brouillée par l'haleine du monstre ?

Ses yeux brûlaient toujours. Quant à ses poumons, c'était comme s'il avait inhalé un chou en flammes. Il ne comprenait pas pourquoi le gaz l'avait moins affecté qu'Hazel. Peut-être en avait-elle respiré davantage. Il aurait donné n'importe quoi pour changer de place avec elle, si ça pouvait lui sauver la vie.

Les voix de Mars et d'Arès se disputaient son espace-cerveau, lui hurlant de tuer Nico, l'homme en jean et tous ceux qui lui tomberaient sous la main, mais il parvint à mettre les cris en sourdine.

Le salon de l'hôtel particulier était une sorte de serre. Les murs étaient bordés de tables chargées de plantes sous des néons. Une odeur d'engrais flottait dans l'air. Les Vénitiens faisaient-ils leur jardinage en intérieur parce qu'ils étaient entourés d'eau et non de terre ? Frank ne s'attarda pas sur la question.

La pièce du fond, elle, ressemblait à la fois à un garage, un labo informatique et un foyer pour étudiants. Contre le mur de gauche s'alignaient des rangées de serveurs et d'ordinateurs portables, dont les écrans de veille montraient des champs labourés et des tracteurs. Le long du mur de droite il y avait un lit une place, un bureau en désordre et une penderie ouverte, pleine de vêtements en toile et de matériel agricole, notamment des fourches et des râteaux.

Le mur du fond était une immense porte de garage. Un char était garé à côté, rouge et or, découvert et à essieu unique, comme les chars de course du Camp Jupiter. De chaque côté de l'habitacle du conducteur se déployait une aile immense, couverte de plumes. Un python tacheté, enroulé autour de la jante de la roue gauche, ronflait bruyamment.

Frank ne savait pas que les pythons ronflaient. Il se demanda avec inquiétude s'il en avait fait autant la nuit précédente, quand il était en python.

– Mets ton amie là, dit l'homme en jean.

Frank déposa délicatement Hazel sur le lit. Il retira son épée et voulut l'installer plus confortablement, mais elle était raide comme un épouvantail. Et elle avait bel et bien le teint verdâtre.

– Qui sont ces espèces de vaches ? demanda Frank. Qu'est-ce qu'elles lui ont fait ?

– Des catoblépas, répondit leur hôte. Ça veut dire « qui regarde en bas ». Ainsi nommés...

– Parce qu'ils regardent toujours en bas. (Nico se tapa le front.) C'est vrai. Je me souviens que j'avais lu une notice sur eux.

– C'est maintenant que tu t'en souviens ? dit Frank en le fusillant du regard.

Nico baissa le nez, presque aussi bas qu'un catoblépas.

– Je... euh... je jouais à un jeu de cartes à collectionner débile quand j'étais petit. Tu sais, les Mythomagic. Le catoblépas était une des cartes de monstres.

Frank écarquilla les yeux.

– Moi aussi je jouais au Mythomagic. Je l'ai jamais vue.

– Elle était dans le supplément *Africanus extrême*.

– Ah.

Leur hôte s'éclaircit la gorge.

– C'est bon, vous deux, vous avez bientôt fini votre délire de geeks, comme on dit ?

– Ouais, désolé, marmonna Nico. Bref, les catoblépas ont l'haleine toxique et le regard qui tue. Je croyais qu'ils vivaient seulement en Afrique.

L'homme en jean haussa les épaules.

– C'est leur terre natale. Ils ont été introduits à Venise par accident il y a de ça plusieurs siècles. Vous avez entendu parler de saint Marc ?

Frank avait envie de hurler. Il ne voyait pas en quoi tout ça les avançait, mais il se dit que si leur hôte pouvait guérir Hazel, il n'avait pas intérêt à le contrarier.

– Un saint ? demanda-t-il. Pourtant les saints ne font pas partie de la mythologie grecque.

L'homme en jean gloussa.

– Non, dit-il, mais saint Marc est le patron de cette ville. Il est mort en Égypte il y a très longtemps. Quand les Vénitiens sont devenus puissants... Il faut savoir qu'au Moyen Âge les reliques des saints avaient une grande valeur touristique.

Les Vénitiens décidèrent donc de voler la dépouille de saint Marc pour leur *basilica di San Marco*. Ils la transportèrent en contrebande, dans un tonneau de porc en saumure.

– C'est... dégoûtant, dit Frank.

– Oui, en convint l'homme en souriant. Le problème, c'est qu'on ne peut pas commettre un acte pareil sans qu'il y ait de conséquences. À leur insu, les Vénitiens ont fait sortir autre chose d'Égypte : les catoblépas, qui s'étaient glissés clandestinement à bord du bateau. Depuis, ils se reproduisent comme des lapins. Ils raffolent des plantes marécageuses et nauséabondes qui sortent des canaux, et surtout de leurs racines magiques vénéneuses. Elles leur donnent l'haleine encore plus méphitique ! En général, les monstres laissent les mortels tranquilles, mais les demi-dieux, surtout les demi-dieux qui les dérangent...

– Pigé, interrompit Frank. Pouvez-vous la guérir ?

– Peut-être, fit l'homme en haussant les épaules.

– *Peut-être ?*

Frank dut faire appel à toute sa volonté pour ne pas l'étrangler. Il mit la main sous le nez d'Hazel, mais ne sentit plus sa respiration.

– Nico, supplia-t-il, dis-moi qu'elle fait comme toi dans la jarre de bronze, le coup de la transe de mort.

Nico répondit avec une grimace :

– Je ne sais pas si Hazel a cette faculté. Techniquement son père est Pluton, pas Hadès, ce qui veut...

– Hadès ! s'écria leur hôte, qui recula d'un pas et toisa Nico avec répugnance. C'est donc ça, l'odeur que j'avais sentie. Des enfants des Enfers ? Si j'avais su, je ne vous aurais jamais laissés entrer !

– Hazel est quelqu'un de bien ! protesta-t-il. Vous avez promis de l'aider.

– Je n'ai rien promis.

Nico tira son épée.

– C'est ma sœur, gronda-t-il. Je ne sais pas qui tu es, mais si tu peux la guérir, tu dois le faire ou je jure par le Styx que...

– Bla bla bla...

L'homme agita la main. Soudain, à l'endroit où se tenait Nico encore une seconde plus tôt, il n'y eut plus qu'une plante en pot d'un mètre cinquante, environ, avec des feuilles vertes tombantes, des barbes de soie et une demi-douzaine d'épis de maïs mûrs.

– Et voilà, marmonna l'homme en agitant un doigt sévère devant le plant de maïs. Je ne vais pas me laisser commander par des enfants d'Hadès ! Ça t'apprendra à écouter plus et parler moins.

Frank tituba contre le bord du lit.

– Qu'est-ce que vous... pourquoi... ?

L'homme leva le sourcil. Frank émit un couinement qui n'était pas très courageux. Il était tellement obnubilé par Hazel qu'il en avait oublié ce que Léo leur avait dit sur le personnage qu'ils devaient chercher.

– Vous êtes un dieu, se souvint-il.

– Triptolème, fit l'homme en s'inclinant. Mes amis m'appellent Trip et je te déconseille d'en faire autant. Et si tu es toi aussi un enfant d'Hadès...

– Mars ! s'empressa de dire Frank. Un enfant de Mars !

Triptolème plissa le nez.

– Mouais... ce n'est pas beaucoup mieux. Mais tu mérites peut-être autre chose qu'un plant de maïs. Du sorgho ? C'est chouette, le sorgho.

– Attendez ! supplia Frank. Nous sommes venus en amis. Nous avons apporté un présent. (Très lentement, il plongea la main dans son sac à dos et en sortit le livre relié de cuir.) Est-ce que ceci vous appartient ?

– Mon almanach ! (Avec un sourire ravi, Triptolème attrapa le livre. Il le feuilleta et se mit à danser de joie.) Oh, c'est fabuleux ! Où l'as-tu trouvé ?

– Euh, à Bologne. On a rencontré des... (Frank se souvint à temps qu'il n'était pas censé évoquer les nains.) des monstres terribles. On a risqué nos vies mais on savait que c'était important pour vous. Alors peut-être que vous voudrez bien, vous savez, ramener Nico à son état normal et guérir Hazel ?

– Hein ?

Trip leva le nez de son livre. Il s'était mis à en réciter des passages avec délectation – il était question de la saison où planter les navets. Dommage, pensa Frank, qu'Ella la harpie ne soit pas là ; à eux deux, ils auraient fait la paire.

– Oh, les guérir ? (Triptolème claqua la langue avec désapprobation.) Je vous remercie pour le livre, bien sûr. Et je peux te relâcher, fils de Mars, pas de problème. Par contre j'ai un grief de longue date contre Hadès. Après tout, c'est à Déméter que je dois mes pouvoirs divins !

Frank se creusa la cervelle, mais il avait du mal, entre les voix qui hurlaient dans sa tête et le poison du catoblépas qui l'engourdissait.

– Euh, Déméter, dit-il. La déesse des plantes. Elle n'aimait pas Hadès parce que... (Il se rappela soudain une vieille histoire qu'on lui avait racontée au Camp Jupiter.) Sa fille, Proserpine...

– Perséphone, corrigea Trip. Je préfère les Grecs, si ça ne t'ennuie pas.

Tue-le ! hurla Mars.

J'adore ce mec ! rétorqua Arès. *Tue-le quand même !*

Frank décida de ne pas prendre ombrage de la remarque. Il ne voulait pas finir en plant de sorgho.

– D'accord. Hadès a enlevé Perséphone.

– Exactement !

– Et... Perséphone était une de vos amies ?

Trip fit une petite grimace.

– Je n'étais qu'un prince mortel, à l'époque, Perséphone ne pouvait pas me remarquer, expliqua-t-il. Mais quand sa mère est partie à sa recherche en ratissant la terre entière, elle n'a pas trouvé grand monde pour l'aider. La nuit, Hécate l'éclairait avec ses torches. Quant à moi... lorsque Déméter a débarqué dans mon coin de Grèce, je lui ai offert un toit. Je l'ai accueillie et réconfortée, je lui ai servi un repas et je lui ai proposé de l'aide. À ce moment-là je ne savais pas que c'était une déesse, mais ma bonne action a payé. Par la suite, Déméter m'a récompensé en me faisant dieu de l'agriculture !

– L'agriculture ? dit Frank. C'est trop classe ! Félicitations.

– Ouais, je sais, c'est énorme. Enfin en tout cas, Déméter ne s'est jamais entendue avec Hadès. Et naturellement, tu comprendras que je doive prendre le parti de ma déesse patronne. Les enfants d'Hadès, c'est niet ! D'ailleurs, il y en a un, tu sais, le roi des Scythes, un certain Linkos ? Eh bien quand j'ai voulu apprendre à ses sujets à cultiver la terre, il a tué mon python de droite !

– Votre python de droite ?

Trip se dirigea vers son char ailé et sauta lestement dans l'habitacle. Il tira sur une manette et les ailes commencèrent à battre. Le python tacheté qui somnolait sur la roue gauche ouvrit les yeux. Il se tordit et s'enroula comme un ressort autour de l'essieu. Le char s'ébranla avec un ronronnement, mais la roue droite ne bougea pas, de sorte que Triptolème ne put que décrire des cercles : le char battait des ailes et faisait des bonds comme un manège abîmé.

– Tu vois ? dit-il sans interrompre ses tours. Il est inutilisable ! Depuis que j'ai perdu mon python de droite, je n'ai pas pu répandre la bonne parole de l'agriculture, du moins pas en personne. J'en suis réduit à donner des cours en ligne.

– Comment ?

Aussitôt la question posée, Frank s'en mordit les doigts.

Trip sauta du chariot en marche. Le python ralentit puis s'arrêta et reprit son somme. Trip courut à ses ordinateurs, tapa quelques touches sur les claviers et les écrans se ranimèrent, affichant un site Internet dans les tons d'or et bordeaux, avec la photo d'un joyeux agriculteur en toge et casquette, debout dans un champ de blé, une serpe de bronze à la main.

– Université agricole de Triptolème ! annonça-t-il fièrement. En six semaines, décrochez votre diplôme d'agriculteur, le métier de l'avenir qui saura vous réjouir !

Frank sentit un filet de sueur couler sur sa joue. Il n'en avait rien à faire, de ce dieu doux dingue, de son char à pythons et de sa formation en ligne. Mais Hazel verdissait de minute en minute et Nico était transformé en plant de maïs. Et Frank était seul.

– Écoutez, dit-il. Nous vous avons apporté l'almanach. Et mes amis sont vraiment gentils. Ils ne sont pas comme les autres enfants d'Hadès que vous avez rencontrés. Alors s'il y avait un moyen de...

– Ah ! Je te vois venir ! s'exclama Trip, qui claqua des doigts.

– Vraiment ?

– Absolument ! Si je guéris ton amie Hazel et ramène l'autre à son état normal, le Nicolas...

– Nico.

– Si je le ramène à son état normal...

Frank hésita.

– Oui ?

– Alors, en échange, tu restes avec moi et tu te mets aux travaux des champs ! Un fils de Mars comme apprenti ? Je ne pourrais pas rêver meilleur porte-parole. Ce sera parfait ! On pourra transformer les épées en charrues, ce sera super.

– En fait...

Frank cherchait désespérément un plan. Mars et Arès hurlaient dans sa tête : *Des épées ! Des fusils ! Des explosions !*

S'il refusait l'offre de Trip, le dieu se vexerait sans doute et risquait de le transformer en sorgho, en blé ou qui sait en quelle céréale.

Bien sûr, si c'était l'unique moyen de sauver Hazel, alors oui, il accéderait aux demandes de Trip et se mettrait à l'agriculture. Mais ça ne pouvait pas être l'unique moyen. Frank refusait de croire qu'il avait été choisi par les Parques pour participer à cette quête à la seule fin de pouvoir suivre une formation en ligne sur la culture du navet.

Les yeux de Frank se posèrent sur le char cassé.

– J'ai une meilleure proposition, lança-t-il tout à trac. Je peux te le réparer.

Le sourire de Trip se figea.

– Réparer mon char ?

Frank se serait botté le derrière : mais qu'est-ce qui lui avait pris ? Il n'était pas Léo. Il n'avait même pas su se dépatouiller d'un piège à doigts chinois, la première fois qu'il en avait vu un ! C'était tout juste s'il savait changer les piles d'une télécommande. Alors réparer un char magique !

Pourtant il avait l'intuition que c'était sa seule chance. Si Triptolème tenait à une chose, c'était sans doute à ce char.

– Je vais me mettre en quête d'un moyen de réparer le char, dit Frank. En échange, vous réparez Nico et Hazel. Vous nous laissez repartir. Et vous nous apportez votre aide pour vaincre les troupes de Gaïa.

Triptolème éclata de rire.

– Qu'est-ce qui te fait croire que je peux vous aider en cela ?

– C'est Hécate qui nous l'a dit. C'est elle qui nous a envoyés ici. Elle... elle a jeté son dévolu sur Hazel.

Trip blêmit.

– Hécate ?

Frank espéra qu'il n'y allait pas trop fort. Il n'avait pas besoin de se mettre Hécate à dos, elle aussi. Mais si Hécate et Triptolème avaient Déméter comme amie commune, peut-être Trip accepterait-il de les aider.

– La déesse nous a montré où trouver votre almanach à Bologne, dit Frank. Elle voulait que nous vous le rapportions parce que... eh bien parce qu'elle devait savoir que vous disposiez d'informations qui nous permettraient d'aborder la Maison d'Hadès en Épire.

Trip hocha lentement la tête.

– Oui, dit-il. Je vois. Je sais pourquoi Hécate vous a envoyés à moi. Très bien, fils de Mars. Va chercher un moyen de réparer mon char. Si tu réussis, je ferai ce que tu demandes. Sinon...

– Je sais, grommela Frank. Mes amis meurent.

– Oui, dit Trip d'un ton joyeux. Et tu feras un joli carré de sorgho !

20 FRANK

Frank sortit de la maison noire en titubant. La porte claqua derrière lui et il s'affaissa contre le mur, accablé par la culpabilité. Heureusement que les catoblépas étaient partis, car il se serait peut-être laissé piétiner sans se défendre. Il ne méritait pas mieux. Il avait abandonné Hazel à l'intérieur, mourante et sans défense, à la merci d'un dieu de l'agriculture qui avait une araignée au plafond.

Tue les agriculteurs ! lui hurla Arès sous le crâne.

Retourne à la légion et combats les Grecs ! dit Mars. *Qu'est-ce qu'on fabrique ici ?*

On tue des agriculteurs ! renchérit Arès.

– La ferme, tous les deux ! cria Frank à voix haute.

Deux vieilles dames passèrent avec leurs sacs de courses. Elles gratifièrent Frank d'un drôle de regard, marmonnèrent en italien et poursuivirent leur chemin.

Le cœur gros, Frank regarda l'épée de cavalerie d'Hazel qui gisait à ses pieds, à côté de son sac à dos. Il pouvait courir à l'*Argo II* chercher Léo. Peut-être que Léo saurait réparer le char.

Seulement, en vérité, Frank savait que ce problème n'était pas du ressort de Léo. La tâche lui incombait à lui, Frank. Il devait faire ses preuves. En plus le char n'était pas vraiment cassé, il n'avait pas de problème mécanique. Il lui manquait juste une pièce : un serpent.

Frank pouvait se changer en python. Peut-être était-ce un signe des dieux s'il s'était réveillé en serpent géant ce matin-là. Il n'avait pas envie de passer le restant de ses jours à faire tourner la roue du char d'un fermier, mais si la vie d'Hazel était à ce prix...

Non. Il devait y avoir une autre solution.

Des serpents, songea Frank. *Mars.*

Son père avait-il une relation privilégiée aux serpents ? L'animal sacré de Mars était le sanglier, pas le serpent. Pourtant Frank avait comme l'impression qu'on lui avait dit quelque chose un jour...

Il ne voyait hélas qu'une seule personne à qui demander. À contrecœur, Frank ouvrit son esprit aux voix du dieu de la guerre.

J'ai besoin d'un serpent, dit-il. *Comment faire ?*

Ha-ha ! cria Arès. *Oui, le serpent !*

Comme cet abject Cadmos, dit Mars. *Nous l'avons puni d'avoir tué le dragon !*

Ils se remirent tous les deux à hurler et Frank crut que sa tête allait exploser.

– OK ! Arrêtez !

Les voix se turent.

– Cadmos, marmonna Frank. Cadmos...

L'histoire lui revint. Le demi-dieu Cadmos avait tué un dragon sans savoir que c'était un enfant d'Arès. Comment Arès s'était retrouvé à avoir un dragon pour fils, Frank préférait ne pas le savoir ; toujours est-il que pour le punir de la mort du dragon, Arès avait changé Cadmos en serpent.

– En résumé, dit Frank, tu peux changer tes ennemis en serpents. C'est ce qu'il me faut. Il faut que je trouve un ennemi et ensuite j'aurai besoin que tu le changes en serpent.

Tu t'imagines que je ferais ça pour toi ? rugit Arès. *Tu n'as pas prouvé ta valeur !*

Seul le plus grand des héros peut demander une faveur pareille, renchérit Mars. *Un héros de la trempe de Romulus !*

Trop romain ! cria Arès. *Un Diomède !*

Jamais ! protesta Mars. *Ce gringalet s'est fait battre par Héraclès !*

Horatius, alors, suggéra Mars.

Arès garda le silence. Frank sentit que les deux voix étaient arrivées à un compromis.

– Horatius, dit-il. Très bien. Puisqu'il le faut, je montrerai que je suis aussi vaillant qu'Horatius. Euh... qu'a-t-il fait ?

Des images affluèrent dans l'esprit de Frank. Il vit un guerrier solitaire, debout sur un pont de pierre, face à une armée entière massée de l'autre côté du Tibre.

Frank se souvint de la légende. Horatius, général romain, avait repoussé à lui seul une horde d'envahisseurs, sacrifiant sa vie sur ce pont pour empêcher les Barbares de traverser le fleuve. En donnant ainsi le temps à ses concitoyens romains de monter leur défense, il avait sauvé la République.

Venise est envahie, dit Mars, *tout comme Rome menaçait de l'être. Nettoie-la !*

Tue-les tous ! renchérit Arès. *Passe-les au fil de l'épée !*

Frank repoussa les voix au fond de son esprit. Baissant le regard sur ses mains, il fut surpris de voir qu'elles ne tremblaient pas.

Pour la première fois depuis de longues journées, il avait les pensées claires. Il savait exactement ce qu'il devait faire. Il ne savait pas comment il allait s'y prendre. Il avait toutes les chances d'y laisser sa peau, mais il fallait qu'il essaie. La vie d'Hazel en dépendait.

Il passa l'épée d'Hazel à sa taille, métamorphosa son sac à dos en arc et carquois et courut vers la *piazza* où il avait combattu les monstro-vaches.

Le plan comportait trois phases : dangereuse, très dangereuse et ridiculement dangereuse.

Frank s'arrêta au vieux puits. Aucun catoblépas en vue. Il tira l'épée d'Hazel de son fourreau et, de sa pointe, délogea quelques pavés, découvrant un grand fouillis de racines piquantes. Les vrilles vertes se déployèrent et s'étirèrent vers les pieds de Frank en exhalant leurs putrides vapeurs vertes.

Au loin retentit le mugissement plaintif d'un catoblépas. D'autres s'y joignirent, venus de toutes les directions. Frank se demanda comment les monstres savaient qu'il s'attaquait à leur aliment préféré. Peut-être avaient-ils juste un sens de l'odorat très développé.

Maintenant, il fallait agir vite. Il trancha une longue grappe de vrilles vertes et l'enfila dans un passant de sa ceinture, en essayant d'ignorer les brûlures et les démangeaisons. Il se retrouva nanti d'un lasso de plantes toxiques, verdâtre et puant. Youpi.

Les premiers catoblépas déboulèrent à pas lourds sur la place en beuglant leur colère. Des yeux verts brillaient sous leurs crinières hirsutes. Leurs longs museaux crachaient des nuages de gaz, un peu comme des moteurs à vapeur couverts de poils.

Frank encocha une flèche à son arc. Une pointe de culpabilité lui traversa le cœur. Ce n'étaient pas les pires monstres qu'il ait rencontrés, loin s'en fallait. En gros, c'étaient des ruminants qui avaient la malchance d'être venimeux.

Hazel est en train de mourir à cause d'eux, se rappela-t-il.

Il projeta la flèche. Le catoblépas le plus proche ploya sur ses pattes et disparut dans un nuage de poussière. Frank sortit une deuxième flèche, mais le reste du troupeau se jetait déjà sur lui. Un autre groupe de monstro-vaches chargeait, venu de l'autre côté de la place.

Frank se changea en lion. Il poussa un rugissement de défi et bondit vers la voûte de pierre en survolant la deuxième bande de catoblépas. Les deux groupes se heurtèrent de plein fouet mais ils se remirent vite du choc, et, en un seul gros troupeau, se lancèrent à la poursuite de Frank.

Frank s'était demandé si les racines allaient conserver leur odeur, quand il se serait transformé en lion. En général ses vêtements et ses affaires se fondaient dans la forme animale qu'il adoptait, mais apparemment, là, il dégageait toujours un appétissant fumet de spécialité toxique. Chaque fois qu'il passait devant un catoblépas, celui-ci poussait un mugissement furieux et se joignait au cortège des casseurs de Frank.

Il déboucha dans une artère plus large et s'y fendit un chemin en bousculant les hordes de touristes. Il n'avait aucune idée de ce que voyaient les mortels : un chat poursuivi par une meute de chiens sauvages ? Frank essuya des insultes dans une douzaine de langues différentes. Des cônes de glace à l'italienne volèrent à son passage. Une femme renversa une pile de masques de carnaval. Un homme tomba dans le canal.

Lorsque Frank jeta un coup d'œil derrière lui, il vit qu'il était suivi par une grosse vingtaine de monstro-vaches, mais il lui en fallait plus. Il les fallait tous, tous les catoblépas de Venise, et il devait entretenir la colère de ceux qu'il avait déjà aux trousses.

Profitant d'une percée dans la cohue, il reprit sa forme humaine. Il dégaina la *spatha* d'Hazel – il n'avait jamais raffolé de cette arme, mais il était assez costaud pour manier une lourde épée de cavalerie. En l'occurrence, d'ailleurs, il se félicita du rayon d'action que lui donnait sa longue lame d'or. D'un seul coup, il pourfendit le catoblépas le plus proche, puis il laissa les autres s'agglutiner autour de sa dépouille.

Il s'efforçait d'éviter leurs yeux, mais sentait quand même le feu de leur regard attaquer sa chair. Il se dit que si tous ces monstres lui soufflaient leur haleine toxique dessus en même temps, cela suffirait à le réduire en flaque. Les monstres s'attroupaient en se bousculant.

– Vous voulez mes racines toxiques ? hurla Frank. Venez les chercher !

Il se changea en dauphin et sauta dans le canal en espérant que les catoblépas ne sachent pas nager. Ils parurent en tout cas réticents à le suivre, et Frank les comprenait. Le canal était dégoûtant : l'eau était sale, nauséabonde, salée et chaude comme une soupe, mais Frank allait de l'avant, louvoyant entre les gondoles et les hors-bord, s'arrêtant de temps en temps pour invectiver en clics de dauphins les monstro-vaches qui le suivaient en longeant le trottoir. Arrivé au premier ponton, Frank reprit sa forme humaine, trucida quelques catoblépas de plus, histoire d'aviver leur colère, et partit en courant.

Ils continuèrent comme ça un bon bout de temps.

Frank finit par plonger dans une sorte de torpeur. Il attirait toujours plus de monstres, bousculait de plus en plus de touristes et entraînait sa suite à présent nombreuse de catoblépas par les ruelles tortueuses de la vieille ville. S'il avait besoin de leur échapper rapidement, il plongeait dans le canal en dauphin ou grimpait dans le ciel sous la forme d'un aigle, mais il veillait à ne jamais trop s'éloigner de ses poursuivants.

Et lorsqu'il avait l'impression que la motivation des monstro-vaches déclinait, il se perchait sur un toit, bandait son arc et éliminait quelques bêtes choisies au cœur du troupeau. Il agitait son lasso de vrilles toxiques en les traitant de « pue-du-bec » et autres noms d'oiseaux pour attiser leur rage. Puis il reprenait la course.

Il revenait sur ses pas, parfois, et parfois se perdait. Il lui arriva même, au sortir d'une ruelle, de tomber sur l'arrière de son cortège de monstres. Il aurait dû être exténué, pourtant il trouvait la force de continuer et c'était tant mieux, car le plus difficile était encore à venir.

Il repéra deux ponts, mais qui ne lui parurent pas convenir. L'un était surélevé et entièrement couvert ; il ne pourrait jamais y faire entrer sa bande de monstro-vaches. L'autre était bondé de touristes. Même si les monstres ignoraient les mortels, ce gaz toxique n'était bon à respirer pour personne. De plus, vu la masse grossissante du troupeau, il serait inévitable que des mortels, bousculés par son déferlement, finissent à l'eau ou piétinés.

Finalement, Frank en vit un qui faisait l'affaire. Juste devant lui, de l'autre côté d'une grande place, un pont en bois enjambait un des canaux les plus larges. L'ouvrage, long d'une cinquantaine de mètres et tout en treillis, rappelait les vieilles montagnes russes en bois.

Du ciel, sous sa forme d'aigle, Frank vit qu'il ne restait plus un seul monstre à l'horizon. Apparemment, tous les catoblépas de Venise s'étaient joints au troupeau qui s'enfonçait dans les rues à sa suite, dispersant les touristes qui poussaient des cris affolés, se croyant sans doute assaillis par une meute de chiens sauvages.

Il n'y avait pas de piétons sur le pont. C'était idéal.

Frank se laissa tomber comme une pierre et reprit sa forme humaine. Il courut jusqu'au milieu du pont, goulet d'étranglement naturel, et lança son appât de racines vénéneuses derrière lui.

Lorsque les premiers rangs de catoblépas arrivèrent au pied du pont, Frank dégaina la *spatha* d'or d'Hazel.

– Venez ! hurla-t-il. Vous voulez voir ce que Frank Zhang a dans le ventre ? Venez donc !

Il se rendit compte qu'il ne s'adressait pas seulement aux monstro-vaches. C'était des semaines de peur, de rancune et de colère rentrée qu'il exprimait à travers ses cris, et les voix d'Arès et de Mars se joignaient à la sienne.

Les monstres chargèrent. Frank eut comme un voile rouge qui lui tombait devant les yeux.

Plus tard, il aurait du mal à se rappeler les détails précisément. Il pourfendit tant de catoblépas qu'il se retrouva dans la poussière jaune jusqu'aux chevilles. Chaque fois qu'il se sentait écrasé par leur nombre ou que les nuages de gaz menaçaient de l'étouffer, il changeait de forme – pour prendre celle d'un éléphant, d'un lion, d'un dragon – et chaque transformation lui nettoyait les poumons et lui apportait un regain d'énergie. Il se métamorphosait maintenant avec une telle souplesse qu'il pouvait attaquer sous sa forme humaine et à l'épée, puis achever le catoblépas en lion, en lui labourant le museau avec les griffes.

Les monstro-vaches donnaient des coups de sabots. Elles crachaient leur gaz toxique et dardaient sur Frank le regard de leurs yeux qui tuent. Il aurait dû mourir cent fois. Il aurait dû se faire piétiner. Mais non. Frank tenait bon ; debout, intact, il déchaînait des torrents de violence.

Il n'y prenait aucun plaisir, mais il n'hésitait pas non plus. Il pourfendait un monstre, en décapitait un autre. Il se changea en dragon et coupa un catoblépas en deux entre ses mâchoires, puis se transforma en éléphant et en écrasa trois d'un coup sous ses pattes. Il voyait toujours à travers ce voile rouge et il se rendit compte que ce n'était pas un tour que lui jouaient ses yeux. Il rayonnait, en fait ; il était entouré d'une aura rose.

Il ne comprenait pas pourquoi, mais il continua à se battre, jusqu'au moment où il ne resta plus qu'un seul monstre.

Frank se planta devant lui, l'épée baissée. Il était essoufflé, en sueur et couvert de poussière de monstre, mais sain et sauf.

Le catoblépas montra les dents en grondant. Il ne devait pas être le surdoué du troupeau : bien qu'il ait vu plusieurs centaines de ses compagnons se faire massacrer, il ne tenta pas de fuir.

– Mars ! cria Frank. J'ai fait mes preuves. Maintenant j'ai besoin d'un serpent !

Frank se dit qu'il devait être le premier à hurler ces mots. C'était une requête plutôt bizarre. Aucune réponse ne lui vint des cieux. Et, pour une fois, les voix dans sa tête se taisaient.

Le catoblépas perdit patience. Il se jeta sur Frank, ce qui ne lui laissait plus le choix : il leva son épée. Au contact de la pointe de la *spatha*, le catoblépas disparut dans un éblouissant éclair rouge sang. Quand Frank recouvra sa vision, un python birman tacheté brun était lové à ses pieds.

– Bien joué, dit une voix familière.

À même pas deux mètres de Frank se tenait Mars, son père, en treillis kaki portant l'insigne des forces spéciales italiennes et béret rouge, un fusil d'assaut en bandoulière. Il avait un visage dur et anguleux, les yeux cachés par des lunettes de soleil foncées.

– Père, articula Frank avec effort.

D'un coup, il se rendit compte de ce qu'il avait fait, sans parvenir à y croire. La terreur le rattrapa. Il eut envie d'éclater en sanglots, mais il s'avisa que devant Mars ce n'était pas une bonne idée.

– C'est normal d'éprouver de la peur. (La voix du dieu de la guerre était étonnamment chaleureuse et fière.) Tous les grands guerriers connaissent la peur. Il faut être stupide ou refuser la réalité pour l'ignorer. Mais tu as affronté ta peur, mon fils. Tu as fait ce que tu devais faire, comme Horatius. C'était ton pont et tu l'as défendu.

– Je... (Frank ne savait pas quoi dire.) Ben... j'avais juste besoin d'un serpent.

Un infime sourire recourba la bouche de Mars.

– Oui. Et tu en as un maintenant. Ton courage a uni mes deux formes, grecque et romaine, ne serait-ce que pour un instant. Va. Sauve tes amis. Mais écoute-moi, Frank. Ta plus grande épreuve est encore devant toi. Lorsque tu affronteras les armées de Gaïa en Épire, ton autorité...

Brusquement le dieu se plia en deux et se prit la tête entre les mains. Son treillis se transforma en toge, puis en jean et blouson de motard. Son fusil se changea en épée puis en lance-roquettes.

– Horreur ! tonna Mars. Pars ! Dépêche-toi !

Frank ne demanda pas son reste. Malgré son immense fatigue, il mua en aigle géant, saisit le python entre ses serres puissantes et se hissa dans l'air.

Lorsqu'il tourna la tête, il vit un champignon de fumée miniature monter du milieu du pont, accompagné d'anneaux de feu concentriques, et deux voix – celles d'Arès et de Mars – hurlèrent *Nooon !*

Frank ne comprenait pas ce qui venait de se passer, mais il n'avait pas le temps d'y réfléchir. Il survola Venise maintenant libérée de ses monstres en mettant le cap sur la maison de Triptolème.

– Tu en as trouvé un ! s'exclama le dieu des agriculteurs.

Frank l'ignora. Il se rua comme une trombe à l'intérieur de la Casa Nera en traînant le python par la queue et le jeta au pied du lit.

Il s'agenouilla au chevet d'Hazel.

Elle était encore en vie – verte, tremblante, le souffle ténu comme un fil, mais vivante. Quant à Nico, c'était toujours un plant de maïs.

– Guéris-les, dit Frank. Maintenant.

Triptolème croisa les bras sur la poitrine.

– Qui me dit que le serpent va remplir son office ? fit-il.

Frank serra les dents. Depuis l'explosion sur le pont, les voix du dieu de la guerre s'étaient tues dans sa tête, mais il sentait leurs colères combinées bouillir en lui. Physiquement aussi, il se sentait différent. Et Triptolème, il avait rapetissé ou quoi ?

– Le serpent est un cadeau de Mars, gronda-t-il. Quelle garantie veux-tu de plus ?

Comme pour confirmer les dires de Frank, le serpent rampa jusqu'au char et s'enroula autour de la roue droite. L'autre serpent se réveilla. Les deux pythons se toisèrent, se frottèrent le nez, puis tournèrent chacun sa roue de concert. Le char avança en battant légèrement des ailes.

– Tu vois ? dit Frank. Maintenant, guéris mes amis !

Triptolème se caressa le menton et rétorqua :

– Eh bien je te remercie pour le serpent, mais je ne suis pas sûr d'apprécier tes manières, jeune demi-dieu. Peut-être vais-je te changer en...

Frank fut le plus rapide des deux. Il bondit vers Trip et le plaqua contre le mur, serrant le cou du dieu entre ses doigts.

– Réfléchis bien à ce que tu vas dire, prononça Frank avec un calme d'acier. Sinon, au lieu de transformer mon épée en soc de charrue, je t'éclate la tête avec.

Triptolème ravala sa salive.

– Tu sais quoi ? Je crois que je vais guérir tes amis.

– Jure-le sur le Styx.

– Je le jure sur le Styx.

Frank le relâcha. Triptolème se toucha la gorge, comme pour vérifier qu'elle était toujours là. Il adressa un sourire crispé à Frank, le contourna et partit en trottinant vers le salon, sur le devant de la maison.

– Je vais juste chercher des herbes !

Frank regarda le dieu choisir des feuilles et des racines, puis les piler dans un mortier. Il en fit une boulette verte et poisseuse grosse comme une gélule, et courut auprès d'Hazel. Il lui ouvrit la bouche et glissa la boulette sous sa langue.

Aussitôt, elle trembla et se redressa en toussant. Elle ouvrit d'un coup les paupières. Sa peau avait perdu sa teinte verdâtre.

Frank la serra dans ses bras.

– Ça va aller, dit-il avec force. Tout va bien.

– Mais... (Hazel l'attrapa par les épaules et le regarda avec stupeur.) Mais qu'est-ce qui t'est arrivé, Frank ?

– À moi ? (Il se leva, brusquement gêné.) Ben je ne...

Baissant les yeux, il comprit ce qu'elle voulait dire. Ce n'était pas Triptolème qui avait rapetissé. C'était lui qui avait grandi. Son petit pneu abdominal avait fondu. Son torse était plus développé.

Frank avait déjà eu des poussées de croissance. Une fois, il s'était réveillé deux centimètres plus grand que la veille en se mettant au lit. Mais là, c'était de la folie. C'était comme si un peu du lion et du dragon était resté en lui quand il avait repris sa forme humaine.

– Euh... je sais pas, dit-il. Je peux peut-être arranger ça.

Hazel rit joyeusement :

– Pourquoi ? Tu es magnifique !

– Sérieux ?!

– Je veux dire, t'étais très bien avant. Mais là tu es plus grand, tu fais plus mûr, et puis tellement stylé, tu es...

Triptolème poussa un soupir las.

– Ben oui, ça sent la bénédiction de Mars à plein nez. Félicitations, et cetera, et cetera. Maintenant si on a fini... ?

Frank le fusilla du regard.

– On n'a pas fini. Guéris Nico.

Le dieu de l'agriculture roula des yeux. Il tendit le doigt vers le plant de maïs et *Pouf !* Nico di Angelo apparut dans une explosion de barbes de maïs.

Nico regarda autour de lui, paniqué.

– Je... je viens de faire un cauchemar vraiment bizarre, une histoire de pop-corn. (Il regarda Frank en fronçant les sourcils.) Comment ça se fait que tu sois plus grand ?

– Tout va bien, affirma Frank. Triptolème allait justement nous expliquer comment survivre dans la Maison d'Hadès. N'est-ce pas, Trip ?

Le dieu de l'agriculture leva les yeux au plafond, l'air de dire : *Déméter, pourquoi moi ?*

– Très bien, dit-il. Lorsque vous arriverez en Épire, on vous tendra un calice.

– Qui ça ? demanda Nico.

– Ça n'a pas d'importance. Mais ce que vous devez savoir, c'est qu'il contient un poison mortel.

Hazel frissonna.

– Autrement dit, il faudra refuser de boire.

– Non ! corrigea Trip. Vous devrez le boire, faute de quoi vous ne ressortirez pas vivants du temple. Le poison vous relie au monde des morts et vous permet d'accéder aux niveaux inférieurs. Le secret pour survivre c'est... (Une étincelle s'alluma dans son regard.) ... l'orge.

– L'orge, répéta Frank en le regardant avec des yeux ronds.

– Prenez un peu de mon orge spéciale dans le salon. Faites-en des croquettes et mangez-les avant de pénétrer dans la Maison d'Hadès. L'orge absorbera le plus gros du poison, lequel, du coup, vous affectera, mais sans vous tuer.

– C'est tout ? demanda Nico. Hécate nous a fait traverser la moitié de l'Italie pour que vous nous disiez de manger de l'orge ?

– Bonne chance ! s'écria Triptolème, qui fila comme une flèche et sauta dans son char. Et, Frank Zhang, je te pardonne ! Tu as du cran. Si jamais tu changes d'avis, mon offre tient toujours. Je serais ravi de te voir décrocher un diplôme d'agriculture !

– Moui, marmonna Frank. Merci.

Le dieu tira une manette sur son char. Les roues-serpents tournèrent. Les ailes battirent. La porte de garage, au fond de la pièce, remonta.

– Ah, retrouver la mobilité ! s'écria Trip. Tant de terres ignorantes ont besoin de mon savoir. Je leur enseignerai les merveilles du labour, de l'irrigation, de l'engrais ! (Le char décolla et se propulsa vers le ciel.) En route, mes serpents, en route !

– Ça, commenta Hazel, c'était vraiment bizarre.

– Les merveilles de l'engrais. (Nico enleva quelques barbes de maïs qui collaient encore à son épaule.) On peut y aller, maintenant ?

Hazel posa la main sur l'épaule de Frank et lui demanda :

– Tu es sûr que ça va ? Tu as dû négocier en échange de nos vies. Qu'est-ce que Triptolème t'a fait faire ?

Frank lutta pour ne pas craquer. Il s'en voulait d'être aussi faible. Il pouvait affronter une armée de monstres, mais sitôt qu'Hazel était un peu gentille avec lui, il avait envie de fondre en larmes.

– Ces monstro-vaches, les catoblépas qui vous ont empoisonnés... j'ai dû les tuer.

– C'était courageux, dit Nico. Il devait bien en rester six ou sept dans ce troupeau.

– Non. (Frank s'éclaircit la gorge.) Tous. J'ai tué tous les monstro-vaches de la ville.

Nico et Hazel le dévisagèrent en silence, stupéfaits. Frank eut peur qu'ils ne le croient pas ou qu'ils se mettent à rire. Combien de monstres avait-il tués sur ce pont ? Deux cents ? Trois cents ?

Mais il lut dans les yeux de ses amis qu'ils le croyaient. C'étaient des enfants des Enfers. Peut-être percevaient-ils la mort et le carnage dans lesquels il avait pataugé.

Hazel l'embrassa sur la joue. Elle dut se hisser sur la pointe des pieds, pour cela. Ses yeux étaient d'une tristesse infinie, comme si elle se rendait compte que quelque chose avait changé en Frank, quelque chose de bien plus important que la poussée de croissance physique.

Frank en était conscient, lui aussi. Il ne serait plus jamais le même. Et il ne savait pas si c'était un changement en bien.

– Bien, dit Nico, rompant la tension. Quelqu'un sait à quoi ça ressemble, l'orge ?

21 ANNABETH

Annabeth conclut que les monstres ne la tueraient pas. Ni l'atmosphère toxique, ni le paysage traître, avec ses fosses, ses falaises et ses aiguilles rocheuses.

Non. Le plus probable, c'était qu'elle mourrait d'une overdose de bizarre, qui lui ferait exploser le cerveau.

Un, Percy et elle devaient boire du feu pour se maintenir en vie. Ensuite, ils se faisaient attaquer par une bande de vampires menée par une pom-pom girl qu'Annabeth avait tuée deux ans plus tôt. Pour finir, ils étaient sauvés par un Titan gardien d'immeuble qui avait les yeux et une crinière argentés sans parler d'une façon bien à lui de manier le balai.

Bien sûr, pourquoi pas ?

Ils suivirent Bob dans le désert en remontant le cours du Phlégéthon pour se rapprocher du front d'orage. Régulièrement, ils s'arrêtaient pour boire du feu, ce qui les maintenait en vie, mais coûtait à Annabeth. Sa gorge la brûlait comme si elle se gargarisait en permanence avec de l'acide de batterie.

Son unique réconfort, c'était Percy. De temps à autre, il lui jetait un coup d'œil en souriant ou serrait sa main plus fort dans la sienne. Il était certainement aussi angoissé et mal en point qu'elle, et elle lui était reconnaissante d'essayer de lui remonter le moral.

– Bob sait ce qu'il fait, affirma Percy.

– Tu as des amis intéressants, murmura Annabeth.

– Bob est intéressant ! (Le Titan se retourna, souriant jusqu'aux oreilles.) Oui, merci !

Le grand gaillard avait l'ouïe fine. Annabeth le nota dans un coin de sa tête.

– Alors Bob, dit-elle d'un ton qui se voulait amical et décontracté, ce qui n'était pas facile avec la gorge brûlée par l'eau de feu. Comment es-tu venu au Tartare ?

– J'ai sauté, répondit Bob comme si c'était une évidence.

– Tu as sauté dans le Tartare parce que Percy avait prononcé ton nom ?

– Il avait besoin de moi. (Les yeux argent brillèrent dans l'obscurité.) Ça tombait bien, j'en avais assez de balayer les sols du palais. Tenez bon, on arrive bientôt à une aire de repos.

Une aire de repos.

Annabeth avait du mal à imaginer ce que ça pouvait bien signifier, au Tartare. Elle se souvint de toutes les fois, avec Luke et Thalia, où ils avaient compté sur les aires de repos des autoroutes, quand ils étaient de jeunes demi-dieux sans abri qui tentaient de rester en vie.

Elle ignorait où Bob les emmenait, mais elle espérait qu'il y aurait des toilettes propres et un distributeur de barres chocolatées. Elle réprima un fou rire. Pas de doute, elle pétait les plombs.

Annabeth trottinait vaillamment, sourde aux gargouillements de son estomac. Elle fixait le dos de Bob tandis qu'il les guidait vers le mur de noirceur, lequel n'était plus qu'à quelques centaines de mètres, à présent. La salopette bleue du géant était déchirée entre les omoplates comme si on avait tenté de le poignarder. Des chiffons sortaient de sa poche. Un flacon vaporisateur était pendu à sa ceinture et le liquide bleu qu'il contenait ballottait avec un mouvement qui hypnotisait presque Annabeth.

Percy lui avait raconté comment il avait fait la connaissance du Titan. Lui, Thalia Grace et Nico di Angelo s'étaient battus contre Bob, sur les rives du Léthé. Après avoir gommé ses souvenirs, ils n'avaient pas eu le cœur de le tuer. Il était devenu si doux, si gentil, si serviable qu'ils l'avaient laissé au palais d'Hadès, Perséphone leur avait promis de veiller sur lui.

Apparemment, le roi et la reine pensaient que veiller sur quelqu'un consistait à lui confier un balai et lui faire faire le ménage. Annabeth se demanda comment Hadès, même lui, pouvait être aussi dur. Elle n'avait jamais eu de peine pour un Titan, mais là, elle trouvait que c'était injuste de transformer un immortel lobotomisé en portier non payé.

Ce n'est pas ton ami, se rappela-t-elle.

Elle était terrifiée à la pensée que Bob se souvienne soudain de qui il était vraiment. Le Tartare était le lieu où les monstres venaient pour se régénérer. Et s'il recouvrait la mémoire ? S'il redevenait Japet ? Annabeth l'avait vu régler leur compte aux *empousai*. Elle n'avait pas d'arme. Ni elle ni Percy n'étaient en état de combattre un Titan.

Elle jeta un coup d'œil au manche du balai de Bob en se demandant combien de temps elle avait avant que ce fer de lance déguisé se déploie de nouveau et se tourne contre elle.

C'était un risque inconsidéré de suivre Bob dans le Tartare. Manque de pot, elle ne trouvait pas de meilleur plan.

Ils avançaient dans le désert de cendres, et au-dessus de leurs têtes des éclairs rouge sang zébraient les nuages toxiques. Une jolie journée comme toutes les autres dans le cachot de la création. La brume limitait la visibilité d'Annabeth, cependant plus ils avançaient, plus elle avait le sentiment que le paysage où ils évoluaient dessinait une courbe descendante.

Elle avait entendu des descriptions du Tartare contradictoires. Fosse sans fond. Forteresse entourée de remparts de cuivre. Vide sans fin.

Une version en faisait l'inverse du ciel : un immense dôme de pierre creux et renversé. C'était celle qui paraissait la plus exacte. Pourtant, si le Tartare était un dôme, Annabeth l'imaginait plutôt semblable au ciel – sans fond à proprement parler, mais composé de strates multiples, chacune plus sombre et plus hostile que la précédente.

Et même ça, ce n'était pas l'horrible et entière vérité...

Ils passèrent devant une cloque qui affleurait au sol – une bulle mouvante et translucide, de la taille d'une camionnette. Elle abritait le corps recroquevillé d'un drakon à demi formé. Bob transperça distraitement la cloque, qui explosa en geyser jaune, visqueux et fumant, tandis que le drakon se réduisait à néant.

Bob poursuivit son chemin comme si de rien n'était.

Les monstres sont des boutons sur la peau du Tartare, songea Annabeth. Elle regrettait parfois d'avoir autant d'imagination ; maintenant, par exemple, elle avait la certitude qu'ils parcouraient la surface d'un être vivant. Ce paysage torturé, le dôme ou la fosse, peu importe, c'était le corps du dieu Tartare – la plus ancienne incarnation du mal. De même que Gaïa habitait la surface de la terre, le dieu Tartare habitait la fosse.

Et si le dieu remarquait qu'ils marchaient sur sa peau, comme des puces sur celle d'un chien... Arrête. Assez imaginé comme ça.

– Ici, dit Bob.

Ils firent halte en haut d'une crête rocheuse. À leurs pieds, dans une dépression protégée qui avait des airs de cratère lunaire, se dressait un cercle de colonnes en marbre noir, cassées, qui entouraient un autel de pierre foncé.

– Le sanctuaire d'Hermès, expliqua Bob.

Percy fronça les sourcils :

– Un sanctuaire d'Hermès dans le Tartare ?!

– Oui ! fit Bob, qui poussa un petit rire réjoui. Il est tombé de quelque part il y a longtemps. Du monde des mortels, peut-être. Ou de l'Olympe. En tout cas, les monstres se tiennent à distance, pour la plupart.

– Comment tu savais qu'il était là ? demanda Annabeth.

Le sourire de Bob s'évanouit et son regard se fit vague.

– Je me souviens pas, dit-il.

– C'est pas grave, glissa vite Percy.

Annabeth se serait giflée. Avant de devenir Bob, il avait été Japet, le Titan. Comme tous ses frères, il avait été enfermé dans le Tartare pendant des éternités. Évidemment qu'il connaissait les lieux. S'il se rappelait ce sanctuaire, peut-être que d'autres détails de son ancienne prison et de son ancienne vie pouvaient lui revenir. Et ça, ce serait la cata.

Ils descendirent dans le cratère et entrèrent dans le cercle de colonnes. Annabeth s'effondra sur une dalle de marbre cassé, trop épuisée pour faire un pas de plus. Percy se planta à côté d'elle dans une attitude protectrice, et inspecta rapidement les lieux du regard. Le front d'orage noir d'encre était à moins de cent mètres devant eux, à présent, et leur barrait la vue. Derrière eux, c'était le bord du cratère qui masquait le désert à leurs yeux. Ils seraient bien cachés, ici, mais si jamais des monstres déboulaient, ils seraient pris par surprise.

– Tu as dit que quelqu'un nous pourchassait, dit Annabeth. Qui est-ce ?

Bob balayait le sol au pied de l'autel, se penchant de temps en temps pour l'examiner de plus près, comme s'il cherchait quelque chose.

– Ils suivent, oui. Ils savent que vous êtes là. Les géants et les Titans. Les vaincus. Ils savent.

Les vaincus...

Annabeth essaya de maîtriser sa peur. Combien de Titans et de géants Percy et elle avaient-ils affrontés au cours des dernières années ? S'ils étaient tous ici, au Tartare, et qu'ils les recherchaient activement...

– Pourquoi faire halte, alors ? demanda-t-elle. On ferait mieux de continuer.

– Bientôt, dit Bob. Mais les mortels ont besoin de repos. Bon endroit, ici. C'est le meilleur endroit avant... oh... loin, loin, loin. Je veille sur vous.

Annabeth jeta un coup d'œil à Percy en lui envoyant un message muet : *Oh, non !* Se balader avec un Titan, ce n'était déjà pas idéal. Mais alors dormir pendant que le Titan en question veillerait sur vous... elle n'avait pas besoin d'être fille d'Athéna pour savoir que c'était à cent pour cent imprudent.

– Dors, lui dit Percy. Je vais faire le premier tour de garde avec Bob.

Bob poussa un grognement approbateur.

– Oui, bien, dit-il. Et quand tu te réveilleras, y aura à manger !

L'estomac d'Annabeth fit un soubresaut. Elle ne voyait pas comment Bob pouvait se procurer de la nourriture en plein Tartare, mais peut-être qu'il était traiteur, en plus de portier.

Elle ne voulait pas dormir, mais son corps la trahit. Ses paupières étaient lourdes comme du plomb.

– Percy, dit-elle, réveille-moi pour le deuxième tour de garde. Ne joue pas les héros.

Il lui décocha ce petit sourire narquois qu'elle avait fini par aimer.

– Qui ça, moi ? (Il l'embrassa, les lèvres sèches et brûlantes comme s'il avait de la fièvre.) Dors.

Annabeth eut l'impression de se retrouver dans le bungalow d'Hypnos, à la Colonie des Sang-Mêlé, vaincue par le sommeil. Elle se roula en boule à même le sol et ferma les yeux.

22 Annabeth

Plus tard elle prendrait une résolution : ne jamais, au grand jamais, dormir au Tartare.

Les demi-dieux faisaient toujours de mauvais rêves. Même bien en sécurité à la Colonie, elle faisait d'horribles cauchemars. Au Tartare, ils étaient mille fois plus forts.

Elle se revit d'abord petite fille, qui grimpait avec effort la colline des Sang-Mêlé. Luke Castellan la tenait par la main, la tirant presque. Leur guide, le satyre Grover Underwood, piaffait nerveusement au sommet de la colline en criant : « Vite ! vite ! »

Thalia Grace s'était arrêtée derrière eux et repoussait une armée de chiens des Enfers à l'aide de son bouclier qui provoquait la terreur, Aegis.

Du haut de la colline, Annabeth découvrit la Colonie, dans la vallée en contrebas : les lumières chaleureuses des bungalows, la possibilité d'un asile. Elle se tordit la cheville et tomba, et Luke se baissa et la hissa dans ses bras. Lorsqu'ils tournèrent la tête, les monstres n'étaient plus qu'à quelques mètres et encerclaient Thalia par dizaines.

– Partez ! hurla Thalia. Je vais les repousser !

Elle brandit sa lance, et un éclair de foudre s'abattit dans les rangs des monstres, mais pour chaque chien des Enfers qui tombait, un autre le remplaçait.

– Venez, maintenant !! cria Grover.

Et il prit la direction de la Colonie. Luke le suivit en portant dans ses bras Annabeth en pleurs, qui lui battait la poitrine de ses petits poings en criant qu'ils ne pouvaient pas abandonner Thalia. Mais c'était trop tard.

La scène changea.

Annabeth, plus âgée, grimpait de nouveau la colline des Sang-Mêlé. À l'endroit où Thalia avait mené sa dernière bataille se dressait maintenant un grand pin. Au-dessus, dans le ciel, la tempête faisait rage.

Le tonnerre secoua la vallée. Un éclair fendit l'arbre par le milieu jusqu'aux racines, en ouvrant à ses pieds une crevasse fumante. Dedans, dans la pénombre, se tenait Reyna, la préteur de la Nouvelle-Rome. Sa cape était de la couleur du sang frais. Son armure d'or étincelait. Elle leva les yeux, l'expression majestueuse et distante, et parla directement dans l'esprit d'Annabeth.

Tu as bien agi, dit Reyna, mais d'une voix qui était celle d'Athéna. *Le reste de mon voyage doit se faire sur les ailes de Rome.*

Les yeux noirs de la préteur virèrent au gris d'orage.

Je dois me tenir ici, ajouta Reyna. *C'est aux Romains de m'amener.*

La colline trembla. Le sol ondula tandis que l'herbe se muait en plis soyeux : la robe d'une gigantesque déesse. Gaïa se dressa au-dessus de la Colonie des Sang-Mêlé ; son visage endormi était grand comme une montagne.

Des chiens des Enfers se déversèrent sur les collines. Des géants, des Ogres de Terre à six bras et des Cyclopes sauvages, tous venus de la plage, attaquaient, démolissant le pavillon-réfectoire, mettant le feu aux bungalows et à la Grande Maison.

Dépêche-toi, dit la voix d'Athéna. *Il faut envoyer le message.*

Le sol s'ouvrit sous les pieds d'Annabeth et elle tomba dans le noir.

Elle ouvrit brutalement les yeux. Et saisit la main de Percy en poussant un petit cri. Elle était toujours au Tartare, dans le sanctuaire d'Hermès.

– Tout va bien, la rassura Percy. T'as fait un cauchemar ?

Son corps tout entier était tendu par l'effroi.

– C'est... c'est mon tour de garde ?

– Non, non, t'inquiète. Je te laisse dormir.

– Percy !

– Non, je te jure ! De toute façon, j'étais trop excité pour dormir. Regarde !

Bob le Titan était assis en tailleur à côté de l'autel et dévorait joyeusement une part de pizza.

Annabeth se frotta les yeux en se demandant si elle rêvait toujours.

– C'est une quatre fromages ?!

– Des offrandes brûlées, expliqua Percy. Des sacrifices à Hermès en provenance du monde des mortels, je suppose. C'est apparu dans un nuage de fumée. On a un hot-dog, des raisins, une assiette de rôti de bœuf et un paquet de M&M's.

– M&M's pour Bob ! s'écria Bob, tout content. Euh, d'accord ?

Annabeth ne protesta pas. Percy lui apporta l'assiette de viande et elle l'engloutit. Elle n'avait jamais rien mangé d'aussi bon. Encore chaude, parfaitement cuite, et puis cet assaisonnement salé sucré, exactement comme au barbecue de la Colonie des Sang-Mêlé.

– Je sais, dit Percy, devinant sa réaction. Je crois que ça vient de la Colonie, en fait.

Cette pensée donna un gros coup de blues à Annabeth. À chaque repas, les pensionnaires de la Colonie des Sang-mêlé jetaient une partie de ce qu'ils avaient dans leurs assiettes au feu, en offrande à leur parent divin. La fumée était censée faire plaisir aux dieux, mais Annabeth ne s'était jamais posé la question de ce que devenait la nourriture une fois brûlée. Peut-être que les offrandes refaisaient surface sur les autels des dieux dans l'Olympe... ou même ici, au beau milieu du Tartare.

– Des M&M's, dit-elle. Connor Alatir en mettait toujours un paquet au feu pour son père, au dîner.

Elle se rappela les soirées au pavillon-réfectoire, le soleil se couchant sur le détroit de Long Island. C'était là que Percy et elle s'étaient embrassés pour de bon pour la première fois. Annabeth sentit ses yeux piquer.

Percy posa la main sur son épaule.

– Hé, c'est que du bon, là ! De la vraie bouffe de chez nous, non ?

Elle hocha la tête. Ils finirent de manger en silence.

Bob goba les derniers M&M's.

– Faut partir maintenant, dit-il. Ils seront là dans quelques minutes.

– Quelques *minutes* ?

Annabeth porta instinctivement la main à son poignard, avant de se rappeler qu'elle ne l'avait plus.

– Oui, enfin, je crois que c'est des minutes. (Bob gratta sa crinière argentée.) C'est compliqué, le temps, au Tartare. Pas pareil.

Percy pointa le nez au-dessus du bord du cratère. Puis jeta un coup d'œil derrière, dans la direction d'où ils étaient venus.

– Je ne vois rien, dit-il, mais ça ne veut pas dire grand-chose. Bob, de quels géants s'agit-il ? Quels Titans ?

Bob grogna.

– Je suis pas sûr des noms. Sont six, ou peut-être sept. Je les sens.

– Six ou sept ? (Annabeth se demanda si son rôti n'allait pas lui fausser compagnie.) Et eux, est-ce qu'ils peuvent te sentir ?

– Je sais pas. (Bob sourit.) Bob est différent ! Mais ils sentent les demi-dieux, ça oui. Vous avez une odeur très forte tous les deux. Bonne et forte. Comme... mmm... des tartines beurrées !

– Des tartines beurrées, fit Annabeth. J'adore.

Percy remonta sur l'autel.

– Est-il possible de tuer un géant au Tartare ? Je veux dire, vu qu'on n'a pas de dieu pour nous aider ?

Il regarda Annabeth comme si elle détenait la réponse.

– Je ne sais pas, Percy, dit-elle. Voyager à l'intérieur du Tartare, y affronter des monstres... ça ne s'est jamais fait jusqu'à maintenant. Peut-être Bob pourra-t-il nous aider à tuer un géant ? Peut-être qu'un Titan peut compter comme un dieu ? Je n'ai aucun moyen de savoir.

– Ah d'accord, dit Percy.

Elle lut l'inquiétude dans ses yeux. Depuis des années, Percy comptait sur elle pour apporter les réponses à ses questions. Maintenant qu'il avait tant besoin d'elle, Annabeth ne pouvait pas l'aider. Ça lui était extrêmement pénible, mais rien de ce qu'elle avait appris à la Colonie ne l'avait préparée au Tartare. Elle n'avait qu'une seule certitude : ils devaient se remettre en route. Pas question de se laisser surprendre par six, voire sept, immortels hostiles.

Elle se leva, encore troublée par ses cauchemars. Bob se mit à faire le ménage, ramassa leurs détritus, passa un petit coup de pschitt sur l'autel.

– Par où on va ? demanda Annabeth.

Percy tendit le bras vers le mur d'orages noirs.

– Bob dit qu'il faut aller par là. Apparemment, les Portes de la Mort...

– *Tu lui as dit ?!*

Annabeth n'avait pas voulu être brutale, mais Percy accusa le coup avec une grimace.

– Pendant que tu dormais, avoua-t-il. Annabeth, Bob peut nous aider. Nous avons besoin d'un guide.

– Bob aide ! renchérit Bob. En route pour les Terres de l'Ombre. Les Portes de la Mort... Hum, y aller tout droit, c'est une mauvaise idée. Trop de monstres rassemblés là-bas. Même Bob peut pas en balayer autant. Ils tueraient Percy et Annabeth en deux secondes. (Le Titan fronça les sourcils.) Je crois que ce serait en secondes. Le temps, c'est compliqué au Tartare.

– Bon, grommela Annabeth. Alors y a-t-il un autre chemin ?

– En se cachant, fit Bob. La Brume de Mort pourrait vous cacher.

– Ah... (Annabeth se sentait toute petite dans l'ombre du Titan.) Euh... qu'est-ce que c'est, la Brume de Mort ?

– C'est dangereux, dit Bob. Mais si la dame vous donne la Brume de Mort, ça pourrait vous cacher. Si on arrive à éviter Nuit. La dame est très proche de Nuit. Pas bon, ça.

– La dame, répéta, Percy.

– Oui. (Bob pointa du doigt vers l'horizon noir d'encre, devant eux.) Faut y aller maintenant.

Percy jeta un coup d'œil à Annabeth, visiblement en quête de consignes, mais elle n'en avait pas à offrir. Elle repensait à son cauchemar – l'arbre de Thalia fracassé par la foudre, Gaïa qui se dressait sur la colline des Sang-Mêlé et lâchait ses monstres sur la Colonie.

– OK, dit Percy. Donc on va trouver une dame pour lui parler de la Brume de Mort.

– Attends, dit Annabeth.

Son esprit tournait à cent à l'heure. Elle repensa à son rêve de Luke et Thalia. Se souvint des histoires que Luke lui racontait sur son père, Hermès, dieu des voyageurs, guide des esprits des morts, dieu de la communication.

Elle riva les yeux sur l'autel de pierre noire.

– Annabeth ? appela Percy d'une voix inquiète.

Elle s'approcha du tas de détritus et en récupéra une serviette en papier raisonnablement propre.

Elle revit Reyna, debout dans la crevasse fumante ouverte sous le pin de Thalia ravagé, qui lui parlait avec la voix d'Athéna :

Je dois me tenir ici. C'est aux Romains de m'amener. Dépêche-toi. Il faut envoyer le message.

– Bob, dit Annabeth. Les offrandes brûlées dans le monde mortel apparaissent sur cet autel, n'est-ce pas ?

Bob fronça les sourcils avec l'air mal à l'aise d'un lycéen soumis à une interro surprise.

– Oui ?

– Alors que va-t-il se passer si je brûle quelque chose ici sur l'autel ?

– Euh...

– Exact, dit Annabeth. Tu ne sais pas et personne ne sait parce que ça ne s'est jamais fait.

Il y avait une chance, si infime soit-elle, qu'une offrande brûlée ici réapparaisse à la Colonie des Sang-Mêlé.

Douteux, mais si ça marchait...

– Annabeth ? répéta Percy. Tu as un plan en tête. Tu as ton air de « j'échafaude un plan ».

– Je n'ai aucun air de « j'échafaude un plan ».

– Si, complètement. Tu as les sourcils froncés, tu serres les lèvres et...

– T'as un stylo ? lui demanda-t-elle.

– Tu rigoles, ou quoi ?

Percy sortit Turbulence de sa poche.

– Oui, mais est-ce qu'il écrit ?

– Je... je ne sais pas, avoua-t-il. J'ai jamais essayé.

Il retira le capuchon. Comme d'habitude, le stylo-bille se transforma en épée. Annabeth l'avait vu faire des centaines de fois. Normalement, dans une situation de combat, Percy se contentait de jeter le capuchon. Il réapparaissait toujours dans sa poche plus tard, quand il en avait besoin. Si Percy touchait alors la pointe de l'épée avec le capuchon, celle-ci redevenait un stylo-bille.

Et si tu mettais le capuchon à l'autre bout de l'épée ? dit Annabeth. Du côté où tu le mettrais si tu allais vraiment écrire avec le stylo-bille.

– Euh…

Percy n'avait pas l'air convaincu, mais il toucha la poignée de l'épée avec le capuchon. Turbulence reprit sa taille de stylo-bille, mais la pointe était dégagée, cette fois-ci.

– Je peux ? fit Annabeth en le lui prenant de la main.

Elle lissa la serviette sur l'autel et se mit à écrire. L'encre de Turbulence avait la brillance du bronze céleste.

– Qu'est-ce que tu fais ? demanda Percy.

– J'envoie un message. J'espère juste que Rachel le recevra.

– Rachel ? Tu veux dire notre Rachel ? Rachel la pythie de Delphes ?

– Celle-là même.

Annabeth se retint de sourire. Chaque fois qu'elle mentionnait le nom de Rachel, Percy se crispait. À une époque, Rachel avait eu envie de sortir avec Percy. C'était de l'histoire ancienne ; Rachel et Annabeth étaient de bonnes amies, maintenant. Mais Annabeth ne détestait pas mettre un peu la pression à son petit copain, de temps en temps, histoire de.

Elle termina son mot et plia la serviette. Sur le dessus, elle écrivit :

Connor,
Donne ça à Rachel. C'est pas une blague. Fais pas l'idiot.
Bises,
Annabeth

Elle inspira à fond. Elle demandait à Rachel Dare de faire une chose ridiculement dangereuse, mais elle ne voyait pas d'autre moyen de communiquer avec les Romains – or c'était à ce prix seulement qu'ils pourraient éviter le bain de sang.

– Il ne reste plus qu'à la brûler, dit-elle. Quelqu'un a du feu ?

Le fer de lance de Bob jaillit au bout de son manche à balai. Il le frappa contre l'autel et quelques flammes argentées y bourgeonnèrent.

– Euh, merci.

Annabeth alluma la serviette en papier et la posa sur l'autel. Elle la regarda se réduire en cendres en se demandant si elle était folle : la fumée pouvait-elle vraiment s'échapper du Tartare ?

– Il faut partir, maintenant, insista Bob. Vraiment vraiment. Avant de se faire tuer.

Annabeth regarda le mur de noirceur qui se dressait devant eux. Quelque part là-dedans, ils trouveraient une dame disposant d'une Brume de Mort qui devait, normalement, les cacher aux yeux des monstres – stratégie recommandée par un Titan, un de leurs ennemis les plus acharnés. Une nouvelle dose de bizarre pour lui faire exploser le cerveau.

– Bien, dit-elle. Je suis prête.

23 ANNABETH

Annabeth rentra carrément dans le deuxième Titan.

Ils avaient pénétré dans le front d'orages et crapahutaient depuis une éternité, s'éclairant à la lame de bronze céleste de l'épée de Percy et grâce à Bob, qui luisait dans le noir tel un ange gardien en version déjantée.

Annabeth ne voyait pas à plus d'un mètre cinquante devant elle. Curieusement, les Terres de l'Ombre lui faisaient penser à San Francisco, où vivait son père : à ces après-midi d'été où le célèbre *fog* se déversait sur la ville, humide et froid. La différence, c'était qu'au Tartare, ce brouillard était d'encre.

Des rochers se dressaient à l'improviste. Des ravins s'ouvraient à leurs pieds, et Annabeth manqua de justesse de tomber dans l'un d'eux. Des rugissements monstrueux résonnaient dans la pénombre, sans qu'Annabeth pût dire d'où ils venaient. La seule certitude qu'elle avait, c'était que le terrain était toujours en pente.

Le bas semblait la seule direction autorisée au Tartare. Lorsque Annabeth tentait de reculer ne serait-ce que d'un pas, elle se sentait lourde et lasse, comme si la gravité augmentait pour l'en décourager. Si elle acceptait l'hypothèse que la fosse entière était le corps du dieu Tartare, Annabeth avait la désagréable impression qu'ils étaient en train de s'enfoncer dans sa gorge.

Elle était tellement occupée par cette pensée qu'elle ne remarqua pas la saillie rocheuse.

– Ehhh ! hurla Percy en essayant de la rattraper par le bras, mais elle tombait déjà.

Heureusement, la cuvette était peu profonde. Une cloque de monstre s'étalait sur presque tout le sol. Annabeth atterrit donc en douceur sur une surface tiède et élastique, et s'estima chanceuse. Jusqu'à l'instant où elle ouvrit les yeux et se trouva nez à nez avec un visage immense, beaucoup plus grand que le sien, derrière une membrane luminescente et dorée.

Elle hurla, battit des bras et tomba à la renverse. Son cœur fit des bonds désordonnés.

– Ça va ? demanda Percy, tout en l'aidant à se relever.

Elle préféra ne pas répondre. Elle avait peur de crier de nouveau si elle ouvrait la bouche, ce qui manquerait de dignité. Elle était fille d'Athéna, tout de même, pas une petite chose fragile dans un film d'horreur.

Mais par les dieux de l'Olympe... devant elle, lové sous la membrane de la bulle, se trouvait un Titan entièrement formé, en armure d'or, la peau de la couleur d'une pièce d'un cent toute neuve. Il avait les paupières closes mais sa bouche dessinait un rictus si marqué qu'il donnait l'impression d'être sur le point de pousser un cri de guerre. Même à travers la cloque, Annabeth sentait la chaleur qui se dégageait de son corps.

– Hypérion, dit Percy. Je peux pas saquer ce mec.

Soudain, Annabeth sentit une vieille douleur se réveiller dans son épaule. Pendant la bataille de Manhattan, Percy avait affronté ce Titan au grand réservoir de Central Park : le duel de l'eau contre le feu. Pour la première fois de sa vie, Percy avait provoqué un ouragan, et Annabeth n'était pas près de l'oublier.

– Je croyais que Grover l'avait changé en érable, dit-elle.

– Moi aussi, acquiesça Percy. Peut-être que l'érable est mort et qu'il s'est retrouvé ici ?

Annabeth se souvint des explosions de feu qu'avait déclenchées Hypérion, de tous les satyres et les nymphes qu'il avait massacrés avant que Grover et Percy ne l'arrêtent.

Elle allait suggérer de transpercer Hypérion dans sa cloque avant qu'il ne se réveille. Il avait l'air prêt à éclore d'un instant à l'autre, menaçant de recommencer à tout carboniser sur son passage.

Mais alors, elle jeta un coup d'œil à Bob. Le Titan argenté examinait Hypérion en fronçant les sourcils, l'air de se concentrer, ou plutôt de reconnaître le monstre qui gisait sous la membrane. Leurs visages se ressemblaient tant...

Annabeth se mordit les lèvres. Bien sûr qu'ils se ressemblaient ! Ils étaient frères. Hypérion le Titan était le seigneur de l'Est tandis que Japet, alias Bob, avait été le seigneur de l'Ouest. Si Bob troquait son balai et son uniforme de portier contre une armure, se coupait les cheveux et passait de l'argenté au doré, il serait quasi impossible de le distinguer d'Hypérion.

– Bob, dit-elle, on devrait repartir.

– Doré, pas argenté, murmura Bob. Mais il me ressemble.

– Bob, appela Percy. Hé, mon pote, viens voir.

Le Titan se retourna à contrecœur.

– Est-ce que je suis ton ami ? demanda Percy.

– Oui, répondit Bob d'une voix dangereusement incertaine. Nous sommes amis.

– Tu sais qu'il y a des monstres qui sont bons, dit Percy, et d'autres qui sont mauvais.

– Hum..., fit Bob. Les jolies fantômettes qui servent Perséphone sont bonnes. Les zombies qui explosent sont mauvais.

– Exact, prouva Percy. Et parmi les mortels, il y en a des bons et des mauvais. Eh bien, chez les Titans, c'est pareil.

– Les Titans...

Du haut de ses trois mètres, Bob les regardait d'un œil sombre et pensif. Annabeth était presque sûre que son copain venait de commettre une erreur.

– C'est ce que tu es, dit Percy avec calme. Bob le Titan. Tu es bon. Tu es super, en fait. Mais il y a des Titans qui ne le sont pas. Ce type, là. Hypérion. C'est un super-méchant. Il a essayé de me tuer... il a essayé de tuer plein de monde.

Bob cligna des yeux.

– Mais son visage est tellement... il me ressemble...

– Il te ressemble, en convint Percy. C'est un Titan, comme toi. Mais à la différence de toi, il n'est pas bon.

– Bob est bon. (Il resserra la main sur son manche à balai.) Oui. Il y en a toujours au moins un qui est bon. Chez les monstres, chez les Titans, chez les géants.

– Euh... (Percy fit la grimace.) Pour les géants, je suis pas trop sûr.

– Si, si, insista Bob en hochant la tête.

Annabeth trouvait qu'ils ne s'étaient que trop attardés en ce lieu. Leurs poursuivants risquaient de débouler.

– Il faut qu'on bouge ! lança-t-elle d'une voix forte. Qu'est-ce qu'on fait pour... ?

– Bob, dit Percy, c'est à toi de décider. Hypérion est de ton espèce. On pourrait le laisser tranquille, mais s'il se réveille...

Le balai-javelot de Bob entra en action. S'il l'avait pointé sur Annabeth ou Percy, ils auraient été littéralement pourfendus. Mais Bob le planta dans la cloque, qui explosa en un geyser de boue brûlante et dorée.

Annabeth essuya les éclaboussures de Titan qui lui étaient rentrées dans les yeux. À la place d'Hypérion, il ne restait qu'un cratère fumant.

– Hypérion est un méchant Titan, déclara Bob, le visage sévère. Maintenant il ne peut plus faire de mal à mes amis. Il faudra qu'il aille se reformer ailleurs dans le Tartare. Avec un peu de chance, ça lui prendra longtemps.

Les yeux du Titan brillaient encore plus que d'habitude, comme s'il allait pleurer des larmes de mercure.

– Merci, Bob, dit Percy.

Comment faisait-il pour garder ainsi son calme ? Annabeth était sidérée par la façon dont il avait parlé à Bob... et peut-être un peu troublée, aussi. Car si Percy avait été vraiment sincère en laissant le choix à Bob, alors il faisait trop confiance au Titan et ça la choquait. Et s'il l'avait manipulé pour l'amener à sa décision... eh bien, en ce cas, il était plus calculateur qu'elle ne l'aurait jamais imaginé.

Elle chercha son regard, mais ne sut pas interpréter son expression. Cela aussi la dérangea.

– Il faudrait vraiment y aller, dit Percy.

Annabeth et Percy emboîtèrent le pas à Bob, dont l'uniforme de portier luisait encore plus, moucheté qu'il était par les éclaboussures dorées de la bulle d'Hypérion.

24 Annabeth

Au bout d'un moment, Annabeth eut les pieds en compote. Elle avançait à pas lourds derrière Bob en écoutant le bruit monotone du détergent qui s'agitait dans son flacon à pistolet.

Reste sur tes gardes, se disait-elle, mais c'était difficile. Ses pensées étaient aussi engourdies que ses jambes. De temps en temps Percy lui prenait la main ou lui adressait une remarque encourageante, mais elle se rendait bien compte que ce paysage sombre commençait à l'atteindre lui aussi. Ses yeux étaient devenus ternes, comme si la flamme de son esprit peu à peu s'éteignait.

Il est tombé dans le Tartare pour être avec toi, dit une voix dans sa tête. *S'il meurt, ce sera ta faute.*

– Tais-toi, dit-elle tout haut.

– Comment ? demanda Percy en fronçant les sourcils.

– Non, pas toi. (Elle voulut lui adresser un sourire rassurant, mais ses lèvres refusèrent de lui obéir.) Je parle toute seule. C'est cet endroit, il m'embrouille la tête. Il me donne des idées noires.

L'inquiétude creusait des rides autour des yeux verts de Percy.

– Hé, Bob, où on va au juste ? demanda-t-il.

– La dame, dit Bob. Brume de Mort.

Annabeth lutta pour contenir son exaspération.

– Mais qu'est-ce que ça veut dire ? Qui est cette dame ? se contenta-t-elle de lancer.

– Dire son nom ? rétorqua Bob en tournant la tête vers elle. Mauvaise idée.

Annabeth soupira. Le Titan avait raison. Les noms avaient du pouvoir et les prononcer ici, au Tartare, était sans doute très dangereux.

– Peux-tu au moins nous dire si on est encore loin ? insista-t-elle.

– Je ne sais pas, admit Bob. Je peux seulement le sentir. On attend que l'obscurité devienne plus sombre. Et puis on oblique.

– Sur le côté, marmonna Annabeth. Naturellement.

Elle fut tentée de suggérer une halte, mais elle ne voulait pas s'arrêter ici, dans ces lieux sombres et froids. Le brouillard noir s'insinuait dans son corps, transformait ses os en polystyrène spongieux.

Elle se demanda si son message parviendrait à Rachel Dare. Si Rachel trouvait alors le moyen de transmettre sa proposition à Reyna sans se faire tuer au passage...

Un espoir ridicule, commenta la voix dans sa tête. *Tu mets Rachel en danger pour rien. Même si elle trouve les Romains, pourquoi veux-tu que Reyna lui fasse confiance après tout ce qui s'est passé ?*

Annabeth fut tentée d'engueuler la voix de nouveau, mais elle s'abstint. Même si elle était en train de perdre la raison, elle ne voulait pas avoir l'air barjo.

Elle avait désespérément besoin de quelque chose qui lui remonte le moral. Un verre d'eau fraîche. Un rayon de soleil. Un lit douillet. Un mot gentil de sa mère.

Brusquement, Bob s'arrêta et leva la main.

– Attendez ! murmura-t-il.

– Qu'est-ce qu'il y a ? chuchota Percy.

– Chut. Devant. Quelque chose qui bouge.

Annabeth tendit l'oreille. De quelque part dans le brouillard venait un vrombissement grave, profond, comme un moteur de machine de chantier tournant au ralenti. Annabeth sentit les vibrations à travers ses chaussures.

– Nous allons l'encercler, dit Bob à mi-voix. Prenez un côté chacun.

Pour la énième fois, Annabeth regretta de ne pas avoir son poignard. Elle attrapa un morceau d'obsidienne pointu et rampa sur la gauche. Percy, l'épée à la main, partit sur la droite.

Bob prit le milieu, brandissant son balai-javelot dont la pointe luisait dans le brouillard.

Le bourdonnement s'accentua, secouant les graviers aux pieds d'Annabeth. Le bruit semblait avoir son origine juste devant eux.

– Prêts ? murmura Bob.

Annabeth s'accroupit pour bondir.

– On y va à trois ? dit-elle.

– Un, murmura Percy. Deux...

Une forme se dessina dans le brouillard. Bob leva sa lance.

– Attendez ! cria Annabeth.

Bob s'immobilisa à la dernière seconde, le fer de lance à deux centimètres de la tête d'un minuscule chaton écaille de tortue.

– Miaou ? fit le chaton, visiblement pas du tout impressionné par leur déploiement stratégique.

Il frotta la tête contre le pied de Bob et ronronna bruyamment. Ça paraissait impossible, mais le puissant vrombissement provenait bel et bien du chaton. Sous ses ronrons, le sol vibrait et les cailloux tressautaient. Le chaton riva ses yeux jaunes comme des ampoules électriques sur une pierre bien précise, pile entre les deux pieds d'Annabeth, et bondit.

Il pouvait très bien s'agir d'un démon ou d'un horrible monstre des Enfers en tenue de camouflage, mais Annabeth ne put s'en empêcher. Elle ramassa le chaton et se mit à le caresser. On sentait les os du petit animal sous sa fourrure, mais à part cette maigreur, il semblait parfaitement normal.

– Comment a-t-il... (Elle n'arrivait même pas à formuler la question.) Qu'est-ce qu'un chaton fabrique... ?

Pris d'impatience, le chaton se tortilla dans les bras d'Annabeth et sauta. Il toucha le sol avec un petit bruit sourd, trottina vers Bob et recommença de se frotter contre ses chevilles en ronronnant.

Percy se mit à rire.

– T'as un ticket, Bob.

– Ça doit être un gentil monstre, dit Bob, qui releva la tête, l'air inquiet. Vous ne croyez pas ?

La gorge d'Annabeth se serra. En voyant le gigantesque Titan et ce minuscule chaton ensemble, elle se sentit soudain insignifiante, par rapport à l'immensité du Tartare. Cet endroit n'avait aucun respect pour rien : ni le bien ni le mal, ni le grand ni le petit, si le sage ni l'irréfléchi. Le Tartare avalait tout sans distinction, Titans, demi-dieux ou chatons.

Bob s'accroupit et prit le chat dans sa main. Ce dernier tenait parfaitement dans la paume du Titan, mais il décida d'explorer. Il grimpa le long du bras de Bob, s'installa sur son épaule et ferma les yeux en ronronnant comme un bulldozer. Tout à coup, sa fourrure scintilla. En un éclair, le chaton se transforma en squelette fantomatique, comme s'il était passé derrière une machine à rayons X. Puis il redevint un chaton ordinaire.

– Tu as vu ça ? demanda Annabeth, les yeux écarquillés.

– Ouais. (Percy fronça les sourcils.) Oh, purée... je le connais, ce chaton. C'est un de ceux du Muséum d'histoire naturelle.

Annabeth essaya de comprendre ce que ça voulait dire. Elle n'était jamais allée au Muséum avec Percy... Un souvenir lui revint alors. Ça remontait à des années, quand le Titan Atlas l'avait capturée. Percy et Thalia avaient mené une quête pour la sauver. En cours de route, ils avaient vu Atlas lever une armée de guerriers-squelettes à partir de dents de dragon, au Muséum d'histoire naturelle de Washington.

Percy lui avait raconté que la première tentative du Titan avait échoué. Il avait planté des crocs de tigre à dents de sabre par erreur, et c'était une portée de chatons-squelettes qui était sortie de terre.

– C'est l'un d'eux ? demanda Annabeth. Mais comment a-t-il fini ici ?

Percy écarta les bras pour exprimer son ignorance.

– Atlas avait ordonné à ses sbires d'emporter les chatons. Peut-être qu'ils les ont tués et que les chatons sont revenus à la vie au Tartare ? Va savoir.

– Il est mignon, dit Bob en sentant le chaton lui renifler l'oreille.

– Mais n'est-il pas dangereux ? demanda Annabeth.

Bob gratta le chaton sous le menton. Annabeth ne trouvait pas que ce soit une grande idée de se trimbaler avec un chat qui avait été conçu à partir d'une dent de tigre préhistorique, mais la question ne se posait même plus, visiblement. Entre le Titan et le chaton, c'était love-love.

– Je vais l'appeler Ti-Bob, dit Bob. C'est un gentil monstre.

Le débat était clos. Le Titan empoigna sa lance et ils se remirent en route, s'enfonçant toujours plus avant dans l'obscurité lugubre.

Annabeth marchait dans un état d'hébétude, essayant de chasser de son esprit les images de pizza qui y revenaient avec insistance. Pour se distraire, elle observait Ti-Bob qui allait et venait le long des épaules de Bob en ronronnant, se changeait de temps à autre en squelette de chaton rougeoyant puis redevenait une petite boule de poils écaille de tortue.

– Ici, annonça Bob.

Il s'arrêta si abruptement qu'Annabeth faillit lui rentrer dedans.

Bob avait les yeux tournés vers la gauche, et l'air extrêmement pensif.

– C'est ici ? demanda Annabeth. Ici qu'on doit partir sur le côté ?

– Oui, acquiesça Bob. Plus sombre et puis sur le côté.

Annabeth n'arrivait pas à mesurer s'il faisait vraiment plus sombre ou non, mais l'air lui paraissait plus froid et plus dense, comme s'ils venaient de pénétrer dans un autre microclimat. De nouveau elle pensa à San Francisco, où la température pouvait chuter de deux ou trois degrés d'un quartier à l'autre. Elle se demanda si les Titans avaient construit leur palais sur le mont Tamalpais parce que la baie de San Francisco et ses alentours leur rappelaient le Tartare.

Quelle pensée déprimante. Il n'y avait que des Titans pour voir dans une si belle région un avant-poste potentiel de l'abîme – comme un deuxième enfer sur terre.

Bob piqua sur la gauche. Ils lui emboîtèrent le pas. L'air était effectivement plus vif. Annabeth se serra contre Percy pour se réchauffer, et il passa le bras autour de ses épaules. Ça faisait du bien de le sentir proche, mais Annabeth savait qu'elle ne pouvait pas se laisser aller.

Ils avançaient maintenant dans une espèce de forêt. De grands arbres noirs s'élançaient dans l'obscurité, le tronc sans aucune aspérité et dépourvu de branches, un peu comme de monstrueux poils. Le sol était lisse et pâle.

Avec notre chance, pensa Annabeth, *on est dans l'aisselle du Tartare.*

Soudain tous ses sens se mirent en alerte, comme si quelqu'un venait de lui faire claquer un élastique contre le cou. Elle posa la main sur le tronc le plus proche.

– Qu'est-ce qui se passe ? demanda Percy en brandissant son épée.

Bob s'arrêta et tourna la tête, intrigué :

– On s'arrête ?

Annabeth leva la main pour demander le silence. Elle ne savait pas vraiment ce qui l'avait fait réagir. Rien ne semblait différent. Alors elle se rendit compte que le tronc de l'arbre tremblait. Elle se demanda brièvement si c'était à cause des ronrons du chaton, mais Ti-Bob s'était endormi sur l'épaule de Gros Bob.

Quelques mètres plus loin, un autre arbre frissonna.

– Il y a quelque chose qui bouge au-dessus de nous, murmura Annabeth. Serrons les rangs.

Bob et Percy se rapprochèrent d'Annabeth et se placèrent dos à dos.

Elle leva la tête et s'efforça de percer l'obscurité du regard, mais rien ne bougeait.

Elle allait conclure qu'elle était parano quand le premier monstre se laissa tomber au sol à moins de deux mètres.

Les Furies, pensa aussitôt Annabeth.

La nouvelle venue en avait l'apparence : une vieille mégère ridée comme une pomme, avec des ailes de chauve-souris, des griffes en cuivre et des yeux rougeoyants. Elle portait une robe de soie noire en lambeaux et son visage démoniaque se tordait avec voracité, animé par le désir de tuer.

Bob grogna en en voyant une deuxième atterrir devant lui, puis une autre devant Percy. En quelques instants, une demi-douzaine de ces créatures les encerclèrent, tandis que d'autres persiflaient du haut des arbres.

Ce ne pouvait donc pas être les Furies, qui étaient au nombre de trois seulement. De plus, ces sorcières-ci n'avaient pas de fouets. Ce qui ne réconfortait nullement Annabeth : leurs griffes paraissaient bien assez meurtrières.

– Qui êtes-vous ? demanda-t-elle.

Les arai, chuinta une voix. *Les malédictions !*

Annabeth essaya de voir d'où elle provenait, mais aucune des démones n'avait ouvert la bouche. Leurs yeux paraissaient morts ; elles avaient des visages figés de marionnettes. La voix flottait au-dessus d'elles comme une voix off au cinéma, donnant l'impression qu'un seul esprit contrôlait toute la bande.

– Qu'est-ce que vous voulez ? rétorqua Annabeth en essayant de garder une certaine assurance.

La voix gloussa méchamment.

Vous maudire, bien sûr ! Vous infliger mille morts au nom de notre mère la Nuit !

– Mille seulement ? murmura Percy. Ah ça va. J'ai eu peur...

Le cercle des démones se resserra.

25 Hazel

Tout empestait le poison. Deux jours après leur départ de Venise, l'odeur pestilentielle des monstro-vaches collait toujours aux narines d'Hazel.

Le mal de mer n'arrangeait pas les choses. L'*Argo II* voguait dans l'Adriatique en faisant cap vers le sud, mais Hazel ne pouvait pas apprécier la beauté de cette étendue bleue étincelante à cause du roulis incessant du bateau. Quand elle était sur le pont, elle s'efforçait de garder les yeux rivés sur l'horizon – sur les falaises blanches qui avaient l'air de n'être qu'à deux ou trois kilomètres à l'est. Quel pays était-ce, la Croatie ? Elle n'en était pas certaine. Tout ce qu'elle aurait voulu, c'est retrouver la terre ferme.

Mais ce qui lui donnait le plus mal au cœur, c'était la belette.

La nuit précédente, Galè, la belette d'Hécate, avait surgi dans sa cabine. Hazel s'était réveillée d'un cauchemar en se disant : *C'est quoi, cette odeur ?* Et elle avait trouvé un rongeur à fourrure assis sur sa poitrine, qui la regardait de ses petits yeux noirs et brillants.

Rien de tel que de se réveiller en hurlant, d'envoyer balader ses couvertures et de se mettre à courir en rond dans sa cabine avec une belette dans les pattes, qui couine et qui pète.

Ses amis, inquiétés par le raffut, accoururent. Elle eut du mal à expliquer, pour la belette. Elle vit bien que Léo se retenait de la mettre en boîte.

Dans la matinée, une fois l'excitation retombée, Hazel décida d'aller trouver Gleeson Hedge, puisqu'il savait parler aux animaux.

Elle trouva la porte de sa cabine entrebâillée et entendit leur chaperon parler, à l'intérieur, comme s'il était au téléphone – sauf qu'ils n'avaient pas de téléphone à bord. Peut-être envoyait-il un message-Iris magique ? Hazel avait entendu dire que les Grecs se servaient beaucoup de ce moyen de communication.

– Bien sûr, ma loute, disait Hedge. Ouais, je sais, poupée. Nan, c'est une super nouvelle, mais...

Sa voix se brisa. Hazel se sentit soudain horriblement gênée d'écouter aux portes.

Elle aurait rebroussé chemin, mais Galè glapissait à ses pieds. Elle frappa à la porte de l'entraîneur.

Hedge pointa la tête dans l'embrasure, en grimaçant comme à son habitude, mais il avait les yeux rouges.

– Qu'est-ce qu'il y a ? grommela-t-il.

– Euh... excusez-moi, dit Hazel. Ça va ?

Hedge grogna et ouvrit grand sa porte.

– C'est quoi, c'te question ?

Il n'y avait personne d'autre dans la pièce.

– Je... (Hazel dut faire un effort pour se rappeler ce qui l'amenait.) Je me demandais si vous pouviez parler à ma belette.

Les yeux du satyre se plissèrent. Il abaissa la voix :

– Tu me causes en code, là ? Il y a un intrus à bord ?

– Ben, en quelque sorte.

Galè pointa le nez et se mit à jacasser.

Hedge prit l'air vexé. Il répondit à la belette en jacassant de plus belle. Ils eurent un échange qu'on qualifierait de musclé.

– Qu'est-ce qu'elle a dit ? demanda Hazel.

– Beaucoup de grossièretés, grommela le satyre. Le message, en gros, c'est qu'elle est venue voir comment ça se passe.

– Comment ça se passe, *quoi* ?

– Comment veux-tu que je sache ? rétorqua le satyre en tapant du sabot. C'est un putois ! Ils ne donnent jamais de réponse claire ! Maintenant tu m'excuseras, mais j'ai, euh, des trucs à faire...

Et il lui ferma la porte au nez.

Après le petit déjeuner, Hazel se mit au bastingage de bâbord en espérant que son ventre se calmerait. À côté d'elle, Galè la belette courait sur la rambarde en lâchant des gaz, heureusement en partie balayés par le vent fort de l'Adriatique.

Hazel pensait à M'sieur Hedge et elle était intriguée. Il devait être en train de parler à quelqu'un par message-Iris quand elle était arrivée, mais s'il venait de recevoir une bonne nouvelle, pourquoi cet air accablé ? Elle ne l'avait jamais vu aussi secoué. Malheureusement, elle doutait que leur chaperon les sollicite s'il avait besoin d'aide. Ce n'était pas le genre ouvert, ou qui se confie facilement.

Elle fixa les yeux sur les falaises blanches, à l'horizon, et se demanda pourquoi Hécate avait envoyé Galè le putois.

Elle est venue voir comment ça se passe.

Il allait arriver quelque chose. Hazel allait être mise à l'épreuve.

Elle ne voyait pas comment elle était censée apprendre la magie sans aucune formation. Hécate comptait sur elle pour vaincre une sorcière superpuissante – la dame en robe dorée que Léo avait vue en rêve et leur avait décrite. Mais comment ?

Hazel passait tout son temps libre à chercher la réponse. Elle avait regardé sa *spatha* en essayant de lui donner l'apparence d'une canne. Elle avait essayé de faire passer un nuage pour masquer la lune. Elle s'était concentrée à en avoir les yeux qui louchent et les tympans qui claquent, mais rien ne s'était passé. Elle ne savait pas manipuler la Brume.

Ces dernières nuits, ses rêves avaient empiré. Elle s'était vue dans les Champs d'Asphodèle, à errer sans but parmi les fantômes. Ensuite dans la grotte de Gaïa, en Alaska, où Hazel et sa mère étaient mortes sous le plafond qui s'écroulait et les cris de rage de la déesse de la terre. Enfin, dans l'escalier de l'immeuble de sa mère, à La Nouvelle-Orléans, nez à nez avec son père, Pluton. Il serrait le bras d'Hazel entre ses doigts glacés. Des âmes prisonnières se tordaient dans le lainage noir de son costume. Il rivait ses yeux sombres et courroucés sur elle et lui disait : *Les morts voient ce qu'ils croient qu'ils vont voir. De même pour les vivants. Là est le secret.*

Il ne lui avait jamais dit ça dans la vraie vie. Elle n'avait aucune idée de ce que ça signifiait.

Les pires cauchemars lui donnaient l'impression d'être des aperçus de l'avenir. Hazel titubait dans un tunnel sombre, suivie par l'écho d'un rire de femme.

Contrôle ça si tu le peux, enfant de Pluton, la narguait la femme.

Et, toujours, Hazel rêvait des images qu'elle avait vues à la croisée des chemins d'Hécate : Léo en chute libre dans le ciel ; Percy et Annabeth gisant inconscients, peut-être morts, devant des portes de métal noir ; une silhouette voilée qui les dominait de toute sa hauteur – le géant Clytios, drapé de noirceur.

Près d'elle, sur le bastingage, Galè glapit avec impatience. Hazel lutta contre l'envie de pousser la stupide belette à l'eau.

Je n'arrive même pas à contrôler mes rêves, avait-elle envie de hurler. *Comment suis-je censée contrôler la Brume ?*

Elle était tellement malheureuse qu'elle remarqua Frank seulement une fois que ce dernier fut debout à côté d'elle.

– Ça va mieux ? demanda-t-il.

Il lui prit la main et ses doigts engloutirent ceux d'Hazel. C'était dingue ce qu'il avait grandi ! Elle l'avait pourtant vu se changer en tant d'animaux, songea-t-elle, il n'y avait pas de raison pour qu'une transformation de plus la sidère à ce point... mais là, soudain Frank avait la stature qui lui convenait. Plus personne ne pouvait le traiter de grassouillet ou de gros nounours. Il avait l'air d'un footballeur américain, solide, fort, bien dans sa peau. Sa carrure s'était élargie et il marchait avec plus d'assurance.

Ce que Frank avait fait sur ce pont à Venise... Hazel était impressionnée. Aucun d'eux n'avait assisté à la bataille, mais personne ne la mettait en doute. Frank en était ressorti radicalement changé, physiquement et dans son maintien. Même Léo avait cessé de le mettre en boîte.

– Je... ça va bien, parvint-elle à dire. Et toi ?

Il sourit et le coin de ses yeux se plissa.

– Je suis, euh, plus grand. À part ça, ouais, ça va. J'ai pas vraiment changé, tu sais, à l'intérieur...

Sa voix avait conservé un peu de la maladresse et des doutes du Frank d'avant – son Frank à elle, qui avait toujours peur d'être maladroit et de faire une boulette.

Hazel en fut soulagée. Elle aimait ce côté-là chez lui. Au début, son nouvel aspect physique l'avait effrayée. Elle avait eu peur qu'il ait aussi changé de personnalité.

Maintenant elle commençait à être rassurée. En dépit de sa grande force, Frank était resté le même gentil garçon. Il était toujours vulnérable. Il lui faisait toujours confiance pour veiller sur le point faible qui pouvait causer sa perte – le tison magique qu'elle gardait dans la poche de sa veste, contre son cœur.

– Je sais, dit-elle, et je suis contente. (Elle serra affectueusement sa main.) C'est... ce n'est pas pour toi que je m'inquiète, en fait.

Frank se racla la gorge.

– Comment va Nico ?

C'était à elle-même que pensait Hazel, pas à Nico, mais elle suivit le regard de Frank jusqu'en haut du mât de misaine, où Nico était perché, assis sur la vergue.

Nico affirmait qu'il aimait être de vigie parce qu'il avait de bons yeux. Hazel savait que ce n'était pas la vraie raison. La vergue de misaine était l'un des rares endroits à bord où Nico pouvait être seul. Les autres lui avaient proposé de prendre la cabine de Percy, puisque Percy... ben Percy n'était pas là. Nico avait refusé vigoureusement. Il passait le plus clair de son temps là-haut dans les gréements, où il n'avait pas besoin de parler avec le reste de l'équipage.

Depuis qu'il avait été changé en pied de maïs à Venise, il était encore plus morose et renfermé qu'avant.

– Je ne sais pas, avoua Hazel. C'est dur, tout ce qu'il a vécu. Se faire capturer au Tartare, rester emprisonné dans cette jarre de bronze, regarder Percy et Annabeth tomber...

– Et promettre de nous conduire en Épire, ajouta Frank en hochant la tête. J'ai l'impression que Nico a du mal à fonctionner en groupe.

Frank se redressa. Il portait un tee-shirt beige avec un dessin de cheval et l'inscription *PALIO DI SIENA*. Il l'avait acheté deux jours plus tôt seulement, mais il était trop petit à présent. Quand il s'étirait, il avait le ventre à l'air.

Hazel se surprit à regarder. Elle rougit et détourna vite les yeux.

– Nico est ma seule famille, dit-elle. Il n'est pas facile à aimer, mais... merci d'être sympa avec lui.

Frank sourit.

– Tu as bien supporté ma grand-mère, à Vancouver. Dans le genre pas facile à aimer...

– Mais je l'adorais, ta grand-mère !

Galè le putois trottina jusqu'à leur hauteur, péta, et repartit aussi sec.

– Beurk. (Frank agita la main pour dissiper l'odeur.) Qu'est-ce qu'elle fait là, cette bestiole, à propos ?

Hazel se réjouit presque de ne pas être sur la terre ferme. Car elle était tellement agitée, là, qu'elle serait sans doute déjà entourée de pépites d'or et de pierres précieuses jaillissant du sol.

– Hécate a envoyé Galè en observatrice, dit-elle.

– Pour observer quoi ?

Hazel essaya de puiser du réconfort dans la présence de Frank, dans sa nouvelle aura de force et de solidité.

– Je ne sais pas, dit-elle. C'est une sorte d'épreuve.

Brusquement, le navire fit une embardée vers l'avant.

26 Hazel

Hazel et Frank tombèrent l'un sur l'autre. Sans le vouloir, Hazel s'autoadministra une manœuvre de Heimlich avec la poignée de son épée, qui lui rentra dans le ventre. Elle se roula en boule sur le pont en gémissant et toussant, tandis que le goût du poison de catoblépas lui remontait à la bouche.

À demi sonnée par la douleur, elle entendit Festus, le dragon de bronze qui faisait office de figure de proue, pousser des grincements d'alerte et cracher des flammes.

Elle se demanda s'ils avaient heurté un iceberg – mais dans l'Adriatique, en plein été ?

– Argh ! cria Léo, quelque part derrière elle. Elle dévore les rames !

Qui ça, elle ? Hazel tenta de se relever, mais une masse lourde lui clouait les jambes au sol. Elle se rendit compte que c'était Frank, qui grognait en se dépêtrant tant bien que mal d'un tas de cordages.

Tout le monde, à bord, s'agitait. Jason sauta par-dessus eux d'un bond, l'épée au clair, et courut vers la poupe. Piper était déjà sur le gaillard d'arrière et déversait de la nourriture par-dessus bord avec sa corne d'abondance, tout en criant :

– Ohé, stupide tortue ! Bouffe ça !

Tortue ?

Frank aida Piper à se relever.

– Ça va, t'as rien ?

– Ça va, mentit Hazel en se tenant le ventre. Vas-y !

Frank grimpa l'escalier quatre à quatre et, sans s'arrêter, décrocha de son épaule son sac à dos, qui se transforma aussitôt en arc et carquois entre ses mains. Le temps qu'il arrive au gouvernail, il avait déjà envoyé une flèche et en encochait une deuxième.

Léo s'activait fébrilement aux manettes.

– Les rames refusent de se rétracter ! Chassez-la ! Chassez-la !

Là-haut dans les gréements, Nico était bouche bée de stupeur.

– Styx, elle est énorme ! hurla-t-il. Vire à bâbord ! Bâbord toute !

Gleeson Hedge fut le dernier sur le pont. Il compensa son retard par sa fougue. Il surgit de l'écoutille en agitant sa batte de base-ball, galopa sans mollir sur ses sabots de satyre jusqu'à la poupe et sauta par-dessus le bastingage avec un « Ha ha ! » féroce.

Hazel rejoignit ses amis sur le gaillard d'arrière. Le navire trembla. D'autres rames se brisèrent, et Léo cria :

– Non, non et non ! Saleté de marshmallow à carapace !

Lorsqu'elle atteignit la proue, Hazel refusa d'en croire ses yeux.

Lorsqu'on lui disait « tortue », elle pensait à une jolie petite chose de la taille d'une boîte à bijoux, perchée sur une pierre au milieu d'un aquarium. Si on lui disait « tortue énorme », son esprit s'efforçait de s'adapter : OK, mettons qu'elle imaginait une bête de la taille de la tortue des Galápagos qu'elle avait vue au zoo un jour, assez grande pour qu'on puisse monter à cheval dessus.

Ce qu'elle ne concevait pas, c'était une créature grosse comme une île. Lorsqu'elle découvrit ce gigantesque dôme pavé de carrés bruns et marron, le mot « tortue » refusa de s'appliquer. Sa carapace était un continent à elle seule :

des collines d'os, des vallées de nacre brillante, des forêts de varech et de mousse, des ruisseaux d'eau de mer coulant par les rainures d'écaille.

Du côté de la proue du navire, une autre partie du monstre émergeait tel un sous-marin.

Par les lares de Rome... Était-ce vraiment sa tête ?

Elle avait des yeux dorés grands comme des piscines, fendus de deux traits noirs en guise de pupilles. Sa peau brillait comme une tenue de camouflage mouillée, marron mêlé de jaune et de vert kaki. Sa gueule rouge et édentée n'aurait fait qu'une seule bouchée de l'Athéna Parthénos.

Hazel la regarda croquer une demi-douzaine de rames d'un coup.

– Arrête ! gémit Léo.

Gleeson Hedge arpentait la carapace de la tortue en la criblant de coups de batte de base-ball parfaitement dénués d'effet.

– Prends ça ! Prends ça !

Jason sauta de la proue et se posa sur la tête de la créature. Il lui planta son épée pile entre les deux yeux, mais la lame d'or ripa comme si la peau de la tortue était en acier huilé. Frank visait sans succès les yeux du monstre : chaque fois, avec une précision diabolique, la tortue rabattait ses paupières internes et faisait dévier la flèche. Quant à Piper, elle balançait des melons dans l'eau en criant : « Va chercher, stupide tortue ! » Mais la tortue n'avait d'appétit que pour l'*Argo II*.

– Comment a-t-elle pu venir si près ? demanda Hazel.

Léo jeta les bras au ciel, exaspéré.

– Ça doit être sa carapace, elle doit être indétectable par le sonar. Saleté de tortue furtive !

– Est-ce que le navire peut voler ?

– Avec la moitié des rames en moins ? (Léo appuya sur quelques boutons et fit tourner sa sphère d'Archimède.) Il faut que je tente autre chose.

– Regarde ! hurla Nico du haut de son poste de vigie. Tu peux nous amener à ce détroit ?

Hazel regarda dans la direction qu'il montrait du doigt. À environ huit cents mètres à l'est, une longue bande de terre s'avançait dans la mer, parallèle aux falaises de la côte. C'était difficile à dire avec précision, vu d'ici, mais l'espace compris entre la côte et ce promontoire devait faire vingt ou trente mètres de large maximum : sans doute assez pour que l'*Argo II* s'y faufile, mais certainement pas pour la tortue géante.

– Ouais, ouais. (Léo avait compris. Il fit pivoter la sphère d'Archimède.) Jason, ôte-toi de là, j'ai une idée !

Jason s'acharnait toujours sur la tête de la tortue, mais quand il entendit Léo dire « J'ai une idée », il prit la décision qui s'imposait. Il décolla fissa.

– M'sieur Hedge, venez ! s'écria-t-il.

– Non, je tiens le bon bout ! protesta l'entraîneur.

Jason l'attrapa par la taille et s'éleva dans le ciel. Malheureusement, le satyre se débattit avec une telle vigueur que son épée lui glissa des mains et tomba à la mer.

– M'sieur Hedge ! râla Jason.

– Qu'est-ce qu'il y a ? Je l'affaiblissais !

La tortue donna un coup de tête dans la coque et tout l'équipage faillit basculer à bâbord. Hazel entendit un craquement, comme si la quille venait de se fendre.

– Juste une minute, dit Léo, dont les mains couraient sur le tableau de bord.

– On ne sera peut-être plus là dans une minute ! rétorqua Frank, qui décocha sa dernière flèche.

– Va-t'en ! cria Piper à la tortue.

Un bref instant, l'enjôlement marcha bel et bien. La tortue s'écarta du navire et plongea la tête sous l'eau. Mais elle refit surface et éperonna la coque de plus belle.

Jason atterrit sur le pont avec l'entraîneur.

– Ça va, vous deux ? demanda Piper.

– À part que je n'ai plus d'arme, marmonna Jason, tout va bien.

– Feu sur la carapace ! cria Léo en actionnant sa manette Wii.

Hazel crut que la poupe avait explosé. Des jets de flammes en jaillissaient et fusaient vers la tête de la tortue. Le navire décolla d'un bond vers l'avant, et Hazel s'étala sur le pont pour la deuxième fois.

En se relevant, elle vit que le navire sautait sur les vagues à une vitesse incroyable, en traçant un sillage de feu comme une fusée. La tortue était déjà à une centaine de mètres derrière eux et de la fumée montait de sa tête carbonisée.

Elle poussa un meuglement rageur et se lança à leurs trousses. Ses pattes palmées fendaient l'eau avec une telle puissance qu'elle gagna rapidement du terrain. L'entrée du détroit était encore à cinq cents mètres.

– Une diversion, murmura Léo. On n'y arrivera jamais si on ne fait pas diversion.

– Une diversion, répéta Hazel.

Elle se concentra et appela mentalement : *Arion !*

Elle n'était pas du tout sûre que ça marcherait. Mais, aussitôt, elle aperçut quelque chose à l'horizon : un éclair de lumière vaporeuse, qui zébrait la surface de l'Adriatique. Une seconde plus tard, Arion s'ébrouait sur le gaillard d'arrière.

Par les dieux de l'Olympe, se dit Hazel, *j'adore ce cheval.*

Arion renâcla, l'air de dire : *Je veux, que tu m'adores ! T'es pas folle.*

Hazel grimpa sur son dos.

– Piper, dit-elle en lui tendant la main, j'aurais bien besoin de ton enjôlement.

– Fut un temps où j'aimais les tortues, répondit Piper en attrapant la main d'Hazel pour se hisser. C'est fini !

D'un coup de talon, Hazel donna le signal. Arion sauta par-dessus bord et rasa la surface des flots au grand galop.

La tortue était bonne nageuse, mais elle ne pouvait égaler la vitesse d'Arion. Hazel et Piper tournicotaient autour de sa tête, Hazel en la harcelant de coups d'épée, Piper en l'agonisant d'ordres sans rime ni raison, du genre : « Plonge ! Tourne à gauche ! Regarde derrière toi ! »

L'épée ne faisait aucun dégât. Quant aux ordres, leur effet ne durait qu'un instant, mais tout cela combiné agaçait profondément la tortue. Arion poussait des hennissements moqueurs lorsqu'elle tentait de le mordre et que sa gueule se refermait sur du vide.

Le monstre en oublia complètement l'*Argo II*. Hazel s'acharnait sur sa tête. Piper continuait de lui crier des ordres, tout en se servant de sa corne d'abondance pour lui envoyer des noix de coco et des poulets rôtis dans les yeux.

Dès que l'*Argo II* eut pénétré dans le détroit, Arion mit fin au harcèlement. Il rattrapa le navire au galop et, un instant, plus tard, ils étaient de retour sur le pont.

Les flammes de propulsion s'étaient éteintes, mais des tuyaux d'échappement en bronze fumaient encore à la poupe du navire. L'*Argo II* avançait cahin-caha à la force des voiles, il n'empêche que leur plan avait marché. Ils étaient à l'abri dans l'étroit bras d'eau, entre une longue île rocheuse par tribord et les falaises blanches du continent par bâbord. La tortue s'arrêta à l'entrée du détroit et leur lança un regard noir, mais ne fit aucune tentative pour les suivre. Il était clair que sa carapace était bien trop large.

Hazel sauta à bas d'Arion, et Frank la serra dans ses bras.

– T'as assuré, là-bas ! dit-il.

– Merci, répondit-elle en rougissant.

Piper les rejoignit.

– Léo, demanda-t-elle, depuis quand on a une propulsion à réaction ?

– Ah, tu sais... (Léo essaya de la jouer modeste, mais n'y arriva pas.) C'est un truc que j'ai bricolé à mes heures perdues. J'aimerais bien pouvoir vous donner plus que quelques secondes de combustion, mais enfin au moins ça nous a permis de nous sauver.

– Et de carboniser la tête de la tortue ! renchérit Jason. Alors qu'est-ce qu'on fait, maintenant ?

– On la tue, quelle question ! s'écria le chaperon. On a la bonne distance. On a les balistes. Chargez, demi-dieux !

Jason fronça les sourcils.

– M'sieur Hedge, dit-il. De un, vous m'avez fait perdre mon épée.

– Hé, j'avais pas fait de demande d'évac !

– De deux, je ne crois pas que les balistes donneraient grand-chose comme résultat. Cette carapace est aussi dure que la peau du lion de Némée, et la tête ne l'est pas moins.

– Alors on lui enfonce un boulet dans la gorge. Comme vous avez fait avec l'espèce de crevette géante, dans l'Atlantique. On la fait exploser de l'intérieur.

Frank se gratta la tête.

– Ça pourrait marcher, dit-il. En même temps vous vous retrouvez avec une carcasse de tortue de cinq millions de kilos qui barre l'entrée du détroit. Si vous ne pouvez pas voler parce que les rames sont cassées, comment vous faites pour sortir ?

– Tu attends et tu répares les rames ! Ou tu sors à la voile de l'autre côté, niquedouille !

Frank eut l'air dérouté :

– Ça veut dire quoi, « niquedouille » ?

– Les gars ! appela Nico du haut de son poste de vigie. Pour sortir par l'autre côté, je crois que c'est mort.

Il tendit le bras vers l'avant, côté proue.

Environ quatre cents mètres plus loin, la langue de terre rocailleuse dessinait une courbe pour aller rejoindre les falaises de la côte. Le chenal se terminait en V étroit.

– Nous ne sommes pas dans un détroit, résuma Jason. Nous sommes dans un cul-de-sac.

Hazel sentit ses doigts et ses orteils se glacer. Sur le bastingage de bâbord, Galè la belette, assise sur son arrière-train, la guettait avec des yeux brillants et pleins d'attente.

– C'est un piège, dit Hazel.

Tous les regards se tournèrent vers elle.

– Mais nan, tout va bien, fit Léo. Au pire, on fait les réparations. Ça prendra peut-être toute la nuit, mais je peux remettre le navire en état de voler.

À l'entrée de la crique, la tortue rugit. Elle n'avait pas l'air motivée pour s'en aller.

– Enfin..., ajouta Piper en haussant les épaules. Au moins, ici, la tortue ne peut pas nous atteindre. On est en sécurité.

Il y a des paroles qu'un demi-dieu ne devrait jamais prononcer. À peine Piper achevait-elle sa phrase qu'une flèche se ficha dans le mât de misaine en passant au ras de son nez.

Tous les membres de l'équipage coururent se mettre à couvert sauf Piper qui demeura figée sur place, contemplant bouche bée la flèche qui avait failli lui transpercer le nez.

– Piper, baisse-toi ! lui lança Jason.

Mais aucun autre projectile ne s'abattit.

Frank examina l'angle de la flèche plantée dans le mât puis il pointa du doigt vers le haut des falaises.

– Là-haut, dit-il. Un archer isolé. Vous le voyez ?

Hazel avait le soleil dans les yeux, mais elle repéra un minuscule personnage perché en haut de la falaise. Il portait une armure de bronze étincelante.

– Mais c'est qui, ce type ? s'exclama Léo. Et pourquoi il nous attaque ?

– Les gars ? dit Piper d'une voix fluette. Il y a une lettre.

Hazel ne l'avait pas remarqué, mais il y avait un rouleau de parchemin attaché à la hampe de la flèche. Sans qu'elle sût pourquoi, ça l'exaspéra. Elle partit en trombe la décrocher.

– Euh, Hazel ? fit Léo. Est-ce bien prudent ?

Pour toute réponse, elle lut la lettre à voix haute.

– Première phrase : *« La bourse ou la vie ! »*

– Qu'est-ce que ça signifie ? rouspéta l'entraîneur. Quelle bourse ? Il se prend pour qui, celui-là ?

– Ce n'est pas tout, poursuivit Hazel. *« Cela est une attaque à main armée. Envoyez deux émissaires au sommet de la falaise avec tous vos objets de valeur. Pas plus de deux. Laissez le cheval magique. Pas d'entourloupes et interdit de voler. Grimpez, c'est tout. »*

– Grimper comment ? demanda Piper.

– Par là, dit Nico en pointant du doigt.

Un escalier étroit était taillé à flanc de falaise et menait jusqu'en haut. La tortue, le chenal en cul-de-sac, la falaise... Hazel eut le sentiment que ce n'était pas la première fois que l'auteur de la missive tendait une embuscade à un bateau à cet endroit.

Elle s'éclaircit la gorge et reprit sa lecture.

– *« Je dis bien* tous *vos objets de valeur. Sinon ma tortue et moi, nous vous massacrons. Vous avez cinq minutes. »*

– Les catapultes ! s'écria Gleeson Hedge.

– *« PS,* lut Hazel, *ne songez même pas à vous servir de vos catapultes. »*

– Damnation ! pesta l'entraîneur, ce type est trop fort.

– Est-ce que c'est signé ? demanda Nico.

Hazel fit non de la tête. Au Camp Jupiter, elle avait entendu un jour une histoire de bandit qui travaillait avec une tortue géante mais impossible de s'en rappeler davantage – une fois de plus, il suffisait qu'elle ait besoin de l'information pour que celle-ci se cache au fond de sa mémoire.

Galè la belette l'observait, attendant de voir ce qu'elle allait faire.

Hazel se rendit compte qu'elle n'avait pas encore passé l'épreuve.

Distraire la tortue n'avait pas suffi. Hazel n'avait nullement montré qu'elle savait manipuler la Brume. Normal, puisqu'elle ne savait pas manipuler la Brume.

Léo, qui examinait la falaise, marmonna :

– Ce n'est pas une bonne trajectoire. Même si je pouvais charger les catapultes sans que ce gusse nous transforme en hérissons avec ses flèches, je crois pas que je pourrais le toucher. Il est à plus de cinquante mètres et c'est presque à la verticale.

– Ouais, grommela Frank. Je ferais pas mieux avec mon arc. Il a un gros avantage en étant au-dessus de nous comme ça. Je ne peux pas l'atteindre, moi non plus.

– Et, euh... (Piper tripota la flèche fichée dans le mât.) À mon avis, il sait viser. Je ne pense pas qu'il voulait me toucher. Mais s'il le voulait...

Elle n'insista pas. Clairement, ce bandit, quel qu'il soit, pouvait toucher sa cible à plusieurs centaines de mètres de distance. Il pouvait tous les faucher sans leur laisser le temps de dire ouf.

– Je vais y aller, annonça Hazel.

Elle en était malade rien que d'y penser, mais elle était convaincue qu'Hécate avait élaboré tout ça pour la mettre au défi. C'était ça, l'épreuve d'Hazel – son tour à elle de sauver le navire. Comme si elle avait besoin d'une confirmation, Galè trottina le long du bastingage et se hissa d'un bond sur son épaule, prête à l'accompagner.

Les autres la regardèrent.

– Hazel..., commença Frank en agrippant son arc.

– Non, écoute, l'interrompit-elle. Ce bandit veut des objets de valeur. Je peux monter sur la falaise et faire sortir de l'or, des pierres précieuses, tout ce qu'il voudra.

Léo haussa un sourcil :

– À votre avis, si on le paie, il nous laissera vraiment partir ?

– On n'a pas trop le choix, lui répondit Nico. Entre ce type et la tortue...

Jason leva la main. Tous se turent.

– Je vais y aller, moi aussi, dit-il. La lettre dit deux personnes. Je vais accompagner Hazel là-haut et je vais la couvrir. En plus, cet escalier ne me plaît pas trop. Si jamais Hazel tombait, je pourrais me servir des vents pour nous éviter à tous les deux de nous écraser.

Arion poussa un hennissement de protestation, l'air de dire : *Tu y vas sans moi ? C'est une plaisanterie ou quoi ?*

– Je suis obligée, Arion, expliqua Hazel. Jason, c'est d'accord. Je crois que tu as raison. C'est le meilleur plan.

– Si seulement j'avais mon épée. (Jason gratifia l'entraîneur d'un regard noir.) Elle est restée au fond de la mer, et Percy n'est pas là pour la récupérer.

Le nom de Percy passa sur eux comme un nuage. L'humeur, à bord, s'assombrit encore davantage.

Hazel tendit le bras sans même prendre le temps de réfléchir. Elle se concentra sur l'eau et lui demanda de l'or impérial.

Quelle idée idiote. L'épée était bien trop loin, et sans doute à des centaines de mètres de profondeur. Pourtant elle sentit une vive traction sur ses doigts, comme quand un poisson mord à l'hameçon, puis l'épée de Jason jaillit hors de l'eau et vint se loger au creux de sa main.

– Tiens, dit-elle en la tendant au fils de Jupiter.

Jason écarquilla les yeux.

– Mais... ça doit faire un kilomètre ! s'exclama-t-il.

– Je me suis entraînée, dit-elle, même si ce n'était pas vrai.

Elle espérait qu'elle n'avait pas maudit l'épée de Jason sans le vouloir, en l'appelant, de la même façon qu'étaient maudits les joyaux et métaux précieux qu'elle faisait sortir de terre.

Oui, mais les armes, pensa-t-elle, ça devait être différent. Elle avait récupéré tout un arsenal d'armes en or impérial dans le parc de Glacier Bay et l'avait distribué à la Cinquième Cohorte ; il n'y avait pas eu de problèmes.

Elle décida de ne pas s'inquiéter. Elle était tellement en colère contre Hécate, tellement lasse de se faire manipuler par les dieux, qu'elle n'allait pas se laisser ralentir par des bagatelles.

– Maintenant, dit-elle, si personne n'a d'objection, en route. Il y a un brigand qui nous attend.

27 Hazel

Hazel aimait les activités de plein air – mais enfin, escalader une falaise haute de soixante mètres par un escalier dépourvu de rampe, avec une belette acariâtre perchée sur l'épaule ? Non, franchement. D'autant qu'Arion aurait pu la déposer là-haut en quelques secondes.

Jason grimpait derrière elle pour pouvoir la rattraper si jamais elle tombait. Hazel appréciait, certes, mais cela ne rendait pas le vide vertigineux moins effrayant.

Elle jeta un coup d'œil sur sa droite, ce qui était une erreur. Son pied, manquant de glisser, projeta une pluie de gravillons. Galè poussa un couinement paniqué.

– Ça va ? demanda Jason.

– Oui. (Le cœur d'Hazel cognait contre ses côtes.) T'inquiète pas.

Elle n'avait pas la place de se tourner pour le regarder. Elle ne pouvait que lui faire confiance et compter sur lui pour l'empêcher de s'écraser au sol. Jason sachant voler, il aurait été absurde qu'elle ne le prenne pas comme coéquipier ; il n'empêche qu'elle aurait préféré savoir Frank derrière elle, voire Nico, Piper ou Léo. Ou même... non, quand même pas leur chaperon, M'sieur Hedge. Le hic, c'était qu'Hazel n'arrivait pas à cerner Jason Grace.

Dès le jour de son arrivée au Camp Jupiter, elle avait entendu des histoires à son sujet. Les légionnaires parlaient avec vénération du fils de Jupiter, qui s'était hissé des rangs modestes de la Cinquième Cohorte au poste de préteur et les avait menés à la victoire lors de la bataille du mont Tam, avant de disparaître. Encore maintenant, malgré tout ce qui s'était passé durant les deux dernières semaines, Jason lui faisait plus l'effet d'une légende que d'une personne en chair et en os. Elle avait du mal à sympathiser avec lui. Sans doute à cause de ces yeux bleu glacier et de cette réserve prudente, donnant l'impression qu'il pesait chacun de ses mots avant de le prononcer. Et puis aussi, elle ne pouvait oublier qu'il s'était montré prêt à faire une croix sur son frère Nico quand ils avaient appris que ce dernier était prisonnier à Rome.

Jason avait pensé que Nico servait d'appât. Il avait vu juste ; c'était un piège. Et maintenant que Nico était hors de danger, Hazel comprenait le bien-fondé de la prudence de Jason. Il n'empêche, elle ne savait toujours pas quoi penser de ce gars. S'ils avaient des ennuis, en haut de cette falaise ? Jason déciderait-il que sauver Hazel n'était pas dans l'intérêt premier de leur quête ?

Elle leva les yeux. Elle ne pouvait pas voir le voleur de là où elle était, mais elle sentit qu'il attendait. Hazel était certaine qu'elle pourrait récolter assez de gemmes et d'or pour impressionner le plus cupide des voleurs, pas de souci pour ça. La question qu'elle se posait, c'était si les trésors qu'elle arracherait à la terre porteraient toujours malheur. Elle n'avait jamais su si la malédiction avait été levée lorsqu'elle était morte pour la première fois. Elle se dit que c'était l'occasion idéale de le vérifier. Un individu qui dépouillait des demi-dieux innocents avec le concours d'une tortue géante méritait bien quelques mauvais sorts.

Galè la belette sauta de son épaule et se mit à grimper alertement. Puis elle tourna la tête vers elle et lui lança quelques jappements énergiques.

– Je peux pas aller plus vite, marmonna Hazel.

Hazel ne pouvait se défaire de l'impression que la belette était impatiente de la voir échouer.

– Et pour cette histoire de Brume, dit Jason, comment ça se passe ? Tu arrives à la contrôler ?

– Non, avoua Hazel.

Elle n'aimait pas penser à ses échecs – la mouette qu'elle n'avait pas su changer en dragon, la batte de base-ball de leur entraîneur qui avait refusé obstinément de se transformer en hot-dog. En fait, elle n'arrivait pas à se convaincre que c'était possible.

– Ça viendra, tu verras, dit Jason.

Elle fut surprise par le ton de sa voix. Ce n'était pas un commentaire gratuit, juste pour lui faire plaisir. Il semblait y croire vraiment. Elle continua de grimper, mais elle l'imagina la regardant de ses yeux bleus perçants, la mâchoire serrée avec détermination.

– Comment peux-tu en être aussi sûr ? demanda-t-elle.

– Je le suis, c'est tout. Instinctivement, je mesure bien ce dont les gens sont capables, les demi-dieux en tout cas. Hécate ne t'aurait pas choisie si elle ne croyait pas que tu avais du pouvoir.

Cela aurait peut-être dû rassurer Hazel. Mais non.

Elle sentait bien les gens, elle aussi. Elle comprenait les motivations de la plupart de ses amis et même de son frère, Nico, qui n'était pourtant pas facile à cerner.

Mais Jason ? Elle n'avait pas le début d'une idée. Tout le monde disait que c'était un leader-né. Elle le croyait elle aussi. D'ailleurs, justement, il était en train de la remonter, là, de lui donner le sentiment qu'elle était un membre apprécié de l'équipe, qu'elle était capable de tout. Mais lui, Jason, de quoi était-il capable ?

Elle ne pouvait faire part de ses doutes à personne. Frank lui vouait une admiration sans bornes. Piper, évidemment, était gaga. Léo était son meilleur ami. Même Nico avait l'air de se plier à son commandement sans se poser de questions.

Hazel, en revanche, n'avait pas oublié que Jason était le premier pion qu'Héra avait avancé dans la guerre contre les géants. La reine de l'Olympe l'avait parachuté à la Colonie des Sang-mêlé, et c'était ce qui avait amorcé toute la série d'événements destinés à arrêter Gaïa. Pourquoi Jason en premier ? Quelque chose disait à Hazel qu'il était la cheville ouvrière. Et qu'il serait le dernier pion de la partie, également.

Sous les flammes ou la tempête le monde doit tomber, disait la prophétie. Si Hazel craignait le feu, elle avait encore plus peur des tempêtes. Or Jason Grace pouvait déclencher de sacrées tempêtes.

Elle leva les yeux et vit que le bord de la falaise n'était plus qu'à quelques mètres.

Elle arriva en haut, en nage et essoufflée. Une vallée en pente se déployait vers l'intérieur des terres, parsemée d'oliviers noueux et de rochers. Il n'y avait aucun signe de civilisation.

Les jambes d'Hazel tremblaient après la longue grimpée. Galè semblait impatiente de partir à la découverte. Elle jappa, péta et s'enfonça dans les buissons les plus proches. Tout en bas, l'*Argo II* avait l'air d'un jouet flottant dans le chenal. Hazel ne comprenait pas comment qui que ce soit pouvait envoyer une flèche avec précision de si haut, en plus avec le vent et les reflets du soleil sur l'eau. Devant l'entrée de l'anse, l'énorme carapace de la tortue brillait comme un sou neuf.

Jason la rejoignit sur le haut de la falaise, frais comme un gardon.

– Où..., commença-t-il.

– Par ici ! lança une voix.

Hazel tressaillit. À seulement trois mètres, un homme apparut, un arc et un carquois sur l'épaule et un pistolet à silex dans chaque main. Il portait des bottes montantes et des hauts-de-chausses en cuir, avec une chemise de pirate. Ses cheveux noirs étaient bouclés comme ceux d'un gamin et ses yeux verts pétillaient, ce qui lui donnait un air plutôt sympathique, mais un bandana rouge couvrait le bas de son visage.

– Bienvenue ! s'écria le bandit en braquant ses pistolets sur eux. La bourse ou la vie !

Hazel était certaine qu'il n'était pas là une seconde plus tôt. Il s'était matérialisé devant eux, comme s'il était sorti de derrière un rideau invisible.

– Qui es-tu ? lui demanda-t-elle.

Le bandit éclata de rire.

– Sciron, bien sûr !

– Chiron ? s'étonna Jason. Comme le centaure ?

– Sci-ron, mon ami, fit le bandit en roulant des yeux. Fils de Poséidon ! Voleur hors pair ! Un type formidable à tous points de vue ! Mais là n'est pas l'important. Je ne vois aucun objet de valeur ! s'écria-t-il comme si c'était une excellente nouvelle. Dois-je en conclure que vous souhaitez mourir ?

– Attends, rétorqua Hazel. Nous avons des objets de valeur. Mais si nous te les donnons, quelle garantie avons-nous que tu nous laisseras repartir ?

– Ah, ils posent toujours cette question ! dit Sciron. Je vous promets sur le Styx que dès que vous m'aurez remis ce que je veux, je vous renverrai directement en bas de cette falaise, sans vous tirer dessus.

Hazel adressa un regard méfiant à Jason. Styx ou pas, la formulation de Sciron n'était pas rassurante.

– Et si on t'attaquait ? demanda Jason. Tu ne peux pas te battre contre nous et tenir notre bateau en otage en même...

Bang ! Bang !

Ce fut si rapide que le cerveau d'Hazel décoda l'action avec un temps de décalage.

Une volute de fumée montait de la tête de Jason. Juste au-dessus de son oreille droite, un sillon fendait ses cheveux comme une bande de couleur sur une voiture de course. Un des pistolets de Sciron était encore pointé sur son visage. L'autre était dirigé vers le bas, sur le côté de la falaise, comme si le second coup de feu avait été pour l'*Argo II*.

Hazel ravala sa salive, en état de choc.

– Qu'est-ce que tu as fait ?

– Oh, t'inquiète pas ! lui répondit Sciron en riant. Si ta vue te le permettait, ce qui n'est pas le cas, bien sûr, tu verrais un trou sur le pont, entre les chaussures du grand jeune homme à l'arc.

– Frank ! s'écria Hazel.

– Si tu le dis. (Sciron haussa les épaules.) C'était une simple démonstration. Ça aurait pu être bien plus grave, croyez-moi.

Sciron fit tournoyer ses pistolets. Les chiens à silex se remirent en place et Hazel eut l'impression que les armes venaient de se recharger par magie.

Sciron regarda Jason en jouant des sourcils :

– Alors ! Pour répondre à ta question, si. Je peux me battre contre vous et tenir votre bateau en otage en même temps. J'ai des munitions en bronze céleste. Effet radical sur les demi-dieux. Vous deux seriez les premiers tués, *bang bang* ! Ensuite je pourrais choisir tranquillement vos amis à bord, un par un. Les exercices de tir, c'est tellement plus amusant avec des cibles vivantes qui crient dans tous les sens en hurlant.

Jason porta la main au sillon que la balle avait tracé dans ses cheveux. Pour une fois, il n'avait pas l'air sûr de lui.

Hazel se sentit les chevilles en coton. Frank était le meilleur archer qu'elle connût, mais ce bandit était d'une adresse inhumaine.

– Tu es un fils de Poséidon ? dit-elle avec effort. À voir comment tu vises, j'aurais cru d'Apollon.

Le sourire de Sciron s'accentua.

– Merci, tu me flattes ! fit-il. Mais c'est juste à force d'entraînement. La tortue géante, par contre, c'est grâce à mes origines. Impossible d'apprivoiser des tortues géantes si on n'est pas fils de Poséidon ! Je pourrais renverser votre navire avec un raz-de-marée, bien sûr, mais c'est un boulot d'enfer. Et beaucoup moins marrant que de tendre des embuscades et de dégommer les gens.

Hazel essayait de rassembler ses pensées, de gagner du temps, mais ce n'était pas facile en regardant les canons encore fumants de ces pistolets.

– Euh... et le bandana, c'est pour quoi faire ?

– Pour qu'on ne me reconnaisse pas ! s'exclama Sciron.

– Mais tu t'es présenté, dit Jason. Tu es Sciron.

Le bandit écarquilla les yeux.

– Comment as-tu... Ah oui, c'est vrai, je vous l'ai dit. (Il baissa un pistolet et se gratta la tête avec l'autre.) Quelle négligence, ça fait vraiment brouillon. Désolé, je suis un peu rouillé. Tout juste revenu de chez les morts, tout ça. Bon, je réessaie.

Il braqua ses pistolets sur eux et lança :

– La bourse ou la vie ! Je suis un bandit anonyme et vous n'avez pas besoin connaître mon nom !

Un bandit anonyme. Un déclic se fit dans la mémoire d'Hazel.

– Thésée, dit-elle. Il t'a tué une fois.

Les épaules de Sciron s'affaissèrent.

– Tu avais besoin d'en parler ? Alors qu'on s'entendait si bien tous les trois !

– Hazel, lui glissa Jason en fronçant les sourcils, tu connais l'histoire de ce type ?

Elle fit oui de la tête, même si certains détails lui manquaient.

– Thésée l'a rencontré sur la route d'Athènes, expliqua-t-elle. Sciron tuait ses victimes en... euh...

Il y avait un rapport avec la tortue... Hazel n'arrivait pas à s'en souvenir.

– C'était un vrai tricheur, Thésée ! se plaignit Sciron. Je n'ai pas envie de parler de lui. Je suis revenu d'entre les morts, à présent. Gaïa m'a promis que je pouvais rester sur la côte et dévaliser autant de demi-dieux que je veux ! Et c'est ce que je vais faire ! Alors... où en étions-nous ?

– Tu t'apprêtais à nous laisser partir, tenta Hazel.

– Hum..., dit Sciron. Non, je suis pratiquement sûr que c'est pas ça. Ah, ça me revient ! La bourse ou la vie. Où sont les objets de valeur ? Vous n'en avez pas ? En ce cas je vais devoir...

– Attends ! interrompit Hazel. J'ai nos objets de valeur. Enfin, je peux les avoir.

Sciron braqua un pistolet sur la tête de Jason.

– Donne, ma jolie ! dit-il. Ou ma prochaine balle taillera plus profond que les cheveux de ton petit camarade !

Hazel n'eut presque pas besoin de se concentrer. Elle était tellement inquiète que le sol gronda à ses pieds et livra aussitôt une récolte exceptionnelle : des métaux précieux qui montaient à la surface du sol comme si la terre avait hâte de les expulser.

Elle se retrouva rapidement au milieu d'un tas qui lui arrivait aux genoux : des *denarii* romains, des drachmes d'argent, des bijoux anciens en or, des diamants étincelants, des topazes, des rubis... de quoi remplir plusieurs grands sacs-poubelles.

Sciron en rit de plaisir.

– Mais comment as-tu fait ? s'exclama-t-il.

Hazel ne répondit pas. Elle repensa à toutes les pièces de monnaie qui étaient apparues au carrefour d'Hécate. Ici, il y en avait encore davantage. Des richesses cachées au cours des siècles, émanant de tous les empires qui avaient revendiqué cette terre : les Grecs, les Romains, les Byzantins et tant d'autres. Ces empires avaient disparu, ne laissant derrière eux qu'une côte aride pour Sciron le bandit.

À cette pensée, elle se sentit petite et impuissante.

– Prends donc le trésor, dit-elle, et laisse-nous partir.

Sciron gloussa.

– Ah, mais c'est que j'avais dit *tous* vos objets de valeur ! J'ai cru comprendre que vous transportez quelque chose de très précieux à bord de ce navire... une statue d'ivoire et d'or haute d'une douzaine de mètres, ça ne te dit rien ?

La transpiration commençait à refroidir dans la nuque d'Hazel et elle eut un frisson dans le dos.

Jason avança d'un pas. Malgré le pistolet braqué sur lui, ses yeux étaient durs comme des saphirs.

– La statue n'est pas négociable, dit-il.

– Tu as entièrement raison ! en convint Sciron. Il me la faut !

– C'est Gaïa qui t'en a parlé, devina Hazel. Elle t'a ordonné de t'en emparer.

– Peut-être, dit Sciron avec un haussement d'épaules. Mais elle m'a dit que je pouvais la garder. Comment voulez-vous que je refuse une offre pareille ? J'ai pas l'intention de mourir de nouveau, les amis. J'ai l'intention de vivre très longtemps et dans l'opulence !

– La statue ne te servira à rien, rétorqua Hazel, quand Gaïa aura détruit le monde.

Les canons des pistolets de Sciron tremblèrent.

– Pardon ?

– Gaïa se sert de toi. Si tu t'empares de cette statue, nous ne pourrons pas la vaincre. Elle compte effacer tous les mortels et les demi-dieux de la surface de la terre et donner le pouvoir à ses monstres et ses géants. Alors où iras-tu dépenser ton or, Sciron ? À supposer que Gaïa t'épargne.

Hazel se tut pour laisser ses paroles faire leur chemin. Sciron, étant lui-même un bandit, n'aurait sans doute pas de mal à comprendre qu'il se faisait blouser par la déesse.

Il garda le silence dix secondes exactement. Et retrouva son sourire.

– Très bien ! dit-il. Je ne serai pas déraisonnable. Je vous laisse la statue.

Jason cilla.

– On peut partir ?

– Une dernière chose, répondit Sciron. Je demande toujours un témoignage de respect. Avant de laisser partir mes victimes, j'exige qu'elles me lavent les pieds.

Hazel se demanda si elle avait bien entendu. Mais Sciron envoya promener ses bottes de cuir, l'une après l'autre, découvrant ses pieds nus. Hazel n'avait jamais rien vu d'aussi répugnant, et pourtant elle en avait vu, des horreurs et des abominations de tout poil.

C'étaient des pieds bouffis, ridés, blancs, mous comme de la pâte à pain ou comme s'ils trempaient dans le formol depuis des siècles. Des touffes de vilains poils brunâtres parsemaient ses orteils difformes, ses ongles étaient cabossés, jaune et vert comme une carapace de tortue.

C'est alors que l'odeur la prit à la gorge. Hazel ne savait pas s'il y avait une cafétéria pour zombies dans le palais de son père, mais si c'était le cas, elle dégagerait exactement cette odeur-là – celle des pieds de Sciron.

– Alors ! (Sciron tortilla ses répugnants orteils.) Qui veut le gauche, qui veut le droit ?

Le visage de Jason devint presque aussi pâle que les pieds du bandit.

– Tu... tu plaisantes, je suppose ?

– Mais pas du tout ! insista Sciron. Lavez-moi les pieds et je vous laisse tranquilles. Je vous renverrai au bas de la falaise. Je vous le promets sur le Styx.

Il faisait cette promesse si grave avec une telle légèreté qu'une sonnette d'alarme tinta dans l'esprit d'Hazel. *Les pieds. La falaise. La carapace de la tortue.*

L'histoire lui revint ; tous les détails manquants se remirent en place. Elle se rappelait maintenant comment Sciron tuait ses victimes.

– Pourrais-tu nous accorder un instant ? demanda-t-elle au bandit.

Sciron plissa les yeux avec méfiance.

– Pour quoi faire ?

– Eh bien c'est une grande décision, pied droit, pied gauche... il faut qu'on en discute entre nous.

Hazel se rendit compte que le brigand souriait derrière son masque.

– Bien sûr, dit-il. Dans ma grande bonté, je vous accorde deux minutes.

Hazel s'extirpa de son tas d'or et de joyaux. Elle emmena Jason le plus loin qu'elle osa dans l'escalier de la falaise, une quinzaine de mètres plus bas, espérant que le bandit ne pourrait pas les entendre.

– Sciron pousse ses victimes du haut de la falaise, murmura-t-elle.

– Hein ?

– Oui. Quand tu es à genoux pour lui laver les pieds. C'est comme ça qu'il te tue. Tu es en position de déséquilibre, la puanteur te tourne la tête et il en profite pour t'expédier d'un coup de pied dans le vide. Tu tombes droit dans la gueule de sa tortue géante.

Jason prit un instant pour digérer l'info. Il jeta un coup d'œil vers la mer, en contrebas : l'immense carapace de la tortue brillait sous la surface de l'eau.

– Alors on va devoir se battre, dit Jason.

– Sciron est trop rapide, il nous tuera tous les deux.

– Je serai prêt à voler. Quand il me poussera, je volerai jusqu'à mi-hauteur de la falaise. Et quand il te poussera, je te rattraperai.

Hazel secoua la tête.

– S'il te donne un coup de pied fort et rapide, tu seras trop sonné pour voler. Et même si tu y arrivais, Sciron a des yeux de tireur d'élite. Il te regardera tomber. S'il voit que tu t'arrêtes et que tu planes sur place, il te descendra d'un coup de pistolet.

– Alors… (La main de Jason se crispa sur la poignée de son épée.) J'espère que tu as une autre idée ?

Quelques mètres plus haut, Galè la belette émergea des buissons. Elle montra les dents et zyeuta Hazel, l'air de dire : *Alors ? Tu as une idée ?*

Hazel calma ses nerfs ; elle ne tenait pas à faire jaillir plus d'or du sol. Elle se rappela le rêve où elle avait entendu la voix de son père, Pluton : *Les morts voient ce qu'ils croient qu'ils vont voir. De même pour les vivants. Là est le secret.*

Elle comprit ce qu'elle devait faire. L'idée la répugnait, plus encore que la belette et ses flatulences, plus encore que les pieds de Sciron.

– Malheureusement, oui, dit-elle. Nous devons laisser Sciron gagner.

– Quoi ?! s'étonna Jason.

Elle lui exposa son plan.

28 Hazel

– Pas trop tôt ! s'écria Sciron. Ça fait bien plus que deux minutes !

– Désolé, dit Jason. Ce n'était pas facile de choisir entre les deux pieds.

Hazel essaya de faire le vide dans son esprit et d'imaginer la scène avec les yeux de Sciron – selon ses désirs, ses attentes.

C'était la clé pour comprendre la Brume. Hazel ne pouvait imposer à personne sa façon de voir le monde. Elle ne pouvait pas non plus rendre la réalité de Sciron moins crédible. Mais si elle lui montrait ce qu'il avait envie de voir... elle était enfant de Pluton après tout. Elle avait passé des décennies parmi les morts, à les écouter se languir de vies passées dont ils ne se souvenaient qu'à moitié, à travers le prisme déformant de la nostalgie.

Les morts voyaient ce qu'ils *croyaient* qu'ils allaient voir. Pareil pour les vivants.

Pluton était le dieu des Enfers, le dieu de la richesse. Ces deux sphères étaient peut-être plus liées qu'Hazel ne l'avait mesuré jusqu'à présent. Il n'y avait pas beaucoup de différence entre la nostalgie et la cupidité.

Si elle pouvait faire surgir de l'or et des diamants, pourquoi pas un autre type de trésor – une vision du monde que les gens voulaient ardemment voir ?

Évidemment, elle pouvait se tromper. En ce cas, Jason et elle finiraient bientôt en pâtée pour tortue.

Elle posa la main sur la poche de sa veste ; le tison magique de Frank lui semblait plus lourd que d'habitude. Elle ne portait plus seulement le fil qui rattachait son copain à la vie, à présent ; c'était le sort de tout l'équipage qui dépendait d'elle.

Jason s'avança, les bras ouverts en signe de capitulation.

– Je vais passer en premier, Sciron. Je vais te laver le pied gauche.

– Excellent choix ! (Sciron agita ses orteils poilus et cadavériques.) J'ai dû marcher sur un truc pas frais avec ce pied-là, ça faisait *schlock-schlock* à l'intérieur de ma botte. Mais je suis sûr que tu sauras le nettoyer comme il faut.

Les oreilles de Jason rougirent. Son cou se tendit et Hazel comprit qu'il était tenté de renoncer au plan et d'attaquer – une estocade rapide avec son épée d'or impérial. Mais elle savait que s'il essayait, il ne pouvait qu'échouer.

– Sciron, intervint-elle, est-ce que tu as de l'eau ? Du savon ? Comment sommes-nous censés laver...

– Comme ça !

Sciron fit tournoyer son pistolet de gauche, qui se transforma en flacon de détergent et chiffon. Il les lança à Jason.

Ce dernier examina l'étiquette en fronçant les sourcils.

– Tu veux que je te lave les pieds avec du liquide à vitres ?

– Bien sûr que non ! Regarde mieux. C'est marqué « nettoyant toutes surfaces ». Mes pieds rentrent complètement dans la catégorie « toutes surfaces ». En plus, ça tue les bactéries. J'en ai bien besoin. Crois-moi, l'eau, ça le fait pas, pour ces petits petons !

Sur ce, Sciron agita les orteils, libérant de nouveaux effluves de jus de zombie.

– Oh, non, par les dieux..., gémit Jason en s'étranglant.

Sciron haussa les épaules et brandit son pistolet de droite :

– Tu peux toujours choisir ce qu'il y a dans mon autre main, si tu préfères, dit-il.

– Non, dit Hazel. Il n'y a pas de problème.

Jason voulut protester, mais elle le mit au pas d'un regard impitoyable.

– Ouais, c'est bon, marmonna-t-il.

– Parfait ! alors... (Sciron sautilla jusqu'au rocher le plus proche, qui faisait la taille idéale pour un repose-pieds. Il se tourna face à la mer et planta son auguste panard sur le rocher, dans la posture de l'explorateur qui vient de se déclarer maître d'une nouvelle terre.) Je regarderai l'horizon pendant que tu me râperas les cors. Ce sera plus agréable.

– Certainement, dit Jason.

Il s'agenouilla devant le bandit, au bord de la falaise. Il offrait une cible facile : un coup de pied, et on n'en parlait plus.

Hazel se concentra. Elle s'imagina qu'elle était Sciron, le seigneur des bandits. Elle avait sous les yeux un blondinet pitoyable, qui ne représentait pas la moindre menace : rien qu'un demi-dieu vaincu qui allait devenir sa victime, comme tant d'autres avant lui.

Mentalement elle vit ce qui allait se passer. Elle appela la Brume à elle, la cherchant dans les profondeurs de la terre, comme elle le faisait pour l'or, l'argent ou les rubis.

Jason pulvérisa du détergent sur le pied de Sciron. Ses yeux s'embuèrent. Il frotta le gros orteil du bandit avec le chiffon et détourna la tête pour tousser. C'était insupportable à regarder, tellement insupportable que lorsque le coup de pied partit, Hazel faillit le manquer.

Sciron planta son pied en plein dans la poitrine de Jason. Le fils de Jupiter tomba à la renverse et bascula dans le vide. Agitant les bras, il dégringola en poussant des hurlements. Au moment où il allait heurter la surface de l'eau, la tortue émergea et l'avala d'une seule bouchée, avant de plonger à nouveau.

Des sirènes d'alarme retentirent à bord de l'*Argo II*. Les amis d'Hazel déboulèrent sur le pont et chargèrent les catapultes. Piper poussa un gémissement de douleur qui monta jusqu'aux oreilles d'Hazel.

C'était tellement troublant qu'Hazel faillit perdre sa concentration. Elle força son esprit à se scinder en deux : une moitié toute tournée sur la tâche à accomplir, l'autre sur le rôle qu'elle devait jouer pour Sciron.

– Mais qu'as-tu fait ? hurla-t-elle avec indignation.

– Oh là là... (Sciron affectait la tristesse, mais Hazel avait l'impression qu'il cachait un sourire derrière son bandana.) C'était un accident, je t'assure.

– Mes amis vont te tuer !

– Qu'ils essaient, dit Sciron. Mais en attendant, je crois que tu as le temps de me laver l'autre pied ! Fais-moi confiance, ma chère. Ma tortue a le ventre plein, elle n'a pas envie de te manger toi aussi. Tu ne crains rien, sauf si tu refuses.

Il braqua le pistolet sur sa tête.

Elle hésita, lui donna son angoisse à voir. Il ne fallait pas qu'elle accepte trop facilement, ou il n'aurait pas le sentiment de l'avoir vaincue.

– Ne me pousse pas, supplia-t-elle, des sanglots dans la voix.

Ses yeux pétillèrent. C'était exactement ce qu'il attendait. Elle était impuissante et brisée. Une fois de plus, Sciron, fils de Poséidon, triomphait.

Hazel n'arrivait pas à croire que cet individu était né du même père que Percy Jackson. Elle se souvint alors que Poséidon avait une personnalité changeante, comme la mer. Peut-être ses enfants en étaient-ils le reflet. Percy était un enfant du Poséidon puissant, mais généreux et serviable, telle la mer bienveillante qui portait les navires à bon port dans des contrées lointaines. Sciron, lui, était un enfant de l'*autre* Poséidon : la mer qui battait la côte implacablement et la grignotait, qui balayait des innocents sur le rivage et les noyait, qui coulait des navires et tuait sans pitié des équipages entiers.

Elle ramassa le détergent abandonné par Jason.

– Sciron, marmonna-t-elle, tes pieds sont encore ce qu'il y a de moins dégoûtant chez toi.

Le regard des yeux verts se durcit.

– Nettoie et tais-toi, lança-t-il.

Hazel s'agenouilla en essayant d'ignorer l'odeur. Elle se décala légèrement sur le côté, obligeant Sciron à modifier sa position, mais elle imagina que la mer était encore dans son dos. Elle maintint cette vision dans son esprit quand elle se poussa pour la deuxième fois, latéralement toujours.

– Allez, au travail ! s'impatienta Sciron.

Hazel réprima un sourire. Elle était parvenue à faire pivoter Sciron sur cent quatre-vingts degrés, sans qu'il cessât pour autant de voir la mer devant lui et les collines derrière.

Elle attaqua son ignoble corvée.

Hazel en avait fait, des travaux dégoûtants. Elle avait nettoyé les écuries des licornes, au Camp Jupiter. Elle avait comblé et creusé des latrines pour la légion.

Cela n'est pas pire, se dit-elle. Mais c'était dur de ne pas avoir de haut-le-cœur en regardant les orteils de Sciron.

Quand le coup de pied partit, Hazel fut projetée en arrière, mais elle ne tomba pas bien loin. Elle atterrit le derrière dans l'herbe, à quelques mètres du bord de la falaise.

Sciron la regarda, stupéfait.

– Mais...

Soudain, tout bascula. L'illusion se dissipa, et Sciron se trouva plongé dans le désarroi. La mer était derrière lui, et non derrière elle ! Tout ce qu'il était arrivé à faire, c'était à éloigner Hazel du vide.

Il baissa son pistolet.

– Comment...

– La bourse ou la vie ! coupa Hazel.

Alors Jason piqua du ciel, juste au-dessus de la tête de Sciron, et lui fit un placage qui le précipita dans le vide.

Le bandit hurla dans sa chute et tira des coups de feu désordonnés, mais, pour une fois, il ne fit pas mouche. Hazel se leva. Elle arriva au bord de la falaise juste à temps pour voir la tortue géante sortir la tête de l'eau, ouvrir la gueule et cueillir Sciron dans l'air.

– Hazel, s'écria Jason avec un immense sourire, c'était énorme ! Sérieux... Hazel ? Hé, Hazel ?

Prise de vertiges, Hazel tomba à genoux.

De très loin lui parvenaient les hourras de ses amis, sur le navire. Jason était debout près d'elle, mais il se mouvait au ralenti ; sa silhouette était floue et sa voix réduite à un crépitement de parasites.

Autour d'elle, l'herbe et les rochers se couvraient de givre. Le sol ravala le tas de richesses qu'elle lui avait extirpées. La Brume se mit à tournoyer.

Qu'ai-je fait ? se demanda-t-elle avec effroi. *Il y a quelque chose qui cloche.*

– Non, Hazel, dit une voix grave, derrière elle. Tu as bien agi.

Elle retint son souffle, n'osant plus respirer. Cette voix, elle ne l'avait entendue qu'une seule fois, mais l'avait repassée des milliers d'autres dans sa tête.

Hazel se retourna et se trouva face à son père.

Il était vêtu et coiffé à la romaine : ses cheveux sombres étaient coupés ras, son visage blême et anguleux rasé de près. Il portait une tunique et une toge en drap de laine noir, brodé de fil d'or. Des visages d'âmes tourmentées se tordaient dans la trame du tissu. Sa toge était ornée d'un liseré pourpre comme celle d'un sénateur ou d'un préteur, mais qui ondulait comme un ruisseau de sang. À l'annulaire, Pluton avait une énorme opale, qui ressemblait à un bloc de Brume gelé et poli.

Son alliance, pensa Hazel. Mais Pluton n'avait jamais épousé la mère d'Hazel. Les dieux n'épousaient pas les mortels. Cette bague devait représenter son mariage avec Perséphone.

Cette pensée mit Hazel dans une telle colère qu'elle se secoua de sa torpeur et se leva.

– Qu'est-ce que tu veux ? demanda-t-elle sèchement.

Elle espérait le blesser par ce ton de voix, lui rendre un peu de la souffrance qu'il lui avait infligée. Mais l'ombre d'un sourire se dessina sur ses lèvres.

– Ma fille, dit-il. Je suis impressionné. Tu es devenue forte.

C'est pas grâce à toi, aurait-elle voulu rétorquer. Elle ne voulait pas prendre plaisir à ce compliment, mais sentit pourtant ses yeux piquer.

– Je croyais que vous les grands dieux, vous étiez bloqués, parvint-elle à dire. Que vos personnalités grecque et romaine étaient en conflit.

– C'est vrai, dit Pluton. Mais tu m'as invoqué avec une telle force que tu m'as permis d'apparaître... ne serait-ce que pour quelques instants.

– Je ne t'ai pas invoqué.

Tout en le disant, Hazel savait que ce n'était pas vrai. Pour la première fois, délibérément, elle avait assumé sa filiation, s'était acceptée en tant que fille de Pluton. Elle avait essayé de comprendre les pouvoirs de son père et d'en tirer le meilleur parti.

– Lorsque tu arriveras à ma maison en Épire, dit Pluton, il faudra que tu sois préparée. Les morts ne te feront pas un bon accueil. Et la sorcière Pasiphaé...

– Pas s'y fier ? demanda Hazel, avant de comprendre que c'était juste son nom.

– Elle ne sera pas aussi facile à tromper que Sciron. (Les yeux de Pluton brillaient comme de la roche volcanique.) Tu t'es sortie avec succès de ta première épreuve, mais Pasiphaé compte reconstruire son domaine, et cela mettrait tous les demi-dieux en danger. Sauf si tu te dresses en travers de son chemin à la Maison d'Hadès...

La silhouette du dieu vacilla. Un bref instant, il parut vêtu à la grecque, avec une barbe et une couronne de laurier d'or dans les cheveux. Autour de ses pieds, des mains de squelettes sortaient de terre.

Le dieu serra les dents et grimaça.

Sa forme romaine se stabilisa. Le sol ravala les mains de squelettes. Le dieu avait le visage creusé comme un homme qui sort d'une crise violente.

– Nous n'avons pas beaucoup de temps, dit-il. Sache que les Portes de la Mort constituent le niveau le plus bas du Nécromanteion. Tu dois amener Pasiphaé à voir ce qu'elle veut voir. Tu as raison, c'est le secret de toutes les magies. Mais ce ne sera pas facile quand tu seras dans son labyrinthe.

– Qu'est-ce que tu veux dire ? Quel labyrinthe ?

– Tu comprendras, promit-il. Autre chose, Hazel Levesque... Tu ne me croiras pas, mais je suis fier de ta force. Parfois... parfois la seule façon dont je peux chérir mes enfants est de me tenir à distance.

Hazel ravala une insulte. Comme beaucoup d'autres dieux, Pluton n'était rien qu'un père indigne qui s'abritait derrière des excuses bidon. Pourtant elle sentit son cœur battre plus fort quand elle se répéta ses paroles : *Je suis fier de ta force.*

– Va retrouver tes amis, dit Pluton. Ils doivent s'inquiéter. Le voyage pour l'Épire vous réserve encore de nombreux dangers.

– Attends ! s'exclama Hazel.

Pluton leva un sourcil intrigué.

– Lorsque j'ai rencontré Thanatos, continua-t-elle, tu sais... le dieu de la mort... il m'a dit que je n'étais pas sur ta liste d'esprits fuyards à capturer. Il m'a dit que c'était peut-être pour cette raison que tu gardais tes distances. Que si tu reconnaissais mon existence, tu serais obligé de me ramener aux Enfers.

Pluton attendait.

– Quelle est ta question ? demanda-t-il.

– Tu es là. Pourquoi ne me ramènes-tu pas aux Enfers, parmi les morts ?

La silhouette de Pluton commençait à s'estomper. Il sourit, mais Hazel n'aurait su dire s'il était triste ou heureux.

– Peut-être que ce n'est pas ce que moi, je veux voir, Hazel. Peut-être que je n'ai jamais mis les pieds ici.

29 Percy

Percy fut soulagé de voir les mamies démones se resserrer pour attaquer.

Il était terrifié, bien sûr. À trois contre des dizaines, ça s'annonçait mal. Mais au moins passaient-ils à l'action, chose que Percy comprenait. Tandis que marcher dans le noir, constamment sur le qui-vive... il y avait de quoi devenir dingue.

En plus, Annabeth et lui s'étaient battus côte à côte tant de fois. Là, ils avaient un Titan en renfort.

– Arrière, ordonna-t-il en pointant Turbulence sur la mégère la plus proche, qui se contenta de ricaner.

Nous sommes les arai, dit cette voix surnaturelle qui semblait émaner de la forêt tout entière. *Vous ne pouvez pas nous éliminer.*

Annabeth se rapprocha de Percy.

– Il faut pas les toucher, l'avertit-elle. Ce sont les esprits des malédictions.

– Bob n'aime pas les malédictions, déclara Bob, tandis que Ti-Bob (pas fou, le chaton...) disparaissait à l'intérieur de sa salopette.

D'un grand geste de son balai, le Titan força les démones à reculer, mais elles revinrent aussitôt, comme la mer sur le rivage.

Nous servons les vaincus et les aigris, dirent les *arai. Nous servons les morts sauvagement assassinés qui ont réclamé vengeance dans leur dernier souffle. Nous avons beaucoup de malédictions pour toi.*

Percy sentit l'eau de feu qu'il avait dans l'estomac lui remonter dans l'œsophage. Si seulement le Tartare avait de meilleures boissons à offrir, ou alors un arbre aux fruits antireflux gastrique, songea-t-il.

– Je vous remercie, mais ma mère m'a dit de ne jamais accepter de malédiction de la part d'un inconnu.

La démone la plus proche attaqua. Ses griffes s'allongèrent comme des couteaux à cran d'arrêt à lame d'os. Percy la pourfendit avec Turbulence, mais dès qu'elle tomba en poussière, il sentit une douleur embraser les deux côtés de sa poitrine. Il tituba en arrière et porta la main aux côtes. Ses doigts revinrent tachés de rouge.

– Percy, tu saignes ! s'écria Annabeth, au cas où il ne l'aurait pas remarqué. Par les dieux, des deux côtés !

C'était vrai. Les coutures gauche et droite de son tee-shirt déchiré étaient imbibées de sang, comme s'il avait été transpercé par un javelot.

Ou par une flèche...

Une violente sensation de nausée lui coupa les jambes. *Vengeance. Malédiction des morts.*

En un éclair, il se revit au Texas, deux ans plus tôt – engagé dans un duel contre un monstrueux éleveur de bœufs qu'on ne pouvait tuer qu'en pourfendant ses trois corps en même temps.

– Géryon, dit Percy. C'est comme ça que je l'ai tué...

Les démones montrèrent les crocs. D'autres *arai* encore surgirent des arbres noirs en agitant leurs ailes parcheminées.

Oui, acquiescèrent-elles. *Sens la douleur que tu as infligée à Géryon. Tant de malédictions ont été prononcées contre toi, Percy Jackson. De laquelle mourras-tu ? Choisis, ou nous te déchiquetterons !*

Malgré tout, Percy tenait encore debout. Le sang cessa de couler mais il avait la sensation d'être embroché par une tige de métal. Son bras armé était lourd et faible.

– Je ne comprends pas, marmonna-t-il.

La voix de Bob lui répondit avec un écho grave, comme si elle sortait d'un long tunnel :

– Si tu en tues une, elle t'inflige une malédiction.

– Mais si on ne les tue pas..., commença Annabeth.

– Elles nous tueront de toute façon, devina Percy.

Choisis ! s'écrièrent les *arai*. *Veux-tu être écrasé comme Kampê ? Ou désintégré comme les jeunes Telchines que tu as massacrés sous le mont Saint Helens ? Tu as répandu tant de mort et de souffrance, Percy Jackson. Tu vas le payer, maintenant !*

Les mégères ailées se resserrèrent, l'haleine aigre et les yeux brûlants de haine. Elles ressemblaient aux Furies, mais en bien pire, estima Percy. Les trois Furies étaient sous le contrôle d'Hadès, c'était déjà ça. Tandis que celles-ci étaient sans entrave aucune, et en plus elles n'arrêtaient pas de se multiplier.

Si elles incarnaient vraiment les ultimes malédictions de tous les ennemis que Percy avait trucidés, alors il était en très mauvaise posture... il avait affronté *beaucoup* d'ennemis.

Une des démones se jeta sur Annabeth. Instinctivement elle l'esquiva, puis écrasa la pierre qu'elle tenait à la main sur la tête de la vieille mégère, qui vola en poussière.

Ce n'était pas comme si Annabeth avait eu le choix. Percy en aurait fait autant. Mais, aussitôt, Annabeth lâcha sa pierre en poussant un cri.

– Je ne vois plus rien !

Elle porta les mains au visage et se mit à tourner la tête frénétiquement. Ses yeux étaient entièrement blancs.

Percy courut à ses côtés, tandis que les *arai* persiflaient.

Polyphème t'a maudite quand tu l'as trompé avec ton sortilège d'invisibilité. Tu lui as dit que tu t'appelais Personne. Il ne pouvait pas te voir. À ton tour, maintenant, de ne pas voir tes assaillants !

– Je te couvre, promit Percy.

Il passa le bras autour des épaules d'Annabeth tout en se demandant comment il allait les protéger, elle ou lui-même, des *arai* qui les attaquaient.

Une dizaine de démones bondirent de tous les côtés, mais Bob hurla : « DU BALAI ! »

Son balai fila au-dessus de la tête de Percy, et tout le bataillon d'*arai* tomba à la renverse comme des quilles au bowling.

D'autres passèrent à l'assaut. Bob en cogna une sur la tête, en transperça une deuxième et les deux volèrent en poussière. Le reste de la bande battit en retraite.

Percy retenait son souffle, redoutant de voir leur ami Titan affligé d'une malédiction terrible, mais Bob n'avait pas l'air inquiété – tel un gigantesque garde du corps argenté, il repoussait la mort avec l'ustensile de ménage le plus redoutable du monde.

– Bob, ça va ? demanda Percy. Pas de malédictions ?

– Pas de malédictions pour Bob ! renchérit le Titan.

Les *arai* resserraient à nouveau le cercle en zyeutant le balai, babines retroussées. *Le Titan est déjà maudit. Pourquoi irions-nous le torturer davantage ? Toi, Percy Jackson, tu lui as déjà effacé sa mémoire.*

Le fer de lance de Bob s'immobilisa.

– Bob, ne les écoute pas, dit Annabeth. Elles sont malveillantes !

Le temps ralentit. Percy se demanda si l'esprit de Cronos flottait dans les parages, tournoyant entre les ombres, et savourait tellement cet instant qu'il voulait le prolonger indéfiniment. Percy éprouvait exactement la même sensation que la fois où il avait affronté Arès sur la plage, à Los Angeles, quand il avait douze ans, et où l'ombre du seigneur des Titans était passée sur lui pour la première fois.

Bob se retourna. Sa tignasse blanche lui faisait comme une auréole déchiquetée.

– Ma mémoire... alors c'était toi ? demanda-t-il d'une voix incrédule.

Maudis-les, Titan ! le pressèrent les *arai* avec des yeux rouges et enfiévrés. *Grossis nos rangs !*

Percy sentit son cœur se plaquer contre sa colonne vertébrale.

– Bob, c'est une longue histoire, dit-il. Je ne voulais pas que tu sois mon ennemi. J'ai essayé de faire de toi mon ami.

En te volant ta vie ! En t'abandonnant au palais d'Hadès avec un balai, comme un grouillot ! persiflèrent les *arai.*

Annabeth agrippa la main de Percy.

– Par où ? chuchota-t-elle. S'il faut fuir ?

Il comprit. Si Bob cessait de les protéger, leur seule chance serait de prendre leurs jambes à leur cou – mais c'était tout sauf une chance.

– Bob, écoute-moi, tenta-t-il de nouveau. Les *arai* veulent te mettre en colère. Elles sont engendrées par des pensées aigries. Ne leur fais pas ce plaisir. Nous sommes tes amis, crois-moi.

Mais en prononçant ces paroles, Percy se faisait l'effet d'un menteur. Il avait laissé Bob aux Enfers et de ce jour il ne lui avait plus accordé une seule pensée. Alors qu'est-ce qui faisait d'eux des amis, tout d'un coup ? Le simple fait que Percy avait besoin de lui ? S'il y avait une chose que Percy avait toujours détestée, c'était quand les dieux l'utilisaient pour lui faire faire leurs corvées. Mais il se rendait compte qu'il traitait Bob exactement de la même façon, maintenant.

Tu as vu son expression ? grondèrent les *arai. Le pauvre garçon n'arrive même pas à se convaincre lui-même ! Est-ce qu'il t'a rendu visite, après t'avoir volé ta mémoire ?*

– Non, murmura Bob, et sa lèvre inférieure trembla. Mais l'autre garçon est venu.

Le cerveau de Percy moulina péniblement.

– Quel autre garçon ?

– Nico. (Bob regarda Percy, les yeux noyés par la peine.) Nico est venu me voir. Il m'a parlé de Percy. Percy est bon, il a dit. Percy est un ami. C'est pour ça que Bob a aidé.

– Mais...

La voix de Percy s'effrita, comme désintégrée par une lame de bronze céleste. Il ne s'était jamais senti aussi déloyal et abject, aussi indigne d'amitié.

Les *arai* attaquèrent, et cette fois-ci Bob ne s'interposa pas.

30 Percy

– À gauche !

Percy traîna Annabeth en ouvrant un chemin entre les *arai* à coups d'épée. Sans doute s'attira-t-il une douzaine de malédictions, mais comme il n'en sentait pas encore l'effet, il continua de courir.

La douleur de sa poitrine augmentait à chaque foulée. Il louvoyait entre les arbres en menant Annabeth au sprint, malgré sa cécité totale.

Percy réalisa qu'elle comptait sur lui pour la tirer de là. Il ne pouvait pas lui faire défaut, mais en même temps comment arriverait-il à la sauver ? Et si elle était aveugle pour toujours... Non. Il lutta contre la panique qui montait en lui. Il trouverait le moyen de la guérir plus tard. Pour le moment, la priorité, c'était d'échapper aux *arai*.

Des ailes parcheminées brassaient l'air au-dessus de leurs têtes. Des criaillements coléreux et des bruits de pattes griffues confirmaient que les démones étaient sur leurs talons.

En passant devant un des grands arbres noirs, il faucha le tronc d'un coup d'épée, sans s'arrêter. Il l'entendit s'abattre, suivi du délicieux craquement de plusieurs dizaines d'*arai* écrasées sous son poids.

Si un arbre tue un démon en tombant, l'arbre sera-t-il maudit ?

Percy trancha un autre tronc, et encore un autre. Ça leur fit gagner quelques secondes, mais ce n'était pas suffisant.

Soudain, devant eux, l'obscurité s'accentua. Percy comprit ce que ça signifiait à la dernière seconde. Il rattrapa Annabeth juste avant qu'ils ne tombent tous les deux dans le vide au pas de course.

– Quoi ? s'écria-t-elle. Qu'est-ce qu'il y a ?

– Une falaise, hoqueta-t-il. Une grande falaise.

– Par où on va, alors ?

Percy n'arrivait pas à jauger la hauteur de la falaise. Ça pouvait être trois mètres comme trois cents. Impossible, aussi, de voir ce qu'il y avait en bas. Il pouvait sauter en espérant qu'ils auraient de la chance, mais la chance n'était pas monnaie courante, au Tartare.

Ce qui laissait une seule alternative : à droite ou à gauche, en longeant le bord de la falaise.

Il allait choisir au hasard quand une démone ailée s'immobilisa devant lui, juste hors d'atteinte et suspendue au-dessus du vide par ses ailes de chauve-souris.

Vous avez fait une bonne promenade ? demanda la voix collective en résonnant tout autour d'eux.

Percy fit volte-face. Les *arai*, affluant de la forêt, se placèrent en demi-cercle devant eux. L'une d'elles empoigna Annabeth par le bras. Furieuse, celle-ci poussa un cri de rage, jeta la démone au sol par une prise de judo, s'écrasa sur son cou de tout son poids et lui asséna un coup de coude dont un judoka professionnel aurait pu être fier.

La démone se volatilisa, mais quand Annabeth se releva, elle avait l'air perdue et en pleine détresse, en plus de sa cécité.

– Percy ? appela-t-elle d'une voix paniquée.

– Je suis là.

Il voulut lui mettre la main sur l'épaule, mais elle n'était pas là où il le croyait. Il essaya de nouveau, pour s'apercevoir qu'elle était quelques pas plus loin. C'était comme quand on essaie d'attraper quelque chose dans une cuve d'eau et que les jeux de lumière faussent l'image.

– Percy ! (La voix d'Annabeth se brisa.) Pourquoi tu m'as quittée ?

– Je ne t'ai pas quittée ! (Il se tourna vers les *arai*, tremblant de colère.) Qu'est-ce que vous lui avez fait ?

Nous n'avons rien fait, dirent les démones. *Ta chérie a déclenché une malédiction particulière – une pensée amère venant de quelqu'un que tu as abandonné. Tu as puni une âme innocente en la laissant à sa solitude. Maintenant son vœu le plus haineux vient de se réaliser : Annabeth ressent son désespoir.*

– Percy ?

Annabeth tendit les bras, cherchant Percy à tâtons. Les *arai* reculèrent pour la laisser tituber à l'aveuglette entre leurs rangs.

– Qui ai-je abandonné ? demanda Percy. Je n'ai jamais...

Soudain, il eut l'impression que son cœur se décrochait et tombait du bord de la falaise.

Les mots résonnèrent dans sa tête : *Une âme innocente. Seule et abandonnée.* Il se souvint d'une île, d'une grotte éclairée par des cristaux à la lueur diffuse, d'une table dressée sur la plage, servie par des esprits de l'air invisible.

– Elle ne ferait jamais ça, marmonna-t-il. Elle ne me maudirait pas.

Les yeux des démones se voilèrent et leurs regards se fondirent en un seul, comme leurs voix. Percy avait des élancements dans les flancs. La douleur de sa poitrine augmentait, comme si une main y retournait lentement un poignard.

Annabeth errait au milieu des *arai* en l'appelant désespérément. Percy aurait voulu courir auprès d'elle, mais il savait que les démones ne le lui permettraient pas. Si elles n'avaient pas encore tué Annabeth, c'était seulement parce qu'elles s'amusaient de la voir souffrir.

Percy serra les mâchoires. Peu importaient les malédictions qui allaient pleuvoir sur lui. Il fallait qu'il monopolise l'attention de ces vieilles mégères ratatinées et protège Annabeth le plus longtemps possible.

Avec un cri de rage, il passa à l'attaque.

31 Percy

Pendant une minute exaltante, Percy crut qu'il l'emportait. Turbulence taillait dans les *arai* comme dans du beurre. L'une paniqua et rentra tête la première dans un arbre. Une autre glapit et tenta de fuir, mais Percy lui trancha les ailes et la précipita dans le gouffre.

Chaque fois qu'une démone se désintégrait, Percy sentait la chape d'effroi qui pesait sur lui s'alourdir d'une malédiction de plus. Certaines étaient violentes et douloureuses : la sensation d'un coup de couteau dans le ventre, la brûlure d'un chalumeau sur la peau. D'autres discrètes : un frisson dans le sang, un tic incontrôlable à l'œil droit.

Franchement, qui aurait l'idée de maudire quelqu'un dans son dernier souffle en disant : *Puisse ta paupière tressaillir !?*

Percy savait qu'il avait tué beaucoup de monstres, mais il n'y avait jamais réfléchi de leur point de vue à eux. À présent toute leur douleur et leur colère lui retombaient dessus et sapaient ses forces.

Les *arai* ne cessaient d'affluer. Pour une qu'il anéantissait, semblait-il, six nouvelles surgissaient.

Son bras armé fatiguait. Son corps lui faisait mal, sa vision se troublait. Il essayait de se rapprocher d'Annabeth, mais elle demeurait hors d'atteinte et continuait de l'appeler en titubant entre les démones.

Alors qu'il crapahutait dans sa direction, une des *arai* bondit et planta les crocs dans sa cuisse. Percy poussa un hurlement. Il pourfendit la créature, mais tomba aussitôt à genoux.

Sa bouche brûlait encore plus que lorsqu'il avait avalé l'eau de feu du Phlégéthon. Il se plia en deux, pris de tremblements et de haut-le-cœur, tandis qu'une douzaine de serpents de feu semblaient vouloir s'engouffrer dans son œsophage.

Tu as choisi la malédiction de Phinée, dit la voix des *arai. Une excellente mort douloureuse.*

Percy essaya de parler. Il eut l'impression que sa langue était passée au micro-ondes. Il se rappela le vieux roi aveugle, à Portland, qui pourchassait les harpies avec une désherbeuse. Percy lui avait lancé un défi et le perdant, Phinée, avait dû avaler une fiole de sang de gorgone, poison mortel s'il en est. Percy ne se souvenait pas du vieillard lui jetant une ultime malédiction mais, pendant qu'il se désintégrait pour redescendre aux Enfers, il n'avait pas dû souhaiter longue et heureuse vie à Percy.

Après sa victoire, ce jour-là, Gaïa l'avait mis en garde : *Ne force pas ta chance. Lorsque ta mort viendra, je te promets qu'elle sera autrement plus douloureuse que celle provoquée par du sang de gorgone.*

À présent, il était au Tartare et mourait sous l'effet du sang de gorgone et d'une dizaine d'autres malédictions atroces, tout en regardant sa petite amie avancer en titubant, aveugle, impuissante et convaincue qu'il l'avait abandonnée. Il serra la poignée de son épée dans sa main. Ses doigts commencèrent à fumer et des volutes de vapeur blanche montèrent de ses avant-bras.

Je refuse de mourir comme ça, pensa-t-il.

Pas seulement parce que c'était douloureux et d'une inélégance insultante, mais parce que Annabeth avait besoin de lui. S'il mourait, les démones reporteraient leur attention sur elle. Il ne pouvait pas la laisser seule.

La bande des *arai* se rassembla autour de lui en ricanant.

C'est sa tête qui va exploser en premier, dit la voix.

Non, se répondit-elle d'une autre direction. *Il va se consumer d'un coup.*

Elles se mirent à parier sur la façon dont il allait mourir, les marques de brûlure qu'il laisserait sur le sol.

– Bob, gémit-il dans un râle. J'ai besoin de toi.

Une supplique désespérée. Lui-même entendait à peine sa voix. Et surtout, pourquoi Bob répondrait-il à l'appel une deuxième fois ? Le Titan connaissait la vérité maintenant. Il savait que Percy n'était pas son ami.

Percy leva les yeux une dernière fois. Il eut l'impression que tout vacillait autour de lui. Le ciel bouillonnait et le sol faisait des cloques.

Il comprit alors que ce qu'il voyait du Tartare n'était qu'une vision édulcorée de sa réalité : c'était seulement ce que son cerveau de demi-dieu pouvait encaisser. Le pire était caché à ses yeux, de la même façon que les monstres étaient cachés aux humains par la Brume. Maintenant qu'il mourait, Percy commençait à voir la vérité.

L'air était la respiration du dieu Tartare. Les nombreux monstres n'étaient que des globules circulant dans son corps. Tout ce que Percy voyait était un rêve qui se formait dans l'esprit de l'obscur dieu de l'abîme.

C'était sans doute ainsi que Nico avait vu le Tartare, et ça expliquait qu'il ait failli y laisser sa santé mentale. Nico... une des nombreuses personnes que Percy n'avait pas traitées correctement. Si Annabeth et lui avaient pu s'enfoncer si loin dans le Tartare, c'était uniquement parce que Nico di Angelo s'était comporté en véritable ami envers Bob.

Tu découvres l'horreur de l'abîme ? Renonce, Percy Jackson, dirent les *arai* d'une voix apaisante. *La mort n'est-elle pas préférable à cet endroit ?*

– Pardon, murmura Percy.

Il s'excuse ! jubilèrent les *arai*. *Il regrette sa vie ratée et ses crimes contre les enfants du Tartare !*

– Non, dit Percy. Je m'adresse à Bob. Bob, j'aurais dû être franc avec toi. S'il te plaît... pardonne-moi. Protège Annabeth.

Il ne s'attendait pas à ce que Bob l'écoute ou le comprenne, mais cela soulageait sa conscience. Il ne pouvait reprocher ses ennuis à personne. Ni aux dieux ni à Bob. Ni même à Calypso, la fille qu'il avait laissée toute seule sur cette île. Peut-être que le chagrin l'avait aigrie et qu'elle avait maudit la petite amie de Percy par désespoir. Il n'empêche... Percy aurait dû s'inquiéter de son sort, il aurait dû s'assurer que les dieux tiennent parole et la libèrent de son exil sur l'île d'Ogygie. Au fond, il ne l'avait guère mieux traitée que Bob. Il n'avait même pas beaucoup repensé à elle, alors que son plant de dentelle de lune fleurissait toujours sur le rebord de la fenêtre de sa mère.

Rassemblant ses dernières forces, il se leva. Son corps tout entier dégageait de la vapeur. Ses jambes tremblaient. Ses entrailles s'agitaient comme un volcan en éruption.

Au moins Percy pouvait-il partir en se battant. Il brandit Turbulence.

Mais avant même qu'il pût frapper, les *arai* qui étaient devant lui volèrent en éclats de poussière.

32 PERCY

Y a pas à dire, Bob savait manier le manche à balai.

Il tailladait à tour de bras, trucidant les démones une par une, avec Ti-Bob perché sur son épaule, le poil hérissé, qui feulait comme un tigre.

En quelques secondes toutes les *arai* eurent disparu. La plupart avaient été réduites en poussière de monstre ; les plus malignes s'étaient enfuies dans l'obscurité en poussant des cris de terreur.

Percy voulut remercier le Titan, mais ne put émettre un son. Il sentit ses jambes flancher. Ses oreilles tinter. À travers le brouillard rouge de la douleur, il aperçut Annabeth, quelques mètres plus loin, qui marchait aveuglément vers le bord de la falaise.

– Argh, grogna-t-il.

Bob suivit son regard. Il bondit et cueillit Annabeth, qui se mit à hurler et à le cribler de coups de pied et de poing dans le ventre. Bob, parfaitement calme, retourna auprès de Percy et la déposa délicatement devant lui.

Puis le Titan posa la main sur le front d'Annabeth.

– Bobo, dit-il.

Annabeth cessa de se débattre. Ses yeux recouvrèrent leur aspect normal.

– Où... ? Qu'est-ce que... ?

Elle aperçut alors Percy, et une série d'expressions défila sur son visage : le soulagement, la joie, le choc, l'effroi.

– Qu'est-ce qu'il a ? s'écria-t-elle. Qu'est-ce qui s'est passé ?

Elle jeta les bras autour de son cou et se mit à pleurer dans ses cheveux.

Percy aurait voulu lui dire que tout allait bien, seulement c'était faux. Il ne sentait même plus son corps. Sa conscience était comme un petit ballon fragile rattaché à sa tête par un fil ténu. Elle n'avait plus ni poids ni force. Elle ne faisait que se dilater, devenait de plus en plus légère. Il savait que bientôt, soit elle exploserait, soit le fil céderait et sa vie, alors, s'envolerait.

Annabeth lui prit le visage entre les mains. Elle l'embrassa, essuya la poussière et la sueur qu'il avait dans les yeux.

Bob les dominait de toute sa hauteur, son balai planté dans le sol comme un drapeau. Son visage, d'un blanc lumineux dans l'obscurité, était indéchiffrable.

– Beaucoup de malédictions, dit-il. Percy a fait du mal aux monstres.

– Peux-tu le guérir ? supplia Annabeth. Comme tu as fait pour ma cécité ? Guéris Percy !

Bob fronçait les sourcils. Il grattait son insigne de portier comme si c'était une croûte.

Annabeth fit une nouvelle tentative.

– Bob...

– Japet, dit Bob d'une voix grave et basse. Avant Bob, c'était Japet.

L'air était parfaitement immobile. Percy se sentait impuissant, à peine rattaché au monde.

– Je préfère Bob, dit Annabeth avec un calme étonnant. Et toi, lequel tu aimes ?

Le Titan la regarda de ses yeux de pur argent.

– Je ne sais plus.

Il s'accroupit près d'elle et scruta Percy. Le visage de Bob était défait et soucieux, comme s'il sentait d'un coup le poids de tous les siècles qu'il avait vécus.

– J'ai donné ma parole, murmura-t-il. Nico m'a demandé mon aide. Je crois que ni Bob ni Japet n'aiment rompre une parole donnée.

Il posa la main sur le front de Percy.

– Bobo, murmura le Titan. Très gros bobo.

Percy réintégra son corps. Le tintement dans ses oreilles s'estompa. Sa vision devint plus nette. Il avait toujours l'impression d'avoir avalé une friteuse. Ses entrailles étaient en ébullition. Il sentait que le poison avait été ralenti, non éliminé.

Mais il était vivant.

Il essaya de regarder Bob dans les yeux pour lui exprimer sa gratitude. Sa tête retomba contre sa poitrine.

– Bob ne peut pas soigner ça, dit Bob. Trop de poison. Trop de malédictions additionnées.

Annabeth serra Percy par les épaules. Il eut envie de dire : *Je sens, maintenant. Aïe, tu me serres trop fort.*

– Qu'est-ce qu'on peut faire, Bob ? demanda Annabeth. Est-ce qu'il y a de l'eau quelque part ? De l'eau pourrait le guérir.

– Pas d'eau, dit Bob. Le Tartare est dur.

J'ai remarqué, aurait aimé hurler Percy.

Au moins le Titan s'était-il désigné par le nom de Bob. Peut-être, alors, que même s'il en voulait à Percy de l'avoir privé de sa mémoire, il aiderait Annabeth au cas où Percy ne survivrait pas.

– Non, insista Annabeth. Non, il doit y avoir une solution. Un moyen de le guérir.

Bob posa la main sur la poitrine de Percy. Une sensation de fraîcheur et de picotement gagna son sternum, un peu comme avec une friction à l'huile d'eucalyptus, mais dès que

Bob retira sa main, le soulagement cessa. De nouveau, les poumons de Percy étaient brûlants comme de la lave.

– Le Tartare tue les demi-dieux, dit Bob. Il guérit les monstres, mais vous n'avez pas votre place ici. Le Tartare ne guérira pas Percy. L'abîme déteste ceux de votre espèce.

– Ça m'est égal, dit Annabeth. Même ici, il doit bien y avoir un endroit où il pourrait se reposer, un remède qu'il pourrait prendre. Peut-être qu'en retournant au sanctuaire d'Hermès...

Au loin tonna une voix grave – une voix que Percy reconnut, pour son plus grand effroi.

JE SENS SON ODEUR ! rugit le géant. *PRENDS GARDE, FILS DE POSÉIDON ! JE VIENS TE RÉGLER TON COMPTE !*

– Polybotès, dit Bob. Il déteste Poséidon et ses enfants. Il est tout près maintenant.

Annabeth se démena pour hisser Percy sur ses pieds. Ce dernier répugnait à lui causer tant d'effort, mais il se sentait lourd comme un sac de boules de billard. Même avec Annabeth qui portait quasiment tout son poids, il avait du mal à tenir debout.

– Bob, je me remets en route, avec ou sans toi, dit-elle. Vas-tu m'aider ?

Ti-Bob le chaton miaula et se mit à frotter sa tête contre le menton de Bob en ronronnant.

Bob regarda Percy, qui regretta de ne pas arriver à interpréter l'expression du Titan. Était-il en colère, ou seulement pensif ? Préparait-il sa vengeance, ou avait-il juste de la peine parce que Percy avait menti en se prétendant son ami ?

– Il y a un endroit, finit par dire Bob. Il y a un géant qui pourrait savoir quoi faire.

Annabeth faillit laisser tomber Percy.

– Un géant ! Oh, Bob, les géants sont mauvais.

– Il y en a un qui est bon, insista. Bob. Fais-moi confiance et je vous emmènerai... sauf si Polybotès et les autres nous attrapent avant.

33 Jason

Jason s'endormit en pleine action. Ce qui était grave, vu qu'il était à trois cents mètres dans l'air.

Il n'avait pas d'excuse. C'était arrivé le lendemain de leur rencontre avec Sciron le bandit, au matin. Jason était de garde et repoussait des *venti* déchaînés qui menaçaient le navire. Quand il avait pourfendu le dernier, il avait oublié de retenir son souffle.

Erreur idiote. En se désintégrant, un esprit du vent crée un vide. Si on ne retient pas son souffle, l'air de ses poumons se trouve aussitôt pompé par ce vide. La pression de l'oreille interne chute si brutalement qu'on s'évanouit.

C'est ce qui était arrivé à Jason.

Pire encore, il avait plongé directement dans un rêve. Au fond de son subconscient, il avait pensé : *Vraiment ? Maintenant ?*

Il fallait qu'il se réveille ou il mourrait, mais il n'arrivait pas à retenir cette pensée. Dans le rêve il était sur le toit d'un grand immeuble, et les buildings de Manhattan se dessinaient dans la nuit tout autour de lui. Un vent froid le cinglait à travers ses vêtements.

Quelques rues plus loin, des nuages s'amassaient au-dessus de l'Empire State Building – l'entrée du mont Olympe lui-même. Des éclairs zébraient le ciel. L'odeur métallique d'une pluie imminente flottait dans l'air. La flèche du gratte-ciel était éclairée de la façon habituelle, mais on aurait dit qu'il y avait un problème de réglage : la lumière passait sans cesse du pourpre à l'orange, comme si les couleurs se disputaient la place.

Sur le toit de l'immeuble de Jason se trouvaient ses anciens camarades du Camp Jupiter : un groupe de demi-dieux en armure de combat, armes et boucliers d'or impérial brillant dans l'obscurité. Il vit Dakota et Nathan, Leila et Marcus. Octave se tenait à l'écart, maigre et pâle, les yeux rougis par la colère et le manque de sommeil, un chapelet d'animaux en peluche sacrificiels accroché à sa taille. Il portait sa robe blanche d'augure drapée par-dessus un tee-shirt pourpre et un pantalon à poches plaquées.

Au milieu de la rangée se trouvait Reyna, flanquée de ses chiens de métal, Aurum et Argentum. En la voyant, Jason fut pris d'une grosse bouffée de culpabilité. Il lui avait laissé croire qu'il y avait quelque chose de possible entre eux. Il n'avait jamais été amoureux d'elle et ne lui avait pas donné de faux espoirs à proprement parler... mais il avait laissé planer un doute et ne l'avait jamais détrompée.

Il avait disparu en la laissant diriger le camp toute seule. (D'accord, ce n'était pas lui qui l'avait voulu, mais il n'empêche...) Puis il était revenu au Camp Jupiter avec sa nouvelle petite amie, Piper, et une bande de copains grecs en navire de guerre volant. Ces derniers avaient bombardé le Forum et pris la fuite en laissant Reyna avec une guerre sur les bras.

Dans son rêve, elle avait l'air fatiguée. D'autres ne le remarqueraient peut-être pas, mais Jason avait travaillé assez longtemps avec elle pour repérer la lassitude dans ses yeux, la tension de ses épaules sous les sangles de son armure. Ses cheveux bruns étaient mouillés, comme si elle avait pris sa douche en vitesse.

Les Romains regardaient la trappe d'accès au toit et semblaient attendre quelqu'un.

Lorsqu'elle s'ouvrit, deux personnes émergèrent. L'une était un faune – non, pensa Jason, un *satyre*. Il avait appris la différence à la Colonie des Sang-Mêlé, et Gleeson Hedge ne manquait pas de le corriger s'il se trompait. Les faunes romains étaient assez gloutons et ils avaient une propension à traînasser et à faire la manche. Les satyres étaient plus serviables et s'impliquaient davantage dans les affaires des demi-dieux. Jason n'avait pas l'impression d'avoir déjà vu celui-là en particulier, mais il était sûr qu'il appartenait au camp des Grecs. Aucun faune ne viendrait à la rencontre d'un groupe de Romains armés en pleine nuit et d'un pas aussi décidé.

Il portait un tee-shirt vert « Protégeons la Nature » avec des dessins de tigres et de baleines en voie de disparition. Rien ne couvrait ses jambes de chèvre à sabots. Il avait une barbichette broussailleuse, des cheveux noirs et bouclés rentrés dans une casquette de rasta et une flûte de Pan passée autour du cou. Il tripotait le bord de son tee-shirt mais, à sa façon de jauger les Romains, de repérer leurs positions et leurs armes, Jason comprit que ce satyre avait l'expérience du combat.

À ses côtés se tenait une fille que Jason reconnut pour l'avoir vue à la Colonie des Sang-Mêlé : leur oracle, Rachel Elizabeth Dare. Elle avait de longs cheveux roux et frisés, un chemisier blanc uni et un jean couvert de dessins au marqueur. Elle avait une brosse à cheveux en plastique bleu qu'elle tapait nerveusement contre sa cuisse, comme si c'était un talisman.

Jason se souvint d'elle au feu de camp, récitant des vers de la prophétie qui leur avait valu leur première quête ensemble, à Piper, Léo et lui. C'était une adolescente mortelle ordinaire, pas un demi-dieu, mais, pour des raisons que Jason n'avait jamais comprises, l'esprit de Delphes l'avait choisie comme pythie.

La vraie question, c'était : que faisait-elle avec les Romains ?

Elle s'avança, les yeux rivés sur Reyna.

– Tu as reçu mon message.

Octave plissa le nez.

– C'est la seule raison pour laquelle tu es encore en vie, *Graeca*. J'espère que tu es venue discuter des conditions de votre reddition.

– Octave..., le reprit Reyna.

– Fouille-les, au moins ! protesta Octave.

– Inutile, dit Reyna, tout en scrutant Rachel Dare. As-tu des armes sur toi ?

Rachel haussa les épaules :

– J'ai enfoncé cette brosse dans l'œil de Cronos, une fois. À part ça, rien.

Les Romains étaient perplexes, mais la mortelle ne donnait pas l'impression de plaisanter.

– Et ton ami ? demanda Reyna avec un coup de menton vers le satyre. Je croyais que tu venais seule.

– C'est Grover Underwood, dit Rachel. C'est un des chefs du Conseil.

– Quel conseil ? fit Octave d'un ton méfiant.

– Le Conseil des Sabots Fendus, mon pote. (Grover parlait d'une voix fluette, comme s'il était terrifié, mais Jason soupçonnait le satyre d'avoir plus de trempe qu'il ne voulait bien le montrer.) Sérieux, les Romains, les arbres, la nature, tout ça, il y en a chez vous ? J'ai des nouvelles que vous ne pouvez pas ignorer davantage. En plus, je suis un protecteur certifié. Je suis là pour protéger Rachel, vous voyez.

Reyna réprima un sourire.

– Mais sans armes ?

– Rien que la flûte de Pan. (Le visage de Grover se teinta de mélancolie.) Percy me disait toujours que mon interprétation de « Born to Be Wild » devait être considérée comme une arme mortelle, mais je ne trouve pas qu'elle soit si abominable.

– Encore un ami de Percy Jackson ! Manquait plus que ça !

Reyna fit taire Octave d'un geste de la main. Ses chiens d'or et d'argent reniflaient l'air, mais restaient calmes et attentifs à ses côtés.

– Jusqu'à présent, nos invités disent la vérité, déclara Reyna. Soyez prévenus, Rachel et Grover, si vous commencez à mentir, cette conversation prendra une mauvaise tournure pour vous. Dites ce que vous avez à dire.

Rachel extirpa de sa poche de jean ce qui ressemblait fort à une serviette en papier.

– C'est un message, dit-elle. D'Annabeth.

Jason se demanda s'il avait bien entendu. Annabeth était au Tartare. Elle ne pouvait pas envoyer un petit mot sur une serviette en papier à qui que ce soit.

Peut-être que je me suis écrasé à la surface de l'eau et que je suis mort, suggéra son subconscient. *Cela n'est pas une véritable vision. C'est une sorte d'hallucination post mortem.*

Pourtant le rêve semblait bien réel. Jason sentait le vent qui balayait le toit. L'odeur de l'orage saturait l'air. Des éclairs sillonnaient le ciel au-dessus de l'Empire State, lançant des reflets sur les armures des Romains.

Reyna prit le mot et se mit à le lire. Ses sourcils grimpèrent, grimpèrent... sa mâchoire se décrocha. Finalement elle releva les yeux vers Rachel et dit :

– C'est une plaisanterie ?

– Non, malheureusement, répondit Rachel. Ils sont vraiment au Tartare.

– Mais comment...

– Je ne sais pas. Ce mot est apparu dans le feu sacrificiel de notre pavillon-réfectoire. C'est l'écriture d'Annabeth. Elle te demande, toi, expressément.

Octave s'agita.

– Le Tartare ? Qu'est-ce que vous voulez dire ?

Pour toute réponse, Reyna lui tendit la lettre.

Octave parcourant le billet tout en marmonnant :

– Rome, Arachné, Athéna – l'Athéna Parthénos ? (Il leva les yeux, l'air scandalisé, comme s'il s'attendait à ce que quelqu'un réfute ce qu'il était en train de lire.) C'est une ruse grecque ! Les Grecs sont tristement célèbres pour leurs ruses !

Reyna lui reprit la lettre des mains et se tourna vers la pythie.

– Pourquoi me demander une chose pareille ?

Rachel sourit.

– Parce que Annabeth est sage, dit-elle. Elle croit que tu en es capable, Reyna Avila Ramirez-Arellano.

Jason eut l'impression de recevoir une gifle. Jamais personne ne se servait du nom entier de Reyna. Elle avait horreur de le révéler. La seule et unique fois où Jason l'avait dit à voix haute, juste pour essayer de le prononcer correctement, elle l'avait fusillé du regard et lui avait dit : *C'était le nom d'une petite fille à San Juan. Je l'ai abandonné en quittant Porto Rico.*

Reyna grimaça.

– Comment as-tu...

– Euh, l'interrompit Grover. Tu veux dire que tes initiales, c'est RA-RA ?

La main de Reyna se porta vers son poignard.

– Aucune importance ! s'empressa d'ajouter le satyre. Écoute, nous n'aurions pas pris le risque de venir ici si nous ne faisions pas confiance à l'instinct d'Annabeth. Un chef romain qui rapporte la statue grecque la plus importante qui soit à la Colonie des Sang-mêlé, elle sait que cela peut empêcher une guerre.

– Ce n'est pas une ruse, ajouta Rachel. Nous ne mentons pas. Demande à tes chiens.

Les lévriers de métal demeurèrent impassibles. Reyna, songeuse, caressa la tête d'Aurum.

– L'Athéna Parthénos... Alors la légende est vraie.

– Reyna ! s'écria Octave. Ne me dis pas que tu envisages d'y aller ! Même si la statue existe toujours, tu vois bien ce qu'ils sont en train de faire. Nous sommes sur le point de les attaquer, d'éliminer une fois pour toutes ces imbéciles de Grecs et, comme par hasard, ils te concoctent cette petite course pour faire diversion. Ils veulent t'envoyer à ta mort !

Les autres Romains reluquèrent les visiteurs en marmonnant. Jason se souvint de la force de conviction d'Octave ; il était en train de rallier les officiers à sa cause.

Rachel Dare se tourna face à l'augure.

– Octave, fils d'Apollon, tu devrais prendre cette histoire plus sérieusement. Même les Romains respectaient l'oracle de Delphes de ton père.

– Ha ! railla Octave. Tu es l'oracle de Delphes ? Et moi je suis l'empereur Néron !

– Néron, au moins, savait jouer de la musique, lança Grover.

Octave serra les poings.

Soudain, le vent tourna. Il emprisonna les Romains dans un tourbillon qui sifflait comme un nid de serpents. Rachel Dare se mit à irradier une douce lumière verte, comme si elle était caressée par le faisceau d'un projecteur émeraude. Puis le vent tomba et l'aura disparut.

Le rictus moqueur d'Octave s'effaça. Les Romains piétinèrent, mal à l'aise.

– À vous de décider, reprit Rachel comme s'il ne s'était rien passé. Je n'ai pas de prophétie spécifique à vous donner, mais je vois des bribes de l'avenir. Je vois l'Athéna Parthénos sur la colline des Sang-Mêlé. Je la vois, elle, l'apporter. (Elle pointa du doigt vers Reyna.) Et puis il y a aussi le fait que depuis quelque temps, Ella murmure des passages de vos Livres sibyllins...

– Comment ? l'interrompit Reyna. Les Livres sibyllins ont été détruits il y a des siècles.

Octave tapa son poing dans sa paume.

– Je le savais ! dit-il. Cette harpie qu'ils ont ramenée de la quête, cette Ella. Je savais qu'elle débitait des prophéties !

Maintenant je comprends. Elle a eu un exemplaire des Livres sibyllins entre les mains et elle l'a appris par cœur.

– Comment est-ce possible ? demanda Reyna en secouant la tête avec incrédulité.

– Nous l'ignorons, avoua Rachel. Mais, oui, il semblerait que ce soit le cas. Ella a une mémoire absolue. Elle adore les livres. Un jour, quelque part, elle a dû lire vos livres des prophéties. Maintenant elle en est l'unique source restante.

– Tes amis ont menti, dit Octave. Ils nous ont dit que la harpie marmonnait n'importe quoi. Ils nous l'ont volée !

Grover eut un haut-le-corps d'indignation.

– Ella n'est pas votre propriété ! s'exclama-t-il. C'est une créature libre. En plus, elle veut vivre à la Colonie des Sang-mêlé. Elle sort avec un de mes amis, Tyson.

– Le Cyclope, dit Reyna. Une harpie sort avec un Cyclope...

– Ce n'est pas le propos ! réattaqua Octave. La harpie détient de précieuses prophéties romaines. Si les Grecs refusent de nous la rendre, nous devons prendre leur oracle en otage ! Gardes !

Deux centurions s'avancèrent en pointant leurs *pilae*. Grover porta sa flûte aux lèvres, entama une gigue rapide et les javelots se transformèrent en sapins de Noël. Les gardes, estomaqués, les lâchèrent.

– Ça suffit ! cria Reyna.

Elle n'élevait pas souvent la voix. Lorsqu'elle le faisait, tout le monde écoutait.

– Assez de digressions ! dit-elle. Revenons à notre affaire. Rachel Dare, tu affirmes qu'Annabeth est au Tartare mais qu'elle a quand même trouvé le moyen d'envoyer ce message. Elle me demande, *à moi*, de transporter cette statue des terres anciennes à votre Colonie.

Rachel hocha la tête.

– Seul un Romain peut la rapporter et restaurer la paix.

– Et pourquoi les Romains voudraient-ils la paix, demanda Reyna, alors que votre vaisseau a attaqué notre ville ?

– Tu le sais. Pour éviter la guerre. Pour réconcilier les aspects grec et romain des dieux. Nous devons nous unir pour vaincre Gaïa.

Octave s'avança pour parler, mais Reyna le cloua sur place d'un regard sans pitié.

– D'après Percy Jackson, dit-elle, le combat contre Gaïa aura lieu dans les terres anciennes. En Grèce.

– C'est là que sont les géants, acquiesça Rachel. Quels que soient les rituels de magie auxquels ils comptent recourir pour réveiller Gaïa, je perçois que cela se passera en Grèce. Mais... disons que nos problèmes ne se limitent pas aux terres anciennes. C'est pourquoi j'ai amené Grover, qui a des choses à vous dire.

Le satyre tira sur sa barbichette.

– Ouais... vous voyez, ces derniers mois, j'ai parlé avec des satyres et des esprits de la nature aux quatre coins du continent. Tous disent la même chose. Gaïa s'agite. En fait, elle est à deux doigts de la conscience. Elle chuchote dans l'esprit des naïades en essayant de les séduire. Elle provoque des tremblements de terre, déracine les arbres des dryades. Rien que la semaine dernière, elle est apparue sous une forme humaine dans une dizaine de lieux différents, ce qui a fait fuir certains de mes amis. Dans le Colorado, un poing de pierre géant a surgi d'une montagne et écrasé plusieurs poneys fêtards comme de vulgaires mouches.

– Des poneys fêtards ? demanda Reyna en fronçant les sourcils.

– Trop long à expliquer, répondit Rachel. L'important, c'est ceci : Gaïa va se réveiller partout à la fois. Elle s'agite déjà. Aucun endroit ne sera épargné par les combats. Et nous savons que ses premières cibles seront les camps des demi-dieux. Elle veut nous exterminer.

– Pure spéculation ! dit Octave. Tentative de diversion. Les Grecs redoutent notre attaque. Ils essaient de nous embrouiller. Ils refont le coup du cheval de Troie !

Reyna tripota la bague en argent qui ne quittait jamais son doigt, ornée de l'épée et la torche, symboles de sa mère, Bellone.

– Marcus, dit-elle, qu'on me sorte Scipion des écuries.

– Reyna, non ! protesta Octave.

Elle se tourna face aux Grecs.

– J'accepte pour Annabeth et dans l'espoir d'une paix entre nos deux camps, mais ne croyez pas que j'ai oublié les insultes faites au Camp Jupiter. Votre vaisseau a bombardé notre ville. C'est vous qui avez déclaré la guerre, pas nous. Maintenant, partez.

Grover tapa du sabot.

– Percy n'aurait jamais...

– Grover, dit Rachel, allons-nous-en.

Le ton de sa voix disait : *avant qu'il ne soit trop tard.*

Lorsqu'ils eurent disparu par la trappe, Octave se retourna contre Reyna.

– Mais tu es folle, ou quoi ?

– Je suis la préteur de la légion, dit Reyna. J'estime que cela est dans l'intérêt de Rome.

– De te faire tuer ? D'enfreindre nos lois fondamentales en te rendant dans les terres anciennes ? Et comment trouveras-tu leur navire, en admettant que tu survives au voyage ?

– Je les trouverai. S'ils voguent vers la Grèce, je sais où Jason fera halte. Il aura besoin d'une armée pour affronter les fantômes de la Maison d'Hadès. Or il n'existe qu'un seul endroit où il peut trouver ce type de soutien.

Dans le rêve de Jason, l'immeuble pencha légèrement sur le côté. Il se souvint d'une conversation qu'il avait eue avec Reyna des années plus tôt, d'une promesse qu'ils s'étaient faite. Il savait de quel lieu elle parlait.

– C'est de la folie, marmonna Octave. Ils nous ont *déjà* attaqués. Nous devons passer à l'offensive ! Ces nains poilus n'arrêtent pas de voler nos équipements et nos subsistances, de saboter nos expéditions de reconnaissance. Tu sais très bien que ce sont les Grecs qui les ont envoyés.

– Peut-être, dit Reyna. Mais je t'interdis de donner l'assaut sans mes ordres. Continue les missions de reconnaissance dans le camp ennemi. Verrouille tes positions. Rassemble tous les alliés que tu pourras, et si tu captures ces nains, tu as ma bénédiction pour les réexpédier au Tartare. Mais n'attaque pas la Colonie des Sang-Mêlé avant mon retour.

Octave plissa les yeux.

– En ton absence, dit-il, l'augure devient l'officier de commandement. Je serai responsable du Camp Jupiter.

– Je sais. (Reyna n'avait pas l'air heureuse de cela.) Mais vous avez mes ordres. Vous les avez tous entendus.

Elle regarda ses centurions un à un, les mettant au défi de contester son autorité.

Là-dessus elle s'éloigna à grands pas, ses chiens à ses talons, sa cape rouge claquant au vent.

Une fois Reyna partie, Octave se tourna vers les centurions.

– Prévenez tous les officiers supérieurs. Je veux une réunion dès que Reyna sera partie pour sa quête absurde. Il va y avoir des changements stratégiques, dans cette légion.

Un des centurions ouvrit la bouche pour répondre mais, curieusement, il avait la voix de Piper :

– RÉVEILLE-TOI !!

Jason ouvrit brutalement les yeux et vit la surface de l'eau qui se ruait à sa rencontre.

34 JASON

Jason survécut de justesse.

Plus tard, ses amis lui expliquèrent qu'ils avaient remarqué à la dernière minute seulement qu'il était en chute libre. Pas le temps que Frank se change en aigle et l'attrape entre ses serres, pas le temps d'inventer un plan de sauvetage.

Il ne devait sa vie qu'à la réaction rapide de Piper et à la puissance de son don d'enjôlement. Elle avait crié « RÉVEILLE-TOI ! » avec une telle force que Jason avait eu l'impression de recevoir un choc de défibrillation. Dans l'ultime millième de seconde, il avait appelé les vents à sa rescousse et évité de finir en flaque de graisse de demi-dieu à la surface de l'Adriatique.

De retour à bord, il avait pris Léo à part et lui avait suggéré un changement de cap. Heureusement, Léo lui faisait assez confiance pour ne pas lui demander pourquoi.

– Drôle de destination de vacances, dit-il en souriant. Mais, hein, c'est toi le boss, man !

À présent, assis dans le carré avec ses compagnons, Jason se sentait tellement réveillé qu'il avait l'impression qu'il ne pourrait pas dormir pendant une semaine. Ses mains tremblaient. Il ne pouvait pas s'empêcher de taper du pied. Il songea que Léo devait être dans cet état en permanence, seulement Léo avait de l'humour.

Après ce qu'il avait vu dans son rêve, Jason n'avait pas le cœur à la plaisanterie.

Pendant le déjeuner, Jason raconta sa vision aux autres. Lesquels gardèrent le silence assez longtemps pour que Hedge finisse un sandwich au beurre de cacahuètes et banane, assiette en céramique comprise.

Le vaisseau voguait en grinçant sur les eaux de l'Adriatique, ses rames restantes désaxées depuis l'attaque de la tortue géante. De temps à autre, Festus la figure de proue cliquetait et crissait dans les haut-parleurs pour transmettre le rapport de pilotage automatique, dans cette étrange langue des machines que Léo était le seul à comprendre.

Piper secoua la tête avec stupéfaction.

– Une lettre d'Annabeth, dit-elle. Je ne vois pas comment c'est possible, mais si c'est...

– Elle est en vie, interrompit Léo. Louons les dieux et passez-moi la sauce piquante.

– Qu'est-ce que ça veut dire ? demanda Frank en fronçant les sourcils.

Léo essuya les miettes de chips au coin de sa bouche.

– Ça veut dire passe-moi la sauce piquante, Zhang. J'ai encore faim.

Frank fit glisser un bocal dans sa direction.

– J'ai du mal à imaginer que Reyna parte à notre recherche, dit-il. C'est tabou d'aller dans les terres anciennes. Elle sera dépouillée de son titre de préteur.

– Si elle survit, dit Hazel. Nous-mêmes, à sept et avec un navire de guerre, on a en a bavé pour arriver jusqu'ici.

– Tu as oublié de me compter, éructa Gleeson Hedge. N'oublie pas, ma puce, que vous avez pour vous *l'atout satyre.*

Jason ne put s'empêcher de sourire. Gleeson Hedge pouvait être passablement ridicule, mais Jason était vraiment content qu'il soit venu avec eux. Il repensa au satyre de son rêve, Grover Underwood. Il ne pouvait pas imaginer satyre plus différent de leur chaperon, mais ils semblaient tous les deux courageux, chacun à sa façon.

Ça l'amena à se demander si les faunes du Camp Jupiter pourraient ressembler davantage aux satyres grecs, si les demi-dieux romains se montraient plus exigeants envers eux. Une autre chose à ajouter à sa liste.

Sa liste. Il ne s'était pas rendu compte qu'il en tenait une, jusqu'à cet instant, mais en réalité depuis qu'il avait quitté la Colonie des Sang-Mêlé, il réfléchissait à des moyens de rendre le Camp Jupiter plus... plus grec.

Il avait grandi au Camp Jupiter. Il y avait fait un beau parcours. Mais il avait toujours été un peu non conformiste. Les règles l'irritaient.

Il était entré dans la Cinquième Cohorte parce que tout le monde lui disait de ne pas le faire. C'était la pire de toutes les unités, l'avait-on averti. Alors il s'était dit : *Très bien, je vais en faire la meilleure.*

Une fois préteur, il avait fait campagne pour renommer la légion Première Légion, au lieu de Douzième, afin de symboliser un nouveau départ pour Rome. L'idée avait failli causer un soulèvement. La Nouvelle-Rome était fondée sur la tradition et l'héritage, les règles ne changeaient pas facilement. Jason avait appris à l'accepter, et cela ne l'avait pas empêché de grimper au sommet.

Mais maintenant qu'il connaissait les deux camps, il ne pouvait se défaire du sentiment que la Colonie des Sang-mêlé lui en avait appris davantage sur lui-même. S'il survivait à cette guerre contre Gaïa et reprenait son poste de préteur au Camp Jupiter, pourrait-il y apporter des changements positifs ?

C'était son devoir.

Alors pourquoi cette idée l'effrayait-elle tant ? Il se sentait coupable à la pensée de laisser Reyna gouverner sans lui, pourtant, en même temps... il avait envie de rentrer à la Colonie des Sang-mêlé, avec Piper et Léo. De la part d'un chef, songea-t-il, cette ambiguïté, c'était plutôt nul.

– Jason ? demanda Léo. L'*Argo II* appelle Jason. Parlez.

Jason se rendit compte que ses amis le regardaient tous. Ils avaient besoin d'être rassurés. Qu'il retourne à la Nouvelle-Rome après la guerre ou non, pour l'heure, Jason devait assurer et se comporter en préteur.

– Ouais, excusez-moi. (Il passa un doigt sur le sillon que Sciron le bandit avait tracé dans ses cheveux.) Traverser l'Atlantique, c'est un voyage difficile, c'est sûr. Mais je ne parierai jamais contre Reyna. Si quelqu'un peut le faire, c'est bien elle.

Piper tourna sa cuillère dans sa soupe. Jason craignait toujours de susciter sa jalousie par rapport à Reyna, mais lorsqu'elle leva les yeux, elle lui adressa un petit sourire qui semblait plus taquin qu'anxieux.

– Personnellement, j'adorerais revoir Reyna, dit-elle, mais comment est-elle censée nous trouver ?

Frank leva la main :

– On ne peut pas lui envoyer un message-Iris, tout simplement ?

– Ça ne marche pas bien, intervint Hedge. La réception est abominable. Je vous jure, il y a des soirs, j'ai des envies de lui botter le train, à la déesse arc-en-ciel...

Il se tut abruptement et devint écarlate.

– M'sieur Hedge ? fit Léo avec un sourire malicieux. On peut savoir qui vous appelez tous les soirs, vieux bouc ?

– Personne ! riposta Hedge. Rien ! Je voulais juste dire...

– Il veut dire qu'on a déjà essayé, intervint Hazel, et l'entraîneur lui adressa un regard reconnaissant. Il y a des interférences magiques. Gaïa, peut-être. Contacter les Romains est encore plus difficile. Je crois qu'ils se protègent par un écran antiréception.

Le regard de Jason passa rapidement d'Hazel au satyre ; il se demanda ce que cachait Hedge, et comment Hazel était au courant. À y repenser, cela faisait un moment que leur chaperon n'avait pas fait allusion à Mellie, sa petite amie nymphe des nuages...

Frank tambourina la table du bout des doigts.

– Je suppose que Reyna n'a pas de portable, hein ? Nan, laissez tomber. De toute façon, elle n'aura sans doute pas de signal si elle survole l'Atlantique à dos de pégase.

Jason se rappela leur traversée de l'Atlantique à bord de l'*Argo II*, et les dizaines de rencontres qui avaient failli les tuer. Imaginer Reyna tentant la traversée toute seule... il ne savait pas trop si ça lui inspirait de la terreur ou du respect.

– Elle nous trouvera, dit-il. Elle a fait une allusion dans le rêve. Elle s'attend à ce que je fasse halte dans un lieu bien précis sur la route de la Maison d'Hadès. J'avais oublié, en fait, mais elle a raison. C'est un endroit où je dois me rendre.

Piper se pencha vers lui, et sa tresse caramel glissa sur son épaule. Une fois de plus, Jason se sentit troublé par ses yeux multicolores.

– Et c'est où, cet endroit ? demanda-t-elle.

– Euh... c'est une ville qui s'appelle Split.

– Split.

Elle sentait trop bon, comme une brise de chèvrefeuille en fleur.

– Euh... ouais, c'est ça. (Il se demanda si elle le soumettait à un de ses sortilèges d'Aphrodite – si chaque fois qu'il prononçait le nom de Reyna, elle ne lui tournait pas la tête avec ses charmes, en l'empêchant de penser à autre chose qu'à elle. Mais il se dit que si c'était le cas, c'était de bonne guerre.) En fait, on devrait plus être loin. Léo ?

Léo enfonça le bouton de l'interphone.

– Comment ça se passe là-haut, man ?

Festus la figure de proue répondit par une série de grincements et de clics.

– Il dit qu'on est à une dizaine de minutes du port, traduisit Léo. Sorti de là, je pige toujours pas pourquoi tu veux aller en Croatie, et encore moins dans une ville qui s'appelle Split. Franchement, les potos, vous trouvez pas que ça fait un peu banane, comme nom de ville, *Split* ?

– Une seconde, intervint Hazel. Pourquoi allons-nous en Croatie ?

Jason remarqua que les autres répugnaient à la regarder dans les yeux. Depuis qu'elle avait manipulé la Brume pour vaincre Sciron, même Jason était un peu mal à l'aise en sa présence. Il savait bien que c'était injuste ; c'était déjà suffisamment difficile d'être une enfant de Pluton. Seulement elle avait démontré une telle puissance de magie, là-haut sur la falaise... Et ensuite, leur avait-elle raconté, Pluton lui était apparu. Pour les Romains, c'était de « mauvais augure », comme ils disaient.

Léo repoussa son assiette de frites et sauce piquante.

– Techniquement parlant, dit-elle, nous sommes en territoire croate depuis hier, en gros. Toute cette côte que nous longeons, c'est la Croatie, mais je crois que du temps des Romains ça s'appelait, comment déjà, Jason ? La Pitboulie ?

– La Dalmatie, glissa Nico – et Jason sursauta.

Par Romulus... Jason aurait aimé pouvoir attacher une clochette au cou de Nico di Angelo pour se rappeler qu'il était là. Ce gars avait la fâcheuse habitude de se planter en silence dans un coin sombre, et on l'oubliait.

Il s'avança, rivant ses yeux noirs sur Jason. Depuis qu'ils l'avaient sauvé de la jarre de bronze où il était enfermé, à Rome, Nico avait très peu dormi et encore moins mangé, à croire qu'il tenait sur les graines de grenade de survie du jardin des Enfers, qui l'avaient empêché de mourir. Il ressemblait un peu trop, au goût de Jason, à une goule mangeuse d'hommes avec qui il s'était battu un jour, à San Bernardino.

– La Croatie était la Dalmatie, autrefois, dit Nico. Une des grandes provinces de l'Empire romain. Tu veux aller au palais de Dioclétien, c'est ça ?

Gleeson Hedge les gratifia d'un rot spectaculaire, comme il en avait le secret, et demanda :

– Le palais de qui ? Et la Dalmatie, est-ce que c'est là d'où viennent les chiens dalmatiens ? Parce que ce film, là, *Les Cent Un Dalmatiens*, j'en fais encore des cauchemars.

Frank se gratta la tête.

– Qu'est-ce qui peut bien donner des cauchemars dans ce dessin animé ?

L'entraîneur eut l'air prêt à se lancer dans une tirade sur les vices des *Cent Un Dalmatiens*, mais Jason préféra tuer son inspiration dans l'œuf.

– Nico a raison, s'empressa-t-il de dire. Il faut que j'aille au palais de Dioclétien. C'est le premier endroit où ira Reyna parce qu'elle sait que j'y irai.

Piper leva un sourcil.

– Et qu'est-ce qui lui ferait croire ça ? L'intérêt démesuré que tu as toujours porté à la culture croate ?

Jason regarda son sandwich resté intact. Il avait du mal à parler de la vie qu'il avait eue avant que Junon n'efface sa mémoire. Ses années au Camp Jupiter lui paraissaient fabriquées, comme un film dans lequel il aurait joué des décennies plus tôt.

– Reyna et moi, on parlait souvent de Dioclétien. En fait on l'idolâtrait comme chef. On se disait toujours que ce serait super de pouvoir visiter son palais. On savait, bien sûr, que c'était impossible, puisque les terres anciennes sont interdites. Il n'empêche, on s'était juré que si jamais on pouvait faire le voyage, ce serait là qu'on irait.

– Dioclétien... (Léo réfléchit, puis secoua la tête.) Non, ça me dit rien. Qu'est-ce qu'il avait de si important ?

– C'est le dernier grand empereur païen ! s'exclama Frank, l'air indigné.

Léo roula des yeux.

– C'est marrant, Zhang, ça m'étonne pas que tu le saches !

– Pourquoi je le saurais pas ? Il a été le dernier à adorer les dieux olympiens, avant que Constantinne ne vienne au pouvoir et n'adopte le christianisme.

Hazel hocha la tête.

– Je me souviens de ça, dit-elle. À Sainte-Agnès, les bonnes sœurs nous avaient appris que Dioclétien était un horrible tyran, à mettre dans le même sac que Néron et Caligula. (Elle regarda Jason d'un air désapprobateur.) Pourquoi l'idolâtrer ?

– Non, ce n'était pas un tel tyran, dit Jason. C'est vrai qu'il persécutait les chrétiens, mais à part ça, c'était un bon souverain. Il est parti de rien et s'est construit en entrant dans la légion. Ses parents étaient d'anciens esclaves. Sa mère, du moins. Les demi-dieux savent qu'il était fils de Jupiter. Ça a été le dernier demi-dieu à régner sur Rome. Il a aussi été le premier empereur à se retirer pacifiquement, à renoncer au pouvoir. Comme il était originaire de Dalmatie, il y est retourné et s'est fait construire un palais pour sa retraite. La ville de Split s'est développée autour...

Il se tut en remarquant que Léo faisait semblant de prendre des notes avec un stylo imaginaire.

– Continuez, professeur Grace ! dit ce dernier en ouvrant de grands yeux. Je veux un A au prochain contrôle.

– Léo, la ferme.

Piper prit une autre cuillerée de soupe et demanda :

– Et qu'est-ce qu'il a d'exceptionnel, ce palais de Dioclétien ?

Nico se pencha et attrapa un grain de raisin. Ça allait sans doute lui faire la journée.

– On raconte qu'il est hanté par le fantôme de Dioclétien, expliqua-t-il.

– Qui était fils de Jupiter comme moi, ajouta Jason. Son tombeau a été détruit il y a plusieurs siècles, mais notre idée un peu folle, avec Reyna, c'était de trouver le fantôme de Dioclétien et de lui demander où il avait été enterré... parce que d'après les légendes, son sceptre aurait été enterré avec lui.

– Ah ! cette légende-là, fit Nico avec un sourire à faire froid dans le dos.

– Quelle légende ? demanda Hazel.

Nico se tourna vers sa sœur :

– Le sceptre de Dioclétien serait capable de faire revenir les fantômes des légions romaines, en tout cas de tous ceux qui adoraient les dieux anciens.

Léo siffla.

– Ah d'accord... alors là, ça m'intéresse. Parce que ce serait trop de la balle d'être secondés par une armée de zombies païens de la mort qui tue quand on arrivera à la Maison d'Hadès.

– Je l'aurais peut-être pas formulé comme ça, marmonna Jason, mais ouais.

– Il ne nous reste pas beaucoup de temps, avertit Frank. On est déjà le 9 juillet. Il faut qu'on arrive en Épire, qu'on referme les Portes de la Mort...

– ... qui sont gardées, l'interrompit Hazel en murmurant, par un géant de fumée et une sorcière qui veut... (Elle hésita.) Enfin, je ne suis pas sûre. D'après Pluton, elle a l'intention de « reconstruire son domaine ». Je ne sais pas ce que ça signifie, mais c'est suffisamment grave pour que mon père ait décidé de me prévenir personnellement.

Frank se racla la gorge.

– Et si nous survivons à tout ça, il faudra encore découvrir où les géants veulent réveiller Gaïa et y parvenir avant le 1er août. Sans compter que plus Percy et Annabeth restent au Tartare...

– Je sais, dit Jason. On ne va pas s'attarder à Split. Mais ça vaut le coup de chercher le sceptre. Et quand on sera au palais, je pourrai laisser un message à Reyna en lui disant la route qu'on va prendre pour rejoindre l'Épire.

Nico hocha la tête.

– Le sceptre de Dioclétien pourrait changer la donne. Tu auras besoin de mon aide.

Jason s'efforça de ne pas laisser paraître son malaise, mais la pensée d'aller où que ce soit seul avec Nico di Angelo lui donnait la chair de poule.

Percy lui avait raconté des histoires troublantes sur Nico. On pouvait se demander, parfois, de quel côté il était vraiment. Il passait plus de temps avec les morts qu'avec les vivants. Une fois, il avait attiré Percy dans un piège, au palais d'Hadès. Nico s'était rattrapé en aidant les Grecs contre les Titans, mais quand même...

– Ah, intervint Piper en serrant brièvement la main de Jason, je viendrais bien avec vous.

Jason aurait voulu crier : *Loués soient les dieux !*

Mais Nico secoua la tête.

– Tu ne peux pas, Piper. Seulement Jason et moi. Le fantôme de Dioclétien acceptera peut-être de se montrer à un fils de Jupiter, mais n'importe quel autre demi-dieu risquerait, euh... de l'effrayer. Et je suis le seul qui puisse parler à son esprit. Même Hazel n'en serait pas capable.

Une lueur de défi brillait dans le regard de Nico. Il semblait curieux de voir si Jason allait protester ou non.

La sirène du bateau retentit. Festus émit divers grincements à travers le haut-parleur.

– On est arrivés, annonça Léo. *BA NA NA NA ! BANANA SPLIT !*

– On pourrait pas laisser Valdez en Croatie ? demanda Frank en levant les yeux au ciel.

Jason se leva.

– Frank, dit-il, à toi la responsabilité de défendre le vaisseau. Léo, tu as des réparations à faire. Les autres, aidez là où vous serez utiles. Nico et moi... (Il se tourna vers le fils d'Hadès.) On a un fantôme à trouver.

35 JASON

Jason remarqua l'ange pour la première fois au stand de glaces.

L'*Argo II* avait jeté l'ancre dans la baie, à côté de six ou sept bateaux de croisière. Comme d'habitude, les mortels ne firent pas attention à la trirème, mais, par mesure de sécurité, Jason et Nico sautèrent dans une yole appartenant à un des bateaux de tourisme pour se fondre plus facilement dans la foule en arrivant à quai.

À première vue, Split était plutôt sympa, comme ville. Une longue promenade bordée de palmiers dessinait une courbe autour du port. Les terrasses de cafés étaient pleines de jeunes Européens qui bavardaient dans une douzaine de langues différentes. Ça sentait la viande grillée et les fleurs fraîchement coupées.

Passé le boulevard principal, la ville était un fatras de tours médiévales, de remparts romains, de maisons particulières en pierre calcaire aux toits de tuiles rouges, et d'immeubles de bureaux modernes – tout ça pêle-mêle. Au loin, des collines gris-vert s'étendaient en contrefort d'une crête montagneuse, ce qui mettait Jason un peu sur ses gardes. Il n'arrêtait pas de regarder l'escarpement rocheux en s'attendant à voir le visage de Gaïa apparaître dans les ombres.

Nico et lui déambulaient le long de la promenade quand Jason repéra ce type avec des ailes dans le dos qui achetait une glace à un stand. La vendeuse comptait sa monnaie avec un air d'ennui profond. Les touristes contournaient les immenses ailes de l'ange sans sourciller.

Jason donna un coup de coude à Nico :

– T'as vu ?

– Ouais, fit Nico. On devrait peut-être aller prendre une glace.

Tandis qu'ils se dirigeaient vers le stand, Jason pensait avec inquiétude que ce gars-là était peut-être un fils de Borée, le Vent du Nord. L'ange avait à son côté le même type d'épée de bronze à lame en dents de scie que les Boréades, et la dernière rencontre de Jason avec ces deux-là ne s'était pas trop bien passée.

Ce type-là, pourtant, avait l'air plus cool que glacial. Il portait un débardeur rouge, un bermuda et des huaraches. Les plumes de ses ailes étaient de différents tons de brun et de roux, comme un coq ou un coucher de soleil. Il était très mat de peau et avait des cheveux noirs presque aussi bouclés que ceux de Léo.

– Ce n'est pas un esprit revenu sur terre, murmura Nico. Ni une créature des Enfers.

– Non. Je ne crois pas qu'ils mangeraient des esquimaux chocolat.

– Alors qu'est-il ?

Ils arrivèrent à une dizaine de mètres, et le type regarda droit dans leur direction. Il leur sourit, fit un signe par-dessus son épaule avec sa glace et se dissipa dans l'air.

Jason ne le voyait plus à proprement parler, mais il avait assez d'expérience dans le contrôle des vents pour suivre le sillage de l'ange – un filet d'air rouge et or qui traversa la rue en zigzag et louvoya le long du trottoir en faisant s'envoler les cartes postales des présentoirs, devant les boutiques à touristes. Le vent se dirigeait vers le bout de la promenade, où se dressait une grande bâtisse, de type forteresse.

– Je parie que c'est le palais, dit Jason. Viens, allons-y.

Même après deux millénaires, le palais de Dioclétien en imposait. L'enceinte était une simple coquille de granit rose, avec des colonnes éboulées et des fenêtres en voûtes ouvertes sur le ciel, mais elle était pratiquement intacte et, avec ses quatre cents mètres de long et peut-être vingt-cinq de haut, elle écrasait de son ampleur les boutiques et maisons modernes agglutinées à ses pieds. Jason imagina l'allure que devait avoir eue le palais en son temps, quand les gardes impériaux parcouraient les remparts et que les aigles dorés de Rome brillaient sur les parapets.

L'ange de vent – si telle était cette créature – slaloma entre les fenêtres de granit rose puis disparut de l'autre côté. Jason chercha du regard une entrée sur la façade du palais. La seule qu'il vit était assez éloignée et une longue file de touristes y faisait la queue. Pas le temps pour ça.

– Il faut qu'on le rattrape, dit Jason. Accroche-toi.

– Mais...

Jason happa Nico, qui émit une protestation étouffée, et se hissa dans l'air avec lui.

Ils grimpèrent dans le ciel au-dessus du mur d'enceinte et redescendirent dans une cour pleine d'autres touristes, qui allaient et venaient en prenant des photos.

Un petit garçon ouvrit des yeux ronds en les voyant se poser. Puis son regard se voila et il secoua la tête, comme pour chasser une hallucination provoquée par une surdose de jus d'orange. Personne d'autre ne les remarqua.

Sur la gauche de la cour, il y avait une rangée de colonnes soutenant des voûtes grises patinées par les siècles. Sur la droite un bâtiment de marbre présentant plusieurs rangées de hautes fenêtres.

– Le péristyle, dit Nico. C'était l'entrée de la résidence privée de Dioclétien. (Il se tourna vers Jason et fit une grimace.) Et, s'il te plaît, j'aime pas qu'on me touche. Refais jamais ça.

Jason sentit ses épaules se raidir. Il crut entendre une menace en filigrane, du genre : *Si tu ne veux pas te faire te faire embrocher par une épée de fer stygien.*

– Euh, d'accord. Désolé. D'où tu connais le nom de cet endroit ?

Nico balaya l'atrium du regard. Il arrêta son regard sur un escalier qui descendait, dans le coin le plus éloigné.

– Je suis déjà venu. (Ses yeux étaient aussi foncés que la lame de son épée.) Avec ma mère et Bianca. On habitait Venise, on était venus un week-end. J'avais environ six ans.

– C'était quand, dans les années 1930 ?

– 1938, par là, répondit distraitement Nico. Qu'est-ce que ça peut te faire ? Tu le vois quelque part, ce type aux ailes ?

– Non..., répondit Jason, l'esprit encore au passé de Nico.

Jason essayait toujours d'établir de bonnes relations avec les membres de son équipe. Il avait payé le prix fort pour savoir que si deux partenaires devaient se couvrir l'un l'autre dans un combat, ils avaient intérêt à avoir quelques points communs et à se faire confiance. Mais Nico n'était pas quelqu'un de facile à comprendre.

– Je... J'ai du mal à imaginer l'effet que ça doit faire, de venir d'une autre époque.

– Tu peux pas imaginer, effectivement. (Nico regarda le sol et prit une grande inspiration.) Écoute... j'aime pas en parler. Pour être honnête, je crois que c'est plus dur pour Hazel. Elle a plus de souvenirs d'enfance. Elle a dû revenir de chez les morts et s'adapter au monde moderne. Moi... moi et Bianca, on s'est retrouvés coincés à l'Hôtel-Casino du Lotus. Le temps est passé tellement vite. Bizarrement, ça a facilité la transition.

– Percy m'a parlé de cet endroit, dit Jason. Soixante-dix ans mais c'est passé comme un mois, c'est ça ?

Nico serra le poing si fort que ses jointures blanchirent.

– Ouais. Je veux bien croire que Percy t'a tout raconté sur moi.

Sa voix était pleine d'amertume – et Jason ne comprenait pas pourquoi. Oui, il savait que Nico en avait voulu à Percy pour la mort de sa sœur Bianca, mais ils étaient censés avoir dépassé ça, du moins d'après Percy. Piper avait également évoqué une rumeur selon laquelle Nico aurait été amoureux d'Annabeth. Ça entrait peut-être en jeu.

Il n'empêche... Jason ne comprenait pas pourquoi Nico repoussait les gens, pourquoi il ne restait jamais longtemps nulle part, ni au Camp Jupiter, ni à la Colonie des Sang-Mêlé, pourquoi il préférait la compagnie des morts à celle des vivants. Et il ne comprenait vraiment pas pourquoi Nico avait promis de mener l'*Argo II* en Épire s'il détestait autant Percy Jackson.

Nico balaya du regard les fenêtres situées au-dessus d'eux.

– C'est plein de Romains morts, ici, dit-il. Des lares. Des lémures. Ils observent. Ils sont en colère.

– Contre nous ?

– Contre tout. (Nico tendit la main vers un petit édifice de pierre, à l'extrémité ouest de la cour.) Là-bas, c'était un temple de Jupiter. Les chrétiens en ont fait un baptistère. Ça ne plaît pas aux fantômes.

Jason porta le regard vers la voûte d'entrée de l'édifice, plongée dans la pénombre.

Il n'avait jamais rencontré Jupiter, mais il y pensait comme à un être vivant : le type dont sa mère était tombée amoureuse. Il savait que son père était immortel, bien sûr, pourtant ce n'était que maintenant, face à ce temple où les Romains venaient adorer son père il y avait de ça des milliers d'années, que ce concept d'immortalité prenait son sens. Et menaçait de lui casser la tête.

– Et là... (Nico désigna un bâtiment hexagonal entouré de colonnes, à l'est du complexe.) C'était le mausolée de l'empereur.

– Mais son tombeau n'y est plus, devina Jason.

– Non, il n'y est plus depuis des siècles. Après la chute de l'Empire, l'édifice a été transformé en cathédrale chrétienne.

Jason accusa le coup.

– Alors, dit-il, si le fantôme de Dioclétien est encore ici...

– Il n'est sans doute pas content.

Avec un bruissement, des feuilles mortes et des papiers gras voletèrent dans le péristyle. Du coin de l'œil, Jason entrevit un mouvement, une ombre de rouge et d'or.

Il se tourna aussitôt : une feuille couleur de rouille se posait sur la première marche de l'escalier, à l'autre bout de l'atrium.

– Par là, dit Jason en pointant du doigt. Le type aux ailes. Tu sais où mène cet escalier ?

Nico tira son épée en souriant – ce qui était encore pire que lorsqu'il se renfrognait.

– Sous terre, dit-il. Mon endroit préféré.

Sous terre n'était pas l'endroit préféré de Jason, loin s'en fallait.

Depuis son expédition dans les souterrains de Rome avec Piper et Percy, où ils avaient combattu des géants jumeaux sous l'hypogée du Colisée, presque tous ses cauchemars mettaient en scène des trappes, des sous-sols et de grandes roues pour hamsters.

La compagnie de Nico n'avait rien de rassurant. Son épée de fer stygien semblait rendre la pénombre encore plus lugubre, comme si le métal infernal absorbait le peu de lumière et de chaleur de l'air.

Ils traversèrent prudemment une vaste cave faite de gros piliers soutenant un plafond voûté. Les blocs de pierre calcaire étaient très vieux, fondus l'un en l'autre par des siècles d'humidité, de sorte que la salle avait presque l'air d'une grotte naturelle.

Aucun touriste ne s'était aventuré ici. Manifestement, ils étaient plus malins que les demi-dieux.

Jason tira son *gladius*. Ils avancèrent sous les voûtes basses et leurs pas résonnèrent sur le sol de pierre. En haut d'un des murs, des soupiraux à barreaux s'ouvraient au ras de la rue, mais cela ne faisait que renforcer le sentiment d'enfermement : les rayons de soleil qui tombaient à l'oblique dans la cave évoquaient les barreaux d'une prison. Une poussière séculaire y flottait en tourbillonnant.

Jason dépassa un pilier, jeta un coup d'œil sur sa gauche et faillit faire un arrêt cardiaque. Un buste de Dioclétien en marbre le regardait, l'œil sévère, le visage désapprobateur.

Jason calma sa respiration. Il se dit que ce serait un bon endroit pour laisser la lettre qu'il avait écrite à Reyna en lui indiquant leur itinéraire. C'était à l'écart des foules, mais il faisait confiance à Reyna pour la trouver ; elle avait un instinct de chasseresse. Il glissa le papier entre le buste et son socle et recula d'un pas.

Les yeux de marbre de Dioclétien le mettaient mal à l'aise. Comment ne pas penser à Terminus, le dieu-statue parlant qui gardait la Nouvelle-Rome ? Jason espérait que Dioclétien n'allait pas se mettre, tout d'un coup, à aboyer ou chanter à tue-tête.

– Salut !

Avant de se rendre compte que la voix provenait d'ailleurs, Jason décapita l'empereur. Le buste tomba et se fracassa au sol.

– Ce n'est pas très gentil, dit la voix derrière lui.

Jason se retourna. Le type du stand de glace était appuyé contre une colonne et jouait distraitement avec un petit anneau de bronze, qu'il jetait en l'air. Il avait à ses pieds un panier à pique-nique plein de fruits.

– Parce que quand même, ajouta-t-il, Dioclétien ne t'a rien fait, que je sache ?

L'air tourbillonna autour des chevilles de Jason. Les éclats de marbre se rassemblèrent en mini-tornade, remontèrent en spirale sur le socle et reconstituèrent parfaitement le buste ; même la lettre de Jason était encore glissée dessous.

– Euh... (Jason baissa son épée.) C'était un accident. Tu m'as effrayé.

Le type aux ailes gloussa.

– Jason Grace, dit-il, le Vent de l'Ouest a reçu de nombreux qualificatifs : doux, agréable, porteur de vie et diaboliquement beau. Mais on ne m'avait encore jamais traité d'effrayant. Je laisse ces comportements grossiers à mes frères venteux du Nord.

Nico recula d'un pas.

– Le Vent de l'Ouest ? Vous voulez dire que vous êtes...

– Favonius, comprit Jason. Dieu du Vent de l'Ouest.

Favonius s'inclina en souriant, visiblement heureux d'être reconnu.

– Tu peux m'appeler par mon nom romain, bien sûr, ou alors Zéphyr, si tu es grec. Je ne suis pas pointilleux là-dessus.

Ce n'était pas le cas de Nico, qui demanda d'une voix sèche :

– Pourquoi vos aspects grec et romain ne sont-ils pas en conflit, comme pour les autres dieux ?

– Oh, fit Favonius avec un haussement d'épaules. J'ai bien un petit mal de crâne de temps en temps, oui. Et il y a des jours où je me réveille en *chiton* grec alors que je suis sûr de m'être couché dans mon pyjama SPQR. Mais, dans l'ensemble, la guerre ne me gêne pas. Je suis un dieu mineur, vous savez. Je n'ai jamais été sous les feux de la rampe. Les aléas de vos batailles entre demi-dieux ne m'affectent pas tant que ça.

– Alors... (Jason hésitait à rengainer son épée.) Qu'est-ce que vous faites là ?

– Plusieurs choses ! Je me promène avec mon panier de fruits. J'ai toujours un panier de fruits avec moi. Tu veux une poire ?

– Non merci, ça va.

– Voyons... tout à l'heure je mangeais une glace. Là je joue au palet avec ce petit anneau.

Favonius fit tourner le cercle de bronze sur son doigt.

Jason ne connaissait pas ce jeu du palet, mais il ne voulait pas se laisser distraire.

– Je veux dire, pourquoi avez-vous décidé de vous manifester à nous ? Pourquoi nous avez-vous amenés dans cette cave ?

– Ah ! (Favonius hocha la tête.) Le sarcophage de Dioclétien. Oui. Sa dernière demeure. Les chrétiens l'ont sorti du mausolée. Puis des barbares ont détruit le cercueil. Je voulais juste vous montrer (il écarta tristement les bras) que ce que vous cherchez n'est plus là. Mon maître l'a emporté.

– Votre maître ? (Jason eut une vision d'un palais flottant au-dessus de Pikes Peak, dans le Colorado, où il avait visité l'atelier d'un météorologue fou qui se prétendait le roi de tous les vents ; il avait bien failli y rester, d'ailleurs.) Ne me dites pas que votre maître est Éole.

– Quoi, cet écervelé ? (Favonius plissa le nez.) Bien sûr que non.

– Il parle d'Éros, dit Nico d'une voix maintenant tranchante. Cupidon en latin.

Favonius sourit.

– Bien, Nico di Angelo. Ça me fait plaisir de te revoir, soit dit en passant. Ça faisait longtemps.

– Je ne vous ai jamais vu, rétorqua Nico en fronçant les sourcils.

– Toi non, mais moi oui, rectifia le dieu. Je t'ai observé à plusieurs reprises. Lorsque tu es venu ici petit garçon, et à plusieurs autres occasions depuis. Je savais que tu finirais par venir contempler le visage de mon maître.

Nico blêmit encore davantage. Il parcourut rapidement la pièce du regard, comme s'il se sentait pris au piège.

– Nico ? demanda Jason. De quoi parle-t-il ?

– Je sais pas. De rien.

– De rien ? s'exclama Favonius. L'être que tu chéris le plus au monde... précipité dans le Tartare, et tu refuses toujours la vérité ?

Jason eut soudain l'impression d'écouter aux portes.

L'être que tu chéris le plus au monde.

Il se rappela ce que Piper lui avait dit sur Nico et Annabeth. Apparemment, les sentiments de Nico étaient beaucoup plus profonds qu'un simple coup de cœur.

– Nous sommes venus pour le sceptre de Dioclétien, c'est tout, dit Nico, visiblement désireux de changer de sujet. Où est-il ?

– Ah... (Favonius hocha tristement la tête.) Tu croyais qu'il suffirait d'affronter le fantôme de Dioclétien ? Tu te trompes, hélas, Nico. Tes épreuves seront autrement plus difficiles. Tu sais, ici, avant d'être le palais de Dioclétien, c'était l'entrée de la résidence de mon maître. J'y ai vécu des éternités ; j'accueillais ceux qui cherchaient l'amour et les amenais en présence de Cupidon.

Cette histoire d'épreuves difficiles ne plaisait pas du tout à Jason. Ce dieu bizarre ne lui inspirait pas confiance, avec ses ailes, son anneau de bronze et son panier de fruits. Mais une vieille histoire qu'il avait entendue au Camp Jupiter refit surface dans son esprit.

– Comme Psyché, la femme de Cupidon, dit-il. C'est vous qui l'avez portée à son palais.

Les yeux de Favonius pétillèrent.

– Très bien, Jason Grace. C'est à partir d'ici, très précisément, que j'ai hissé Psyché sur les vents et l'ai portée aux appartements de mon maître. C'est en fait la raison pour laquelle Dioclétien a construit son palais ici. C'est un endroit qui a toujours eu la faveur du doux Vent de l'Ouest. (Il écarta les bras.) Un havre d'amour et de tranquillité dans un monde agité. Lorsque le palais de Dioclétien a été pillé...

– Vous avez pris le sceptre, devina Jason.

– Pour le mettre à l'abri, expliqua Favonius. C'est un des nombreux trésors de Cupidon, un souvenir d'une époque meilleure. Si vous le voulez... (Il se tourna vers Nico.) Tu vas devoir faire face au dieu de l'amour.

Nico regarda les rayons de soleil qui entraient par les soupiraux, comme s'il regrettait de ne pouvoir s'enfuir par ces étroites ouvertures.

Jason n'était pas sûr de ce que voulait Favonius, mais si *faire face au dieu de l'amour* signifiait forcer Nico à avouer ses sentiments pour la fille qui lui plaisait, ça ne semblait pas insurmontable.

– Nico, dit Jason, tu en es capable. Ce sera peut-être gênant, mais c'est pour le sceptre.

Nico n'eut pas l'air convaincu. En fait, il parut sur le point de tourner de l'œil. Mais il rejeta les épaules en arrière, hocha la tête et dit :

– Tu as raison. Je... je n'ai pas peur d'un dieu de l'amour.

– Formidable ! (Favonius se fendit d'un sourire rayonnant.) Un fruit pour la route ? (Il prit une pomme verte dans son panier et la contempla d'un air contrarié.) Ah, zut. J'oublie toujours que mon symbole est un panier de fruits *verts*. Pourquoi n'accorde-t-on pas plus de reconnaissance au vent de printemps ? Il n'y en a que pour l'été !

– C'est bon, dit Nico. Emmène-nous voir Cupidon, ça suffira.

Favonius fit tourner l'anneau sur son doigt et le corps de Jason se dissipa dans l'air.

36 JASON

Jason avait souvent voyagé en se laissant porter par les vents, mais être soi-même le vent, c'était tout autre chose.

Il se sentait éparpillé, sans prise sur ses actions, sans limite entre le monde extérieur et son corps. Il se demanda si c'était ce que ressentaient les monstres lorsqu'ils étaient vaincus et volaient en poussière, impuissants et privés d'enveloppe physique.

Jason percevait la présence proche de Nico. Le Vent de l'Ouest les transportait dans le ciel au-dessus de Split. Ils survolèrent à toute vitesse les collines, traversées par d'anciens aqueducs romains et des autoroutes, puis les vignobles. Alors qu'ils approchaient des montagnes, Jason repéra les ruines d'une ancienne cité romaine dans une vallée : des murs éboulés, des fondations carrées, des rues pavées abîmées et envahies d'herbes. Vue d'en haut, la ville était un échiquier géant et moussu.

Favonius les déposa au milieu du site, à côté d'une colonne grosse comme un séquoia.

Le corps de Jason se reconstitua. Les premiers instants, cela lui fut encore plus pénible que d'être le vent : l'impression d'avoir un imper en plomb sur le dos.

– Oui, les corps mortels sont terriblement encombrants, dit Favonius comme s'il lisait dans ses pensées. Honnêtement, je me demande comment vous les supportez à longueur de journée.

Jason balaya les lieux du regard. Jadis, cette cité avait dû être immense. Il distingua des carcasses de temples et de bains romains, un amphithéâtre à demi enseveli et des piédestaux qui avaient dû recevoir des statues à l'époque. Des rangées de colonnes s'étiraient sans mener nulle part. Les vieux remparts zigzaguaient à flanc de colline comme un fil de pierre dans un tissu vert.

Certaines zones semblaient avoir fait l'objet de fouilles, mais la plus grande partie de la ville était à l'abandon, comme si elle était livrée aux éléments depuis deux mille ans.

– Bienvenue à Salone, dit Favonius. Capitale de la Dalmatie ! Lieu de naissance de Dioclétien ! Mais avant cela, longtemps avant... c'était ici le domaine de Cupidon.

Le nom résonna comme si des voix le répétaient de ruine en ruine.

Cet endroit avait quelque chose d'encore plus sinistre que le sous-sol du palais de Split. Jason ne s'était jamais posé de questions sur Cupidon. D'ailleurs, il ne l'avait jamais considéré comme un dieu à craindre. Même pour les demi-dieux romains, le nom évoquait l'image assez mièvre d'un bébé ailé en couche-culotte, qui volait de-ci, de-là avec son arc et ses flèches, le jour de la Saint-Valentin.

– Oh, il n'est pas comme ça, dit Favonius.

Jason tressaillit.

– Vous pouvez lire dans mes pensées ?

– Je n'en ai pas besoin. (Favonius jeta son anneau de bronze en l'air.) Les gens ont tous une fausse image de Cupidon... jusqu'au jour où ils le rencontrent.

Nico s'appuya contre une colonne, les jambes tremblantes.

– Hé..., commença Jason en s'avançant vers lui, mais Nico le chassa d'un geste.

À ses pieds, l'herbe jaunit et se flétrit. La zone morte s'agrandit au sol comme si un poison s'écoulait des semelles de Nico.

– Ah... (Favonius hocha la tête, le regard plein de compassion.) Je comprends que tu sois inquiet, Nico di Angelo. Veux-tu savoir comment je me suis retrouvé à servir Cupidon ?

– Je ne sers personne, bougonna Nico. Et surtout pas Cupidon.

Favonius continua comme s'il ne l'avait pas entendu.

– Je suis tombé amoureux d'un mortel nommé Hyacinthe. Il était vraiment exceptionnel.

– *Un* mortel ? (Jason avait l'esprit encore engourdi par son vol de vent, aussi lui fallut-il une seconde pour traiter l'information.) Oh.

– Oui, Jason Grace. (Favonius leva un sourcil.) Je suis tombé amoureux d'un *mec*. Ça te choque ?

Pour être honnête, Jason ne savait pas trop. Il essayait de ne pas penser aux détails des vies sentimentales des dieux, peu importait de qui ils s'amourachaient. Après tout son père, Jupiter, n'était pas un modèle de vertu. Comparé à certaines amours scandaleuses des Olympiens dont il avait entendu parler, que le dieu du Vent de l'Ouest soit tombé amoureux d'un mortel ne semblait pas très choquant.

– Non, je crois pas, répondit-il. Alors... Cupidon t'a frappé avec sa flèche et tu es tombé amoureux.

Favonius eut une grimace.

– Tu dis ça comme si c'était tout bête. Hélas, l'amour n'est jamais simple. Parce que vois-tu, le dieu Apollon avait un faible pour Hyacinthe, lui aussi. Il prétendait qu'ils étaient juste amis. Mais un jour je les ai surpris en train de jouer au palet tous les deux...

Encore ce fichu jeu.

– Au palet ?

– Ça se joue avec des anneaux, en fait, expliqua Nico d'une voix devenue cassante. Comme le jeu du fer à cheval.

– En gros c'est ça, reprit Favonius. En tout cas ça m'a rendu jaloux. Mais au lieu de les mettre au pied du mur pour découvrir la vérité, j'ai détourné le vent et envoyé un lourd anneau de métal à la tête de Hyacinthe et... enfin. (Le dieu du vent soupira.) Tandis que Hyacinthe rendait son dernier souffle, Apollon le changea en fleur, la hyacinthe. Je suis sûr qu'Apollon m'aurait infligé une vengeance terrible, sans Cupidon qui m'a offert sa protection. J'avais commis l'irréparable, mais c'était l'amour qui m'avait rendu fou, alors Cupidon m'a épargné à la condition que je le serve pour toujours.

CUPIDON.

Le nom résonna de nouveau entre les ruines.

Favonius se leva.

– Il est temps que je vous quitte. Réfléchis, Nico di Angelo, réfléchis bien à ce que tu vas faire. Tu ne peux pas mentir à Cupidon. Si tu te laisses dominer par la colère, ton sort pourrait être encore plus triste que le mien.

Jason avait l'impression que son cerveau se transformait de nouveau en vent. Il ne comprenait de quoi parlait Favonius, ni pourquoi Nico était tellement secoué, mais il n'eut pas le temps de creuser la question. Le dieu du vent disparut dans un tourbillon rouge et or. L'air estival, soudain, se fit lourd et oppressant. Le sol trembla et Jason et Nico tirèrent leurs épées.

La voix siffla à l'oreille de Jason comme une balle. Lorsqu'il se retourna, il n'y avait personne.

Tu es venu demander le sceptre.

Nico se plaça derrière lui et, pour une fois, Jason se réjouit de sa présence.

– Cupidon, cria-t-il, où êtes-vous ?

La voix se mua en rire. Et lorsque Cupidon répondit, ce ne fut pas du tout celle d'un angelot mignon. Grave et chaude, elle contenait une note de menace, comme une secousse avant un grand tremblement de terre.

Là où tu m'attends le moins. Comme l'amour.

Jason reçut une gifle venue de nulle part qui le projeta de l'autre côté de la rue. Il dégringola dans un escalier et termina sa chute à plat ventre dans le sous-sol d'une villa romaine mise au jour.

Je t'aurais cru plus avisé, Jason Grace, dit la voix de Cupidon en tournant tout autour de lui. *Tu as trouvé l'amour véritable, après tout. À moins que tu ne doutes encore de tes sentiments ?*

Nico le rejoignit au bas des marches et lui tendit la main :

– Ça va ?

Acceptant l'aide de Nico, Jason se releva.

– Ouais, dit-il. Je me suis juste pris un coup en traître.

Ah, tu croyais que j'allais la jouer franc jeu ? rit Cupidon. *Je suis le dieu de l'amour. Je ne suis jamais juste.*

Cette fois-ci, Jason avait tous les sens en alerte rouge. Il sentit l'air vibrer à l'instant où une flèche se matérialisait, volant droit vers la poitrine de Nico.

Jason l'intercepta avec son épée et la fit dévier. La flèche se planta dans le mur le plus proche, les criblant d'une pluie d'éclats de pierre.

Ils grimpèrent l'escalier quatre à quatre. Jason tira Nico sur le côté à l'instant où une nouvelle rafale renversait une colonne qui l'aurait aplati comme une crêpe.

– C'est l'Amour ou la Mort, ce type ? grogna Jason.

Demande à tes amis, dit Cupidon. *Frank, Hazel et Percy ont rencontré mon homologue, Thanatos. Nous ne sommes pas si différents. À part que la Mort est parfois plus généreuse.*

– Nous voulons juste le sceptre ! s'écria Nico. Nous essayons d'arrêter Gaïa. Êtes-vous du côté des dieux, oui ou non ?

Une deuxième flèche se ficha dans le sol, entre les pieds de Nico. Elle était chauffée à blanc. Nico recula en titubant au moment où elle explosait en geyser de flammes.

L'Amour n'a pas de camp, dit Cupidon. *Il est de tous les camps. Ne demande pas ce que l'Amour peut faire pour toi.*

– J'hallucine, dit Jason. Maintenant il nous balance des messages à l'eau de rose.

Un mouvement, derrière lui. Jason fit volte-face et fendit l'air de son épée. La lame heurta du solide. Il entendit un grognement et asséna de nouveau son épée, mais le dieu invisible s'était déplacé. Sur les pavés luisait un sillage d'ichor doré, le sang des dieux.

Très bien, Jason, dit Cupidon. *Au moins, tu perçois ma présence. Même une approche oblique à l'amour véritable, c'est plus que n'en est capable la majorité des héros.*

– Alors j'ai droit au sceptre maintenant ? demanda Jason.

Cupidon rit.

Tu ne pourrais pas le manier, malheureusement. Seul un enfant des Enfers peut invoquer les légions mortes. Et seul un officier de Rome peut les commander.

– Mais...

Jason hésita. Il était officier. Il était préteur, même. Alors il pensa à tous les doutes qui le travaillaient. À la Nouvelle-Rome, il avait offert de céder son poste à Percy Jackson. En était-il pour autant indigne de commander une légion de fantômes romains ?

Il se dit qu'il se confronterait à ce problème le moment venu.

– On s'en arrangera, dit-il. Nico peut invoquer...

La troisième flèche passa au ras de l'épaule de Jason. Cette fois-ci, il ne put l'intercepter. Nico hoqueta quand elle se ficha dans son bras droit.

– Nico !

Le fils d'Hadès tituba. La flèche se volatilisa, ne laissant ni sang ni plaie visible, mais le visage de Nico était contracté par la douleur et la colère.

– Assez joué ! cria Nico. Montrez-vous !

C'est une chose coûteuse, dit Cupidon, *que de contempler le vrai visage de l'Amour.*

Une autre colonne s'abattit. Jason s'écarta d'un bond.

Mon épouse Psyché l'a appris à ses dépens, reprit Cupidon. *Elle a été amenée ici il y a des éternités, quand c'était l'emplacement de mon palais. Nous nous rencontrions la nuit seulement. Elle était avertie qu'elle ne devait jamais me contempler, mais elle ne put supporter le mystère. Elle avait peur que je sois un monstre. Une nuit, elle a allumé une bougie et regardé mon visage pendant que je dormais.*

– Étiez-vous tellement laid ? demanda Jason, qui pensait avoir localisé la provenance de la voix de Cupidon – le bord de l'amphithéâtre, à une vingtaine de mètres –, mais voulait s'en assurer.

Le dieu de l'amour rit.

J'étais trop beau, plutôt. Un mortel ne peut pas contempler un dieu sous son aspect véritable sans en payer les conséquences. Ma mère, Aphrodite, a maudit Psyché pour la punir de sa méfiance. Ma pauvre amante a subi bien des tourments ; elle a été forcée à l'exil, a dû accomplir d'horribles tâches pour prouver sa valeur. Elle a même été envoyée en mission aux Enfers pour prouver son attachement. Elle a fini par reconquérir le droit de vivre à mes côtés, mais au prix de grandes souffrances.

Maintenant je te tiens, pensa Jason.

Il pointa son épée vers le ciel et le tonnerre secoua la vallée. La foudre creusa un cratère à l'endroit d'où la voix avait parlé.

Silence. À l'instant où Jason se disait *Incroyable, ça a marché,* une force invisible le jeta par terre. Son épée tomba dans la poussière.

Jolie tentative, dit Cupidon, la voix déjà lointaine. *Mais l'amour ne se laisse pas épingler si facilement.*

Tout près, un mur s'écroula. Jason roula in extremis sur le côté.

– Assez ! cria Nico. C'est moi que vous voulez. Laissez-le tranquille !

Jason avait les oreilles qui tintaient. La tête lui tournait à force de recevoir des gifles et des coups. Il avait le goût des éclats de pierre dans la bouche. Il ne voyait pas pourquoi Nico se prenait pour la cible principale, cependant Cupidon eut l'air d'accord.

Pauvre Nico di Angelo. (Il y avait de la déception dans la voix du dieu.) *Sais-tu ce que tu veux toi-même, avant de me dire ce que je veux ? Ma Psyché bien-aimée a tout risqué au nom de l'amour. C'était la seule façon d'expier son peu de foi. Et toi, quels risques as-tu pris en mon nom ?*

– Je suis allé au Tartare et j'en suis revenu, lança méchamment Nico. Vous ne me faites pas peur.

Je te fais très, très peur. Sois honnête. Ose me faire face.

Jason se releva.

Tout autour de Nico, le sol bougea. L'herbe se flétrit et les pierres grincèrent comme si quelque chose remuait dans la terre, en dessous, et voulait s'en extirper.

– Donne-nous le sceptre de Dioclétien, dit Nico. Nous n'avons pas de temps à perdre en petits jeux.

Des petits jeux ? D'une claque invisible, Cupidon jeta Nico contre un piédestal en granit. *L'amour n'est pas un jeu ! Ce n'est pas une fleurette douceâtre ! C'est du boulot ! C'est une quête qui ne finit jamais. Il exige tout de toi, à commencer par la vérité. Alors seulement il t'apporte ses récompenses.*

Jason ramassa son épée. Si ce type invisible était l'amour, eh bien Jason commençait à se dire que l'amour était surfait. Il préférait la version de Piper : attentionnée, gentille et belle. Aphrodite, il comprenait. Mais ce Cupidon lui faisait plutôt l'effet d'une brute, d'un tyran.

– Nico, lança-t-il, qu'est-ce qu'il te veut, ce type ?

Réponds-lui, Nico di Angelo, dit Cupidon. *Dis-lui que tu es un lâche, que tu as peur de toi-même et de tes sentiments. Dis-lui quelle est la vraie raison pour laquelle tu t'es sauvé du Camp Jupiter, et pour laquelle tu es toujours seul.*

Nico poussa un cri rauque. À ses pieds, le sol s'ouvrit et des squelettes sortirent en rampant – des Romains morts qui avaient des mains en moins ou le crâne défoncé, des côtes cassées, des mâchoires décrochées. Certains portaient des lambeaux de toge. D'autres avaient des morceaux d'armure rutilants encore plaqués au torse.

Vas-tu te cacher parmi les morts, comme tu le fais toujours ? railla Cupidon.

Des vagues de noirceur se déversèrent du fils d'Hadès. Lorsqu'elles touchèrent Jason, il faillit perdre connaissance – submergé par tant de haine, de peur et de honte...

Des images se mirent à défiler dans son esprit. Il vit le petit Nico et sa sœur sur une falaise enneigée dans le Maine, et Percy Jackson qui les protégeait contre un manticore. L'épée de Percy brillait dans la nuit. C'était le premier demi-dieu que Nico voyait se battre.

Plus tard, à la Colonie des Sang-Mêlé, Percy prenait Nico par le bras et lui promettait qu'il veillerait sur la sécurité de sa sœur Bianca. Nico le croyait. Il plongeait le regard dans les yeux vert océan de Percy et se disait : *Comment pourrait-il échouer ? C'est un véritable héros.* Percy Jackson était l'incarnation du jeu préféré de Nico, le Mythomagic.

Jason vit la scène où Percy était rentré et avait annoncé à Nico la mort de Bianca. Nico avait hurlé et l'avait traité de menteur. Il s'était senti trahi, pourtant... quand les guerriers-squelettes avaient attaqué, il n'avait pu se résoudre à les laisser faire du mal à Percy. Nico avait demandé à la terre de les avaler, puis il s'était enfui – terrifié par ses propres pouvoirs et par ses émotions.

Jason vit ainsi une dizaine d'autres scènes, toutes à travers les yeux de Nico... et il en resta confondu, incapable de bouger ni de dire un mot.

Pendant ce temps, les squelettes romains de Nico s'étaient avancés et luttaient contre un adversaire invisible. Le dieu se débattait, jetait les morts au loin, brisait des côtes et des crânes, mais les squelettes ne cessaient de revenir et de l'assaillir.

Intéressant ! s'exclama Cupidon. *Aurais-tu la force en fin de compte ?*

– J'ai quitté la Colonie des Sang-Mêlé par amour, dit Nico. Annabeth... elle...

Tu te caches encore, dit Cupidon en réduisant un autre squelette en miettes. *Tu n'as pas la force.*

– Nico, parvint à articuler Jason. C'est bon, j'ai compris.

Nico lui jeta un regard ravagé par la souffrance.

– Non, tu ne comprends pas, dit-il. Tu ne pourras jamais comprendre.

Et te voilà qui fuis de nouveau, gronda Cupidon. *Tu fuis tes amis, tu te fuis toi-même.*

– J'ai pas d'amis ! hurla Nico. J'ai quitté la Colonie des Sang-Mêlé parce que j'y avais pas ma place ! J'aurai jamais de place nulle part !

Les squelettes avaient plaqué Cupidon au sol, maintenant, mais le dieu invisible rit avec une telle cruauté que Jason aurait voulu déclencher de nouveau la foudre. Malheureusement il doutait d'en avoir la force.

– Laissez-le tranquille, Cupidon, dit-il d'une voix étranglée. Ce n'est pas...

Le souffle lui manqua. Il avait voulu dire que ce n'était pas ses affaires, mais il se rendit compte que c'était *complètement* les affaires de Cupidon. Une chose que Favonius lui avait dite ne cessait de lui revenir, comme un bourdonnement dans les oreilles : *Ça te choque ?*

Alors il comprit l'histoire de Psyché : pourquoi une jeune mortelle aurait tellement peur. Pourquoi elle prendrait le risque d'enfreindre les règles afin de regarder le dieu de l'amour en face, parce qu'elle avait peur que ce soit un monstre.

Psyché ne s'était pas trompée. Cupidon était un monstre. L'amour était le plus sauvage de tous les monstres.

La voix de Nico crissait comme du verre brisé.

– Je... je n'étais pas amoureux d'Annabeth.

– Tu étais jaloux d'elle, dit Jason. C'est pour ça que tu ne voulais pas la voir. C'est surtout pour ça que tu ne voulais plus le voir, lui. C'est complètement logique.

D'un coup Nico parut libéré de la lutte et du déni. L'obscurité se dissipa. Les morts romains s'affaissèrent en piles d'ossements, qui tombèrent en poussière.

– Je me détestais, dit Nico. Je détestais Percy Jackson.

Cupidon se montra à leurs yeux : un jeune homme mince et musclé, aux ailes blanc neige, aux cheveux noirs et lisses, vêtu d'une simple chemise blanche et d'un jean. L'arc et le carquois qu'il portait en bandoulière n'étaient pas des jouets, c'étaient des armes de guerre. Il avait les yeux d'un rouge profond, rouge sang, et un visage beau mais dur, également – aussi difficile à fixer qu'un projecteur. Il regarda Nico avec satisfaction, comme s'il avait trouvé l'endroit exact où envoyer sa prochaine flèche pour qu'elle tue net.

– J'étais amoureux de Percy, cracha Nico. C'est ça la vérité. C'est ça le grand secret.

Il toisa Cupidon d'un œil sombre :

– Vous êtes content, maintenant ?

Pour la première fois, il y eut de la compassion dans le regard de Cupidon.

– Oh, je ne dirais pas que l'amour apporte toujours du bonheur. (Sa voix était moins forte, beaucoup plus humaine.) Parfois, il rend incroyablement triste. Mais au moins, maintenant, tu lui as fait face. C'est la seule façon de me conquérir.

Et Cupidon se dissipa dans le vent.

Par terre, à l'endroit qu'il venait de quitter, gisait un bâton d'ivoire d'un mètre de long, couronné d'une boule de marbre poli de la grosseur d'un ballon de football, lové sur le dos de trois aigles romains en or. Le sceptre de Dioclétien.

Nico se pencha et le ramassa. Il jeta un coup d'œil à Jason, l'air de s'attendre à une attaque de sa part.

– Si les autres apprenaient...

– Si les autres apprenaient, dit Jason, ça te ferait autant de gens en plus pour te soutenir et déchaîner la fureur des dieux contre quiconque te chercherait des ennuis.

Nico grimaça. Jason sentait toujours la colère et la rancune qui émanaient de lui.

– Mais ça dépend entièrement de toi, ajouta-t-il. C'est toi qui décides si tu veux en parler ou non. Tout ce que je peux te dire...

– Mes sentiments ont changé, marmonna Nico. Je veux dire... j'ai fait une croix sur Percy. J'étais jeune et impressionnable et je... je ne...

Sa voix se brisa et Jason vit que les larmes allaient lui monter aux yeux. Que Nico ait réellement fait une croix sur Percy ou non, Jason imaginait difficilement ce qu'il avait dû endurer toutes ces dernières années, à garder un secret qu'il aurait été inconcevable de partager avec qui que soit dans les années 1940, à nier ce qu'il était, à se sentir complètement seul, encore plus isolé que les autres demi-dieux.

– Nico, dit-il doucement. J'ai vu beaucoup d'actes courageux. Mais ce que tu viens de faire ? C'était peut-être le plus courageux de tous.

Nico leva des yeux hésitants.

– On devrait retourner au navire, dit-il.

– Ouais. Je peux nous...

– Non, interrompit Nico. Cette fois-ci, on va y aller par vol d'ombre. Les vents, j'en ai eu ma dose pour un moment.

37 Annabeth

Perdre la vue avait été terrible. Se retrouver coupée de Percy, une épreuve atroce.

Mais maintenant qu'elle avait recouvré l'usage de ses yeux, elle était réduite à le regarder mourir à petit feu, empoisonné par le sang de gorgone, sans pouvoir rien y faire, et c'était la pire de toutes les malédictions.

Bob jeta Percy sur son épaule comme la bandoulière d'un sac de sport et Ti-Bob le chaton-squelette se pelotonna en ronronnant sur son dos. Bob se mit en route d'un pas rapide, même pour un Titan, quasi impossible à suivre pour Annabeth.

Un râle sortait de ses poumons. Sa peau avait recommencé à cloquer. Elle aurait eu besoin d'une gorgée d'eau de feu, mais ils avaient quitté les rives du Phlégéthon. Son corps était tellement fatigué et endolori qu'elle avait oublié qu'on pouvait ne pas avoir mal partout.

– On est encore loin ?

– Presque trop loin, rétorqua Bob sans se retourner. Mais peut-être pas.

Vachement avancée, pensa Annabeth, sans avoir la force de le dire.

Le paysage changea de nouveau. Le terrain descendait, ce qui aurait dû faciliter la marche, mais la déclivité était pile ce qu'il ne fallait pas : trop raide pour courir, trop traître pour relâcher son attention ne serait-ce qu'un instant. La surface du sol alternait cailloux et flaques visqueuses. Annabeth contournait des aiguilles qui se dressaient çà et là, assez pointues pour s'y empaler le pied, et des grappes de... comment dire ? Pas vraiment des pierres, non. Plutôt des verrues grosses comme des pastèques. S'il avait fallu qu'elle conjecture (et Annabeth préférait s'en dispenser), elle aurait dit que Bob lui faisait descendre le gros intestin du Tartare.

Dans l'air épaissi flottait une odeur d'égout. L'obscurité n'était peut-être plus aussi dense, mais Annabeth ne distinguait Bob que grâce à sa chevelure blanche et à la pointe de son javelot. Elle remarqua d'ailleurs qu'il n'avait pas rétracté le fer de lance de son balai depuis leur combat contre les *arai*. Ce n'était pas rassurant.

Percy ballotta, obligeant le chaton à changer de position au creux de ses reins. De temps en temps il poussait un gémissement, et Annabeth sentait comme un poing lui serrer le cœur.

Elle se revit mentalement à Charleston avec Piper et Hazel, au « thé » organisé pour elles par Aphrodite. Par les dieux, comme ça semblait loin... Aphrodite avait évoqué les jours dorés de la guerre de Sécession avec force soupirs et nostalgie, affirmant que l'amour et la guerre allaient toujours main dans la main.

La déesse de la beauté avait désigné Annabeth avec fierté, la donnant en exemple à ses deux amies : *Je lui ai promis un jour de mettre du piquant dans sa vie amoureuse, et j'ai tenu parole, n'est-ce pas ?*

Annabeth aurait aimé étrangler la déesse de l'amour. Elle en avait eu plus que sa part, de « piquant ». Maintenant, seul l'espoir d'un dénouement heureux la faisait tenir. C'était certainement possible, quoi qu'en disent les légendes sur les héros tragiques. Fallait bien qu'il y ait des exceptions, non ?

Si les souffrances amenaient une récompense, alors Percy et elle méritaient le gros lot.

Elle repensa au rêve que Percy s'était construit sur la Nouvelle-Rome : qu'ils s'y installent tous les deux et aillent à la fac ensemble. Au début, la pensée de vivre parmi les Romains l'avait consternée. Elle leur en voulait de lui avoir pris Percy. Maintenant elle serait trop heureuse d'accepter cette proposition.

Si seulement ils survivaient à cette traversée des Enfers. Si seulement Reyna avait reçu son message. Si seulement un million d'autres paris s'avéraient gagnants.

Arrête, se tança-t-elle.

Elle devait porter son entière attention sur le présent, mettre un pied devant l'autre, négocier cette randonnée intestinale une verrue géante après l'autre et pas plus.

Ses genoux chauffaient et tremblaient comme des cintres en fil de fer qu'on tord et qui menacent de casser. Percy gémit et marmonna des mots qu'elle ne comprit pas.

Soudain, Bob s'arrêta.

– Regarde.

Plus loin dans la pénombre, le sol s'aplanissait pour former un marécage noir. Un brouillard jaune de soufre flottait dans l'air. Malgré l'absence de soleil, il y avait de vraies plantes : des touffes de roseaux, des arbres malingres et sans feuilles et même quelques fleurs chétives, qui poussaient dans la boue. Des sentiers moussus serpentaient entre des trous de goudron bouillonnant. Juste devant Annabeth, inscrites profondément dans la vase du marais, se dessinaient des empreintes de pied de la taille d'un couvercle de poubelle, aux orteils longs et pointus.

Annabeth, hélas, était presque sûre de savoir à qui elles appartenaient.

– Un drakon ?

– Oui. (Bob lui adressa un grand sourire.) C'est bien !

– Euh... pourquoi ?

– Parce qu'on est tout près.

Bob s'engagea dans le marécage.

Annabeth avait envie de hurler. Elle ne supportait pas d'être à la merci d'un Titan, qui plus est un Titan qui était en train de recouvrer lentement la mémoire et les emmenait voir un « bon » géant. Elle ne supportait pas de devoir s'enfoncer dans un marais qui était visiblement le terrain de jeu d'un drakon.

Mais Bob avait Percy. Si Annabeth hésitait, elle les perdrait dans l'obscurité. Alors elle se hâta de le suivre, sautant d'un carré de mousse à l'autre en priant Athéna de l'aider à éviter les trous.

Le seul avantage de crapahuter dans un terrain pareil, c'était que Bob était obligé de ralentir. Elle le rattrapa et put continuer juste derrière lui, surveillant Percy qui délirait à mi-voix, maintenant, et avait le front brûlant. À plusieurs reprises, il marmonna « Annabeth », et elle réprima un sanglot. Le chaton se contentait de ronronner de plus belle, roulé en boule.

Finalement, la brume jaune se dissipa sur une clairière boueuse, tel un îlot dans la vase. Le sol était parsemé d'arbres rabougris et de monticules de verrues. Au milieu, il y avait une grande cabane faite d'os et de cuir verdâtre. De la fumée s'échappait par un trou dans le toit en dôme. L'entrée était couverte par des rideaux en peau de serpent et flanquée de chaque côté d'un flambeau pratiqué dans un fémur gigantesque, qui dégageait une lumière jaune vif.

Ce qui retint vraiment l'attention d'Annabeth, ce fut le crâne de drakon. À une cinquantaine de mètres, à mi-chemin de la cabane environ, un énorme chêne sortait du sol dans un angle à quarante-cinq degrés. Les mâchoires d'un drakon enserraient son tronc, donnant l'impression que le chêne était la langue du monstre mort.

– Oui, murmura Bob. C'est très bien.

Rien, dans ce lieu, n'inspirait confiance à Annabeth.

Sans lui laisser le temps de protester, Ti-Bob fit le dos rond et feula. Derrière eux, un rugissement retentissant parcourut le marais. La dernière fois qu'Annabeth avait entendu ce son, c'était lors de la bataille de Manhattan.

Elle fit volte-face et vit le monstre charger droit sur eux.

38 Annabeth

Le plus insultant dans cette histoire ?

C'était que le drakon était, de loin, la créature la plus belle qu'Annabeth ait vue depuis qu'elle était tombée dans le Tartare. Il avait la peau mouchetée vert et jaune, évoquant des taches de soleil sur des feuillages en forêt. Ses yeux de reptile étaient de la nuance de vert océan préférée d'Annabeth (exactement comme ceux de Percy). Avec sa collerette déployée autour de sa tête, il était, ne put s'empêcher de constater Annabeth, d'une splendeur majestueuse – et c'était ce monstre qui allait la tuer.

Le drakon faisait facilement la longueur d'une rame de métro. Il avançait en agitant la queue d'un côté à l'autre, ratissant la vase de ses griffes énormes. Il sifflait et crachait des jets de poison vert qui calcinaient les plaques de mousse et enflammaient le goudron dans les fosses, et l'air s'emplissait d'une fumée qui embaumait le gingembre et les aiguilles de pin. Il sentait bon, en plus, ce fichu monstre ! Comme la plupart des drakons, il n'avait pas d'ailes et il était plus long, plus reptilien qu'un dragon. Il avait l'air affamé.

– Bob, dit Annabeth, qu'est-ce qui nous tombe dessus, là ?

– Un drakon méonien, dit Bob. De Méonie.

Encore une perle d'information. Annabeth lui aurait cassé son balai sur la tête, si elle avait pu le soulever.

– On peut le tuer ?

– Qui ça, nous ? fit Bob. Non.

Comme pour confirmer, Le drakon rugit en déversant de nouveaux effluves de poison sapin-gingembre, lequel aurait fait un excellent parfum pour voiture.

– Mets Percy en lieu sûr, dit Annabeth. Je vais faire diversion.

Elle ne savait pas comment elle allait s'y prendre, mais elle n'avait pas le choix. Elle ne pouvait pas laisser Percy mourir, pas tant qu'elle avait la force de tenir sur ses jambes.

– Pas la peine, dit Bob. D'une minute à l'autre...

RRRROOOAAAHHHH !!!

Annabeth fit volte-face et vit le géant émerger de sa cabane.

Il faisait dans les six mètres de haut – taille courante chez les géants – et avait un torse d'humanoïde, planté sur des pattes de reptile couvertes d'écaille, dans un esprit « dinosaure bipède ». Il n'était pas armé. En lieu et place d'une armure, il ne portait qu'une tunique de peaux de mouton assemblées par un lacet de cuir vert. Sa peau était rouge cerise, sa barbe et ses cheveux couleur de rouille et entremêlées de brins d'herbe, de feuilles et de fleurs des marais.

Il lança un cri de défi, qui heureusement ne s'adressait pas à Annabeth. Bob écarta celle-ci de la trajectoire du géant, qui se ruait sur le dragon.

Le combat qui s'ensuivit avait une étrange allure de combat de Noël : le rouge contre le vert. Le drakon vomit son poison ; le géant l'esquiva d'un bond sur le côté. Puis il empoigna le chêne et le déracina d'un coup. Le vieux crâne se décrocha et vola en éclats quand le géant brandit l'arbre comme une batte de base-ball.

La queue du drakon s'enroula autour de la taille du géant et l'attira vers sa gueule aux crocs menaçants. Mais dès qu'il en fut assez proche, le géant fourra l'arbre dans la gorge du monstre.

Annabeth se dit qu'elle espérait ne jamais assister de nouveau à une scène aussi abominable. L'arbre transperça le gosier du drakon et le cloua au sol. Les racines commencèrent alors à bouger ; elles s'allongèrent et s'enfoncèrent dans la terre, y ancrèrent le chêne comme s'il se dressait là depuis des siècles. Le dragon avait beau se débattre et s'agiter, il était épinglé comme un papillon sur du liège.

Le géant asséna un coup de poing sur la nuque du dragon. *MÉGA-CRAC.* Le monstre cessa de bouger. Puis il se disloqua, pour ne laisser de lui-même que quelques fragments d'os, de chair et de peau, ainsi qu'un crâne de drakon tout neuf dont les mâchoires enserraient le tronc de l'arbre.

– Bien joué, dit Bob avec un grognement de satisfaction.

Le géant fourragea du pied dans les vestiges du drakon, qu'il examinait d'un œil critique.

– Pas de bons os, se plaignit-il. J'avais besoin d'une nouvelle canne. Mouais. Il y a quand même un peu de bonne peau pour le cabanon.

Il se mit à déchirer des pans de la collerette fine du dragon et à les passer dans sa ceinture.

– Euh... (Annabeth faillit demander si le géant se servait vraiment de peau de drakon comme papier hygiénique, mais s'abstint.) Bob, tu nous présentes ?

– Annabeth... (Bob tapota les jambes de Percy.) Je te présente Percy.

Annabeth se dit que le Titan la faisait marcher, mais le visage de Bob restait indéchiffrable.

Elle serra les dents.

– Je veux dire, au géant. Tu m'as promis qu'il pouvait nous aider.

– Promis ? (Le géant releva le nez. Ses yeux se plissèrent sous ses sourcils rouges et broussailleux.) Ce n'est pas rien, une promesse. Pourquoi Bob promettrait-il mon aide ?

Bob piétina sur place. Les Titans étaient effrayants, mais c'était la première fois qu'Annabeth en voyait un à côté d'un géant. Comparé au tueur de drakon, Bob avait l'air d'un gringalet.

– Damasen est un bon géant, dit Bob. Il est pacifique. Il peut guérir du poison.

Annabeth considéra le géant Damasen, à présent occupé à arracher à mains nues des morceaux de chair ensanglantée de la carcasse du drakon.

– Pacifique, dit-elle. Je vois ça.

– Bonne viande, ça, pour le dîner. (Damasen se redressa et examina Annabeth comme si elle était une autre source potentielle de protéines.) Entrez. On va manger du ragoût. Ensuite on verra ce qu'on fait pour cette promesse.

39 ANNABETH

Cosy.

Annabeth n'aurait jamais imaginé qu'elle emploierait ce mot-là pour décrire quoi que ce soit au Tartare, il n'empêche que la cabane du géant, qui avait beau être grande comme un planétarium et construite avec des os, de la boue et de la peau de dragon, était incontestablement cosy.

Au centre brûlait un grand feu de poix et d'os qui dégageait une fumée étonnamment blanche et inodore, évacuée par un trou au plafond. Le sol était couvert d'herbes du marais séchées et de tapis de laine grise. À un bout de la pièce trônait un immense lit en cuir de drakon et peau de mouton. À l'autre bout, des étagères où étaient pendus des plantes en train de sécher, du cuir tanné et ce qui ressemblait à des saucissons de drakon. Il flottait dans l'air une odeur de ragoût qui mitonne, de basilic et de thym.

La seule chose qui inquiétait Annabeth, c'était le troupeau de moutons, dans un enclos à l'arrière de la cabane.

Annabeth n'avait pas oublié la grotte de Polyphème le Cyclope, qui se nourrissait indifféremment de moutons et de demi-dieux. Elle se demandait si les géants avaient les mêmes goûts.

Quelque part elle était tentée de s'enfuir, mais Bob avait déjà déposé Percy sur le lit du géant, où il disparaissait presque dans la laine et le cuir. Ti-Bob quitta Percy d'un bond et entreprit de se faire les griffes sur les couvertures, en ronronnant si fort que le lit vibrait comme une table de massage électrique.

Damasen s'approcha du feu à pas lourds. Il jeta son quartier de viande de drakon dans une marmite faite d'un vieux crâne de monstre pendu à la crémaillère, puis il prit une louche et se mit à touiller.

Annabeth ne voulait pas devenir le prochain ingrédient, mais elle était là dans un but bien précis. Elle inspira à fond et rejoignit Damasen.

– Mon ami est en train de mourir, dit-elle. Tu peux le soigner ou pas ?

Elle buta sur le mot « ami ». Percy était bien plus que ça. Même « petit ami » était trop faible. Ils avaient vécu tant de choses incroyables ensemble que Percy faisait maintenant partie d'elle – une partie parfois agaçante, il fallait bien le reconnaître, mais sans laquelle Annabeth n'aurait plus su vivre.

Damasen la toisa de ses yeux brûlants, sous d'épais sourcils rouges. Annabeth avait déjà eu l'occasion de rencontrer de grands humanoïdes terrifiants, mais Damasen était différent. Il ne semblait pas hostile. Il dégageait du chagrin et de l'amertume, comme s'il était tellement occupé par son propre malheur qu'il en voulait à Annabeth de vouloir détourner son attention sur autre chose.

– Ce ne sont pas des mots qu'on entend au Tartare, grommela le géant. « Ami ». « Promesse ».

Annabeth croisa les bras.

– Et *sang de gorgone* ? Tu peux guérir ça, ou Bob a exagéré ton talent ?

Provoquer la colère d'un tueur de drakon de six mètres était risqué, comme stratégie, mais Percy était en train de mourir. Annabeth n'avait pas de temps à perdre en ronds de jambe.

Damasen grimaça.

– Tu doutes de mon talent ? Une mortelle au bout du rouleau se traîne dans mon marais et elle doute de mon talent ?

– Ouaip.

– Oumph. (Damasen tendit sa louche à Bob.) Touille.

Tandis que Bob surveillait le ragoût, Damasen parcourut ses étagères, y prélevant diverses feuilles et racines. Il fourra le tout dans sa bouche, le mastiqua quelques instants et le recracha dans un peu de laine.

– Une tasse de jus, ordonna-t-il.

Bob versa une louche de jus de cuisson dans une calebasse qu'il tendit à Damasen. Celui-ci y jeta sa grosse boulette baveuse et mélangea avec le doigt.

– Du sang de gorgone, marmonna-t-il. On peut pas appeler ça un défi, pour une pointure comme moi.

Du même pas pesant, il alla au lit et, d'une seule main, il redressa Percy. Ti-Bob renifla le bouillon et cracha. Il se mit à labourer les draps avec les griffes comme s'il voulait l'enterrer.

– Tu vas lui faire avaler *ça* ? demanda Annabeth.

Le géant la fusilla du regard.

– C'est qui le guérisseur, ici ? C'est toi ?

Annabeth se tut. Et regarda Damasen faire avaler sa concoction à Percy. Il le manipulait avec une douceur étonnante, en lui murmurant des encouragements qu'elle n'arrivait pas à entendre.

À chaque gorgée, Percy reprenait des couleurs. Il vida la tasse et rouvrit les paupières. Il regarda autour de lui avec des yeux hébétés, repéra Annabeth et lui adressa un sourire d'ivrogne :

– Hé, trop cool.

Ses yeux se révulsèrent ; il retomba sur le lit et se mit aussitôt à ronfler.

– Quelques heures de sommeil et il sera comme neuf, diagnostiqua Damasen.

Annabeth ne put retenir un sanglot de soulagement.

– Merci, dit-elle.

– Oh, ne me remercie pas. (Damasen la regarda avec mélancolie.) Tu es toujours condamnée. Et j'exige paiement pour mes services.

La gorge d'Annabeth se serra.

– Quel paiement ?

– Une histoire. (Une étincelle s'alluma dans les yeux du géant.) On s'ennuie, à la longue, au Tartare. Tu pourras me raconter ton histoire à table, hein ?

Annabeth était hyper-réticente à raconter leurs plans à un géant.

Il n'empêche, il fallait reconnaître que Damasen savait recevoir. Il avait sauvé Percy. Son ragoût de viande de drakon était excellent (surtout après l'eau de feu.) Sa cabane était confortable et bien chauffée et, pour la première fois depuis sa chute dans le Tartare, Annabeth pouvait se détendre. Ce qui était assez fort, compte tenu qu'elle était en train de dîner avec un Titan et un géant.

Elle parla à Damasen de sa vie et de ses aventures avec Percy. Elle raconta comment Percy avait rencontré Bob et effacé sa mémoire dans les eaux du Léthé, avant de le confier à Hadès.

– Percy voulait bien faire, assura-t-elle à Bob. Il ne pouvait pas se douter qu'Hadès se comporterait en sale type.

Elle-même n'était pas convaincue par ce qu'elle affirmait : on le savait, qu'Hadès était un sale type.

Elle repensa à ce que leur avaient dit les *arai.* Nico di Angelo avait été le seul à rendre visite à Bob au palais d'Hadès. Nico était un des demi-dieux les plus renfermés, les moins avenants qu'Annabeth connaissait, pourtant il avait été gentil envers Bob. Et en convaincant Bob que Percy était un ami, Nico leur avait sauvé la vie sans le savoir. Annabeth se demanda si elle comprendrait ce garçon un jour.

Bob lava son bol avec son flacon vaporisateur et son chiffon.

Damasen fit un geste avec sa cuillère :

– Poursuis ton histoire, Annabeth Chase.

Elle expliqua les tenants de leur quête à bord de l'*Argo II*. Lorsqu'elle en vint à leur objectif final, qui était d'empêcher Gaïa de s'éveiller, elle buta.

– C'est, euh... ta mère, n'est-ce pas ? demanda-t-elle.

Damasen racla son bol. Il avait le visage couvert de vieilles brûlures de poison et de cicatrices, ce qui le faisait ressembler à la surface d'un astéroïde.

– Oui, dit-il. Et Tartare est mon père. (Il désigna la cabane d'un geste.) Comme tu peux voir, je suis une déception pour mes parents. Ils avaient placé d'autres espoirs en moi.

Annabeth avait du mal à réaliser qu'elle était en train de casser la croûte avec un type grand de six mètres à jambes de lézard, dont les parents étaient la Terre et l'Abîme des Ténèbres.

C'était déjà difficile d'imaginer les dieux olympiens en parents, mais eux, au moins, ressemblaient à des humains. Tandis que les dieux primordiaux comme Gaïa et Tartare... comment peut-on quitter la maison et devenir indépendant quand on a des parents qui englobent littéralement le monde entier ?

– Alors..., dit-elle. Ça ne t'embête pas qu'on combatte ta mère ?

Damasen s'ébroua comme un taureau.

– Bonne chance, surtout. Pour le moment, c'est plutôt mon père qui devrait vous inquiéter. Je ne vois pas comment vous allez vous en sortir vivants alors qu'il vous fait barrage.

Annabeth eut soudain l'appétit coupé. Elle posa son bol par terre, et Ti-Bob vint le renifler.

– Il nous fait barrage comment ?

– Tout ça. (Damasen cassa un os de drakon et se servit d'un éclat pointu comme cure-dent.) Tout ce que tu vois, c'est le corps de Tartare, ou en tout cas une de ses manifestations. Il sait que vous êtes là. Il essaie de vous ralentir à chaque pas. Mes frères sont à vos trousses. C'est remarquable que vous ayez survécu si longtemps, même avec l'aide de Japet.

Bob grimaça en entendant son nom.

– Les vaincus nous pourchassent, c'est vrai, dit-il. Ils ne doivent pas être loin derrière.

Damasen recracha son cure-dent.

– Je peux masquer vos traces pendant un certain temps, assez pour que vous repreniez des forces. J'ai du pouvoir dans ce marais. Mais ils finiront par vous attraper.

– Mes amis doivent arriver aux Portes de la Mort, dit Bob. C'est la sortie.

– Impossible, marmonna Damasen. Les Portes sont trop bien gardées.

Annabeth se pencha en avant.

– Mais tu sais où elles sont ?

– Bien sûr. Tartare tout entier converge vers un point : son cœur. C'est là que sont les Portes de la Mort. Mais vous n'y arriverez pas vivants avec la seule aide de Japet.

– Alors viens avec nous, dit Annabeth. Aide-nous.

– HA !

Annabeth sursauta. Étendu sur le lit, Percy délirait tout haut dans son sommeil : « Ha, ha, ha. »

– Fille d'Athéna, dit le géant. Je ne suis pas votre ami. J'ai aidé des mortels un jour, tu vois où ça m'a mené.

– Tu as aidé des mortels ? (Annabeth s'y connaissait en légendes grecques, pourtant le nom de Damasen ne lui disait rien.) Je... je ne comprends pas.

– Sale histoire, expliqua Bob. Les bons géants ont des sales histoires. Damasen a été créé pour s'opposer à Arès.

– Oui, confirma le géant. Mes frères et moi, on a été créés pour correspondre à des dieux en particulier. Mon ennemi attitré était Arès. Mais Arès était le dieu de la guerre. Alors, quand je suis né...

– Tu étais son opposé, devina Annabeth. Tu étais pacifique.

– Pacifique pour un géant, s'entend. (Damasen soupira.) Je vivais dans les champs de Méonie, dans le pays que vous appelez aujourd'hui la Turquie. Je m'occupais de mes moutons et je cueillais mes herbes. C'était une vie agréable. Mais je refusais de combattre les dieux. Mon père et ma mère m'ont maudit pour ça. Et l'insulte finale : un jour, le drakon méonien a tué un berger humain qui était un de mes amis. Alors j'ai pourchassé le monstre et je l'ai abattu en lui plantant un arbre au travers de la gueule. Je me suis servi du pouvoir de la terre pour faire repousser les racines et clouer solidement le drakon au sol. Je voulais être sûr qu'il ne terroriserait plus les mortels. Un acte que Gaïa ne pouvait pas me pardonner.

– Parce que tu avais aidé quelqu'un ?

– Oui. (Damasen avait l'air honteux.) Gaïa a ouvert la terre et j'ai été dévoré, exilé ici dans le ventre de mon père, où finissent les épaves inutiles – toutes les créations dont il n'a rien à faire. (Le géant tira une fleur de ses cheveux et la regarda distraitement.) Ils me laissent vivre, élever mes moutons et cueillir mes herbes, pour que je mesure pleinement l'inutilité de la vie que j'ai choisie. Tous les jours – du moins ce qui passe pour des jours dans ce lieu sans lumière – le drakon méonien se reforme et m'attaque. Le tuer est ma tâche sans fin.

Annabeth regarda autour d'elle en essayant d'imaginer depuis combien d'éternités Damasen avait été précipité dans cet exil – à tuer le drakon tous les jours, récupérer sa viande, son cuir et ses os, en sachant qu'il attaquerait de nouveau le lendemain. Elle avait du mal à s'imaginer survivre une semaine au Tartare. Exiler son propre fils ici pour des siècles, c'était au-delà de la cruauté.

– Romps la malédiction, lâcha-t-elle. Viens avec nous.

– Aussi simplement que ça, hein ? (Damasen eut un rire amer.) Tu ne crois pas que j'ai essayé de partir ? C'est impossible. Quelle que soit la direction que je prends, je me retrouve toujours ici. Le marais est la seule chose que je connaisse, la seule destination que je puisse imaginer. Non, petite Sang-Mêlé. La malédiction me tient dans ses rets. Je n'ai plus d'espoir.

– Plus d'espoir, répéta Bob.

– Il doit y avoir un moyen.

Annabeth ne supportait pas l'expression du géant. Ça lui rappelait celle de son père, les rares fois où il lui avait avoué qu'il aimait toujours Athéna. Il avait ce même air triste et vaincu de celui qui sait qu'il aspire à l'impossible.

– Bob a un plan pour aller aux Portes de la Mort, insista-t-elle. Il a dit qu'on pouvait se cacher dans une espèce de Brume de Mort.

– La Brume de Mort ? (Damasen se tourna vers Bob avec une grimace.) Tu veux les emmener voir Achlys ?

– C'est le seul moyen, dit Bob.

– Vous mourrez, dit Damasen. Dans la douleur et dans le noir. Achlys ne fait confiance à personne et n'aide personne.

Bob eut l'air de vouloir protester, mais il pinça les lèvres et garda le silence.

– Il n'y a pas d'autre moyen ? demanda Annabeth.

– Non, répondit Damasen. La Brume de Mort, c'est le meilleur plan. Malheureusement, c'est un plan horrible.

Annabeth eut l'impression qu'elle était de nouveau suspendue au-dessus de la fosse, incapable de se hisser hors de là, incapable de s'accrocher – sans issue.

– Mais ça ne vaudrait pas la peine d'essayer ? demanda-t-elle. Tu pourrais retourner dans le monde des mortels. Tu pourrais revoir le soleil.

Les yeux de Damasen ressemblaient aux orbites du crâne du drakon : sombres et creux, vides de tout espoir. Il jeta un os cassé dans le feu et se déploya de toute sa hauteur. Un immense guerrier rouge en peau de mouton et cuir de drakon, des fleurs séchées et des herbes dans les cheveux. Annabeth voyait ce qui faisait de lui l'anti-Arès. Arès était le pire des dieux, violent et impétueux. Damasen était le meilleur des géants, bon et serviable... et pour ça, il avait été condamné au châtiment éternel.

– Va dormir, dit le géant. Je vais vous préparer des provisions de voyage. Je suis désolé, mais je ne peux pas faire plus.

Annabeth voulait discuter, mais dès qu'elle entendit le mot « dormir » son corps la trahit, malgré sa résolution de ne plus jamais fermer l'œil tant qu'elle serait au Tartare. Elle avait le ventre plein. Le feu crépitait agréablement. Les herbes qui embaumaient l'air lui rappelaient les collines qui entouraient la Colonie des Sang-Mêlé, les douces après-midi d'été, quand les naïades et les satyres cueillaient des plantes sauvages.

– Un petit somme, peut-être, accepta-t-elle.

Bob la souleva comme une poupée de chiffon. Elle se laissa faire. Il la déposa sur le lit du géant, à côté de Percy, et elle ferma les yeux.

40 Annabeth

Annabeth rouvrit les yeux sur les ombres qui dansaient au plafond de la cabane. Elle n'avait pas fait le moindre rêve. C'était tellement inhabituel qu'elle se demanda si elle était véritablement réveillée.

Allongée à côté de Percy qui ronflait, avec Ti-Bob qui ronronnait sur son ventre, elle surprit Bob et Damasen en pleine conversation.

– Tu ne l'as pas avertie, dit Damasen.

– Non, reconnut Bob. Elle a déjà tellement peur.

Le géant poussa un grognement.

– Il y a de quoi. Et si tu n'arrives pas à leur faire dépasser Nuit ?

Damasen disait « Nuit » comme si c'était un nom propre – maléfique de surcroît.

– Il faut que j'y arrive, dit Bob.

– Pourquoi ? Que t'ont donné les demi-dieux ? Ils ont effacé ton ancienne personnalité, tout ce que tu étais. Nous, les Titans et les géants, nous avons été conçus pour être les ennemis des dieux et de leurs enfants. Vrai ou faux ?

– Vrai, mais alors pourquoi as-tu guéri le garçon ?

Damasen soupira.

– Je me suis posé la question... Peut-être parce que la fille m'avait piqué au vif. Ou peut-être parce que ces deux demi-dieux m'intriguent. Ils sont incroyablement résistants pour avoir tenu jusqu'ici. C'est admirable. Il n'empêche, comment veux-tu qu'on les aide davantage ? Ce n'est pas notre destin.

– Peut-être, dit Bob, mal à l'aise. Mais... il te plaît, notre destin ?

– Quelle question. Qui est content de son destin ?

– J'étais content d'être Bob, murmura Bob, avant que la mémoire commence à me revenir...

– Hum.

Il y eut un bruit mat, comme si Damasen remplissait un sac de cuir.

– Damasen, demanda le Titan, tu te souviens du soleil ?

Le bruit s'interrompit. Annabeth entendit le géant souffler par les narines.

– Oui. Il était jaune. Quand il touchait l'horizon, le ciel prenait des couleurs merveilleuses.

– Le soleil me manque, dit Bob. Les étoiles aussi. J'aimerais dire bonjour aux étoiles de nouveau.

– Les étoiles... (Damasen prononça le mot comme s'il avait oublié son sens.) Oui. Elles traçaient des dessins argentés dans le ciel, la nuit. (Il laissa lourdement tomber quelque chose.) Bah, à quoi bon cette conversation. Nous ne pouvons pas...

Au loin, le drakon méonien rugit.

Percy se redressa en sursaut.

– Quoi quoi quoi ?

– Ça va, tout va bien, dit Annabeth en lui prenant le bras.

Lorsqu'il se rendit compte qu'ils étaient couchés ensemble dans un lit de géant avec un chat-squelette, il eut l'air plus perdu que jamais.

– Ce bruit... mais où on est ?

– De quoi tu te souviens ?

Percy fronça les sourcils. Il avait le regard vif. Ses blessures avaient toutes disparu. À part ses vêtements en lambeaux et quelques épaisseurs de crasse et de poussière, rien n'indiquait qu'il était tombé dans le Tartare.

– Je… les mamies démones… et puis… Pas grand-chose.

Damasen s'approcha du lit.

– Vous n'avez plus de temps à perdre, petits mortels, dit-il. Le drakon revient. J'ai peur que son rugissement n'attire les autres, mes frères qui vous pourchassent. Ils seront là d'ici à quelques minutes.

Annabeth sentit son cœur battre plus fort.

– Qu'est-ce que tu vas leur dire quand ils seront là ?

La bouche de Damasen se tordit.

– Que veux-tu que je leur dise ? Peu importe, du moment que vous êtes partis.

Il leur lança deux sacs en cuir de drakon.

– Je vous ai mis des vêtements et de quoi boire et manger.

Bob portait un sac à dos du même genre, mais plus volumineux. Appuyé à son balai, il regardait Annabeth. Peut-être réfléchissait-il encore aux paroles de Damasen ? *Que t'ont donné les demi-dieux ? Nous avons été conçus pour être les ennemis des dieux et de leurs enfants.*

Brusquement, Annabeth se sentit littéralement transpercée par une pensée – claire, affûtée, précise comme un coup d'épée d'Athéna elle-même.

– La prophétie des Sept, dit-elle.

Percy était sorti du lit et passait son sac sur l'épaule. Il fronça les sourcils.

– Oui, eh ben ? fit-il.

Annabeth agrippa la main de Damasen, qui sursauta et la regarda d'un air interloqué. Il avait la peau rugueuse comme du grès.

– Il faut absolument que tu viennes avec nous, supplia-t-elle. La prophétie dit : *Des ennemis viendront en armes devant les Portes de la Mort.* J'avais toujours cru que ça voulait dire des Romains et des Grecs, mais je m'étais trompée. Ça veut dire nous : des demi-dieux, un Titan et un géant. Nous avons besoin de vous pour refermer les Portes !

Dehors le drakon poussa un rugissement, plus proche cette fois-ci. Damasen dégagea doucement sa main.

– Non, petite, murmura-t-il. Ma malédiction est ici. Je ne peux pas y échapper.

– Si, tu peux ! N'affronte pas le drakon. Trouve un moyen de briser le cycle. Invente-toi un autre destin.

Damasen secoua la tête.

– Même si je pouvais, dit-il, je ne pourrais pas quitter ce marais. C'est la seule destination que je puisse imaginer.

Le cerveau d'Annabeth travaillait à cent à l'heure.

– Il y a une autre destination, insista-t-elle. Regarde-moi ! Grave mon visage dans ta mémoire. Lorsque tu seras prêt, viens me trouver. Nous te ramènerons au monde des mortels avec nous. Tu pourras revoir le soleil et les étoiles.

Le sol trembla. Le drakon était tout près, maintenant ; il avançait à pas lourds dans le marais en crachant son poison mortifère sur les arbres et les mousses. Plus lointaine, Annabeth entendit la voix du géant Polybotès, qui exhortait ses sbires à l'attaque. *SUS AU FILS DU DIEU DE LA MER !*

– Annabeth, là c'est le signal du départ, s'écria Percy d'une voix pressante.

Damasen sortit quelque chose de sa ceinture. Dans sa grande paluche, l'aiguille blanche avait l'air d'un cure-dent de plus, mais quand il l'offrit à Annabeth, elle réalisa que c'était une épée : une lame en os de dragon redoutablement aiguisée, tenue par une poignée en cuir toute simple.

– Un dernier présent pour l'enfant d'Athéna, grommela le géant. Je ne peux pas te laisser aller à ta mort sans armes. Maintenant, partez ! Avant qu'il ne soit trop tard.

Annabeth avait envie de pleurer. Elle prit l'épée, mais ne put se forcer à dire merci. Elle savait que le géant était appelé à se battre à leurs côtés. C'était la clé de l'énigme, pourtant Damasen leur tournait le dos.

– Nous devons partir, dit Bob, tandis que son chaton se perchait sur son épaule.

– Il a raison, Annabeth, dit Percy.

Ils coururent vers la porte. Sans se retourner, Annabeth suivit Bob et Percy dans le marais, mais elle entendit derrière elle Damasen lancer son cri de bataille au drakon, d'une voix brisée par le désespoir. Une fois de plus, il allait affronter son vieil ennemi.

41 PIPER

Sans être une experte de la Méditerranée, Piper était pratiquement sûre qu'il n'y gelait pas en juillet, normalement.

Après deux jours de navigation au départ de Split, des nuages gris s'étaient amoncelés dans le ciel. La mer était devenue houleuse. Un crachin froid s'était mis à cingler le pont, couvrant de glace le bastingage et les cordages.

– C'est le sceptre, murmura Nico en soupesant le bâton antique. C'est obligé.

Piper était perplexe. Depuis leur retour du palais de Dioclétien, Jason et Nico se montraient méfiants et nerveux. Il s'était passé quelque chose de grave, là-bas – une chose que Jason se refusait à lui confier.

C'était plausible que le sceptre ait causé ce bouleversement atmosphérique ; la sphère noire qui l'ornait semblait vider l'air de ses couleurs, et les aigles d'or qui la soutenaient brillaient d'un éclat froid. Le sceptre était censé contrôler les morts ; ce qui était sûr, c'était qu'il dégageait de mauvaises vibrations. Gleeson Hedge y avait jeté un seul coup d'œil et il avait blêmi, puis vite annoncé qu'il descendait dans sa cabine regarder des vidéos de Chuck Norris pour s'en remettre. (Cela dit, Piper le soupçonnait d'aller envoyer des messages-Iris à Mellie, sa copine restée à la maison. L'entraîneur avait l'air de s'inquiéter beaucoup pour elle ces derniers temps, mais il refusait de dire à Piper ce qui se passait.)

Alors, oui... le sceptre était peut-être capable de provoquer une tempête verglaçante. Pourtant Piper ne croyait pas que c'était ça. Elle redoutait qu'autre chose ne soit à l'œuvre – autre chose d'encore pire.

– On ne peut pas discuter ici, déclara Jason. Reportons la réunion.

Ils s'étaient tous rassemblés sur le gaillard d'arrière pour discuter de la stratégie à adopter quand ils approcheraient de l'Épire. Maintenant, il était clair que l'endroit était mal choisi. Le vent chassait le givre en travers du pont. La mer bouillonnait sous la coque.

Les vagues ne gênaient pas Piper tant que ça. Le tangage et le roulis lui rappelaient quand elle allait faire du surf avec son père, en Californie. Par contre elle voyait qu'Hazel ne se sentait pas bien du tout. La pauvre, elle avait le mal de mer même par temps calme. Là, on aurait dit qu'elle essayait d'avaler une boule de billard.

– Il faut que...

Hazel eut un haut-le-cœur et pointa du doigt vers la coursive.

– Ouais, vas-y.

Nico l'embrassa sur la joue, à la grande surprise de Piper. C'était très rare qu'il ait des gestes affectueux, même envers sa sœur. Nico semblait détester le contact physique. Embrasser Hazel... c'était presque comme s'il lui disait au revoir.

– Je t'accompagne.

Frank passa un bras autour de la taille d'Hazel et ils se dirigèrent vers l'écoutille.

Piper espérait qu'Hazel se sentirait mieux. Depuis ce combat contre Sciron, elles avaient pas mal bavardé, toutes les deux, le soir. Ce n'était pas évident d'être les deux seules filles à bord. Elles s'étaient raconté des histoires, s'étaient plaintes des habitudes peu ragoûtantes des garçons et avaient pleuré ensemble en évoquant Annabeth. Hazel lui avait un peu expliqué l'effet que ça faisait de contrôler la Brume, et Piper avait été étonnée de découvrir que c'était assez proche de l'enjôlement, à certains égards. Elle avait proposé à Hazel de l'aider si elle le pouvait. En échange, Hazel avait promis de lui faire travailler le combat à l'épée – discipline où Piper brillait par sa nullité. Piper avait l'impression de s'être fait une nouvelle amie, ce qui était super... en admettant qu'elles vivent assez longtemps pour profiter de cette amitié.

Nico passa la main dans ses cheveux mouchetés de cristaux de glace. Il regarda le sceptre de Dioclétien d'un œil sévère.

– Je vais ranger ce truc. Si c'est vraiment lui qui cause le gros temps, ça peut être une bonne idée de le descendre dans les ponts inférieurs.

– Ouais, t'as raison, dit Jason.

Nico jeta un coup d'œil à Piper et Léo, comme s'il se demandait ce qu'ils allaient dire après son départ. Piper sentit qu'il érigeait ses défenses, qu'il se roulait en boule psychologiquement, de la même façon qu'il s'était plongé dans sa transe de mort quand il était enfermé dans la jarre de bronze.

Lorsque Nico s'éloigna, Piper examina le visage de Jason. Ses yeux étaient pleins de sollicitude. Mais que s'était-il donc passé en Croatie ?

Léo sortit un tournevis de sa ceinture.

– C'est râpé pour la grande réunion de l'équipe, dit-il. Nous revoilà seuls tous les trois, on dirait.

Nous revoilà seuls tous les trois.

Piper se rappela cette froide journée de décembre dernier, à Chicago, quand ils s'étaient posés à Millennial Park pour leur première quête.

Léo n'avait pas beaucoup changé depuis, sauf qu'il semblait plus à l'aise dans sa peau d'enfant d'Héphaïstos. Il avait toujours eu un trop-plein d'énergie. Maintenant il savait en tirer parti. Ses mains étaient sans cesse en mouvement ; quand il ne réglait pas des commandes, il sortait des outils de sa ceinture ou bricolait sa sphère d'Archimède bien-aimée. Aujourd'hui, il l'avait retirée du tableau de bord et il avait débranché Festus, la figure de proue, pour procéder à son entretien – il avait parlé d'un recâblage du processeur pour permettre une mise à jour du contrôle des moteurs via la sphère... enfin, un truc de ce goût-là.

Quant à Jason, il était plus mince, un peu plus grand, peut-être, et plus marqué. Ses cheveux, au départ coupés en brosse impeccable et stricte, à la romaine, étaient aujourd'hui plus longs et flottants. Le trait laissé par la flèche de Sciron sur le côté gauche de sa tête apportait quelque chose d'intéressant à son visage, presque comme une mèche rebelle. Ses yeux bleu glacier étaient plus mûrs, on y lisait de l'inquiétude et de la responsabilité.

Piper savait ce que ses amis disaient en douce de Jason : qu'il était trop parfait, trop rigide. Si tant est que ça ait jamais été vrai, ça ne l'était plus. Il avait reçu des coups pendant ce voyage, et pas seulement physiquement. Ses épreuves ne l'avaient pas affaibli, mais elles l'avaient assoupli comme du cuir qu'on travaille ; il se muait en une version plus aimable de lui-même.

Et Piper ? Elle ne pouvait qu'imaginer ce que Léo et Jason pensaient en la regardant. Mais elle avait l'impression d'être une tout autre personne que l'hiver dernier.

Cette première quête pour sauver Héra lui semblait remonter à plusieurs siècles. Il y avait eu tant de changements en sept mois... elle se demanda comment les dieux supportaient de vivre des milliers d'années. Combien de changements avaient-ils vus, eux ? Ce n'était peut-être pas étonnant si les Olympiens paraissaient un peu toqués. Si elle avait dû traverser trois millénaires, Piper aurait perdu les pédales.

Elle regarda la pluie froide et cinglante. Elle aurait donné n'importe quoi pour être de retour à la Colonie des Sang-Mêlé, où le temps était contrôlé, même en hiver. Mais les images qu'elles avaient vues récemment sur la lame de son poignard... pas de quoi être optimiste.

Jason lui pressa l'épaule.

– Hé, ça va aller, dit-il. On approche de l'Épire. Plus qu'un jour ou deux, si les indications de Nico sont bonnes.

– Ouaip. (Léo taquinait une des gemmes incrustées à la surface de sa sphère.) D'ici à demain matin, nous atteindrons la côte ouest de la Grèce. Ensuite encore une heure de voyage à l'intérieur des terres et bingo ! la Maison d'Hadès ! J'vais m'acheter le tee-shirt, les potos !

– Ça va déchirer, murmura Piper d'un ton ironique.

Elle n'était pas impatiente de replonger dans le noir. Elle faisait encore des cauchemars de l'hypogée et du nymphée souterrains de Rome. Dans la lame de Katoptris, elle avait vu des images semblables à celles que Léo et Hazel avaient rapportées de leurs rêves : une sorcière pâle en robe dorée, dont les mains tissaient une lumière blonde dans l'air comme de la soie sur un métier ; un géant drapé d'ombres descendant à pas lourds un long couloir bordé de flambeaux, qui s'éteignaient un à un à son passage. Elle avait vu une immense caverne pleine de monstres, horriblement, ridiculement nombreux qui les encerclaient, elle et ses amis – des Cyclopes, des Ogres de Terre et d'autres créatures encore plus étranges...

Chaque fois qu'elle voyait ces images, une voix dans sa tête répétait un même vers, inlassablement.

– Les gars, dit-elle, j'ai repensé à la prophétie des Sept.

Il en fallait beaucoup pour détourner l'attention de Léo de son travail, mais là, elle y était parvenue.

– Et alors ? demanda-t-il. T'as pensé quoi ? Des trucs bien, j'espère ?

Elle remonta la bandoulière de sa corne d'abondance sur son épaule. Parfois, la corne d'abondance était tellement légère qu'elle l'oubliait. D'autres fois elle pesait un âne mort, comme si le dieu-fleuve Achéloüs lui envoyait de mauvaises vibrations pour la punir de la lui avoir volée.

– Sur Katoptris, commença-t-elle, je vois tout le temps le géant Clytios, celui-ci est drapé dans des ombres. Je sais que sa faiblesse est le feu, mais dans mes visions, il éteint toutes les flammes sur son passage. Elles sont toutes aspirées par son nuage d'obscurité.

– On dirait Nico, plaisanta Léo. Vous pensez qu'il y a un lien de parenté ?

Jason tiqua.

– C'est bon, Léo, dit-il, lâche un peu Nico. Alors, Piper, ce géant ? Qu'est-ce que tu pensais ?

Piper et Léo échangèrent un regard surpris, qui disait : *Depuis quand Jason prend-il la défense de Nico di Angelo ?*

Mais elle décida de ne pas relever.

– Je n'arrête pas de penser au feu, dit-elle. On s'imagine tous que Léo va vaincre ce géant parce qu'il est...

– Chaud bouillant ? suggéra Léo en souriant.

– Euh, disons inflammable. Bref, il y a un vers de la prophétie qui me tourne dans la tête : *Sous les flammes ou la tempête le monde doit tomber.*

– Ouais, on le connaît, tu parles, fit Léo. Tu vas dire que je suis le feu et que Jason est la tempête.

Piper hocha la tête à contrecœur. Elle savait qu'aucun d'eux n'avait envie de le dire, mais ils avaient dû tous *sentir* que c'était la vérité.

Le bateau tangua à tribord. Jason se rattrapa au bastingage glacé.

– Alors tu as peur qu'un de nous deux mette la quête en danger, voire détruise le monde par accident, c'est ça ? demanda-t-il.

– Non, répondit Piper. Je crois qu'on a mal interprété ce vers. *Le monde...* la Terre. En grec, la Terre, ça se dit...

Elle hésita, réticente à prononcer le nom à voix haute, même en mer.

– Gaïa. (Un intérêt soudain brillait dans les yeux de Jason.) Tu veux dire : *Sous les flammes ou la tempête Gaïa doit tomber ?*

– Oh... (Le sourire de Léo lui grimpa jusque derrière les oreilles.) Tu sais, j'aime bien mieux ta version. Parce que si c'est moi, Mister Flammes, qui fait tomber Gaïa, c'est la grande classe.

– Oui, ou moi, Mister Tempête. (Jason embrassa Piper.) C'est génial ! Si tu as raison, c'est une super nouvelle. Il nous reste juste à trouver lequel de nous deux va détruire Gaïa.

– Peut-être. (Piper ne voulait pas leur donner de faux espoirs.) Seulement vous voyez, c'est les flammes *ou* la tempête...

Elle dégaina son poignard, Katoptris, et le déposa sur le tableau de bord. Aussitôt la lame clignota et s'y dessina la silhouette sombre du géant Clytios, avançant dans un couloir en éteignant des flambeaux sur son passage.

– Je m'inquiète pour Léo et ce combat contre Clytios, dit Piper. Ce vers de la prophétie donne à croire qu'un seul de vous deux peut réussir. Et si le passage *Sous les flammes ou la tempête* est relié au troisième vers, *Serment sera tenu en un souffle dernier...*

Elle n'alla pas au bout de sa pensée, mais elle vit à leur expression que Jason et Léo avaient compris. Si son interprétation de la prophétie était la bonne, l'un d'eux vaincrait Gaïa. L'autre mourrait.

42 PIPER

Léo avait les yeux rivés sur le poignard.

– D'accord... en fin de compte je kiffe moins ton idée que je croyais. Tu penses que l'un de nous va détruire Gaïa et que l'autre va mourir ? Ou alors un de nous meurt en la détruisant ? Ou alors...

– Stop, les gars, l'interrompit Jason. On va devenir dingues si on y réfléchit trop. Vous savez bien comment sont les prophéties. Les héros s'attirent toujours des ennuis en essayant de les empêcher.

– Ouais, marmonna Léo. Ce serait trop dommage de s'attirer des ennuis. Parce que là on est tellement peinards.

– Non mais vous savez ce que je veux dire. Le vers sur le *souffle dernier* n'est peut-être pas lié à celui qui dit *Sous les flammes ou la tempête*. Et si ça se trouve, le feu et la tempête ce n'est pas même nous deux. Percy peut lever des ouragans.

– Et puis je pourrais enflammer M'sieur Hedge, avança Léo. Comme ça, il serait le feu.

La pensée d'un satyre en flammes attaquant Gaïa en hurlant « Crève, saleté ! » était presque suffisante pour faire rire Piper – presque.

– J'espère me tromper, dit-elle prudemment. Mais rappelez-vous que toute cette quête a commencé quand nous avons retrouvé Héra et réveillé le roi géant, Porphyrion. J'ai l'intuition que la guerre finira avec nous aussi. Pour le meilleur ou pour le pire.

– Hé, dit Jason, personnellement, je nous aime bien.

– Positif, dit Léo. *Nous* est ma personne préférée.

Piper sourit. Elle les aimait trop, ces gars. Elle regrettait de ne pas pouvoir enjôler les Parques, leur décrire une fin heureuse et les forcer à la faire se réaliser.

Malheureusement il lui était difficile d'imaginer un happy end avec toutes les idées noires qu'elle avait en tête. Elle avait peur que le géant Clytios n'ait été mis sur leur route pour éliminer Léo, en tant que menace. Ce qui voudrait dire que Gaïa tenterait d'éliminer Jason aussi. Sans tempête ni flammes, leur quête serait vouée à l'échec.

Et ce temps hivernal l'inquiétait aussi... Elle était certaine qu'il était provoqué par autre chose que le seul sceptre de Dioclétien. Le vent froid, le mélange de glace et de pluie avaient quelque chose de délibérément hostile, et qui lui rappelait vaguement quelque chose.

Cette odeur dans l'air, l'odeur épaisse de...

Piper aurait dû comprendre plus vite ce qui se passait, mais elle avait presque toujours vécu en Californie du Sud, où les saisons sont très peu marquées. Elle n'avait pas grandi avec cette odeur... l'odeur de la neige imminente.

Tous les muscles de son corps se tendirent.

– Léo, donne l'alarme.

Piper avait usé de son enjôlement sans s'en rendre compte, et Léo lâcha immédiatement son tournevis pour enfoncer le bouton de l'alarme. Il fronçant les sourcils en voyant qu'il ne se passait rien.

– Euh, c'est déconnecté, se rappela-t-il. Festus est désactivé. Donne-moi une minute, que je relance le système.

– On n'a pas une minute ! Les feux, il nous faut des fioles de feu grec. Jason, appelle les vents. Des vents chauds, du sud.

– Une seconde ! (Jason regarda Piper sans comprendre.) Qu'est-ce qui se passe ?

– C'est elle ! (Piper saisit son poignard.) Elle est revenue ! Il faut...

Avant qu'elle n'ait pu finir, le bateau gîta sur tribord. La température chuta si abruptement que les voiles craquelèrent sous le gel. Les boucliers de bronze qui bordaient le bastingage sautèrent comme des cannettes de soda en surpression.

Jason tira son épée, mais c'était trop tard. Il fut balayé par une vague de particules de glace qui le nappa comme un gâteau d'une fine couche brillante et le gela sur place. Ses yeux, sous une épaisseur de glace, étaient écarquillés par la stupeur.

– Léo ! Des flammes ! Vite ! hurla Piper.

La main droite de Léo prit feu, mais le vent tournoya autour de lui et l'éteignit. Et, alors qu'il attrapait sa sphère d'Archimède, un nuage en entonnoir le happa et le fit décoller du sol.

– Hé ! cria Léo. Hé, lâche-moi !

Piper fonça vers lui, mais une voix, dans la tempête, lança :

– Oh oui, Léo Valdez. Compte sur moi pour te lâcher *une fois pour toutes.*

Léo fut propulsé dans l'air comme par une catapulte. Il disparut dans les nuages.

– Non !

Piper brandit son poignard, sans pourtant trouver quiconque à attaquer. Elle jeta un regard éperdu vers l'écoutille dans l'espoir de voir ses amis arriver à la rescousse, mais un bloc de glace scellait l'escalier. Peut-être même que le pont inférieur tout entier était pris en glace.

Il lui fallait une meilleure arme pour se battre – autre chose que sa voix, un stupide poignard diseur de bonne aventure et une corne d'abondance qui décochait des jambons et des fruits.

Elle se demanda si elle pouvait arriver jusqu'à la baliste.

Et puis ses ennemis se montrèrent, et elle se rendit compte qu'aucune arme ne serait assez puissante.

Au milieu du navire se tenait une fille en robe de soie fluide, à la crinière brune relevée par un serre-tête en diamants. Ses yeux étaient de la couleur du café, la chaleur en moins.

Derrière elle venaient ses frères, deux jeunes gens aux ailes de plumes violettes et aux cheveux blanc neige, armés d'épées de bronze céleste crantées.

– Quel infini plaisir de te revoir, ma chérie, dit Chioné, déesse de la neige. Voici l'heure de nos glaciales retrouvailles.

43 PIPER

Ce ne fut pas l'idée de Piper, de décocher des muffins aux myrtilles. La corne d'abondance avait dû sentir sa détresse et en conclure que des viennoiseries juste sorties du four lui feraient du bien, à elle et à ses visiteurs.

Une demi-douzaine de muffins encore chauds fusèrent de la corne d'abondance telle une décharge de chevrotine. Pas très efficace comme amorce offensive.

Chioné se pencha sur le côté, et la plupart des muffins se perdirent par-dessus bord. Ses frères, les Boréades, en attrapèrent un au vol chacun et se mirent à manger.

– Muffins, dit le plus grand. (C'était Cal, diminutif de Calaïs, se souvint Piper. Il arborait le même accoutrement qu'à Chicago – un maillot de hockey rouge, un pantalon de jogging large et des chaussures à crampons en cuir noir – et il avait les deux yeux pochés ainsi que plusieurs dents en moins.) C'est bon les muffins.

– Ah, *merci*, dit le frère gringalet. (Zétès, se souvenait-elle.) Il était debout sur la plateforme de la catapulte, ailes violettes déployées. Il arborait toujours son horrible coupe de cheveux « nuque longue » de l'âge d'or de la disco. Le col de sa chemise en soie s'ouvrait largement sur son poitrail chétif, et il était ridiculement moulé dans son pantalon de polyester vert chartreuse. Son acné ne s'était pas arrangée, loin de là.

Sans complexes, il joua des sourcils et sourit comme s'il était le demi-dieu de la drague.

– Je savais que je lui manquerais, à la petite mignonne.

Il s'exprimait en français du Québec, que Piper comprenait sans difficulté. Elle avait hérité de sa mère Aphrodite la maîtrise de la langue de l'amour, même si elle ne voulait pas la parler avec Zétès.

– Qu'est-ce que tu fais ? lui demanda Piper, qui ajouta, en enjôlement : Relâche mes amis.

Zétès battit des paupières.

– On devrait relâcher ses amis, dit-il.

– Oui, renchérit Cal.

– Mais non, ballots ! s'irrita Chioné. Elle vous enjôle ! Servez-vous de vos neurones.

– Neurones... (Cal fronça les sourcils, pas certain de connaître le mot.) Les muffins, c'est meilleur.

Zétès détacha une myrtille et la grignota délicatement.

– Ah, ma jolie Piper... Ça fait si longtemps que j'attends de te revoir. Malheureusement ma sœur a raison. Nous ne pouvons pas libérer tes amis. En fait nous devons les emmener au Québec, où ils seront la proie des moqueries pour l'éternité. Je suis désolé, mais ce sont nos ordres.

– Vos ordres... ?

Depuis l'hiver, Piper savait que, tôt ou tard, Chioné allait montrer son nez glacé. Lorsqu'ils l'avaient battue à la Maison du Loup à Sonoma, la déesse de la neige avait juré de prendre sa revanche. Mais Calaïs et Zétès, que faisaient-ils là ? Au Québec, les Boréades s'étaient montrés presque chaleureux – du moins comparés à leur sœur frigorifique.

– Écoutez-moi, les garçons, dit Piper. Votre sœur a désobéi à Borée. Elle collabore avec les géants pour réveiller Gaïa. Elle veut renverser votre père et s'emparer du trône.

Chioné émit un petit rire froid.

– Chère Piper McLean ! Ça te ressemble bien de manipuler mes chiffes de frères avec tes charmes, en vraie fille de la déesse de l'amour. Quelle menteuse accomplie...

– Menteuse ? s'écria Piper. Tu as essayé de nous tuer ! Zétès, elle travaille pour Gaïa !

Zétès grimaça.

– Hélas, ma jolie, dit-il. Nous travaillons tous pour Gaïa, à présent. Ce sont les ordres de mon père, Borée en personne.

– Comment ?

Piper refusait d'y croire, mais le sourire suffisant de Chioné lui confirma que c'était vrai.

– Mon père a enfin vu la sagesse de mes conseils, susurra la déesse de la neige. Plus exactement, il l'a vue avant que son aspect romain ne commence à guerroyer avec son aspect grec. Il n'est pas en état d'assurer ses fonctions, en ce moment, malheureusement, mais il m'a chargée de le remplacer. Il a ordonné que les forces du Vent du Nord soient mises au service du roi Porphyrion et, bien sûr... de notre mère la Terre.

Piper ravala sa salive.

– Mais comment peux-tu être là ? demanda-t-elle en montrant la glace qui couvrait le navire. C'est l'été !

Chioné haussa les épaules.

– Nos pouvoirs augmentent. Les règles de la nature sont sens dessus dessous. Une fois que notre mère la Terre se sera réveillée, nous refaçonnerons le monde comme ça nous plaira !

– Avec du hockey, dit Cal, la bouche encore pleine. De la pizza et des muffins.

– Oui, oui, j'ai dû faire quelques promesses à Simplet, ricana Chioné. Quant à Zétès...

– Oh, j'ai des besoins simples. (Zétès se lissa les cheveux en décochant un clin d'œil à Piper.) J'aurais dû te retenir au palais quand nous nous sommes rencontrés, ma chère Piper.

Mais bientôt nous y retournerons, tous les deux, et je te ferai le plan love du siècle.

– Merci, mais non merci, rétorqua Piper. Et maintenant, *libère Jason.*

Elle insuffla tout son pouvoir dans ces mots et Zétès lui obéit. Il claqua des doigts et Jason décongela instantanément. Il s'écroula sur le pont, hoquetant, fumant de vapeur – mais bien vivant.

– Espèce d'imbécile ! (Chioné tendit la main et Jason recongela, cette fois-ci étalé au sol comme une peau d'ours. Elle fit volte-face vers Zétès.) Si tu veux la fille comme trophée, tu dois prouver que tu peux la contrôler, pas l'inverse !

– Oui, bien sûr, opina Zétès d'un ton chagrin.

– Quant à Jason Grace... (Les yeux bruns de Chioné brillèrent.) Lui et le reste de tes amis iront rejoindre notre galerie de statues de glace au Québec. Jason apportera une touche de *grâce* à ma salle du trône.

– Joli ! marmonna Piper. Il t'a fallu toute la journée pour la trouver, ta blagounette ?

Au moins, elle savait que Jason était encore en vie – ce qui calmait un peu sa panique. L'effet de la congélation pouvait être annulé. Ce qui voulait dire que les autres, aux ponts inférieurs, étaient sans doute encore vivants. Il lui fallait juste un plan pour les sauver.

Malheureusement, Piper n'était pas Annabeth. Elle n'était pas aussi forte pour improviser des plans. Elle avait besoin de temps pour réfléchir.

– Et Léo ? demanda-t-elle abruptement. Où l'as-tu expédié ?

La déesse de la neige faisait le tour de Jason à pas délicats, comme si elle examinait une peinture de trottoir.

– Léo Valdez méritait un châtiment sur mesure, dit-elle. Je l'ai expédié dans un lieu d'où il ne pourra jamais revenir.

Piper sentit le souffle lui manquer. Pauvre Léo. La pensée de ne plus le revoir lui broya le cœur. Chioné dut le lire sur son visage.

– Hélas, ma chère Piper ! s'exclama-t-elle avec un sourire de triomphe. Mais c'est pour le mieux. Il n'était pas question de tolérer Léo, même en statue de glace, après l'affront qu'il m'avait fait. Il a refusé de régner à mes côtés, cet imbécile ! Et puis son pouvoir sur le feu... (Elle secoua la tête.) Non, non, on ne pouvait pas le laisser arriver à la Maison d'Hadès. Je crois que le seigneur Clytios déteste le feu encore plus que moi.

La main de Piper se serra sur le manche de son poignard.

Le feu, pensa-t-elle. *Merci de me le rappeler, sale sorcière.*

Elle balaya le pont du regard. Comment faire du feu ? Il y avait bien une caisse de fioles de feu grec, soigneusement rangée derrière la baliste avant, mais c'était trop loin. Et même si elle arrivait jusque là-bas sans se faire congeler, le feu grec brûlerait tout, y compris le navire et ses amis. Il fallait qu'elle trouve un autre moyen. Ses yeux se posèrent sur la proue.

Ah.

Festus, la figure de proue, avait une sérieuse puissance de flammes. Malheureusement, Léo l'avait déconnecté et Piper n'avait pas la moindre idée de comment le remettre en marche. Elle n'aurait jamais le temps d'étudier les différents boutons du tableau de bord. Elle se souvenait vaguement de Léo bricolant à l'intérieur du crâne de bronze du dragon en marmonnant une histoire de disque de contrôle, mais même si elle arrivait à la proue, Piper ne saurait pas quoi faire.

Pourtant son instinct lui disait que Festus était sa seule chance. Si seulement elle trouvait le moyen de convaincre ses ravisseurs de la laisser s'approcher suffisamment...

– Bien ! (Chioné interrompit le fil de ses pensées.) Je crois que notre rencontre s'achève. Zétès, si tu veux bien...

– Attendez ! s'écria Piper.

Un ordre simple, et qui marcha. Les Boréades et Chioné se tournèrent vers elle en fronçant les sourcils.

Piper était quasiment sûre de pouvoir contrôler les frères par enjôlement ; le problème, c'était Chioné. L'enjôlement n'était pas très efficace quand la personne n'était pas attirée par vous. Il n'était pas efficace non plus sur des êtres puissants comme les dieux. Et il n'était pas efficace quand votre victime était informée et exerçait toute sa vigilance pour y résister. Or tout cela s'appliquait à Chioné.

Qu'aurait fait Annabeth ?

Gagner du temps, pensa Piper. *Dans le doute, parle.*

– Tu as peur de mes amis, dit-elle. Alors pourquoi tu ne les tues pas, tout simplement ?

Chioné rit et répondit :

– Tu n'es pas une déesse, sinon tu comprendrais. La mort est tellement brève, tellement insatisfaisante. Vos âmes chétives de mortels s'en vont aux Enfers, et ensuite ? Au mieux, si j'ai de la chance, vous finissez aux Champs du Châtiment ou dans l'Asphodèle, mais vous autres, demi-dieux, vous êtes d'une grandeur d'âme insupportable. Le plus probable, c'est que vous serez envoyés à l'Élysée ou que vous aurez droit à revivre une nouvelle vie. Alors pourquoi je donnerais cette chance à tes amis ? Tu peux me dire, alors que j'ai la possibilité de les châtier éternellement ?

– Et moi ? se força à demander Piper. Pourquoi suis-je encore en vie et à 37 degrés ?

Chioné jeta un coup d'œil agacé à ses frères.

– Zétès t'a réclamée, et de un.

– J'embrasse à merveille, promit Zétès. Tu verras, ma jolie.

Piper sentit son estomac se soulever.

– Mais il n'y a pas que ça, reprit Chioné. La vraie raison, Piper, c'est que je te déteste, je te hais. Passionnément, profondément. Sans toi, Jason serait resté avec moi au Québec.

– Tu crois pas que tu te fais un film, là ?

Les yeux de Chioné se firent aussi durs que les diamants de son diadème.

– Tu te mêles de ce qui ne te regarde pas, poursuivit-elle, tu es la fille d'une déesse inutile. Qu'es-tu capable de faire toute seule ? Rien. De tous les sept demi-dieux, tu es la seule qui n'a aucune raison d'être et aucun pouvoir. Je te souhaite de rester à bord de ce bateau, à la dérive et impuissante, pendant que Gaïa se réveillera et que le monde connaîtra sa fin. Et pour être bien sûre de ne pas t'avoir dans mes pattes...

Elle fit un geste à Zétès, qui cueillit quelque chose dans l'air : une sphère gelée de la taille d'un ballon de foot, hérissée de pointes de glace.

– Une bombe, expliqua Zétès. Spécialement choisie pour toi, mon amour.

– Bombe ! s'écria Cal en riant. Des bombes et des muffins ! Quelle belle journée !

– Euh... (Piper baissa son poignard, qui lui semblait encore plus inutile que d'habitude.) J'aurais préféré des fleurs.

– Oh, ça ne tuera pas la mignonne. (Zétès fronça les sourcils.) Enfin, je suis pratiquement sûr. Mais lorsque ce réceptacle fragile craquera, dans... en gros, pas très longtemps... toute la force des vents du nord se déchaînera. Ce navire sera emporté très loin de son cap. Très, très loin.

– Eh oui... (Chioné hocha la tête en feignant de s'apitoyer.) On va prendre tes amis pour notre collection de statues, puis libérer les vents et t'expédier... bye-bye Piper ! Tu pourras suivre la fin du monde depuis le bout du monde ! Tu pourras peut-être enjôler les poissons et te nourrir avec ta corne d'abondance à la noix. Tu pourras arpenter le pont de ce bateau vide et nous regarder triompher sur la lame de ton petit poignard. Lorsque Gaïa se sera éveillée et que le monde tel que tu l'as toujours connu n'existera plus, alors, à ce moment-là, Zétès pourra revenir te chercher pour faire de toi sa petite femme. Et comment t'opposeras-tu à nous, hein, Piper ? Toi, une héroïne ? Ha ! Tu me fais bien rire.

Les paroles de Chioné étaient cinglantes comme la grêle, en grande partie parce qu'elles faisaient écho aux propres pensées de Piper. Que pouvait-elle faire ? Comment pouvait-elle sauver ses amis avec les armes dont elle disposait ?

Elle faillit péter les plombs – se jeter sur ses ennemis dans un accès de rage et se faire tuer.

Elle remarqua l'expression suffisante de Chioné et comprit que la déesse n'attendait que ça. Elle voulait voir Piper craquer. Elle voulait s'amuser.

Piper sentit sa colonne vertébrale se raidir comme de l'acier. Elle se rappela les filles qui se moquaient d'elle à l'école du Monde Sauvage. Elle se rappela Drew, la cruelle conseillère en chef qu'elle avait remplacée à la tête du bungalow d'Aphrodite ; Médée, qui avait séduit Jason et Léo à Chicago ; Jessica, l'ancienne assistante de son père, qui l'avait toujours traitée comme une gamine capricieuse et bonne à rien... Toute sa vie, Piper avait été confrontée à des gens qui la regardaient de haut en lui disant qu'elle n'était bonne à rien.

Ça n'a jamais été vrai, chuchota une autre voix – une voix qui ressemblait à celle de sa mère. *Toutes autant qu'elles sont, elles te rabaissaient parce qu'elles avaient peur de toi et qu'elles étaient jalouses. Chioné, c'est pareil. Sers-toi de ça !*

Piper n'en avait pas envie, mais elle se força à rire. Un petit gloussement, d'abord, puis elle puisa plus profond en elle et le rire lui vint plus facilement. En quelques instants, elle était pliée en deux et pouffait à s'en étrangler.

Calaïs s'esclaffa lui aussi, mais Zétès le rappela au calme d'un coup de coude.

Le sourire de Chioné tremblota.

– Quoi ? Qu'y a-t-il de si drôle ? dit-elle. J'ai prononcé ta perte !

– Ha, ma perte ! (Piper rit de plus belle.) Oh, par les dieux... excuse-moi. (Elle reprit son souffle tant bien que mal et s'efforça d'arrêter de rire.) Oh là là... trop marrant... Bon. Tu crois vraiment que je n'ai aucun pouvoir ? Tu crois vraiment que je suis bonne à rien ? Par les dieux de l'Olympe, ma pauvre, tu dois avoir une brûlure de congélation au cerveau. Tu ne connais pas mon secret, dis-moi ?

Chioné plissa les yeux.

– Tu n'as pas de secret, dit-elle. Tu mens.

– OK, comme tu voudras. Ouais vas-y, prends mes amis et laisse-moi ici... en bonne à rien que je suis. (Elle plissa le nez.) Ouais. Gaïa sera trop contente de toi.

Des volutes de neige tourbillonnèrent autour de la déesse. Zétès et Calaïs échangèrent un regard inquiet.

– Sœurette, commença Zétès, si elle a vraiment un secret...

– Pizza ? spécula Cal. Hockey ?

– ... ben il faudrait qu'on le sache, poursuivit Zétès.

Visiblement, Chioné ne mordait pas à l'hameçon. Piper s'efforça de garder le visage sérieux, en glissant juste une pointe de malice et d'humour dans son regard. Mentalement, elle mettait la déesse au défi.

Vas-y, prends-moi au mot.

– Quel secret ? demanda alors Chioné. Dévoile-le-nous !

Piper haussa les épaules.

– Si ça peut te faire plaisir. (Elle tendit la main vers la proue d'un geste désinvolte.) Suivez-moi, gens de glace.

44 Piper

Elle se fraya un passage entre les Boréades, ce qui était un peu comme traverser la chambre froide d'une boucherie. L'air qui les entourait était si froid que ça lui brûla le visage. Elle eut l'impression d'inhaler de la neige.

Piper s'efforça de ne pas regarder le corps étendu et congelé de Jason en passant. Elle s'interdit aussi de penser à ses amis, dans les ponts inférieurs, et à Léo, propulsé dans le ciel vers un point de non-retour. Et, surtout, elle s'interdit de penser aux Boréades et à la déesse de la neige qui la suivaient.

Elle gardait les yeux rivés sur la figure de proue.

Le bateau tangua sous ses pieds. Une bouffée d'air estival isolée traversa l'air glacé et Piper inspira à fond. Un bon présage, se dit-elle. C'était encore l'été ici, malgré tout ; Chioné et ses frères n'avaient rien à y faire.

Piper savait qu'elle ne pouvait pas remporter frontalement un combat contre Chioné et ses deux frères ailés armés d'épée. Elle n'avait pas l'intelligence d'Annabeth, ni la débrouillardise de Léo. Mais elle avait bel et bien du pouvoir, et comptait s'en servir.

La veille au soir, en bavardant avec Hazel, Piper s'était rendu compte que le secret de l'enjôlement était très proche de celui de la Brume. Par le passé, elle avait souvent eu du mal à faire opérer ses charmes parce qu'elle ordonnait toujours à ses ennemis de faire ce qu'*elle* souhaitait les voir faire. Elle hurlait « Ne nous tue pas ! » à des dragons dont le plus vif désir était de les tuer. Elle mettait tout son pouvoir dans sa voix en espérant que ça suffirait pour dominer la volonté de l'ennemi.

Parfois ça marchait, mais c'était épuisant et peu fiable. L'approche d'Aphrodite n'était pas l'affrontement direct. C'était la subtilité, la ruse, le charme. Piper en avait conclu que tous ses efforts devaient viser non pas à amener les gens à faire ce qu'elle voulait, mais à les pousser à faire des choses qu'eux-mêmes souhaiteraient faire.

Vaste programme... encore fallait-il l'appliquer.

Elle s'arrêta à la hauteur du mât de misaine et se tourna face à Chioné.

– Waouh, tu sais quoi ? lui dit-elle d'une voix empreinte de pitié. Je viens juste de comprendre pourquoi tu nous détestes autant. On t'a méchamment humiliée à Sonoma.

Les yeux de Chioné brillèrent comme un expresso glacé. Elle coula un petit regard gêné à ses frères.

– Oh oh ! fit Piper en riant. Tu ne leur as pas dit ? Remarque, je te comprends, c'est un peu la honte. Tu avais un roi géant de ton côté, plus une armée de loups et d'Ogres de Terre, et pourtant tu n'es pas arrivée à nous battre.

– Silence ! tança la déesse.

L'air s'embua. Piper sentit ses sourcils se prendre en givre, le froid s'insinuer à l'intérieur de ses oreilles, mais elle esquissa un sourire.

– Peu importe. (Elle lança un clin d'œil à Zétès). Mais quand même, c'était plutôt marrant.

– La jolie fille doit mentir, dit Zétès. Chioné ne s'est pas fait battre à Sonoma. Elle a dit qu'elle a... euh, quel est le terme ? Opéré un repli.

– Un repli ? répéta Cal. C'est bon, ça.

– Non, Cal, dit Piper en lui donnant une bourrade taquine dans le torse. Ça ne se mange pas, ça veut dire que ta sœur a pris la fuite.

– C'est faux ! hurla Chioné.

– Héra t'a traitée de quoi, déjà ? ajouta Piper, l'air de chercher. Ah oui... de déesse de second plan !

Elle éclata de rire de nouveau, et son amusement paraissait si sincère que Cal et Zétès se mirent à rire eux aussi.

– Excellent ! dit Zétès. Déesse de second plan, ha ha ha !

– Hi hi ! fit Cal. Sœurette a pris la fuite !

La robe blanche de Chioné se mit à fumer. Des blocs de glace se formèrent sur les bouches de Cal et Zétès, les réduisant au silence.

– Montre-nous donc ton fameux secret, Piper Mc Lean, gronda Chioné. Et ensuite prie pour que je te laisse intacte sur ce navire. Si tu cherches à nous embobiner, je te ferai découvrir l'horreur des gelures. Je suis pas sûre que Zétès voudra encore de toi si tu perds tes doigts ou tes orteils. Voire ton nez ou tes oreilles.

Zétès et Cal recrachèrent leurs bouchons de glace.

– La jolie fille serait moins jolie sans son nez, reconnut Zétès.

Piper avait vu des photos de personnes ayant souffert de gelures. La menace de Chioné la terrifiait, mais elle n'en laissa rien paraître.

– Venez, alors.

Elle se dirigea vers la proue en fredonnant une des chansons préférées de son père : « Summertime ».

Arrivée devant la figure de proue, elle posa la main sur le cou de Festus. Ses écailles de bronze étaient froides. Il ne vibrait pas sous le jeu des rouages. Ses yeux de rubis étaient ternes et éteints.

– Tu te souviens de notre dragon ? demanda Piper.

Chioné eut une moue méprisante.

– C'est ça, ton secret ? Il est cassé, votre dragon. Il n'a plus de flammes.

– Oui, mais...

Piper caressa le museau de Festus. Elle n'avait pas le pouvoir d'allumer des circuits ou d'enclencher des mécanismes, comme Léo. Elle était incapable de sentir le fonctionnement d'une machine. Tout ce qu'elle pouvait faire, c'était dire avec sincérité ce que le dragon avait le plus envie d'entendre.

– Mais Festus est plus qu'un automate, dit-elle. C'est une créature vivante.

– Ridicule, cracha Chioné. Zétès, Cal, allez chercher les demi-dieux congelés qui sont en bas. Ensuite nous briserons la sphère des vents.

– Oui, vous pourriez faire ça, les garçons, dit Piper, seulement ça vous priverait de voir Chioné humiliée. Et pourtant je sais que ça vous plairait.

Les Boréades hésitèrent.

– Hockey ? demanda Cal.

– Presque aussi bien, promit Piper. Vous vous êtes battus aux côtés de Jason et des Argonautes, n'est-ce pas ? Sur un navire pareil à celui-ci, le premier *Argo*.

– Oui, confirma Zétès. L'*Argo*. Il ressemblait beaucoup à celui-ci, mais nous n'avions pas de dragon.

– Ne l'écoutez pas ! aboya Chioné.

Piper sentit de la glace se former sur ses lèvres.

– Tu peux me faire taire, s'empressa-t-elle de dire. Mais tu veux connaître mon pouvoir secret, celui qui va me permettre de vous détruire, toi, Gaïa et les géants.

Les yeux de Chioné brûlaient de haine, mais elle retint son gel.

– Tu n'as aucun pouvoir, martela-t-elle.

– Venant d'une déesse de second plan, rétorqua Piper. Qui n'est jamais prise au sérieux, qui veut toujours plus de pouvoir...

Elle se tourna vers Festus et passa la main derrière ses oreilles de métal.

– Tu es un bon ami, Festus. Personne ne peut te désactiver totalement. Tu es plus qu'une machine. Mais Chioné ne peut pas comprendre.

Là-dessus, Piper s'adressa aux Boréades.

– Vous non plus, elle ne vous estime pas à votre juste valeur, vous savez. Elle croit qu'elle peut vous mener à la baguette parce que vous êtes des demi-dieux, et non des dieux à part entière. Elle ne comprend pas que vous formez une équipe puissante.

– Une équipe, grogna Cal. Comme les Ca-na-di-ens.

Il eut du mal à prononcer le mot, qui dépassait les deux syllabes. Il sourit, l'air très content de lui.

– Exactement, dit Piper. Comme une équipe de hockey. Le tout est plus grand que l'ensemble des parties.

– Comme une pizza, ajouta Cal.

Piper rit.

– Mais tu es futé, Cal ! Même moi, je t'avais sous-estimé.

– Attends, attends, protesta Zétès. Moi aussi je suis futé. Et beau gosse en plus.

– *Très* futé, acquiesça Piper, en faisant l'impasse sur le côté « beau gosse ». Alors pose cette bombe et regarde Chioné se faire humilier.

Zétès sourit. Il s'accroupit et envoya rouler la sphère de glace en travers du pont.

– Espèce d'imbécile ! hurla Chioné.

Sans laisser à la déesse le temps de courir après la sphère, Piper s'écria :

– La voilà, notre arme secrète, Chioné ! Nous ne sommes pas juste une bande de demi-dieux, nous sommes une équipe. Pareil pour Festus, ce n'est pas un simple assemblage de pièces, c'est un être vivant. C'est mon ami. Et quand ses amis sont en difficulté, en particulier Léo, il peut se réveiller par lui-même.

Elle insuffla toute son assurance dans sa voix, tout son amour pour le dragon de métal qui en avait tant fait pour eux.

La raison de Piper lui disait que c'était sans espoir : qui pouvait lancer une machine avec des émotions ?

Mais Aphrodite n'était pas rationnelle. Elle régnait par les émotions. C'était la plus ancienne des dieux olympiens, née du sang d'Ouranos brassé par les flots marins. Son pouvoir était primordial, bien antérieur à celui d'Héphaïstos, d'Athéna ou même de Zeus.

Pendant un terrible instant, il ne se passa rien. Chioné toisa Piper d'un regard haineux. Les Boréades commençaient à s'arracher à leur fascination, et la déception se peignait sur leurs visages.

– Tant pis pour le plan, tuez-la ! ordonna Chioné d'un ton rageur.

Alors même que les frères levaient leurs épées, Piper sentit la peau de métal du dragon chauffer sous sa paume. Elle s'écarta d'un bond et tacla la déesse de la neige, tandis que Festus tournait la tête à cent quatre-vingts degrés et crachait un jet de flammes, réduisant les Boréades en nuage de vapeur. Étrangement, l'épée de Zétès survécut à la déflagration et tomba en cliquetant sur le pont, encore fumante.

Piper se releva. Elle repéra la sphère des vents au pied du mât de misaine et fonça. Avant qu'elle n'ait pu l'atteindre, Chioné se matérialisa devant elle dans un tourbillon de givre. Sa peau brillait assez fort pour provoquer une cécité des neiges.

– Petite misérable, cracha-t-elle. Tu t'imagines que tu peux me vaincre, moi, *une déesse* ?

Derrière Piper, Festus rugissait et soufflait de la vapeur, mais Piper savait qu'il ne pouvait pas cracher un nouveau jet de feu sans la toucher elle aussi.

À cinq ou six mètres de la déesse, la sphère de glace commençait à craqueler.

Piper n'avait pas le temps de donner dans la dentelle. Elle brandit son poignard, hurla et attaqua la déesse.

Chioné l'attrapa par le poignet. Aussitôt, le bras de Piper se couvrit de glace, et la lame de Katoptris blanchit.

Le visage de la déesse n'était qu'à vingt centimètres du sien. Forte de sa victoire imminente, Chioné sourit.

– Enfant d'Aphrodite, lança-t-elle avec mépris, tu n'es rien !

De nouveau, Festus grinça. Piper aurait juré qu'il voulait lui crier des encouragements.

Soudain, elle sentit une vague de chaleur envahir sa poitrine – ce n'était pas le feu de la colère ou de la peur, mais l'amour qu'elle ressentait pour ce dragon, pour Jason qui dépendait d'elle, pour ses amis prisonniers dans les ponts inférieurs et pour Léo, qui était perdu et aurait besoin d'aide.

L'amour n'était peut-être pas plus fort que la glace... mais Piper s'en était servie pour réveiller un dragon de métal. Tous les jours, des mortels accomplissaient des exploits surhumains au nom de l'amour. On a bien vu, une fois, une mère soulever sa voiture à mains nues pour sauver son enfant. Or Piper était plus qu'une simple mortelle ; c'était une demi-déesse. C'était une héroïne.

La glace qui couvrait la lame de son poignard fondit. Son bras se mit à fumer sous l'étreinte de Chioné.

– Tu persistes à me sous-estimer, dit-elle à la déesse. Il te reste des progrès à faire de ce côté-là.

Le visage de Chioné perdit son arrogance quand Piper plongea son poignard ; la pointe de la lame toucha la poitrine de la déesse, qui se transforma aussitôt en blizzard miniature.

Piper s'effondra, sonnée par le froid. Elle entendit Festus vrombir et cliqueter, et les alarmes réactivées sonner.

La bombe.

Elle se releva avec effort. La sphère était à trois mètres d'elle et tournait en sifflant, sous la pression des vents qui s'agitaient à l'intérieur.

Piper plongea.

Ses doigts se refermèrent sur la bombe à l'instant où la coque de glace se fracassait, libérant les vents.

45 Percy

Percy se languissait du marais.

Il n'aurait jamais imaginé qu'il rêverait un jour de dormir dans le lit en cuir d'un géant, sous le dôme d'une cabane en os de drakon située au milieu d'un cloaque... Pourtant cette perspective lui semblait maintenant aussi alléchante qu'un séjour à l'Élysée.

Avec Annabeth et Bob, il crapahutait dans l'obscurité opaque et froide. Le sol, sous leurs pieds, était tantôt hérissé de pierres pointues, tantôt couvert de flaques de boue, ce qui les obligeait à une vigilance constante. Marcher ne serait-ce que trois mètres était épuisant.

Lorsqu'ils étaient partis de la cabane du géant, Percy était en pleine forme physique : reposé, les idées claires, le ventre plein de viande de drakon séchée qu'il avait trouvée dans le sac à dos. À présent il avait les jambes en compote et tous les muscles de son corps lui faisaient mal. Il enfila une tunique de cuir de drakon par-dessus son tee-shirt en lambeaux, mais ça ne le réchauffa guère.

Il concentrait toute son attention sur le sol devant lui. En dehors de ça et d'Annabeth, à ses côtés, rien n'existait.

Chaque fois qu'il se sentait découragé, tenté de s'écrouler par terre et se laisser mourir (c'est-à-dire environ toutes les dix minutes), il tendait la main pour serrer celle d'Annabeth et se rappeler qu'il y avait de la chaleur en ce monde.

Depuis la conversation qu'elle avait eue avec Damasen, Percy se faisait du souci pour Annabeth. Ce n'était pas quelqu'un qui cédait facilement au désespoir, pourtant là, tout en marchant, elle essuyait discrètement des larmes de ses yeux, en s'efforçant de les cacher à Percy. Il savait qu'elle supportait mal que ses plans échouent. Elle était convaincue qu'ils avaient besoin de l'aide de Damasen, mais le géant la leur avait refusée.

Percy, lui, n'en était pas mécontent. Il était déjà assez inquiet à l'idée que Bob pouvait décider de changer de camp une fois qu'ils seraient parvenus aux Portes de la Mort ; ajouter à cela un géant comme ailier ne lui semblait pas indispensable, même un géant qui faisait d'excellents ragoûts de drakon.

Il se demanda ce qui s'était passé à la cabane, après leur départ. Cela faisait des heures qu'il n'avait pas entendu leurs poursuivants, mais il sentait leur haine, en particulier celle de Polybotès. Le géant était quelque part derrière eux ; il les suivait et les poussait toujours plus profondément dans les entrailles du Tartare.

Percy essayait de penser à des choses agréables pour garder le moral. Le lac de la Colonie des Sang-Mêlé, où il avait embrassé Annabeth sous l'eau. La Nouvelle-Rome. Il tenta de se projeter mentalement dans ses rues et ses collines avec Annabeth, se promenant main dans la main, mais le Camp Jupiter et la Colonie des Sang-Mêlé demeuraient aussi lointains que des rêves, dans son esprit. Percy avait l'impression que seul le Tartare existait, qu'il n'y avait que cela de réel : la mort, le noir, le froid, la douleur. Qu'il avait imaginé tout le reste.

Il frissonna. Non. C'était la fosse qui lui soufflait ces pensées, qui sapait sa détermination. Il se demanda comment Nico avait fait pour survivre ici, seul, sans perdre la raison ;

il devait avoir plus de force mentale que Percy ne l'avait cru. Plus ils avançaient, plus il était difficile de se concentrer.

– C'est pire que le Cocyte, ici, marmonna Percy.

– Oui, bien pire ! répondit Bob d'un ton joyeux. Ça veut dire qu'on approche.

Qu'on approche de quoi ? se demanda Percy. Mais il n'eut pas la force de poser la question. Il remarqua que Ti-Bob s'était de nouveau caché à l'intérieur du bleu de travail de Bob et se dit que, décidément, le chaton était le plus futé de leur petit groupe.

Annabeth glissa la main au creux de la sienne. La lame en bronze de Turbulence jetait une lumière douce sur son joli visage.

– On est ensemble, lui rappela-t-elle. On va surmonter cette épreuve.

Percy s'était tellement inquiété de lui remonter le moral, et c'était elle qui le rassurait, maintenant !

– Ouais, dit-il. Les doigts dans le nez.

– Mais pour la prochaine fois, je voudrais un lieu de rendez-vous plus romantique.

– Paris, c'était bien, se souvint-il.

Elle se força à sourire. Quelques mois plus tôt, avant l'amnésie de Percy, Hermès les avait envoyés dîner à Paris, en cadeau. Elle avait l'impression que c'était dans une autre vie.

– Je me contenterais de la Nouvelle-Rome, répondit-elle. Du moment que tu es là.

Waouh la classe... Annabeth était trop forte. Un bref instant, Percy se rappela ce que ça faisait d'être heureux. Il avait une copine exceptionnelle. Ils avaient la vie devant eux.

Puis l'obscurité se dispersa avec un énorme soupir, comme le dernier souffle d'un dieu à l'agonie. Devant eux s'ouvrit une clairière : une morne étendue de poussière et de cailloux. Au milieu, à six ou sept mètres, une femme était à genoux – horrible, squelettique, le teint verdâtre, les vêtements en lambeaux. La tête penchée sur la poitrine, elle pleurait doucement, et le son de ses larmes ôta d'un coup tout semblant d'espoir à Percy.

Il comprit que la vie était absurde. Que toutes les luttes qu'il avait menées étaient vaines. La femme semblait pleurer sur la mort du monde entier.

– On est arrivés, annonça Bob. Achlys peut nous aider.

46 PERCY

Si l'aide devait venir de cette goule en deuil, Percy aurait préféré s'en passer.

Mais Bob continua sans ralentir, et Percy se sentit obligé de suivre. Au moins faisait-il un peu moins sombre, ici, c'était déjà ça – sans être franchement claire, l'atmosphère tenait de la purée de pois blanchâtre.

– Achlys ! appela Bob.

La créature leva la tête et tous les sens de Percy hurlèrent : *Au secours !*

Son corps était une catastrophe. Des bras et jambes grêles et décharnés, avec des genoux gonflés et des coudes pointus comme une victime de la famine, les ongles des pieds et des mains cassés, des haillons en guise de vêtements. Elle avait de la poussière empilée sur ses épaules et incrustée dans tous les plis de sa peau comme si elle avait pris sa douche au fond d'un sablier.

Son visage n'était que désolation. Des yeux enfoncés et chassieux, d'où coulaient des flots de larmes. Un nez qui gouttait comme une cascade. Des cheveux gras plaqués sur le crâne en queues-de-rat grisâtres, des joues labourées et sanguinolentes comme si la créature se griffait elle-même.

Ne supportant pas de croiser son regard, Percy baissa les yeux. La femme avait un bouclier antique sur les genoux.

C'était un cercle de bois et de bronze cabossé, orné du portrait d'Achlys elle-même tenant un bouclier, de sorte que l'image se répétait en gigogne, de plus en plus petite.

– Ce bouclier, murmura Annabeth. C'est le sien... je croyais que c'était juste une légende.

– Oh non, gémit la vieille sorcière. Le bouclier d'Héraclès. Il y a peint mon portrait pour que ses ennemis me voient dans leurs derniers instants, moi la déesse de la misère. (Là-dessus elle toussa si fort que Percy en eut mal à la poitrine.) Comme si Héraclès connaissait la vraie misère... Et il n'est même pas ressemblant, ce portrait !

Percy ravala sa salive. Avec ses camarades, il avait rencontré Héraclès au détroit de Gibraltar et ça ne s'était pas bien passé. Leurs échanges s'étaient soldés par des hurlements, des menaces de mort et des jets d'ananas à grande vitesse.

– Que fait son bouclier ici ? demanda Percy.

La déesse le regarda de ses yeux laiteux et larmoyants. Des gouttes de sang dégoulinaient de ses joues et mouchetaient de points rouges sa robe en lambeaux.

– Il n'en a plus besoin, que je sache ? Le bouclier est arrivé ici quand le corps mortel d'Héraclès a été brûlé. Une manière de rappeler qu'aucun bouclier ne pourra jamais suffire. Pour finir, le malheur vous emportera tous. Même Héraclès.

Percy se rapprocha d'Annabeth. Il essaya de se rappeler pourquoi ils étaient là, mais le désespoir qui l'avait gagné l'empêchait de réfléchir clairement. Maintenant qu'il entendait Achlys parler, ça ne l'étonnait plus qu'elle se lacère les joues. La déesse irradiait la douleur à l'état pur.

– Bob, dit Percy, on n'aurait pas dû venir ici.

Tapi quelque part dans la salopette de Bob, le chaton-squelette miaula pour exprimer son accord.

Le Titan remua en grimaçant, comme si Ti-Bob faisait ses griffes sur son aisselle.

– Achlys contrôle la Brume de Mort, insista-t-il. Elle peut vous cacher.

– Les cacher ? (Achlys émit une espèce de gargouillis à mi-chemin entre le rire et la suffocation.) Et pourquoi je les cacherais, tu peux me dire ?

– Ils doivent rejoindre les Portes de la Mort, dit Bob. Pour retourner au monde des mortels.

– Impossible ! dit Achlys. Les armées du Tartare vous trouveront. Elles vous tueront.

Annabeth leva la lame de son épée en os de dragon, ce qui, Percy devait bien l'admettre, lui donnait un air redoutable, non dénué d'un certain charme – dans le genre « Princesse barbare ».

– En somme, dit-elle, votre Brume de Mort ne vaut pas un clou.

La déesse montra des dents jaunes et cassées.

– Pas un clou ? Qui es-tu, toi ?

– Une fille d'Athéna. (Annabeth jouait la bravache et Percy se demanda comment elle y arrivait.) Je n'ai pas traversé le Tartare à pied pour m'entendre dire par une déesse mineure que mes projets sont impossibles.

À leurs pieds, la poussière frémit. Le brouillard tournoya autour d'eux avec des râles d'agonisant.

– Une déesse mineure ? (Achlys planta les ongles dans le bouclier d'Héraclès et laboura le métal.) J'étais déjà vieille quand les Titans sont nés, petite ignorante. J'étais déjà vieille quand Gaïa s'est éveillée pour la première fois. Le malheur est éternel. La vie n'est que misère. Je suis la fille des plus anciens : la fille de Chaos et de Nuit. J'étais...

– Oui, oui, l'interrompit Annabeth. La tristesse et la misère, on connaît la chanson. Mais vous n'avez pas le pouvoir de cacher deux demi-dieux avec votre Brume de Mort. C'est bien ce que je disais : pas un clou.

Percy s'éclaircit la gorge.

– Euh, Annabeth...

Elle lui jeta un coup d'œil rapide qui disait : *Va dans mon sens*. Il comprit alors qu'elle était terrifiée, mais qu'elle n'avait pas le choix. C'était leur seule chance de pousser la déesse à agir.

– Je veux dire... Annabeth a raison ! enchaîna-t-il. Bob nous a traînés jusqu'ici parce qu'il pensait que vous pouviez nous aider. Mais j'ai l'impression que vous êtes trop occupée à pleurer en regardant ce bouclier. Ce que je peux comprendre, c'est votre portrait tout craché.

Achlys poussa un gémissement et se tourna vers le Titan.

– Mais pourquoi m'infliges-tu ces affreux marmots ?

Bob émit un vague borborygme.

– J'ai cru... j'ai cru..., bafouilla-t-il.

– La Brume de Mort n'aide pas les gens ! reprit Achlys d'une voix stridente. Elle enveloppe les mortels dans le malheur au moment où leurs âmes arrivent aux Enfers. C'est le souffle du Tartare, de la mort, du désespoir !

– Super, dit Percy. On peut en avoir deux parts à emporter ?

Achlys siffla entre ses dents.

– Demandez-moi autre chose de plus raisonnable comme cadeau. Je suis aussi la déesse des poisons. Je pourrais vous offrir la mort, sous des milliers de formes moins douloureuses que celle que vous avez choisie en vous enfonçant à pied dans la fosse.

Autour de la déesse, des fleurs s'épanouissaient dans la poussière : des corolles violet foncé, orange et rouges, au parfum horriblement fort et sucré. Percy en eut le tournis.

– Douce-amère, proposa Achlys. Ciguë. Belladone, jusquiame noire, strychnine... Je peux dissoudre vos entrailles ou faire bouillir votre sang.

– C'est très gentil, dit Percy, mais j'ai eu ma dose de poison pour ce voyage. Maintenant pouvez-vous nous dissimuler dans votre Brume de Mort, oui ou non ?

– Ouais, renchérit Annabeth. Ce serait plaisant.

– Plaisant ?!

La déesse fronça les sourcils.

– Tout à fait, insista Annabeth. Si on échoue, vous imaginez le plaisir de nous narguer dans notre agonie ? Vous pourrez nous répéter « Je l'avais bien dit » pour l'éternité.

– D'un autre côté, si on réussit, embraya Percy, pensez à toutes les souffrances que vous amènerez aux monstres des Enfers. Nous comptons sceller les Portes de la Mort. Ça déclenchera beaucoup de pleurs et de gémissements.

Achlys réfléchit à la question.

– J'aime la souffrance. Les pleurs aussi, c'est bien, dit-elle.

– Alors c'est entendu, dit Percy. Rendez-nous invisibles.

Achlys se leva avec effort. Le bouclier d'Héraclès roula au sol et s'immobilisa dans un carré de fleurs vénéneuses.

– Ce n'est pas si simple, dit la déesse. La Brume de Mort survient au moment où le mortel est le plus proche de sa fin. C'est alors seulement que ses yeux sont voilés et que le monde s'efface.

– D'accord, fit Percy, la bouche soudain sèche. Mais... ça nous rendrait invisibles aux yeux des monstres, n'est-ce pas ?

– Oh oui. Si vous survivez au processus, vous pourrez traverser les armées du Tartare en passant parfaitement inaperçus. C'est sans espoir, bien sûr, mais si vous êtes décidés, venez. Je vais vous montrer le chemin.

– Le chemin pour où, au juste ? demanda Annabeth.

En guise de réponse, la déesse s'enfonça dans les ombres en traînant des pieds.

Percy se tourna vers Bob, mais le Titan n'était plus là. Comment un gars de trois mètres, plaqué argent et de surcroît accompagné d'un chaton extrêmement bruyant, peut-il disparaître d'un coup ?

– Hé ! Où est notre ami ? lança Percy à Achlys.

– Il ne peut pas prendre ce chemin, répondit la déesse sans se retourner. Ce n'est pas un mortel. Venez, jeunes idiots. Venez vivre la Brume de Mort.

Annabeth poussa un gros soupir, attrapa Percy par la main et lui dit :

– Ben, qu'est-ce qu'on craint, hein ?

La question était tellement ridicule qu'il ne put que rire, même si ça lui brûlait les poumons.

– Ouais, t'as raison, dit-il. Mais notre prochaine sortie, ce sera restau à la Nouvelle-Rome.

Ils s'avancèrent sur la trace des empreintes poussiéreuses que la déesse laissait entre les fleurs toxiques, toujours plus profondément dans le brouillard.

47 Percy

Bob manquait à Percy.

Il s'était habitué à la compagnie du Titan, avec sa crinière argentée qui leur éclairait le chemin et son redoutable balai de guerre.

Maintenant ils avaient pour seul guide une espèce de goule cadavérique affligée d'une image d'elle-même désastreuse.

Plus ils avançaient dans cette plaine poussiéreuse, plus le brouillard était dense, et Percy devait lutter contre l'envie de le dissiper en agitant les mains. Il parvenait à suivre la trace d'Achlys seulement grâce aux plantes vénéneuses qui sortaient du sol à chacun de ses pas.

S'ils marchaient toujours sur le corps du dieu Tartare, songea Percy, ils devaient être au bout de son pied – une étendue rêche et calleuse où ne poussaient que les végétaux les plus répugnants.

Ils arrivèrent enfin à l'extrémité du gros orteil – du moins Percy voyait-il ça comme ça. Le brouillard se dissipa et ils se retrouvèrent sur une péninsule qui surplombait une fosse d'une noirceur d'encre.

– Nous y voici.

Achlys se retourna et les toisa. Le sang de ses joues s'égouttait toujours sur sa robe. Ses yeux maladifs étaient larmoyants et gonflés, mais il y brillait maintenant une lueur d'excitation. La misère connaît-elle l'enthousiasme ?

– Euh... super, fit Percy. Où ça, au juste ?

– Au bord de la mort finale, dit Achlys. Là où Nuit rencontre le vide qui est sous Tartare.

Annabeth avança prudemment et risqua un coup d'œil dans la fosse.

– Je croyais qu'il n'y avait rien sous le Tartare.

– Oh, si, bien sûr que si... (Achlys toussa.) Même Tartare a bien dû sortir de quelque part. Cet endroit, c'est le bord de la toute première obscurité, qui était ma mère. Au-dessous s'étend le royaume de Chaos, mon père. Ici vous êtes plus près du néant qu'aucun mortel ne l'a jamais été. Ne le sentez-vous pas ?

Percy comprenait ce qu'elle voulait dire. Il avait l'impression que le vide l'attirait à lui, aspirait l'air de ses poumons et pompait l'oxygène de son sang. Il regarda Annabeth et vit que ses lèvres avaient bleui.

– On ne peut pas rester ici, dit-il.

– Non, effectivement ! dit Achlys. Vous sentez la Brume de Mort ? En cet instant, vous êtes déjà en train de traverser. Regardez !

Une fumée blanche se formait aux pieds de Percy. En regardant les volutes grimper le long de ses jambes, il se rendit compte que la fumée ne l'entourait pas, elle émanait de lui. Son corps était en train de se dissoudre. Il porta les mains devant les yeux et les trouva indistinctes et floues. Il n'arriva même pas à compter ses doigts. Avec un peu de chance, il en avait encore dix.

Il se tourna vers Annabeth et étouffa un cri.

– Tu... euh...

Il ne pouvait pas le dire : elle avait l'air *morte*.

Elle avait le teint cireux, les yeux enfoncés dans les orbites et de profonds cernes bistre. Ses beaux cheveux s'étaient desséchés et ressemblaient à un écheveau de toiles d'araignée.

On aurait dit qu'elle était restée des décennies enfermée dans un mausolée sombre et froid, à se ratatiner peu à peu. Lorsqu'elle se tourna vers Percy, les traits de son visage se fondirent un bref instant dans la brume.

Le sang de Percy coulait au ralenti dans ses veines.

Depuis de longues années il redoutait la mort d'Annabeth. Quand on est demi-dieu, ça fait partie des risques du métier. Les Sang-Mêlé, pour la plupart, ne font pas de vieux os, et on sait toujours que le monstre que l'on affronte est peut-être le dernier. Mais voir Annabeth dans cet état dépassait les limites du supportable. Percy aurait préféré se retrouver plongé dans le Phlégéthon, attaqué par des *arai* ou piétiné par des géants.

– Oh, par les dieux, sanglota Annabeth. Percy, qu'est-ce qui t'arrive...

Il examina ses bras. Il ne vit rien de plus que des bulles de brume blanche, mais il devina qu'aux yeux d'Annabeth lui aussi devait avoir l'air d'un cadavre. Il avança de quelques pas, ce qui lui fut extrêmement difficile. Son corps n'avait plus de matière ; il eut l'impression d'être en hélium ou en barbe à papa.

– Ouais, dit-il. J'ai eu meilleure mine et j'ai du mal à bouger. Mais t'inquiète, ça va aller.

– Oh, non, gloussa Achlys, ça ne va pas aller du tout !

Percy fronça les sourcils.

– Pourtant on va passer inaperçus, maintenant, n'est-ce pas ? On va pouvoir aller aux Portes de la Mort ?

– Eh bien vous auriez peut-être pu, répondit la déesse, à condition de vivre assez longtemps, mais ce ne sera pas le cas.

Sur ces mots, Achlys écarta ses doigts noueux. De nouvelles plantes surgirent au bord de la fosse, un mortifère tapis de ciguë, de belladone et de laurier-rose qui se mit à ramper vers Percy.

– La Brume de Mort n'est pas un simple camouflage, voyez-vous, dit-elle. C'est un état. Je ne pourrais pas vous en faire cadeau si la mort ne lui succédait pas, la mort véritable.

– C’est un piège, dit Annabeth.

La déesse gloussa.

– Ne vous attendiez-vous pas à ce que je vous trahisse ?

– Si, dirent ensemble Annabeth et Percy.

– Eh bien, alors, on ne peut pas dire que ce soit un piège ! C’est plutôt une fatalité. Le malheur est inévitable. La souffrance est...

– C’est bon, grogna Percy. Battons-nous et basta.

Il tira Turbulence, mais la lame s’était transformée en fumée. Et lorsqu’il attaqua Achlys, l’épée ne fit que la traverser mollement comme une brise.

La bouche de la déesse se tordit en un sourire.

– Ah, aurais-je oublié de vous le dire ? Vous êtes réduits à de la brume, maintenant, dit-elle, vous n’êtes plus que des ombres avant la mort. Avec un peu de temps, vous apprendriez peut-être à maîtriser votre nouvelle forme, seulement vous n’aurez pas ce temps. Et comme vous ne pouvez pas me toucher, je crains que votre combat contre Misère ne s’avère parfaitement inégal.

Les ongles de la déesse s’allongèrent telles des griffes. Sa mâchoire se décrocha et ses dents jaunes forcirent pour se transformer en crocs.

48 Percy

Achlys se jeta sur Percy, lequel se dit pendant une fraction de seconde : *Hé, tranquille, je suis en fumée, elle ne peut rien me faire !*

Il imagina les Parques, dans l'Olympe, se moquant de lui et des idées qu'il se faisait : *Lol, quel noob !*

Les griffes de la déesse lui labourèrent la poitrine, brûlantes comme des jets d'eau bouillante.

Percy tituba. Il n'avait pas l'habitude d'être en fumée et ses jambes étaient trop lentes. Il avait les bras en papier mâché. En désespoir de cause, il lança son sac à dos à la tête de la déesse en se disant qu'il redeviendrait peut-être solide hors de ses mains, mais il n'eut pas cette chance : le sac s'écrasa mollement par terre.

Achlys grogna et se ramassa comme un fauve pour bondir. Elle aurait dévoré le visage de Percy sans Annabeth, qui chargea en hurlant *YOUHOU !* à l'oreille de la déesse.

Achlys sursauta et se retourna vers le son.

Elle donna un coup de griffes, mais Annabeth se mouvait plus agilement que Percy. Peut-être qu'elle se sentait moins fumeuse que lui, ou qu'elle avait reçu une meilleure formation au combat. Elle vivait à la Colonie des Sang-Mêlé depuis ses sept ans. Elle avait sans doute suivi des cours que Percy n'avait jamais eus, comme Comment se Battre Lorsqu'On Est Partiellement Réduit en Fumée.

Annabeth plongea entre les jambes de la déesse et se rétablit sur ses pieds avec une galipette. Achlys se retourna et l'attaqua, mais Annabeth esquiva de nouveau, tel un matador.

Percy était tellement bluffé qu'il perdit de précieuses secondes. Il regardait avec de grands yeux Annabeth réduite à un cadavre ambulant, enveloppée de brume, mais qui se mouvait avec la même vitesse et la même assurance que d'habitude. Brusquement il comprit pourquoi elle déployait tous ces efforts : pour gagner du temps. Ce qui signifiait que Percy devait l'aider.

Il se creusa la tête pour trouver un moyen de vaincre Misère. Comment pouvait-il se battre alors qu'il était incapable de toucher quoi que ce soit ?

Au troisième assaut d'Achlys, Annabeth eut moins de chance. Elle tenta d'obliquer sur le côté mais la déesse l'attrapa par le poignet et tira d'un coup sec – Annabeth s'étala par terre.

Sans laisser le temps à la déesse de bondir sur sa proie, Percy hurla et s'avança en agitant son épée. Il se sentait toujours aussi solide qu'un Kleenex, mais sa colère l'aidait à bouger plus vite.

– Hé, Boute-en-train ! cria-t-il.

Achlys fit volte-face, lâchant le bras d'Annabeth.

– Boute-en-train ?!

– Ouais ! (Il se pencha pour éviter la main griffue qui s'abattait sur sa tête.) Vous êtes une marrante !

– Arrgh !

Achlys s'élança de nouveau, mais elle était déséquilibrée. Percy fit un écart et recula, détournant ainsi la déesse d'Annabeth.

– Une rigolote ! continua-t-il. Une joyeuse luronne !

La déesse écumait de rage. Elle courait après Percy en titubant. Chaque nouveau qualificatif semblait l'atteindre comme une poignée de sable dans les yeux.

– Je vais te tuer lentement ! grommela-t-elle, les yeux larmoyants, le nez plein de morve, les joues pissant le sang. Je vais te découper en morceaux et t'offrir en sacrifice à Nuit !

Annabeth se releva et se mit à farfouiller dans son sac à dos, certainement en quête de quelque chose qui puisse leur servir.

Percy voulait lui donner plus de temps. C'était le cerveau de l'équipe. Il valait mieux qu'il se fasse attaquer pendant qu'elle concevrait un plan brillant.

– Hou hou, gentille mignonne ! hurla Percy. Adorable doudou d'amour !

Un râle rauque sortit de la gorge d'Achlys, un peu comme un chat faisant un AVC.

– Une mort lente ! hurla-t-elle. Une mort causée par mille poisons !

Tout autour d'elle, des plantes vénéneuses sortirent de terre puis explosèrent comme des ballons fragiles trop gonflés. Des filets de sève blanc verdâtre s'en échappèrent et formèrent des flaques, qui se mirent à couler dans la direction de Percy.

– Percy ! s'écria Annabeth d'une voix qui lui parut lointaine. Euh, hé, la comique ! Miss Fend-la-Poire ! Par ici, Reine du sourire !

Mais la déesse de la misère n'en avait plus que pour Percy. Lequel tenta de battre en retraite de nouveau. Malheureusement, l'ichor toxique se répandait maintenant tout autour de lui en chauffant l'air et faisant fumer le sol. Percy se retrouva encerclé sur un îlot de poussière pas plus grand qu'un bouclier. À quelques mètres de lui, son sac à dos se liquéfia. Percy était coincé.

Il tomba sur un genou. Il aurait voulu dire à Annabeth de prendre la fuite, mais il n'arrivait pas à parler. Sa gorge était sèche comme des feuilles mortes.

Si seulement il y avait de l'eau dans le Tartare... un joli bassin où plonger pour reprendre des forces, ou un fleuve dont il pourrait contrôler les eaux. Une simple bouteille d'Évian, ce serait déjà bien.

– Tu nourriras l'obscurité éternelle, disait Achlys. Tu mourras dans les bras de Nuit !

Il eut vaguement conscience qu'Annabeth criait et bombardait la déesse de morceaux de viande de drakon séchée. Le poison verdâtre continuait de se répandre et le lac vénéneux qui l'entourait de s'agrandir, alimenté par les petits ruisseaux qui s'écoulaient des plantes.

Lac, pensa-t-il. *Ruisseaux. Eau.*

C'était peut-être juste l'effet des vapeurs de poison qui lui montaient à la tête, mais Percy émit un rire rocailleux. Le poison, c'était liquide. S'il coulait comme de l'eau, ce devait être parce qu'il contenait de l'eau.

Il se souvint d'un cours de sciences de la vie où on leur avait expliqué que le corps humain était essentiellement composé d'eau. Il se souvint d'avoir, à Rome, extrait l'eau des poumons de Jason... S'il pouvait contrôler cela, pourquoi pas d'autres fluides ?

C'était une idée folle. Poséidon était le dieu de la mer, pas de tous les liquides du monde.

Cela dit, le Tartare répondait à ses propres lois. Le feu y était potable. Le sol était le corps d'un dieu de l'ombre. L'air était acide et les demi-dieux pouvaient être changés en cadavres de fumée.

Alors pourquoi ne pas essayer ? Il n'avait plus rien à perdre.

Percy riva le regard sur la crue de poison qui l'attaquait de toutes parts. Il se concentra si fort que quelque chose en lui craqua : comme une boule de cristal volant en éclats au creux de son estomac.

La chaleur l'envahit. La vague de poison s'arrêta net.

Les vapeurs toxiques cessèrent de souffler dans sa direction pour refluer vers la déesse. Le lac vénéneux roula vers elle en une myriade de vaguelettes et ruisseaux minuscules.

– Qu'est-ce que c'est que ça ? hurla Achlys.

– Du poison, fit Percy. C'est ta spécialité, non ?

Percy sentait sa colère lui chauffer le ventre. Tandis que la marée de poison roulait vers la déesse, les vapeurs toxiques la prirent à la gorge. Elle se mit à tousser en larmoyant de plus belle.

Bien, pensa Percy. *Encore de l'eau.*

Il imagina le nez et la gorge d'Achlys noyés par ses propres larmes.

Achlys suffoqua.

– Je...

Le flot toxique lécha ses pieds en crépitant comme des gouttelettes sur un fer chauffé à blanc. Elle gémit et recula.

– Percy ! s'écria Annabeth.

Elle s'était repliée au bord de la falaise alors que le poison ne la menaçait pas. Percy entendit de la terreur dans sa voix, mais il mit un petit instant à comprendre que c'était lui qui la terrifiait.

– Arrête, supplia-t-elle d'une voix rauque.

Il ne voulait pas arrêter. Il voulait étouffer cette déesse. Il voulait la voir se noyer dans son propre poison. Il voulait voir quelle dose de misère Misère était capable d'encaisser.

– S'il te plaît, Percy...

Le visage d'Annabeth était blême et cadavérique, mais ses yeux étaient ceux de toujours. L'angoisse qu'il y lut fit retomber sa colère.

Il se tourna face à la déesse. Mentalement, il ordonna au poison de se retirer, créant un passage en bordure de la falaise.

– Pars ! tonna-t-il.

Pour une goule amaigrie, Achlys courait remarquablement vite quand elle le voulait. Elle crapahuta le long du sentier, tomba à plat ventre, se releva et disparut en gémissant dans le noir.

Aussitôt la déesse partie, les flaques de poison s'évaporèrent. Les plantes tombèrent en poussière et se dispersèrent.

Annabeth rejoignit Percy en titubant. Elle avait l'air d'un cadavre enveloppé de fumée, mais lorsqu'elle l'agrippa par les deux bras, ses mains étaient très fermes.

– Percy, s'il te plaît, ne fais jamais... (Un sanglot brisa sa voix.) Certaines choses ne doivent pas être contrôlées. Tu comprends ?

Le corps de Percy vibrait, galvanisé par son pouvoir, mais sa colère retombait. À l'intérieur de lui, les éclats de verre brisé perdaient de leur tranchant.

– Ouais, dit-il. Ouais, d'accord.

– Il faut qu'on s'éloigne de cette falaise, dit Annabeth. Si Achlys nous a amenés ici pour nous offrir en sacrifice...

Percy s'efforça de réfléchir. Il s'habituait à se mouvoir entouré de Brume de Mort. Il se sentait plus solide, plus lui-même. Mais il avait encore l'esprit cotonneux.

– Elle a parlé de nourrir la nuit, se souvint-il. Qu'est-ce qu'elle voulait dire ?

La température chuta brusquement. Un soupir monta du vide.

Percy attrapa Annabeth par la main et recula. Une présence émergeait du gouffre : une forme si grande et ombreuse qu'il eut l'impression de vraiment comprendre le concept d'*obscurité* pour la première fois.

– *J'imagine*, dit l'obscurité, d'une voix féminine aussi douce qu'un linceul, *qu'elle voulait dire Nuit avec un N capitale. Je suis l'unique, après tout.*

49 Léo

À y bien regarder, Léo passait plus de temps à s'écraser qu'à voler.

S'il y avait des cartes à primes pour accidents fréquents, il aurait déjà au moins le platine.

Quand il reprit connaissance, il tombait en chute libre à travers les nuages. Il avait un souvenir flou de Chioné se moquant de lui, juste avant qu'il ne soit propulsé dans le ciel. Il ne l'avait pas vraiment vue, en fait, mais il n'était pas près d'oublier la voix de la sorcière des neiges. Il était incapable de dire combien de temps avait duré son ascension dans l'air ; il avait dû s'évanouir au bout d'un moment, à cause du froid et du manque d'oxygène. Et maintenant il dégringolait vers la terre, bien parti pour le plus grand crash de sa vie.

Les nuages s'écartèrent. Il aperçut, loin, très loin au-dessous de lui, la mer scintillante. Aucune trace de l'*Argo II*. Rien qui ressemble à une côte, connue ou non, si ce n'est une île minuscule à l'horizon.

Léo ne savait pas voler. Il avait trois minutes maximum avant de s'aplatir à la surface de l'eau.

Il estima que ça ferait une mauvaise fin pour la Ballade épique de Léo.

Il serrait toujours la sphère d'Archimède entre ses mains, ce qui ne l'étonna pas. Inconscient ou non, il ne lâcherait jamais son bien le plus précieux. Au prix de quelques manœuvres, il récupéra du gros adhésif de sa ceinture à outils et fixa la sphère contre sa poitrine. Ça lui donnait un look d'Iron Man petit budget, mais l'avantage d'avoir les mains libres. Il se mit au travail, bidouillant frénétiquement dans sa sphère, sortant de sa ceinture magique tout ce qui pouvait lui servir : une bâche de protection, des crochets métalliques, de la ficelle et des œillets métalliques.

Travailler en chute libre relevait de la mission impossible. Le vent rugissait aux oreilles de Léo. Il ne cessait de lui arracher des mains les outils, les vis et la toile, pourtant Léo parvint à construire un cadre de fortune. Il ouvrit une écoutille sur la sphère, en tira deux câbles et les relia à sa barre transversale.

Combien de temps lui restait-il avant de heurter l'eau ? Une minute ?

Il tourna l'interrupteur de la sphère, qui se mit à vrombir. D'autres câbles en bronze fusèrent du globe, sentant intuitivement ce dont Léo avait besoin. Des cordons ficelèrent la bâche. Le cadre commença à prendre de l'ampleur par lui-même. Léo sortit un jerrycan de kérosène et un tuyau en caoutchouc, qu'il fixa à ce moteur neuf et assoiffé que la sphère l'aidait à construire.

Pour finir il fabriqua une sorte de harnais en corde et se tortilla pour faire passer le cadre en X dans son dos. La mer se rapprochait à vitesse grand V, étincelante « claque-mortelle-en-pleine-face » à perte de vue.

Il poussa un cri de défi et enfonça l'interrupteur de dépassement de la sphère.

Le moteur s'anima en hoquetant. Le rotor improvisé se mit en mouvement. Les pales en toile tournèrent, mais bien trop lentement. Léo piquait droit sur la mer, tête la première – à peut-être trente secondes de l'impact.

Au moins n'y avait-il personne pour le voir, pensa-t-il avec amertume, sinon il deviendrait la risée éternelle des demi-dieux. *Quel a été le dernier coup de tête de Léo Valdez ? La Méditerranée.*

Brusquement, il sentit le globe chauffer contre sa poitrine. Les pales accélérèrent leur mouvement. Le moteur toussa et Léo bascula sur le côté en fendant l'air.

– YESSSS ! hurla-t-il.

Il était arrivé à fabriquer l'hélicoptère personnel le plus dangereux du monde.

Il filait vers la petite île à l'horizon, mais tombait encore trop vite. Les pales vibraient. La toile hurlait.

La plage n'était plus qu'à quelques centaines de mètres quand la sphère devint brûlante comme de la lave et l'hélico explosa en crachant des flammes. S'il n'avait pas été résistant au feu, Léo aurait sans doute été carbonisé. Dans ces circonstances, l'explosion en vol lui sauva sans doute la vie. La déflagration projeta Léo sur le côté tandis que son engin en flammes s'écrasait sur le rivage au maximum de sa vitesse... *CRAC-BOUM !!*

Léo ouvrit les yeux, stupéfait d'être encore en vie. Il était assis sur le sable, au milieu d'un trou de la taille d'une baignoire. À quelques mètres de lui, une colonne d'épaisse fumée noire montait d'un cratère nettement plus grand. La plage était parsemée de débris en flammes.

– Ma sphère.

Léo se tapota la poitrine. La sphère n'y était plus. Son harnais de corde et d'adhésif s'était désintégré.

Il se releva. À priori, il n'avait rien de cassé, ce qui était une bonne chose, mais il s'inquiétait surtout de sa sphère d'Archimède. Si cet objet exceptionnel et sans prix avait été détruit quand il avait fabriqué l'hélico de fortune qui avait flambé en trente secondes, Léo traquerait cette imbécile de Chioné des neiges et lui ferait avaler sa clé à molette.

Il avança en titubant le long de la plage et se demanda pourquoi il n'y avait ni touristes, ni hôtels, ni yachts. L'île offrait pourtant un cadre idéal, avec son sable blanc et sa mer transparente. Peut-être était-elle encore inexplorée. Restait-il des territoires inexplorés sur terre ? Chioné l'avait peut-être projeté carrément hors de la Méditerranée – il n'aurait pas eu de mal à se croire à Bora-Bora.

Le cratère le plus grand faisait environ deux mètres cinquante de profondeur. Au fond, les pales d'hélico essayaient toujours de tourner et le moteur crachait de la fumée. Le rotor croassait comme un crapaud qui vient de se faire écraser la patte, mais, bon, c'était quand même balèze, pour un engin improvisé en deux minutes.

Visiblement l'hélico s'était écrasé sur quelque chose. Le cratère était jonché de débris de meubles en bois, d'assiettes en porcelaine cassées, de hanaps d'étain à moitié fondus et de serviettes en lin qui brûlaient encore. Léo ne comprenait pas bien ce que faisait cette vaisselle luxueuse sur la plage, mais c'était signe que l'île était habitée, en fin de compte.

Il finit par repérer la sphère d'Archimède : fumante et noircie, mais intacte, elle cliquetait joyeusement au milieu des décombres.

– Sphère ! cria-t-il. Viens voir papa !

Il se laissa glisser au fond du cratère et attrapa vivement son bijou. Puis il s'assit en tailleur, la sphère entre les mains. La surface de bronze était brûlante, mais ça ne gênait pas Léo. Elle était en un seul morceau, ce qui signifiait qu'elle était toujours utilisable.

Maintenant s'il pouvait déterminer où il était et trouver le moyen de rejoindre ses amis...

Il dressait mentalement la liste des outils dont il pouvait avoir besoin quand une voix de fille l'arracha à sa réflexion :

– Qu'est-ce que tu fabriques ? Tu as fait sauter ma table !

Tss-tss, se dit immédiatement Léo.

Il avait rencontré un paquet de déesses, dans sa vie, mais la fille qui le regardait du haut du cratère avait vraiment l'air et l'allure d'une déesse.

Elle portait une robe blanche sans manches, à la mode de l'Antiquité grecque, avec une ceinture en or tressé. Ses cheveux étaient longs, lisses et d'un brun doré qui rappelait la teinte pain grillé de ceux d'Hazel – cependant la ressemblance avec Hazel s'arrêtait là. La fille avait le teint laiteux, des yeux sombres en amande et une bouche pulpeuse. On lui aurait donné dans les quinze ans, l'âge de Léo, en gros, et elle était jolie, c'était indéniable – mais elle avait cette expression courroucée que Léo avait vue sur le visage de toutes les filles qui avaient la cote dans toutes les écoles qu'il avait jamais fréquentées : celles qui se moquaient de lui, qui ragotaient sans arrêt, qui se croyaient *tellement* supérieures et qui, en résumé, faisaient tout pour lui pourrir la vie.

Léo la prit immédiatement en grippe.

– Oh, excuse-moi ! dit-il. Je viens de tomber du ciel. J'ai construit un hélicoptère en plein vol, j'ai explosé à mi-parcours, atterri en catastrophe et survécu de justesse. Mais bien sûr, parlons de ta vaisselle !

Il attrapa un verre à pied à demi fondu.

– C'est quoi l'idée, de dresser une table d'apparat sur la plage pour que d'innocents demi-dieux s'écrasent dessus ? Franchement, ça rime à quoi ?

La fille serra les poings. Léo était presque sûr qu'elle allait dévaler la pente du cratère pour lui coller un pain. Au lieu de quoi, elle tourna la tête vers le ciel.

– ALLÔ ? NON MAIS ALLÔ QUOI ! cria-t-elle au vide bleu. Vous voulez aggraver encore ma malédiction ? Zeus ! Héphaïstos ! Hermès ! Vous n'avez pas honte ?

– Euh... (Léo remarqua qu'elle s'en prenait à trois dieux, dont l'un était son père. Ça ne lui parut pas bon signe.) Je ne crois pas qu'ils écoutent. Tu sais, avec cette crise des doubles personnalités...

– Montrez-vous ! cria de plus belle la fille, ignorant superbement Léo. Ça ne vous suffit pas de m'avoir exilée ? Ça ne vous suffit pas de me retirer les rares héros valeureux que j'ai le droit de rencontrer ? Vous trouvez ça drôle de m'envoyer ce... cette espèce de ouistiti carbonisé pour troubler ma tranquillité ? Ce n'est PAS DRÔLE ! Reprenez-le !

– Hé, Mistinguett, dit Léo, je suis là, tu sais.

Elle gronda comme un animal acculé dans un coin.

– Ne m'appelle pas Mistinguett ! Maintenant sors de ton trou et viens avec moi pour que je te fasse partir de mon île !

– Ben puisque tu me le demandes gentiment...

Léo ne savait pas ce qui mettait cette folle dans un tel état, mais en fait il s'en fichait. Si elle pouvait l'aider à s'en aller de cette île, il était d'accord. Il serra sa sphère noircie et grimpa la pente. Arrivé à l'orée du cratère, il vit que la fille longeait déjà le bord de l'eau. Il dut courir pour la rattraper.

Elle fit un geste dégoûté vers les débris en flammes et s'écria :

– C'était une plage immaculée ! Regarde-moi ça maintenant !

– T'as raison, c'est ma faute, marmonna Léo. J'aurais dû m'écraser sur une des îles voisines. Sauf que, pas de chance, y en a pas !

Elle plissa le nez et poursuivit son chemin. Léo sentit un léger effluve de cannelle – son parfum, peut-être ? En même temps il s'en fichait. Ses cheveux se balançaient au bas de son dos avec un mouvement assez fascinant, ce dont bien sûr il se fichait complètement aussi.

Il balaya la mer du regard. Comme il l'avait bien vu durant sa chute, il n'y avait pas la moindre terre à l'horizon, ni le moindre navire. En regardant vers l'intérieur, il vit des collines herbues parsemées d'arbres. Un sentier s'enfonçait dans un bosquet de cèdres. Léo se demanda où il menait : sans doute à la tanière secrète de la fille, où elle faisait rôtir ses ennemis pour pouvoir les déguster à sa table d'apparat sur la plage.

Tout à ces pensées, il ne remarqua pas que la fille s'était arrêtée et lui rentra dedans.

– Aïe-euh !

Elle se retourna et se rattrapa aux poignets de Léo pour ne pas tomber à l'eau. Elle avait des mains fortes, des mains de travailleur manuel. À la Colonie, les filles du bungalow d'Héphaïstos avaient ce genre de mains, mais elle ne ressemblait pas à une enfant d'Héphaïstos.

Elle le fusilla du regard, ses yeux sombres en amande à quelques centimètres des siens. Son odeur de cannelle rappela à Léo l'appartement de son *abuela*. Purée, il n'y avait pas repensé depuis des années.

La fille le repoussa et dit :

– OK. C'est un bon endroit. Maintenant dis-moi que tu veux partir.

– Comment ?

Léo était encore sous le choc de son atterrissage en catastrophe et il n'était pas sûr d'avoir bien entendu.

– Est-ce que tu souhaites partir ? demanda-t-elle. Tu as sûrement un endroit où aller !

– Euh, ouais. Mes amis sont en difficulté. Il faut que je retourne à mon bateau et...

– Parfait, trancha-t-elle. Il suffit que tu répètes : *Je veux quitter Ogygie.*

– Euh, d'accord. (Léo n'aurait su dire pourquoi, mais il trouvait le ton de sa voix blessant... c'était idiot, vu qu'il se fichait pas mal de ce que pensait cette fille.) Je veux quitter... le nom que tu as dit.

– O-gi-gi.

La fille prononça très lentement, comme si Léo avait cinq ans.

– Je veux quitter O-gi-gi.

Elle poussa un soupir de soulagement.

– Bien, dit-elle. D'une seconde à l'autre, un radeau magique va apparaître. Il t'emmènera là où tu voudras.

– Qui es-tu ?

Elle eut l'air sur le point de répondre, puis changea d'avis.

– Peu importe. Tu seras bientôt parti. Tu es une erreur, c'est clair.

Rude, se dit Léo. Il avait perdu assez de temps à se considérer comme une erreur – en tant que demi-dieu, pour cette quête, dans la vie en général. Il n'avait pas besoin qu'une déesse un peu siphonnée en remette une couche.

Il se souvint d'une légende grecque qui parlait d'une fille sur une île... Était-ce un de ses amis qui l'avait évoquée ? Peu importait. Du moment qu'elle l'aidait à s'en aller d'ici.

– D'une seconde à l'autre, répéta la fille, les yeux tournés vers la mer.

Aucun radeau magique n'apparut.

– Il est peut-être coincé dans un embouteillage, dit Léo.

– C'est pas normal. (Elle regarda le ciel d'un œil mauvais.) Pas normal du tout !

– Alors, le plan de secours ? demanda Léo. Tu as un téléphone ou...

– Pfft !

La fille tourna les talons et partit en trombe vers l'intérieur de l'île. Arrivée au sentier, elle s'enfonça dans le bosquet et disparut entre les arbres.

– Ouais, dit Léo. Ou tu peux me planter là, évidemment.

Des poches de sa ceinture, il extirpa une corde et un mousqueton, puis attacha la sphère à sa taille.

Il regarda vers le large. Toujours pas de radeau magique. Il pouvait rester là et attendre, mais il avait faim et soif et il était fatigué. Sa chute l'avait pas mal secoué.

Il n'avait pas envie de suivre cette folle, même si elle sentait bon.

En même temps il n'avait nulle part où aller. La fille avait une table et de la vaisselle, donc sans doute aussi de quoi manger. Et visiblement, la présence de Léo l'agaçait.

– Si je peux l'agacer, c'est un plus, trancha Léo.

Et il partit sur ses traces, vers les collines.

50 Léo

– Par Héphaïstos, s'écria Léo.

Le sentier débouchait sur le jardin le plus ravissant que Léo eût jamais vu. Non qu'il en ait visité tant que ça, mais quand même, respect ! Sur la gauche, il y avait un verger et une vigne – des pêchers dont les fruits rouge et doré embaumaient dans la chaleur du soleil, des pieds de vigne soigneusement taillés, croulants sous les raisins, des tonnelles fleuries de jasmin et cent autres plantes dont Léo ne connaissait pas le nom.

Sur la droite se dessinaient d'impeccables parterres de légumes et de fines herbes, disposés en rayons autour d'une grande fontaine étincelante, ornée de satyres de bronze qui crachaient des jets d'eau dans le bassin central.

Au fond du jardin, là où se terminait le sentier, une grotte s'ouvrait sur le flanc d'une colline herbue. Comparée à celle du Bunker 9, à la Colonie, son entrée était minuscule, mais elle était impressionnante. De part et d'autre se dressaient des colonnes de style grec taillées dans une roche cristalline scintillante. Une barre de bronze, placée sur le dessus, supportait des rideaux de soie blanche.

Un mélange d'odeurs délicieuses assaillit les narines de Léo : cèdre, genièvre, jasmin, pêche, herbes aromatiques fraîches. Le parfum qui se dégageait de la grotte l'attira aussi vivement qu'une bonne odeur de petit plat qui mijote.

Il avança vers l'entrée. Franchement, comment aurait-il pu résister ? Soudain, il aperçut la fille et s'arrêta. Elle était à genoux dans son potager et tournait le dos à Léo. Tout en retournant rageusement la terre avec un déplantoir, elle marmonnait toute seule.

Léo s'approcha d'elle par le côté pour qu'elle puisse le voir. Il ne tenait pas à la prendre par surprise alors qu'elle était armée d'un outil de jardinage tranchant.

Elle n'arrêtait pas de pester en grec ancien, ponctuant ses jurons de coups de déplantoir. Ses bras, son visage et sa robe blanche étaient constellés de terre, mais elle n'avait pas l'air de s'en soucier.

Léo était sensible à cela. Il la trouvait mieux, comme ça, tachée de terre : elle ressemblait moins à une reine de beauté et plus à une vraie personne qui n'a pas peur de se servir de ses mains.

– Tu crois pas que tu as assez puni cette plate-bande ? murmura-t-il.

Elle le fusilla du regard, les yeux rouges et pleins de larmes.

– Va-t'en, dit-elle.

– Tu pleures.

Il se sentit bête de faire une remarque aussi évidente, mais la voir dans cet état lui avait coupé les gaz, en quelque sorte. Pas facile de rester en colère contre quelqu'un qui pleure.

– C'est pas tes oignons, bougonna-t-elle. L'île est grande. T'as qu'à... t'as qu'à te trouver un coin. Laisse-moi tranquille. (Elle agita vaguement la main vers le sud.) Pars par là, par exemple.

– Pas de radeau magique, donc, dit Léo. Pas d'autre moyen de quitter l'île ?

– À croire que non !

– Alors qu'est-ce que je suis censé faire ? Me tourner les pouces dans les dunes de sable jusqu'à ce que mort s'ensuive ?

– Ça ne me gênerait pas, personnellement... (La fille jeta son déplantoir et jura de nouveau contre le ciel.) Seulement évidemment il ne peut pas mourir ici, hein ? Zeus ! C'est pas drôle !

Il ne peut pas *mourir ici* ?

– Attends, fit Léo, qui avait la tête qui tournait comme un vilebrequin.

Il n'arrivait pas à traduire ce que disait la fille, un peu comme quand il entendait des gens d'Espagne ou d'Amérique du Sud parler espagnol. Oui, il comprenait, en gros, mais c'était tellement différent de ce qu'il avait entendu dans sa famille que ça pouvait presque être une autre langue.

– Je vais avoir besoin de plus d'informations, là, dit-il. OK, tu veux pas m'avoir dans les pattes, pas de problème. Moi non plus, j'ai pas envie d'être là. Mais je ne vais pas aller mourir dans un coin. Il faut que je parte de cette île. Il y a forcément un moyen. Il n'y a pas de problème sans solution.

Elle rit avec amertume et rétorqua :

– Tu n'as pas vécu bien longtemps si tu crois encore ça !

Léo eut un frisson dans le dos. La fille avait l'air de son âge, mais il se demanda, à l'entendre parler ainsi, ce qu'il en était vraiment.

– Tu as parlé d'une malédiction, lança-t-il.

Elle tordit et plia les doigts, comme si elle travaillait sa technique de strangulation.

– Oui, dit-elle. Je ne peux pas quitter Ogygie. Mon père, Atlas, a combattu contre les dieux et je l'ai soutenu.

– Atlas, tu veux dire « le Titan Atlas » ?

La fille roula les yeux.

– Oui, espèce de petit... (Elle se ravisa et garda pour elle le nom d'oiseau qu'elle avait choisi pour Léo.) J'ai été emprisonnée sur cette île, où je ne peux faire aucun mal aux Olympiens. Il y a environ un an, après la deuxième guerre des Titans, les dieux ont juré de pardonner à leurs ennemis et de les amnistier. Percy était censé leur avoir fait promettre...

– Percy, dit Léo. Percy Jackson ?

Elle ferma les yeux en serrant les paupières très fort. Une larme coula sur sa joue.

Oh, pensa Léo.

– Percy est venu ici, fit-il.

Elle enfonça les doigts dans la terre.

– Je… je croyais que j'allais être libérée. J'ai osé espérer.

Léo se souvint alors de l'histoire. Au départ c'était censé être un secret, ce qui signifiait bien sûr qu'elle avait fait le tour de la Colonie comme une traînée de poudre. Percy l'avait racontée à Annabeth. Des mois plus tard, quand Percy avait disparu, Annabeth l'avait racontée à Piper. Piper l'avait racontée à Jason…

Percy avait parlé de cette île où il avait fait escale. Il y avait rencontré une déesse qui avait eu un gros béguin pour lui et voulait qu'il reste, mais avait fini par le laisser repartir.

– Tu es cette dame, dit Léo. Celle qui a un nom de musique des Caraïbes.

– Musique des Caraïbes ? répéta-t-elle avec une étincelle meurtrière dans le regard.

– Ouais. Reggae ? (Léo secoua la tête.) Merengue ? Attends, ça va me revenir. (Il claqua des doigts.) Calypso ! C'est ça. Mais Percy a dit que tu étais super. Il a dit que tu étais trop gentille et généreuse, pas, euh…

Elle se releva d'un bond.

– Oui ?

– Euh, rien, dit Léo.

– Est-ce que tu serais *gentil*, toi, demanda-t-elle, si les dieux oubliaient de tenir leur promesse et te rendre ta liberté ? Est-ce que tu serais *gentil* s'ils se moquaient de toi en t'envoyant un autre héros, mais un héros qui ressemblerait à… à *toi* ?

– C'est une question piège ?

– *Di Immortales !*

Elle tourna les talons et s'engouffra dans sa caverne.

– Hé !

Léo lui courut après.

Quand il pénétra dans la grotte, il perdit le fil de ses pensées. Les murs étaient tapissés de cristaux multicolores. Des rideaux blancs divisaient l'espace en plusieurs pièces pleines de tapis tissés, de coussins moelleux et de corbeilles de fruits frais. Léo repéra une harpe dans un coin, un métier à tisser dans un autre et une grande marmite où mijotait le ragoût qui emplissait la grotte de son délicieux parfum.

Le plus bizarre, c'était que toutes les tâches s'exécutaient d'elles-mêmes. Des serviettes flottaient dans l'air, se pliaient et s'empilaient parfaitement. Des cuillères se lavaient dans un évier en cuivre. Cela lui fit penser aux esprits du vent qui servaient les repas au Camp Jupiter.

Calypso, debout devant un lavabo, rinçait la terre de ses bras.

Elle regarda Léo d'un œil noir, mais ne lui cria pas de s'en aller. Sa colère commençait à s'essouffler, visiblement.

Léo s'éclaircit la gorge. S'il voulait que cette dame l'aide, il fallait qu'il se montre aimable.

– Alors, euh, je comprends que tu sois en colère, dit-il. Tu n'as sans doute plus envie de voir de demi-dieux de ta vie. J'imagine que ça a dû mal passer quand, euh, quand Percy t'a quittée...

– Ce n'était que le dernier de la série, grommela-t-elle. Avant lui il y a eu Drake, le pirate. Et avant lui, Ulysse. Ils sont tous pareils ! Les dieux m'envoient les plus grands héros, ceux dont je ne peux pas ne pas...

– Tu tombes amoureuse d'eux, comprit Léo. Et après ils te quittent.

Le menton de Calypso trembla.

– C'est ma malédiction. J'aurais pu espérer en être libérée, maintenant, mais non. Trois mille ans plus tard, je suis toujours coincée ici à Ogygie.

– Trois mille ans. (Léo sentit sa bouche le chatouiller comme s'il venait de manger des bonbons pétillants.) Euh... tu ne les fais pas.

– Et maintenant, comble de l'insulte, les dieux se moquent de moi en t'envoyant, toi.

Léo sentit la colère lui nouer le ventre.

Ouais, c'était typique. Si c'était Jason qui avait débarqué, Calypso serait en pâmoison totale. Elle le supplierait de rester, mais il la jouerait noble héros que le devoir appelle, et il partirait en la laissant éplorée, le cœur brisé. Sûr que pour lui, le radeau magique n'oublierait pas de venir.

Mais Léo ? C'était l'invité boulet dont elle n'arrivait pas à se débarrasser. Il n'y avait aucun risque qu'elle tombe amoureuse de lui parce qu'il était disqualifié dès le départ, avec son look. Cela dit, il s'en fichait. Elle n'était pas son genre. Elle était bien trop agaçante, elle était belle, et puis... enfin, peu importe.

– Très bien dit-il. Je vais te laisser tranquille. Je vais me construire un rafiot tout seul et me tirer de cette pauvre île sans ton aide.

Elle secoua tristement la tête.

– Tu ne comprends pas, hein ? Les dieux se moquent de nous deux. Si le radeau n'apparaît pas, ça signifie qu'ils ont fermé Ogygie. Tu es coincé ici, exactement comme moi. Tu ne pourras jamais partir.

51 Léo

Les premiers jours furent les plus difficiles.

Léo dormait à la belle étoile, sur un tas de bâches de protection. Comme il faisait froid la nuit sur la plage, bien que ce fût l'été, il faisait des feux avec les débris de la table de Calypso. Ça lui mettait un peu de baume au cœur.

Le jour, il explorait les côtes de l'île, sans rien trouver d'intéressant – rien que des plages de sable fin et la mer à perte de vue, faut aimer... Il essaya d'envoyer un message-Iris dans les arcs-en-ciel qui se formaient dans les embruns, mais sans succès. Il n'avait pas de drachme pour l'offrande et, apparemment, la déesse Iris n'était pas preneuse de vis ou d'écrous.

Il ne rêvait pas, ce qui était inhabituel pour lui, comme pour n'importe quel demi-dieu ; du coup il n'avait aucune idée de ce qui se passait dans le monde extérieur. Ses amis avaient-ils pu se débarrasser de Chioné ? Le cherchaient-ils ou avaient-ils repris leur route vers l'Épire pour mener la quête à bien ?

Il ne savait même pas quoi espérer.

Le rêve qu'il avait fait à bord de l'*Argo II* prenait enfin son sens : quand l'horrible bonne femme lui avait dit de choisir entre sauter dans les nuages du haut d'une falaise ou descendre dans un tunnel obscur où murmuraient des spectres.

Ce tunnel devait représenter la Maison d'Hadès, que Léo ne connaîtrait jamais maintenant. Il avait choisi la falaise : tomber du ciel sur cette île pitoyable. Seulement dans le rêve, Léo avait été placé face à un choix. Pas dans la réalité. Chioné l'avait cueilli sur son navire et envoyé en orbite. Injustice totale.

Et le pire, à se trouver coincé ici ? C'était qu'il perdait la notion du temps. Un matin il s'était réveillé sans savoir s'il avait passé trois nuits sur Ogygie ou quatre.

Calypso ne fut pas d'un grand secours. Léo alla la trouver dans son jardin et lui posa la question, mais elle se contenta de secouer la tête et de répondre :

– Le temps, c'est compliqué, ici.

Trop de la balle. Pour un peu, un siècle s'était écoulé dans le monde réel et la guerre contre Gaïa était terminée depuis belle lurette, pour le meilleur ou pour le pire. Ou alors au contraire, il n'était à Ogygie que depuis cinq minutes. Sa vie entière pouvait s'écouler dans le temps qu'il fallait à ses camarades à bord de l'*Argo II* pour prendre leur petit déj'.

Quoi qu'il en soit, il fallait qu'il parte de cette île.

Calypso compatissait, à sa façon. Elle dépêchait ses domestiques invisibles lui déposer des bols de ragoût et des verres de jus de pomme à la lisière du jardin. Elle lui fit même porter quelques tenues de rechange toutes neuves : des chemises et des pantalons en coton écru, tout simple, qu'elle avait dû tisser sur son métier. Les vêtements lui allaient si bien que Léo se demanda comment elle avait eu ses mesures. Peut-être qu'elle s'était juste servie de son patron « taille gringalets ».

En tout cas, il était ravi d'avoir de nouvelles sapes, vu que les anciennes étaient brûlées de partout et ne sentaient pas la rose. En général, Léo parvenait à protéger ses vêtements quand lui-même prenait feu, mais cela exigeait de la concentration. Il lui était déjà arrivé d'oublier, à la Colonie, alors qu'il était absorbé par un projet en métal à la forge : il remarquait soudain que ses vêtements avaient presque tous brûlé et qu'il était en caleçon fumant, sa ceinture à outils magique autour de la taille. Plutôt gênant.

Malgré les cadeaux qu'elle lui laissait, Calypso ne souhaitait pas le voir, c'était clair. Un jour, il pointa le nez dans sa grotte et elle piqua une crise de rage, carrément – lui lança des casseroles à la tête et lui hurla dessus.

Oui, une vraie groupie.

Il finit par établir son camp près du sentier, là où la plage rejoignait les collines. De cette façon il était assez près pour ramasser les repas offerts, sans que Calypso n'ait à le voir, au risque d'une nouvelle colère, avec tirs de marmites et compagnie.

Il se construisit une cabane avec des bâtons et de la toile. Creusa une petite fosse pour y allumer ses feux de camp. Et parvint même à se faire un banc et un établi avec des bois flottés et des branches de cèdre mortes. Il passa des heures à réparer la sphère d'Archimède, à la nettoyer et à remettre ses circuits en marche. Il fabriqua une boussole, mais l'aiguille s'obstinait à tourner comme une folle, malgré tous ses efforts. Léo devina qu'un GPS n'aurait pas marché davantage. L'île était destinée à demeurer hors de tout repère et impossible à quitter.

Il repensa au vieil astrolabe de bronze qu'il avait trouvé à Bologne, fabriqué par Ulysse à en croire les nains. Son intuition lui disait qu'Ulysse pensait à cette île quand il l'avait conçu, malheureusement il était resté sur le navire avec Buford le guéridon magique. En même temps, les nains lui avaient dit que l'astrolabe ne fonctionnait pas. Une histoire de cristal manquant...

Il arpentait la plage en retournant la même question dans sa tête : pourquoi Chioné l'avait-elle envoyé ici ? – à supposer qu'il n'ait pas atterri ici par hasard. Pourquoi ne l'avait-elle pas tué tout simplement ? Peut-être que Chioné voulait qu'il soit dans les limbes pour toujours. Peut-être savait-elle que les dieux étaient trop handicapés par leurs problèmes, en ce moment, pour prêter attention à Ogygie, et que le sortilège magique qui pesait sur l'île était donc brisé. Cela aurait pu expliquer que Calypso soit toujours en rade sur l'île et que le radeau magique ne vienne pas chercher Léo.

Ou alors, autre hypothèse, le sortilège marchait parfaitement. Les dieux punissaient Calypso en lui envoyant des gars courageux et baraqués, qui partaient aussitôt qu'elle tombait amoureuse d'eux. C'était peut-être ça le problème. Calypso ne tomberait jamais amoureuse de Léo. Elle voulait qu'il parte. Du coup ils étaient prisonniers d'un cercle vicieux. Si c'était cela le plan de Chioné, respect... plus retors on ne faisait pas.

Puis, un beau matin, Léo fit une découverte qui compliqua encore davantage les choses.

Léo se promenait dans les collines en longeant un ruisseau qui passait entre deux grands cèdres. Il aimait bien ce coin-là ; c'était le seul endroit, à Ogygie, d'où on ne voyait pas la mer et en venant là, il pouvait s'imaginer qu'il n'était pas prisonnier sur une île. À l'ombre des arbres, il aurait presque pu se croire à la Colonie, en train de cheminer dans le bois pour rejoindre le Bunker 9.

Il franchit le ruisseau d'un bond. Au lieu de rencontrer la terre meuble, ses pieds heurtèrent une surface très dure.

DONG.

Du métal.

Fébrilement, Léo creusa le sol avec les mains et mit au jour une brillance de bronze.

– Mazette !

Gloussant comme un fou, il déterra le fragment. Il ne s'expliquait pas du tout sa présence ici. Certes, Héphaïstos passait son temps à balancer les rebuts de sa forge et à joncher ainsi la planète de bouts de ferraille et pièces métalliques en tout genre, mais quelles étaient les chances pour qu'il en arrive sur Ogygie ?

Léo récolta une poignée de câbles, quelques rouages tordus, un piston qui avait l'air en état de fonctionner et plusieurs plaques de bronze céleste martelé – d'une taille allant du sous-verre au bouclier.

Ce n'était pas énorme, comparé à son stock du Bunker 9, ou même à ce qu'il avait chargé sur l'*Argo II*. Mais c'était autre chose que du sable et des pierres.

Il tourna les yeux vers le soleil qui jouait dans les branches des cèdres.

– Papa ? Si c'est toi qui m'as envoyé ça, merci. Si ce n'est pas toi, ben merci quand même.

Il rassembla son trésor et le trimbala jusqu'à son campement.

Dès lors, les jours passèrent plus vite, et beaucoup plus bruyamment.

Léo commença par se construire une forge en briques de terre, qu'il fit cuire une à une entre ses propres mains enflammées. Il dénicha une grande pierre pouvant lui servir de pied et fit fondre suffisamment de clous tirés de sa ceinture à outils pour façonner la plaque d'enclume.

Cela fait, il entreprit de refondre les débris de bronze céleste. Tous les jours, son marteau frappait le bronze jusqu'à ce que son enclume de pierre se brise, que ses pinces se tordent ou qu'il n'ait plus de bois.

Tous les soirs il s'effondrait, trempé de sueur et couvert de suie, mais en grande forme. Il travaillait, au moins ; il essayait de se sortir d'affaire.

La première fois que Calypso lui rendit visite, ce fut pour se plaindre du bruit.

– Du feu et de la fumée, dit-elle. Des coups de marteau à longueur de journée. Tu fais peur aux oiseaux !

– Ah non, pas les oiseaux ! grogna Léo.

– Quel résultat espères-tu obtenir ?

Il leva les yeux et manqua de se donner un coup de marteau sur le pouce. À force de regarder du métal et du feu, il avait oublié à quel point Calypso était belle. Elle était debout devant lui, un panier plein de raisins et de pain frais au bras ; le soleil jouait dans ses cheveux et sa jupe blanche flottait doucement autour de ses jambes.

Léo essaya de faire taire les gargouillis de son estomac.

– J'espère me donner les moyens de m'en aller de cette île, répondit-il. C'est ce que tu veux, non ?

Calypso fit la moue et déposa le panier à côté de son sac de couchage.

– Tu n'as rien mangé depuis deux jours. Arrête-toi deux minutes et mange.

– Deux jours ?

Léo n'avait même pas remarqué, et ça l'étonna car il aimait manger. Ce qui l'étonna encore plus, c'est que Calypso s'en soit aperçue.

– Merci, marmonna-t-il. Je vais, euh, essayer de marteler plus doucement.

– Ah oui.

Calypso n'eut pas l'air convaincue. Mais après cela, elle ne se plaignit plus du bruit.

La fois suivante, elle arriva pendant que Léo portait la touche finale à son premier projet. Il ne la vit pas approcher.

– Je t'ai apporté..., commença-t-elle.

Léo sauta en l'air et lâcha ses câbles.

– Mille taureaux de bronze ! Débarque pas en douce comme ça !

Elle était habillée en rouge, cette fois-ci, la couleur préférée de Léo. Ce qui n'était pas du tout le propos. Ça lui allait trop bien, le rouge. Pas du tout le propos non plus.

– Je ne débarque pas en douce, dit-elle. Je t'apportais ceci.

Elle désigna des vêtements drapés sur son bras : un jean, un tee-shirt blanc, une veste en treillis, tout neufs. Une seconde... C'étaient les propres vêtements de Léo ! Sauf que c'était impossible. Sa veste en treillis avait brûlé depuis des mois. Il ne l'avait pas quand il était tombé à Ogygie. Pourtant les vêtements que Calypso lui présentait étaient exactement semblables à ceux qu'il portait le jour de son arrivée à la Colonie des Sang-Mêlé, à la seule différence qu'ils avaient l'air plus grands, retaillés pour mieux lui aller.

– Comment tu as fait ? demanda-t-il.

Calypso déposa les vêtements à ses pieds et recula comme si c'était une bête sauvage.

– J'ai quand même des pouvoirs magiques, tu sais. Tu n'arrêtes pas de brûler les vêtements que je te donne, alors je me suis dit que j'allais te tisser quelque chose de moins inflammable.

– Ces vêtements ne brûlent pas ? demanda-t-il en touchant le jean, qui lui parut en toile tout ce qu'il y a de plus ordinaire.

– Parfaitement ignifugé, lui garantit Calypso. Ils resteront propres et pourront s'élargir si jamais tu t'épaississais un peu.

– Merci, dit-il d'un ton qui se voulait ironique, mais en réalité il est complètement bluffé. (Léo pouvait fabriquer beaucoup de choses, mais une tenue ignifugée qui s'adapte au gabarit de qui la porte, ça n'en faisait pas partie.) Donc... tu as fabriqué la réplique exacte de ma tenue préférée. Tu m'as... tu m'as googlé ou quoi ?

Elle fronça les sourcils.

– Je ne connais pas ce mot.

– Tu as fait une recherche sur moi. Presque comme si je t'intéressais.

– Ce qui m'intéresse, riposta Calypso en plissant le nez, c'est de ne pas avoir à te fabriquer des vêtements de rechange tous les jours. Ce qui m'intéresse, c'est que tu ne te promènes pas sur mon île en haillons fumants qui sentent le bouc.

Léo sourit jusqu'aux oreilles.

– Je vois. Tu commences grave à m'apprécier.

Calypso rougit.

– Tu es la personne la plus insupportable que j'aie jamais rencontrée ! Je ne faisais que te retourner un service. Tu as réparé ma fontaine.

– Ça ? fit Léo en riant. (C'était tellement pas grand-chose qu'il avait presque oublié. Un des satyres de bronze s'était trouvé tourné sur le côté, ce qui diminuait la pression de l'eau ; du coup il faisait un petit bruit agaçant, remuait de haut en bas et crachait de l'eau par-dessus le bord du bassin. Léo avait sorti quelques outils et réglé le problème en deux minutes.) C'était trois fois rien. Ça m'agace quand les choses ne marchent pas correctement.

– Et les rideaux de l'entrée de la grotte ?

– La tringle n'était pas droite.

– Et mes outils de jardinage ?

– J'ai juste aiguisé ton sécateur. C'est dangereux de couper des tiges avec des lames émoussées. Et les cisailles avaient besoin d'être huilées à la charnière et...

– Je vois, l'interrompit Calypso en imitant plutôt bien sa voix. Tu commences grave à m'apprécier.

Pour une fois, Léo se trouva à court de repartie. Les yeux de Calypso brillaient. Il voyait bien qu'elle se moquait de lui, mais curieusement il sentait que c'était sans méchanceté.

Elle montra du doigt son établi.

– Qu'es-tu en train de construire ?

– Ah ça.

Il regarda le miroir de bronze qu'il venait de relier à la sphère d'Archimède par un câble. Son reflet, sur la surface de métal poli, l'étonna. Ses cheveux avaient allongé et bouclaient davantage qu'avant. Son visage était plus fin, avec des traits plus ciselés, peut-être parce qu'il mangeait peu ces derniers temps. Il avait les yeux sombres et un peu farouches quand il ne souriait pas – un genre à la Tarzan, si ce dernier existait en modèle latino extra-small. Il ne pouvait pas reprocher à Calypso d'être rebutée.

– Euh, c'est un instrument de vision, expliqua-t-il. On en a trouvé un comme ça à Rome, dans l'atelier d'Archimède. Si j'arrive à le faire marcher, je pourrai peut-être découvrir ce que mes amis deviennent.

Calypso secoua la tête.

– C'est impossible. Cette île est cachée et coupée du monde par un sortilège magique très puissant. Même le temps, ici, ne s'écoule pas comme ailleurs.

– Mais tu dois bien avoir une forme de contact avec l'extérieur, non ? Comment as-tu su que j'avais une veste en treillis avant ?

Elle tortilla une mèche de cheveux comme si la question l'embarrassait.

– Voir le passé relève de la magie simple, dit-elle. Pas le présent ni l'avenir.

– Ouais, ben, regarde, Mistinguett, et prends des notes. Je vais juste connecter ces deux derniers câbles, et...

Une gerbe d'étincelles crépita sur la plaque de bronze. De grosses volutes de fumée bourgeonnèrent sur la sphère, et des flammes coururent sur la manche de Léo. Il retira sa chemise, la jeta par terre et la piétina.

Il ne lui échappa pas que Calypso se retenait de rire, au prix d'un tel effort qu'elle en tremblait.

– Pas de commentaire, lança-t-il.

Elle jeta un coup d'œil à son torse nu, en sueur, efflanqué et strié de cicatrices laissées par des accidents qu'il avait eus en fabriquant des armes.

– Il n'y a pas de quoi faire des commentaires, rétorqua-t-elle. Mais si tu veux que cet engin marche, tu devrais peut-être tenter une invocation musicale.

– T'as raison, chaque fois qu'un moteur est en panne, je lui fais un numéro de claquettes. Ça marche à tous les coups.

Elle prit une grande inspiration et se mit à chanter.

Sa voix le heurta de plein fouet comme une brise fraîche – comme le premier front d'air frais au Texas, quand la canicule estivale cède enfin et qu'on commence à croire que les choses peuvent s'arranger. Léo ne comprenait pas les paroles ; la chanson lui faisait l'impression d'une complainte douce-amère, comme si Calypso décrivait une terre natale où elle ne pouvait pas retourner.

Son chant était magique, pas de doute là-dessus. Mais il ne l'était pas à la façon de celui de Médée, qui plongeait ses auditeurs dans un état de transe, ni même à celle de l'enjôlement de Piper. Cette mélodie n'exigeait rien de lui. Elle se contentait de lui rappeler ses meilleurs souvenirs : quand il construisait des objets avec sa mère, à son atelier d'usinage ; quand il traînait au soleil avec ses amis de la Colonie. Elle le rendait nostalgique.

Calypso se tut. Léo se rendit compte qu'il la regardait bouche bée comme un idiot.

– Alors, ça donne quelque chose ? demanda-t-elle.

– Euh... (Il se força à ramener les yeux sur le miroir.) Rien. Attends...

L'écran s'illumina. Dans l'air, juste au-dessus, se dessinèrent des images holographiques.

Léo reconnut la grande pelouse de la Colonie des Sang-Mêlé.

Il n'y avait pas de son, mais l'image était nette. Clarisse LaRue, du bungalow d'Arès, hurlait des ordres aux demi-dieux et les disposait en rangs. Les frères et sœurs de Léo, du bungalow 9, s'affairaient pour équiper tout le monde d'armures et distribuer des armes.

Même Chiron, le centaure, était en tenue de guerre. Il parcourait les rangs au petit trot, en jambières de bronze et casque à panache étincelant. Son habituel sourire bienveillant avait cédé la place à une expression sévère et déterminée.

Au loin, des trirèmes grecques flottaient dans le détroit de Long Island, prêtes au combat. Des catapultes étaient dressées en haut des collines. Des satyres patrouillaient dans les champs et des héros perchés sur des pégases décrivaient des cercles de surveillance aérienne.

– Ce sont tes amis ? demanda Calypso.

Léo fit oui de la tête. Il était pétrifié.

– Ils se préparent pour la guerre, dit-il.

– Contre qui ?

– Regarde.

Changement de scène. Une phalange de demi-dieux romains traversait au pas un vignoble éclairé par la lune. Sur le côté, un panneau lumineux annonçait « CAVES GOLDSMITH ».

– J'ai déjà vu ce panneau, dit Léo. Ce n'est pas loin de la Colonie des Sang-Mêlé.

Soudain, le chaos s'empara des rangs romains. Les demi-dieux se dispersèrent. Des boucliers voltigèrent tandis que des lances basculaient dans tous les sens, comme si le groupe avait marché sur une colonie de fourmis de feu.

Deux petites créatures velues, affublées de vêtements et de chapeaux tapageurs, sillonnaient le bataillon à toute vitesse. Elles étaient partout à la fois : donnaient des coups sur la tête aux légionnaires, leur volaient leurs armes, tranchaient leurs ceintures pour leur faire perdre leurs pantalons.

Léo ne put s'empêcher de sourire.

– Ils sont trop forts, ces petits trublions ! Ils ont tenu parole.

Calypso se pencha et examina les Cercopès.

– Des cousins à toi ? demanda-t-elle.

– Ha, ha, ha. Non. Ce sont deux nains que j'ai rencontrés à Bologne. Je les avais envoyés ralentir les Romains et c'est ce qu'ils font.

– Oui, mais pour combien de temps ?

Bonne question. Il y eut un nouveau changement de scène. Léo aperçut Octave – cette grande nouille blonde et bonne à rien qui occupait le poste d'augure chez les Romains. Il se tenait dans le parking d'une station-service, entouré de SUV noirs et de demi-dieux romains. Il tenait à la main une longue perche enveloppée de tissu. Lorsqu'il la déballa, un aigle en or étincelant apparut dans la pénombre.

– Oh, mauvais, murmura Léo.

– Un étendard romain, remarqua Calypso.

– Oui. Et en plus, celui-là peut déclencher la foudre, d'après Percy.

Léo se mordit aussitôt la langue d'avoir prononcé le nom de Percy. Il jeta un coup d'œil à Calypso. Il vit dans ses yeux les efforts qu'elle faisait pour mettre ses émotions au pas comme de bons petits soldats, comme des rangées de fil bien alignées dans son métier à tisser. Ce qui étonna Léo, ce fut surtout la bouffée de colère qu'il sentit monter en lui. Ce n'était pas juste de la jalousie et de l'agacement. Il en voulait terriblement à Percy de faire de la peine à cette fille.

Il reporta son attention sur les hologrammes. Une cavalière, cheveux au vent, traversait la tempête sur le dos d'un pégase à la robe brun clair, lancé au grand galop. Reyna, la préteur du Camp Jupiter. Sa cape rouge voletait, découvrant une armure luisante. Ses bras et son visage saignaient. Son pégase avait les yeux farouches et la bouche qui écumait sous l'effort, tandis que Reyna maintenait le regard fermement braqué devant elle, fendant la tempête.

Sous les yeux de Léo, un griffon sauvage surgit des nuages et laboura les côtes du cheval à coups de griffes, manquant de renverser Reyna. Elle tira son épée et pourfendit le monstre. Quelques secondes après, trois *venti* entrèrent en scène : des esprits de l'air qui tourbillonnaient comme des tornades miniatures et sombres, zébrées d'éclairs. Reyna chargea avec un hurlement de défi.

À ce moment-là, le miroir de bronze s'éteignit.

– Non ! cria Léo. Non, pas maintenant. Montre-moi ce qui se passe ! (Il tapa sur le miroir.) Calypso, tu peux faire quelque chose ? Te remettre à chanter ?

Elle le fusilla du regard.

– C'est ta dulcinée, je présume ? Ta Pénélope ? Ton Elizabeth ? Ton Annabeth ?

– Comment ? (Décidément, Léo ne comprenait pas cette fille. La moitié de ce qu'elle racontait ne voulait rien dire.) C'est Reyna, c'est pas ma dulcinée ! Il faut que j'en voie davantage. J'ai besoin...

BESOIN, gronda une voix qui montait du sol, sous ses pieds. Léo tituba, pris de l'impression soudaine d'être debout sur un trampoline.

BESOIN est un mot galvaudé.

Une forme humaine surgit du sable en tourbillonnant : la déesse que Léo aimait le moins au monde, Maîtresse de la Vase, Princesse des Bourbes... Gaïa en personne.

Léo lui lança une paire de tenailles à la tête. Malheureusement l'apparition n'ayant pas de corps solide, elles lui passèrent au travers sans lui faire de mal. Gaïa avait les yeux clos, mais ne paraissait pas endormie pour autant. Un léger sourire flottait sur son diabolique visage de poussière, comme si elle se concentrait pour écouter sa chanson préférée. Sa robe de sable ne cessait d'onduler et de former des plis, ce qui rappelait à Léo les nageoires de cet abominable Homardzilla qu'ils avaient combattu dans l'Atlantique. Sauf que Gaïa était encore plus hideuse.

Tu souhaites vivre, dit Gaïa. *Tu souhaites rejoindre tes amis. Mais tu n'en as pas* besoin, *mon pauvre garçon. Cela ne changerait rien. Tes amis vont mourir, de toute façon.*

Les jambes de Léo vacillèrent. Il détestait se l'avouer, mais dès que cette sorcière de Gaïa se montrait, il redevenait le petit garçon de huit ans, la nuit où elle l'avait pris au piège dans le hall de l'atelier d'usinage de sa mère et l'avait abreuvé de ses paroles diaboliques, pendant que sa mère, enfermée à l'intérieur de l'entrepôt en flammes, mourait asphyxiée par la fumée.

– Ce dont je n'ai pas besoin, grogna-t-il, c'est que vous me racontiez d'autres bobards, Face de Vase. Vous m'avez dit que mon arrière-grand-père était mort dans les années 1960.

Faux ! Vous m'avez dit que je ne pourrais pas sauver mes amis à Rome. Encore faux ! Vous m'avez raconté un tas de trucs.

Le rire de Gaïa s'égrena. C'était un léger bruissement, qui faisait penser à un filet de poussière roulant au flanc d'une colline au début d'une avalanche.

J'ai essayé de t'aider à choisir. Tu aurais pu sauver ta peau. Tu as préféré me défier à chaque étape. Tu as construit ton vaisseau. Tu t'es joint à cette quête absurde. Maintenant te voilà prisonnier et impuissant, pendant que le monde mortel agonise.

Les paumes de Léo s'enflammèrent. Il aurait voulu vitrifier le visage de sable de Gaïa. Il sentit alors la main de Calypso se poser sur son épaule.

– Gaïa, dit-elle d'une voix grave et ferme. Tu n'es pas la bienvenue.

Léo aurait aimé dégager la même assurance que Calypso. Puis il se rappela qu'avec ses airs de midinette, elle était en fait la fille immortelle d'un Titan.

Ah, Calypso. Gaïa tendit les bras vers elle en un geste qui se prétendait affectueux. *Toujours là, je vois, malgré les promesses des dieux. Comment expliques-tu cela, ma petite-fille chérie ? Les Olympiens veulent-ils te faire souffrir en t'abandonnant avec ce stupide freluquet pour seule compagnie ? Ou t'ont-ils simplement oubliée parce que tu ne mérites pas qu'ils s'attardent sur ton cas ?*

Le regard de Calypso traversa le visage tourbillonnant de Gaïa pour aller se planter dans l'horizon.

Oui, murmura Gaïa d'une voix compatissante. *Les Olympiens sont sans parole. Ils ne redonnent leur chance à personne. Pourquoi nourris-tu encore de l'espoir ? Tu as soutenu ton père, Atlas, dans sa grande guerre. Tu savais que les dieux devaient être anéantis. Pourquoi hésites-tu à présent ? Je t'offre une chance que Zeus ne t'offrirait jamais.*

– Où étais-tu passée, ces trois derniers millénaires ? rétorqua alors Calypso. Si tu t'inquiètes autant de mon sort, pourquoi n'es-tu pas venue me voir plus tôt ?

Gaïa leva les mains au ciel.

La Terre est lente à s'éveiller. La guerre survient au moment qui lui est opportun. Mais ne crois pas qu'elle épargnera Ogygie. Lorsque je reconstruirai le monde, ta prison sera détruite elle aussi.

– Ogygie détruite ?

Calypso secoua la tête comme si elle ne pouvait pas imaginer une chose pareille.

Rien ne t'oblige à être présente quand cela se produira, promit Gaïa. *Rallie-toi à mon camp. Tue ce garçon. Répands son sang sur la terre et aide-moi à m'éveiller. Je te libérerai et j'exaucerai le vœu de ton choix. La liberté. La vengeance sur les dieux. Je t'offrirai même un trophée. Veux-tu encore du demi-dieu Percy Jackson ? Je te le réserverai vivant. Je l'extirperai du Tartare et te le donnerai. Pour l'aimer ou le châtier, le choix t'appartiendra. Tout ce que je te demande, c'est de tuer ce garçon qui se mêle de ce qui ne le regarde pas. Prouve-moi ta loyauté.*

Plusieurs scénarios défilèrent dans la tête de Léo, et aucun n'était plaisant. Il était persuadé que Calypso allait l'étrangler sur-le-champ ou ordonner à ses serviteurs invisibles de le réduire en Léo Rémoulade.

Et pourquoi ne le ferait-elle pas ? Gaïa lui proposait le marché du siècle : pour l'assassinat d'un bouffon, un beau gosse gratuit !

Calypso tendit le bras vers Gaïa en écartant trois doigts, geste que Léo reconnut pour l'avoir appris à la Colonie. C'était ainsi, dans l'Antiquité, que les Grecs chassaient le mauvais œil.

– Ce n'est pas seulement ma prison, ici, Grand-Mère, dit-elle. C'est chez moi. Et l'indésirable, c'est toi.

Le vent dispersa la silhouette de sable de Gaïa dans le ciel bleu.

Léo ravala sa salive.

– Euh, fit-il, ne te fâche pas, mais tu ne m'as pas tué. T'es folle ou quoi ?

Les yeux de Calypso brûlaient de colère, et pour une fois Léo ne se sentit pas visé.

– Tes amis doivent avoir besoin de toi, répondit la jeune immortelle. Sinon Gaïa ne réclamerait pas ta mort.

– Je... euh, ouais. Tu as sans doute raison.

– Alors au travail. Nous devons trouver le moyen de te renvoyer à ton bateau.

52 Léo

Léo croyait savoir ce que c'était que de s'activer, mais quand Calypso s'attelait à une tâche, c'était une véritable machine.

En l'espace d'un jour, elle rassembla tout ce qu'il fallait pour un voyage d'une semaine : des vivres, des gourdes d'eau, des herbes médicinales de son jardin. Elle tissa une voile assez grande pour équiper un petit yacht et fabriqua de la corde pour tous les gréements.

Du coup, le lendemain, elle demanda à Léo s'il avait besoin d'aide pour le projet qu'il avait entrepris.

Il leva le nez du circuit imprimé qui prenait lentement forme.

– Pour un peu, répondit-il, j'irai m'imaginer que tu veux te débarrasser de moi.

– C'est la cerise sur le gâteau, admit-elle.

Calypso arborait sa nouvelle tenue de travail, jean et tee-shirt blanc. Lorsqu'il l'avait interrogée sur son changement de garde-robe, elle avait prétendu qu'en fabriquant les vêtements de Léo, elle s'était rendu compte qu'ils étaient pratiques et confortables.

En blue-jean, elle n'avait plus l'air d'une déesse. Son tee-shirt était couvert de taches d'herbe et de terre, comme si elle venait de traverser les tourbillons de Gaïa. Elle avait les pieds nus et ses cheveux couleur de pain grillé étaient relevés, ce qui mettait en valeur ses grands yeux en amande. À force de travailler la corde, elle avait des ampoules et des callosités aux mains.

En la regardant, Léo ressentit un serrement au creux de son estomac qu'il ne sut pas s'expliquer.

– Alors ? insista-t-elle.

– Alors quoi ?

Elle donna un coup de menton vers le circuit.

– Est-ce que je peux t'aider ? Comment ça se présente ?

– Oh, euh, ça va. Enfin, je crois. Si j'arrive à câbler cette console à un bateau, je devrais pouvoir regagner le monde.

– Il ne te manque plus qu'un bateau.

Léo essaya de déchiffrer son expression. Il ne savait pas trop si elle était contrariée qu'il soit encore là, ou triste de ne pouvoir partir elle aussi. Il regarda les provisions qu'elle avait amassées : il y en avait largement assez pour deux pour plusieurs jours.

– À propos de ce que Gaïa disait... (Il hésita.) Que tu partes de l'île. Tu ne voudrais pas essayer ?

– Comment ça ? rétorqua-t-elle en fronçant les sourcils.

– Ben... je ne veux pas dire que ce serait drôle de t'avoir à bord, tout le temps en train de te plaindre et de me regarder de travers, mais je crois que j'arriverais à le supporter si tu voulais tenter le coup.

Le visage de Calypso se radoucit légèrement.

– Très généreux à toi, murmura-t-elle. Mais non, Léo. Si j'essayais de t'accompagner, ta minuscule chance de t'échapper serait réduite à zéro. Les dieux ont jeté sur cette île des sortilèges anciens qui m'y maintiennent prisonnière. Un héros peut en partir, moi non. L'important, c'est que nous arrivions à te libérer pour que tu barres la route à Gaïa. Ne va pas t'imaginer que je m'inquiète de ce qui va t'arriver, s'empressa-t-elle d'ajouter, mais le sort du monde est en jeu.

– En quoi cela t'intéresse ? Je veux dire depuis le temps que tu es coupée du monde.

Elle haussa les sourcils comme si elle était étonnée de l'entendre poser une question sensée.

– Je crois que je n'aime pas qu'on me dise ce que je dois faire, expliqua-t-elle. Que ce soit Gaïa ou quelqu'un d'autre. Et même si par moments je déteste les dieux, au cours des trois derniers millénaires, j'en suis venue à penser qu'ils valent mieux que les Titans. Et nettement mieux que les géants, ça, c'est sûr. Les dieux, au moins, ont maintenu le contact. Hermès a toujours été très gentil avec moi. Et ton père, Héphaïstos, me rend souvent visite. C'est quelqu'un de bien.

Léo se demanda comment interpréter le ton détaché qu'elle affectait. Il avait presque l'impression que c'était sa valeur à lui qu'elle était en train de décrire, et non celle de son père.

Elle tendit la main et lui remonta le menton – il ne s'était pas rendu compte qu'il la regardait bouche bée.

– Alors, dit Calypso, qu'est-ce que je peux faire ?

– Ah. (Léo baissa les yeux sur sa console en cours de construction, mais lorsqu'il prit la parole, ce fut pour demander une chose qui lui trottait en tête depuis que Calypso lui avait confectionné de nouveaux vêtements.) Tu sais, ton tissu ignifugé ? Tu crois que tu pourrais me faire un petit sac là-dedans ?

Il lui décrivit les dimensions qu'il voulait, et Calypso agita la main avec impatience.

– Ce n'est rien ça, je te le ferai en quelques minutes ! dit-elle. Mais cela te servira-t-il dans ta quête ?

– Oui, ça pourrait sauver une vie. Et, euh, pourrais-tu me donner un petit morceau du cristal de ta grotte ? Il ne m'en faut pas beaucoup.

– Drôle de demande, fit-elle en fronçant les sourcils.

– Pour me faire plaisir.

– D'accord. Tu peux compter dessus. Et je tisserai la pochette ignifugée ce soir, après ma toilette. Mais qu'est-ce que je peux faire maintenant, tant que j'ai les mains sales ?

Elle montra ses doigts crasseux. Léo ne put s'empêcher de se dire qu'il n'y avait rien de plus sexy qu'une fille qui n'a pas peur de mettre les mains dans le cambouis. Mais c'était une remarque d'ordre général, bien sûr. Qui ne s'appliquait pas à Calypso, s'entend.

– Ben, tu pourrais façonner d'autres spires en bronze. Seulement c'est un peu technique...

Elle s'assit à côté de lui sur le banc et se mit aussitôt au travail, tressant les fils de bronze plus rapidement qu'il n'aurait pu le faire.

– C'est comme le tissage, dit-elle. Pas tellement difficile, en fait.

– Ouais, ben si jamais tu quittes cette île et que tu cherches du travail, fais-moi signe. T'es pas complètement empotée.

Elle sourit :

– Tu m'offres un travail dans ta forge ?

– Non, on pourrait lancer notre atelier, répondit Léo à sa propre surprise. (Il avait toujours rêvé de monter un atelier d'usinage, mais n'en avait jamais parlé à personne.). « Léo Calypso Autos : Réparations et Monstres Mécaniques. »

– Fruits et légumes frais, suggéra Calypso.

– Jus de pomme et petits plats, ajouta Léo. On pourrait même offrir un spectacle. Tu chantes, et moi, aux moments clés, *pschitt !* je m'enflamme.

Calypso éclata de rire. C'était un son clair et heureux, et le cœur de Léo fit *boum*.

– Tu vois, dit-il, je suis drôle.

Elle parvint à gommer son sourire de son visage.

– Non, dit-elle, tu n'es pas drôle. Maintenant au travail, sinon pas de jus de pomme et pas de petits plats.

– Bien m'dame.

Ils travaillèrent en silence, côte à côte, le restant de l'après-midi.

Deux jours plus tard, la console de guidage était terminée.

C'était le soir et Léo et Calypso pique-niquaient tous les deux sur la plage, non loin de l'endroit où Léo avait atterri en écrasant la table. La pleine lune parait les vagues de reflets argentés. Leur feu de camp lançait des flammèches orange dans le ciel. Calypso portait un tee-shirt blanc immaculé et son jean, qu'elle semblait ne plus vouloir quitter.

Derrière eux dans les dunes, les provisions et le matériel de voyage étaient soigneusement emballés et prêts à charger.

– Il ne nous manque plus qu'un bateau, dit Calypso.

Léo hocha la tête. Il essaya de ne pas s'attarder mentalement sur le mot « nous » : Calypso ne partait pas, elle avait été très claire là-dessus.

– Je peux commencer à faire des planches demain, répondit-il. En quelques jours, on en aura assez pour monter une petite coque.

– Tu as déjà construit un bateau, se souvint Calypso. Ton *Argo II*.

– Ouaip.

Léo repensa aux longs mois qu'il avait passés à concevoir et bâtir l'*Argo II*. Curieusement, fabriquer un bateau pour quitter Ogygie lui semblait une tâche bien plus ardue.

– Alors, combien de temps penses-tu qu'il te faudra avant de pouvoir prendre la mer ? demanda Calypso d'un ton qui se voulait léger, mais sans regarder Léo dans les yeux.

– Euh, je sais pas trop. Une semaine, mettons ?

Marrant, mais le simple fait de dire cela apaisa Léo. À son arrivée sur Ogygie, il ne rêvait que d'une chose, c'était de repartir au plus vite. Maintenant il était soulagé d'avoir quelques jours de plus devant lui. Ouais, bizarre.

Calypso passa les doigts sur le circuit imprimé.

– Ça t'a pris tellement de temps, cette console.

– Si tu veux la perfection, il faut y mettre le temps.

Un sourire étira les lèvres de Calypso.

– Oui, fit-elle, mais est-ce qu'elle va marcher ?

– Pour partir, pas de problème, affirma Léo. Mais pour revenir j'aurai besoin de Festus et...

– *Pardon ?*

– Festus. (Léo cligna des yeux.) Mon dragon de bronze. Dès que j'aurai trouvé comment le reconstruire, je...

– Tu m'as déjà parlé de Festus, l'interrompit Calypso. Mais qu'est-ce que tu veux dire par « revenir » ?

Il sourit nerveusement.

– Ben pour revenir ici, quoi. Comme je disais.

– Tu n'as jamais dit ça.

– Je ne vais pas te laisser ici ! Après que tu m'as aidé et tout ça ? Bien sûr que je vais revenir. Une fois que j'aurai reconstruit Festus, il saura se servir d'un système de guidage avancé. J'ai cet astrolabe qui, euh... (Léo se tut un instant, se rendant compte qu'il valait mieux passer sous silence le fait qu'il avait été construit par un ex de Calypso.) Bref, que j'ai trouvé à Bologne. Je crois qu'avec le cristal que tu m'as donné...

– Tu ne pourras pas revenir, asséna Calypso.

Léo sentit un poids lui tomber sur le cœur.

– Pourquoi, parce que je ne serai pas le bienvenu ?

– Parce que tu ne pourras pas. C'est impossible. Aucun homme ne peut trouver Ogygie deux fois dans sa vie. C'est la règle.

Léo roula les yeux.

– Ouais, ben t'as peut-être remarqué que suivre les règles, c'est pas mon truc. Je vais revenir avec mon dragon et on t'aidera à te tirer d'ici. On t'emmènera là où tu voudras. Simple question de justice.

– La justice..., fit Calypso d'une voix à peine audible.

À la lumière des flammes, ses yeux étaient d'une tristesse insupportable. Croyait-elle qu'il mentait juste pour lui remonter le moral ? Pour Léo, c'était évident qu'il allait revenir et la libérer de cette prison. Comment pouvait-il ne pas le faire ?

– Tu ne crois quand même pas que je vais monter la « Léo Calypso Autos » sans Calypso ? demanda-t-il. Je sais pas faire de jus de pomme ni de petits plats, et chanter on n'en parle même pas.

Calypso riva les yeux sur le sable, sans un mot.

– Enfin bon, fit Léo. Demain j'attaque les planches. Et d'ici quelques jours...

Il porta le regard sur l'eau. Quelque chose s'agitait sur les crêtes. Stupéfait, Léo vit un grand radeau de bois déferler avec la vague puis s'immobiliser sur le sable.

Léo était trop sonné pour bouger, mais Calypso se leva d'un bond.

– Dépêche-toi ! (Elle traversa la plage en courant, ramassa plusieurs paquets et fonça vers le radeau.) Je ne sais pas combien de temps il va rester là !

– Mais... (Léo se leva. Ses jambes étaient lourdes comme du plomb. Il venait de se convaincre qu'il lui restait une semaine à Ogygie, et maintenant il n'avait même plus le temps de finir son dîner.) C'est le radeau magique ?

– Tu vois bien que c'est pas un rossignol ! s'exclama Calypso. Il se peut qu'il fonctionne comme il est censé le faire et te conduise là où tu veux aller, mais ce n'est pas sûr. Manifestement, les sortilèges de l'île sont devenus instables. Il faut que tu installes ton système de guidage à bord pour pouvoir naviguer.

Sur ce, elle attrapa la console et courut vers le radeau, ce qui arracha Léo à sa torpeur. Il l'aida à fixer la console sur le radeau et à la relier par des câbles au petit gouvernail placé à l'arrière. Comme le radeau avait déjà un mât, Calypso et Léo hissèrent leur voile à bord et s'attelèrent aux gréements.

Ils travaillaient côte à côte en parfaite harmonie. Même avec d'autres enfants d'Héphaïstos, à la Colonie, Léo n'avait jamais connu une complicité de travail aussi intuitive qu'avec cette jardinière immortelle. En un rien de temps, ils fixèrent la voile et chargèrent tout l'attirail à bord. Léo enfonça certains boutons sur la sphère d'Archimède, marmonna une prière à l'intention de son père Héphaïstos... et la console en bronze vrombit.

Les gréements se tendirent. La voile pivota. Le radeau se mit à gratter le sable, appelé par les vagues.

– Pars, dit Calypso.

Léo se retourna. Elle était si près de lui qu'il en perdit ses moyens. Elle sentait la cannelle et la fumée de bois et il se dit que jamais, de sa vie, il ne sentirait de nouveau une aussi bonne odeur.

– Le radeau est venu, finalement, dit-il.

Calypso plissa le nez. Elle avait peut-être les yeux rouges, mais c'était difficile à voir avec certitude dans le clair de lune.

– C'est maintenant que tu le remarques ?

– Mais s'il ne vient que pour les gars qui te...

– Ne pousse pas le bouchon, Léo Valdez, dit-elle. Je te déteste toujours.

– D'accord.

– Et tu ne reviendras pas, insista-t-elle. Alors ne me fais pas de promesses en l'air.

– Et si je te faisais une vraie promesse ? Parce que j'ai la ferme intention de...

Elle lui prit le visage entre les mains et l'attira à elle, dans un baiser qui le fit taire d'un coup.

Léo avait beau plaisanter et flirter à tout bout de champ, en fait il n'avait jamais embrassé de fille. Enfin, à part les petits bisous amicaux de Piper sur la joue, mais ça ne comptait pas. Là, c'était un vrai baiser profond et amoureux. Si Léo avait eu des câbles et des rouages dans le cerveau, il aurait grillé un circuit.

Calypso le repoussa.

– Il ne s'est rien passé, dit-elle.

– D'accord, répondit-il d'une voix qui avait grimpé d'une octave.

– Va-t'en.

– D'accord.

Elle fit volte-face en s'essuyant rageusement les yeux et s'éloigna à grands pas sur la plage, cheveux ébouriffés.

Léo voulut l'appeler, mais à ce moment-là le vent s'engouffra dans la voile et le radeau fut emporté. Il se démena pour aligner la console de guidage. Quand il put enfin tourner la tête, l'île d'Ogygie n'était plus qu'une ligne sombre à l'horizon, où leur feu de camp palpitait tel un cœur orange minuscule.

Le baiser enflammait encore ses lèvres.

Il ne s'est rien passé, se dit-il. *Je ne peux pas être amoureux d'une immortelle. Elle ne peut pas être amoureuse de moi. C'est complètement impossible.*

Tandis que son radeau filait au ras de l'eau, le ramenant vers le monde des mortels, un passage de la prophétie lui revint à l'esprit et il le comprit mieux : *Serment sera tenu en un souffle dernier.*

Léo savait ô combien les serments pouvaient être dangereux. Mais il n'en avait cure.

– Je reviendrai te chercher, Calypso, dit-il au vent nocturne. Je le jure sur le Styx.

53 ANNABETH

Annabeth n'avait jamais eu peur du noir.

Seulement d'habitude le noir n'était pas une créature de douze mètres de haut. Avec des ailes noires, un fouet d'étoiles et un char d'ombres tiré par des chevaux-vampires.

Nyx était presque impossible à englober d'un seul regard. Elle se dressait devant le gouffre, immense statue de cendres et de fumées tourbillonnantes, aussi grande que l'Athéna Parthénos, mais bien vivante. Sa robe était noire, couleur de vide, mêlée des teintes d'une nébuleuse interstellaire, comme si des galaxies se formaient dans son corsage. Son visage était difficile à distinguer, hormis les deux têtes d'épingle de ses yeux qui brillaient comme des quasars. Lorsqu'elle agitait les ailes, des vagues d'obscurité déferlaient sur les falaises et la vue d'Annabeth se troublait, tandis que ses paupières devenaient lourdes.

Le char de la déesse était fait du même métal que l'épée de Nico di Angelo, du fer stygien. Deux immenses étalons le tiraient, entièrement noirs à part leurs crocs argentés et pointus ; ils se mouvaient en galopant dans l'abîme et leurs jambes passaient constamment de l'état solide à l'état de fumée.

Les chevaux montrèrent les crocs à Annabeth avec des grondements féroces. La déesse asséna son fouet – pareil à un mince barbelé d'étoiles – et les montures reculèrent en se cabrant.

– Non, Ombre, ordonna la déesse. Pénombre, calme-toi. Ces petits trophées ne sont pas pour vous.

Percy surveillait du coin de l'œil les chevaux qui hennissaient doucement. Toujours enveloppé dans la Brume de Mort, il avait l'air d'un cadavre aux contours flous, ce qui brisait le cœur à Annabeth chaque fois qu'elle le regardait. En plus le camouflage ne devait pas être si efficace que ça, puisque, manifestement, Nyx les voyait.

Annabeth avait du mal à interpréter l'expression du visage de goule de Percy, mais elle eut l'impression que les propos des chevaux ne lui plaisaient pas.

– Alors, demanda-t-il à la déesse, vous n'allez pas leur permettre de nous dévorer ? Ils ont vraiment envie de nous dévorer.

Les yeux de quasar de Nyx flamboyèrent.

– Bien sûr que non. Pas plus que je n'allais laisser faire Achlys. D'aussi jolis trophées que vous deux, je m'en mordrais les doigts !

Annabeth ne se sentait ni particulièrement courageuse, ni particulièrement en verve, mais son instinct lui dit que si elle ne prenait pas l'initiative, la conversation risquait de se conclure très vite.

– Ah non ! s'exclama-t-elle. N'allez pas vous faire mal, surtout ! Nous ne sommes pas si méchants que ça.

La déesse baissa son fouet.

– Comment ? Qu'est-ce que... Ce n'est pas ce que je voulais dire !

– J'espère bien ! (Annabeth se tourna vers Percy en se forçant à rire.) Loin de nous l'intention de lui faire peur, pas vrai ?

– Ha, ha, fit Percy d'une petite voix. Loin de nous... !

Les chevaux-vampires parurent troublés. Ils se cabrèrent en renâclant, entrechoquèrent leurs têtes sombres. Nyx tira sur les rênes.

– Savez-vous qui je suis ? demanda-t-elle.

– Ben, je suppose que vous êtes Nuit, répondit Annabeth. Enfin je dis ça parce que vous êtes sombre et tout ça, mais il n'y a pas grand-chose sur vous dans la brochure.

Les yeux de Nyx s'éteignirent le temps d'un battement de paupières.

– Quelle brochure ?

Annabeth tapota ses poches.

– On en avait bien une, non ?

Percy passa la langue sur les lèvres.

– Ouais, ouais.

Il surveillait toujours les chevaux, la main sur le manche de son épée, mais il avait compris le jeu que voulait jouer Annabeth. Elle-même n'avait plus qu'à espérer qu'elle n'aggravait pas leur situation... mais honnêtement, elle ne voyait pas comment ça pouvait être pire.

– En tout cas, reprit-elle, je crois que la brochure ne disait pas grand-chose sur vous parce que vous ne figurez pas dans le circuit touristique. On a vu le Phlégéthon, le Cocyte, les *arai*, la clairière vénéneuse d'Achlys, et même quelques Titans et géants, mais Nyx... hum... non, je crois que vous ne faites pas partie des attractions signalées, en fait.

– *Circuit touristique ? Attraction ?*

– Oui, enchaîna Percy, qui commençait à entrer dans le jeu. On est venus ici pour le circuit Tartare – vous savez, les destinations exotiques ? Les Enfers c'est d'un surfait, aujourd'hui. Quant au mont Olympe, un vrai piège à touristes...

– Par les dieux, complètement ! interrompit Annabeth. Du coup on a réservé l'excursion au Tartare, mais personne ne nous avait dit qu'on allait rencontrer Nyx. Bizarre, hein. Enfin, ils doivent trouver que vous n'êtes pas importante.

– Pas importante !

Nyx fit claquer son fouet. Ses chevaux se cabrèrent et jouèrent des mâchoires. Des vagues d'obscurité débordèrent de l'abîme et la peur liquéfia Annabeth, mais elle ne pouvait se permettre de le montrer.

Elle obligea Percy à baisser son épée en appuyant sur son bras. Jamais ils ne s'étaient confrontés à pareille déesse. Nyx était plus ancienne que tous les Olympiens, que tous les Titans, que tous les géants ; plus ancienne, même, que Gaïa. Ce n'étaient pas deux demi-dieux qui allaient la vaincre, en tout cas pas en usant de la force.

Annabeth se fit violence pour regarder l'immense visage sombre de la déesse.

– Alors, demanda-t-elle d'un ton ingénu, combien d'autres demi-dieux sont-ils venus vous voir en faisant l'excursion ?

La main de Nyx lâcha les rênes.

– Aucun. Zéro. C'est inacceptable !

Annabeth haussa les épaules.

– Peut-être parce que vous n'avez rien fait qui mérite d'être raconté aux nouvelles. Je veux dire, on peut comprendre que Tartare soit important, il a carrément donné son nom au royaume ! Ou alors, si on pouvait rencontrer Jour...

– Ah ça oui, renchérit Percy. J'adorerais rencontrer Jour ! Peut-être lui demander son autographe.

– Jour ! (Nyx agrippa la rambarde de son char noir.) Vous voulez dire Héméra ? C'est ma fille ! La Nuit est bien plus puissante que le Jour !

– Mouais, fit Annabeth. Personnellement, j'ai préféré les *arai*, ou même Achlys.

– Ce sont mes enfants aussi !

Percy étouffa un bâillement :

– Vous avez un paquet d'enfants, on dirait.

– Je suis la mère de toutes les terreurs ! cria Nyx. La mère des Pâques elles-mêmes ! D'Hécate ! De la Vieillesse ! De la Douleur ! Du Sommeil ! De la Mort ! Et de toutes les malédictions ! Contemplez, maintenant, et voyez comme je suis digne de faire les une des journaux !

54 ANNABETH

Nyx fit à nouveau claquer son fouet. L'obscurité se figea autour d'elle. De part et d'autre de la déesse surgirent des armées d'ombres : d'autres *arai* ailées, qu'Annabeth n'éprouva aucun plaisir à voir ; une sorcière ratatinée qui devait être Géras, la déesse du grand âge, et une femme plus jeune, vêtue d'une toge noire, avec des yeux luisants et un sourire de tueuse en série – certainement Éris, déesse de la discorde. Les rangs ne cessaient de grossir ; des dizaines de démons et dieux mineurs affluaient, tous des rejetons de la Nuit.

Annabeth aurait voulu s'enfuir en courant. Elle était face à une engeance d'horreurs qui avait de quoi rendre fou n'importe qui. Mais si elle tournait les talons, elle mourrait.

La respiration de Percy, debout près d'elle, se fit haletante. Même à travers son camouflage de goule, Annabeth voyait qu'il était au bord de la panique. Il fallait qu'elle tienne le coup pour eux deux.

Je suis fille d'Athéna, se dit-elle. *C'est moi qui contrôle mon esprit.*

Elle imagina un cadre mental pour y inscrire ce qu'elle voyait : elle se raconta que ce n'était qu'un film – un film d'épouvante, certes, mais qui ne pouvait pas lui faire de mal. Elle était aux manettes.

– Ouais, pas mal, admit-elle. Ce serait peut-être bien qu'on prenne une photo pour notre album, en même temps je suis pas sûre. Vous êtes tellement… *sombres*, tous. Même avec le flash, je ne sais pas trop ce que ça rendrait.

– Ouais les gars, se força à enchaîner Percy, vous n'êtes pas photogéniques.

– Espèces… de… misérables… touristes ! cracha Nyx. Comment osez-vous ne pas trembler devant moi ? Comment osez-vous ne pas gémir et me supplier de vous accorder un autographe et une photo pour votre album ? Vous voulez une histoire digne du journal ? Un jour mon fils Hypnos a endormi Zeus ! Et lorsque Zeus l'a poursuivi à travers toute la terre, déterminé à se venger de lui, c'est dans mon palais qu'Hypnos s'est réfugié ! Et Zeus n'a pas osé le suivre. Même le roi de l'Olympe a peur de moi !

– Hm-hm. (Annabeth se tourna vers Percy.) Il se fait tard, dis donc. On devrait aller déjeuner dans un des restaurants que le guide nous a recommandés. Après on pourra se mettre en quête des Portes de la Mort.

– Aha ! s'écria Nyx d'un ton triomphant.

– Aha ! Aha ! reprirent en écho ses rejetons.

– Vous souhaitez voir les Portes de la Mort ? demanda Nyx. Elles se trouvent dans le cœur de Tartare. Il est parfaitement impossible à de simples mortels comme vous d'y accéder, sauf à traverser les salons de mon palais, la maison de la Nuit !

Elle tendit le bras derrière elle. Dans l'abîme, à une centaine de mètres en contrebas, se dessinait une voûte de marbre noir qui semblait donner sur une vaste pièce.

Le cœur d'Annabeth se mit à battre si fort qu'elle le sentit vibrer jusque dans ses orteils. C'était la direction qu'ils devaient prendre, mais comment parviendraient-ils à cette porte, si loin et si bas ? Un saut impossible. S'ils manquaient la porte, ils tomberaient dans le Chaos et seraient réduits à néant – la mort serait finale et sans rattrapage. Et même s'ils pouvaient faire ce saut, il faudrait d'abord franchir le barrage de la déesse de la nuit et de ses rejetons les plus redoutables.

Avec un sursaut, Annabeth comprit ce qui devait se produire. Comme tout ce qu'elle avait jamais entrepris, c'était risqué. En fait, ça l'apaisa. Face à la mort, une idée de ouf ?

D'accord, semblait lui dire son corps, qui se détendait. *Nous voici en terrain connu.*

Elle poussa un soupir las.

– Bon, on va tenter une photo quand même, dit-elle, mais pas en groupe, ça ne rendra pas. Nyx, si on en faisait une de vous avec votre enfant préféré ? C'est lequel ?

Un murmure parcourut l'engeance des monstres. Des dizaines de paires d'yeux rougeoyants se tournèrent vers Nyx.

La déesse piétina sur place, comme si le sol de son char lui chauffait la plante des pieds. Ses chevaux d'ombres piaffèrent dans le vide en soufflant par les naseaux.

– Mon enfant préféré ? demanda-t-elle. Mais ils sont tous terrifiants !

Percy plissa le nez.

– Sérieux ? fit-il. Franchement, j'ai rencontré les Parques, j'ai rencontré Thanatos, et ils sont pas si terrifiants que ça. Vous en avez certainement un pire que les autres dans cette foule.

– Le plus sombre de vos rejetons, insista Annabeth. Celui qui vous ressemble le plus.

– C'est moi la plus sombre ! persifla Éris. Les guerres et la discorde ! Je cause la mort sous toutes ses formes !

– Je suis encore plus sombre ! cracha Géras. J'obscurcis les yeux et trouble les cerveaux. Tous les mortels redoutent la vieillesse !

– Ouais, ouais, dit Annabeth, s'efforçant de maîtriser le claquement de ses dents. Je ne trouve pas ça si sombre. Vous êtes les enfants de la Nuit, non ? Montrez-moi vos ténèbres !

Avec des hurlements sinistres, les *arai* formèrent des nuages de noirceur en agitant leurs ailes parcheminées. Géras tendit ses mains fripées et obscurcit tout l'abîme. Éris projeta dans un soupir un jet de chevrotine sombre qui se perdit dans le vide.

– C'est moi le plus sombre ! persifla un des démons.

– Non, moi !

– Non ! Contemple mes ténèbres !

Si mille pieuvres géantes avaient émis leurs jets d'encre en même temps au fond de la fosse océane la plus profonde et la plus éloignée du soleil, il n'aurait pas pu faire plus noir. Annabeth eut l'impression d'être devenue aveugle. Elle agrippa la main de Percy pour calmer ses nerfs.

– Attendez ! cria Nyx, prise d'une panique soudaine. J'y vois plus rien !

– Oui, s'écria fièrement un de ses enfants, c'est à cause de moi !

– Non, de moi !

– Non, de moi, imbécile !

Des dizaines de voix se mirent à se disputer dans le noir. Les chevaux hennirent, effarouchés.

– Arrêtez ! cria Nyx. À qui est ce pied ?

– Éris me tape ! cria une voix. Maman, tu peux lui dire d'arrêter ?

– Je l'ai pas touché ! protesta Éris. Aïe !

Les bruits de bagarre s'amplifièrent. L'obscurité, si c'était encore possible, s'intensifia. Annabeth écarquillait tellement les yeux qu'elle avait l'impression qu'ils allaient sortir de leurs orbites.

Elle serra fort la main de Percy.

– T'es prêt ?

– Prêt pour quoi ? (Après un bref silence, Percy poussa un grognement.) Par le caleçon de Poséidon, tu parles pas sérieusement ?

– Donnez-moi de la lumière, quelqu'un ! hurla Nyx. Argh ! Je n'arrive pas à croire que je viens de dire ça !

– C'est une ruse ! cria Éris. Les demi-dieux s'enfuient !

– Je les tiens ! annonça une des *arai*.
– Non, c'est mon cou ! s'étrangla Géras.
– Saute ! dit Annabeth à Percy.
Ils s'élancèrent dans le vide en visant la porte, si loin dans les profondeurs de l'abîme.

55 Annabeth

Comparé à leur chute dans le Tartare, ce plongeon de cent mètres vers la maison de la Nuit aurait dû leur sembler rapide.

Tout le contraire. Le cœur d'Annabeth sembla ralentir. Entre ses battements, elle eut tout le temps de rédiger sa nécro.

Annabeth Chase, décédée à 17 ans.

BOUM.

(À supposer que son anniversaire, le 12 juillet, ait eu lieu pendant qu'elle était dans le Tartare ; pour être honnête, elle n'en avait pas la moindre idée.)

BOUM.

Morte en raison de graves blessures reçues en sautant comme une idiote dans l'abîme du Chaos et en s'éclaboussant sur le dallage du vestibule du palais de Nyx.

BOUM.

Lui survivent son père, sa belle-mère et deux demi-frères qui ne la connaissaient pour ainsi dire pas.

BOUM.

Ni fleurs ni couronnes ; adressez vos dons à la Colonie des Sang-Mêlé, à supposer que Gaïa ne l'ait pas rasée.

Les pieds d'Annabeth heurtèrent la terre ferme. La douleur de l'impact grimpa le long de ses jambes, mais elle repartit tout de suite en courant, entraînant Percy derrière elle.

Au-dessus d'eux, dans le noir, Nyx et ses enfants se bousculaient en criant.

– Je les tiens !

– Mon pied !

– Arrêtez !

Annabeth courait sans mollir. Comme elle n'y voyait rien, de toute façon, elle ferma les yeux. Elle faisait appel à ses autres sens : repérait à l'oreille l'écho des espaces dégagés, sentait les courants d'air sur son visage, reniflait les odeurs porteuses de danger telles que la fumée, le poison ou la puanteur des démons.

Ce n'était pas la première fois qu'elle était plongée dans les ténèbres. Elle se rappela son errance dans les souterrains de Rome, à la recherche de l'Athéna Parthénos. Rétrospectivement, son expédition à la caverne d'Arachné lui faisait l'effet d'un pique-nique à Disneyland.

Les chamailleries des enfants de Nyx se perdirent derrière elle. Tant mieux. Percy courait toujours à ses côtés en la tenant par la main. Tant mieux aussi.

Annabeth entendit, loin devant, un bruit qui montait peu à peu, une sorte de pulsation qui semblait faire écho au battement de son cœur en l'amplifiant si fort que le sol vibrait sous ses pieds. Ce son l'emplit d'un tel effroi qu'elle se dit que ce devait être la bonne direction. Elle mit le cap dessus.

Quand le bruit se fit plus sonore, elle sentit une odeur de fumée et entendit un crépitement de flambeaux des deux côtés. Elle devina qu'il y avait de la lumière, mais le frisson qui lui courut sur la nuque la dissuada d'ouvrir les yeux.

– Ne regarde pas, dit-elle à Percy.

– J'en avais pas l'intention, répondit-il. Tu le sens, toi aussi, hein ? On est toujours dans la maison de la Nuit. Je n'ai aucune envie de voir à quoi elle ressemble.

Il est futé, se dit Annabeth. À une époque elle taquinait Percy en lui disant qu'il était bête, mais en fait son instinct était en général juste.

Quelles que soient les horreurs que renfermait la maison de la Nuit, elles n'étaient pas destinées à des yeux de mortel. Les voir serait pire que regarder Méduse. Mieux valait courir dans le noir.

La pulsation s'amplifia encore davantage, envoyant des vibrations dans la colonne vertébrale d'Annabeth. Elle avait l'impression d'entendre quelqu'un frapper au fond du monde pour demander à entrer. Elle sentit que les murs s'écartaient autour d'eux. L'air devint plus frais – plus exactement, moins sulfureux. Un autre bruit se fit entendre, plus proche que la pulsation grave... un bruit d'eau qui coule.

Le cœur d'Annabeth s'emballa. Elle comprit que la délivrance était proche. S'ils parvenaient à sortir de la maison de la Nuit, peut-être pourraient-ils fausser compagnie à l'engeance de démons.

Elle se mit à courir plus vite, ce qui aurait signifié sa mort si Percy ne l'avait pas arrêtée.

56 ANNABETH

– ANNABETH !

Percy la retint au moment où son pied se posait au bord d'un précipice. Elle faillit basculer dans l'inconnu, mais Percy la tira en arrière et la serra dans ses bras.

– C'est bon, c'est bon, lui assura-t-il.

Elle enfonça le visage dans sa poitrine et garda les feux fermés très fort. Elle tremblait, mais pas seulement de peur. Elle se sentait tellement au chaud, tellement rassurée dans les bras de Percy qu'elle aurait voulu y rester éternellement, comme dans un cocon protecteur... mais ce n'était pas la réalité. Elle ne pouvait se permettre de se laisser aller. Ne pouvait se permettre de s'appuyer sur Percy plus longtemps que le strict nécessaire. Lui aussi avait besoin d'elle.

– Merci... (Elle se dégagea doucement.) Tu as une idée ce qu'il y a devant nous ?

– De l'eau. Mais je ne regarde toujours pas. Je crois que ça craint encore.

– Je suis d'accord.

– Je perçois la présence d'un fleuve... ou de douves, peut-être. Il nous barre le chemin et coule de gauche à droite dans un canal taillé dans la pierre. L'autre rive est à environ six mètres.

Annabeth se réprimanda mentalement. Elle avait entendu le bruit de l'eau, pourtant il ne lui était pas venu à l'esprit qu'elle pouvait tomber dedans tête baissée.

– Est-ce qu'il y a un pont, ou quelque chose ?

– Je ne crois pas, dit Percy. Et il y a un truc qui cloche. Écoute.

Annabeth se concentra. Des milliers de voix, se mêlant au grondement du courant, gémissaient – elles poussaient des cris de douleur, imploraient grâce.

Au secours ! suppliaient-elles. *C'était un accident !*

Cette douleur ! geignaient les voix. *Par pitié, qu'elle cesse !*

Annabeth n'avait pas besoin de ses yeux pour imaginer le fleuve et ses flots noirs, chargés d'âmes damnées qu'il emportait toujours plus profondément dans le Tartare.

– L'Achéron, devina-t-elle. Le cinquième fleuve des Enfers.

– Je préférais encore le Phlégéthon, marmonna Percy.

– C'est le fleuve de la Douleur. Le châtiment ultime pour les âmes damnées, celles des assassins en particulier.

Les assassins ! gémit le fleuve. *Oui, comme vous !*

Rejoignez-nous, chuchota une autre voix. *Vous ne valez pas mieux que nous.*

Un flot d'images afflua dans la tête d'Annabeth : celles de tous les monstres qu'elle avait tués au fil des ans.

Je ne les ai pas assassinés, protesta-t-elle. *Je me défendais !*

Le fleuve changea son cours dans son esprit, pour lui montrer maintenant Zoé Nightshade, abattue sur le mont Tamalpais en venant à la rescousse d'Annabeth, attaquée par des Titans.

Puis elle vit Bianca di Angelo, la sœur de Nico, périssant dans l'effondrement de Talos le géant de métal, elle aussi parce qu'elle avait tenté de sauver Annabeth.

Michael Yew et Silena Beauregard... morts à la bataille de Manhattan.

Tu aurais pu l'empêcher, souffla le fleuve à Annabeth. *Tu aurais dû trouver une meilleure stratégie.*

Puis le plus douloureux de tout : Luke Castellan. Annabeth revit le sang de Luke sur son poignard, quand il s'était sacrifié pour empêcher Cronos de détruire l'Olympe.

Tu as son sang sur tes mains ! gémit le fleuve. *Il y avait certainement un autre moyen !*

Annabeth s'était à maintes reprises battue contre cette pensée. Elle avait essayé de se convaincre que la mort de Luke n'était pas sa faute. Que Luke avait choisi son destin. Pourtant... elle ignorait si son âme avait trouvé la paix aux Enfers, s'il lui avait été donné de renaître, ou s'il avait été emporté dans le Tartare en raison de ses crimes. Peut-être était-il parmi les voix torturées qui coulaient devant eux en ce moment même.

Tu l'as assassiné ! cria le fleuve. *Saute à l'eau et partage son châtiment !*

Percy lui attrapa le bras.

– N'écoute pas, dit-il.

– Mais...

– Je sais. (Sa voix était cassante et glaciale.) Ils me racontent les mêmes trucs. Je crois que... je crois que ce fleuve marque la frontière du territoire de Nuit. Si on arrive à traverser, on devrait être tranquilles. Il va falloir qu'on saute.

– Mais t'as dit que ça faisait six mètres de large !

– Oui. Il faut que tu me fasses confiance. Passe les bras autour de mon cou et accroche-toi.

– Les voilà ! cria une voix derrière eux. À mort les touristes ingrats !

Les enfants de Nyx les avaient retrouvés. Annabeth jeta les bras autour du cou de Percy.

– Vas-y !

Les yeux fermés, elle ne put qu'essayer de deviner comment il y parvenait. Peut-être se servait-il de la force du fleuve, d'une façon ou d'une autre. Peut-être était-il terrifié et chargé d'adrénaline à bloc. En tout cas, Percy sauta avec une force qu'elle n'aurait jamais imaginée. Ils fendirent l'air au-dessus du fleuve qui gémissait et bouillonnait, éclaboussant les chevilles nues d'Annabeth de gouttelettes abrasives.

Puis... *BLAM*. Ils touchèrent la terre ferme.

– Tu peux ouvrir les yeux, dit Percy, le souffle court. Mais tu vas pas aimer.

Annabeth cligna des yeux. Après l'obscurité de Nyx, même la faible lueur rouge du Tartare était aveuglante.

Devant eux se déployait une vallée aussi vaste que la baie de San Francisco. Le battement sonore provenait du paysage tout entier, comme si des grondements de tonnerre résonnaient sous le sol. Sous des nuages toxiques, le sol ondulait en collines luisantes striées de cicatrices rouge foncé et bleues.

– On dirait... (Annabeth lutta contre un mouvement de dégoût.) On dirait un cœur géant.

– Le cœur de Tartare, murmura Percy.

Le centre de la vallée était couvert d'un fin duvet noir composé d'une myriade de points. Ils étaient tellement loin qu'Annabeth mit un moment à se rendre compte de ce qu'elle regardait : une armée. Des milliers, voire des dizaines de milliers de monstres rassemblés autour d'un noyau d'obscurité. La distance était trop grande pour distinguer les détails, mais Annabeth n'avait aucun doute sur la nature de ce noyau. Même depuis la lisière de la vallée, elle sentait sa force attirer son âme.

– Les Portes de la Mort.

– Ouais.

Percy avait la voix rauque. Son visage était encore blafard et ravagé... entre lui et sa mine de déterré et Annabeth qui se sentait l'énergie d'un cadavre ambulant, ils faisaient la paire.

Elle se rendit compte qu'elle avait complètement oublié leurs poursuivants.

– Où sont passés Nyx et... ?

Elle se retourna. Incroyable, mais ils étaient retombés à plusieurs centaines de mètres de la berge de l'Achéron, lequel coulait dans un chenal qui traversait des collines de roche volcanique noire. L'horizon, derrière, n'était que ténèbres.

Aucun signe de la famille de démons. À croire que même les suppôts de la Nuit répugnaient à traverser l'Achéron.

Elle allait demander à Percy comment il avait fait pour réaliser un aussi long saut quand elle entendit un léger éboulis dans les collines, sur leur droite. Elle brandit son épée en os de drakon, tandis que Percy levait Turbulence.

Une tignasse blanche et brillante surgit au-dessus de la crête, suivie d'un visage souriant et bien connu, aux yeux d'argent pur.

– Bob ? (Annabeth était si heureuse qu'elle fit un bond sur place.) Oh, par les dieux !

– Mes amis !

Le Titan avança à pas lourds vers eux. Les soies de son balai avaient brûlé, son uniforme de portier était en lambeaux, mais il avait l'air ravi. Perché sur son épaule, Ti-Bob le chaton partit d'un ronron aussi sonore que le cœur palpitant de Tartare.

– Je vous ai trouvés ! (Bob les serra tous les deux à la fois dans ses bras, à leur rompre les côtes.) Vous avez l'air de morts fumants. C'est bien !

– Bleurp, fit Percy. Comment tu es venu ? Tu es passé par la maison de la Nuit ?

– Non non. (Bob secoua vigoureusement la tête.) Cet endroit est trop affreux. Un autre chemin. Bon seulement pour les Titans et les autres.

– Laisse-moi deviner, dit Annabeth. Tu es passé par le côté.

Bob se gratta la tête, cherchant visiblement ses mots.

– Euh... non. Plutôt par... la diagonale.

Annabeth éclata de rire. Ils étaient dans le cœur même de Tartare, face à une armée insurmontable, et tout réconfort était bon à prendre. Elle était ridiculement heureuse d'avoir retrouvé Bob le Titan.

Elle embrassa son nez d'immortel, et le Titan battit des paupières.

– On reste ensemble maintenant ? demanda-t-il.

– Oui, acquiesça Annabeth. Il est temps de voir si cette Brume de Mort est efficace.

– Et si elle ne l'est pas...

Percy laissa la phrase en suspens : à quoi bon se poser la question ? Ils s'apprêtaient à traverser une armée ennemie. S'ils se faisaient repérer, c'était la fin, point barre.

Malgré tout, Annabeth sourit. Leur objectif était enfin en vue. Ils étaient soutenus par un Titan équipé d'un balai et d'un chaton très bruyant. Ça devait certainement compter dans la balance.

– Portes de la Mort, dit-elle, nous voici.

57 JASON

Jason ne savait pas ce qu'il espérait : rencontrer la tempête ou les flammes.

En attendant d'être reçu par le seigneur du Vent du Sud pour son audience quotidienne, Jason essayait de jauger laquelle des deux personnalités du dieu était la pire, la grecque ou la romaine. Après cinq jours au palais, il n'avait plus qu'une seule certitude : son équipage et lui avaient peu de chances d'en ressortir vivants.

Il s'appuya à la balustrade du balcon. L'air était tellement chaud et sec que Jason sentait ses poumons se vider de toute humidité. Au cours de la semaine qui venait de s'écouler, sa peau avait foncé. Ses cheveux s'étaient décolorés comme les soies blanches d'un épi de maïs. Quand il apercevait son reflet dans un miroir, il était surpris par ses yeux, vides et farouches, comme s'il était devenu aveugle en errant dans le désert.

À une trentaine de mètres en contrebas, la mer scintillait dans l'écrin d'une baie de sable rouge en forme de croissant. Ils étaient quelque part sur la côte de l'Afrique du Nord. Les esprits du vent ne voulaient pas lui en dire plus.

Le palais s'étendait à la gauche et à la droite de Jason ; c'était une immense ruche faite de tunnels, de salles, de couloirs à colonnades, de cavernes creusées dans les falaises de grès, tous dessinés de façon à permettre au vent de s'y engouffrer en faisant le maximum de bruit possible. Cette constante rumeur de grandes orgues lui rappelait le repaire flottant d'Éole, dans le Colorado, à la différence près qu'ici, les vents n'étaient pas pressés.

C'était bien là le problème.

Dans leurs bons jours, les *venti* du sud étaient paresseux et lents. Dans leurs mauvais jours, ils étaient irritables et s'exprimaient par rafales. Ils avaient fait bon accueil à l'*Argo II*, au début, tout ennemi de Borée étant l'ami du Vent du Sud, mais ensuite ils semblaient avoir oublié que les demi-dieux étaient leurs hôtes. Les *venti* avaient vite perdu l'envie de les aider à réparer leur navire. L'humeur du roi s'aggravait de jour en jour.

Au port, les amis de Jason s'employaient à retaper l'*Argo II*. La grande voile était déjà réparée, les gréements remplacés. À présent, ils s'attaquaient aux rames. Sans Léo, personne ne savait comment remettre en état les pièces les plus complexes du navire, malgré les contributions de Buford le guéridon et de Festus (lequel était désormais activé en permanence grâce à l'enjôlement de Piper, prodige qu'aucun d'eux n'arrivait à comprendre). Tous, cependant, persistaient dans leurs efforts.

Hazel et Frank, à la barre, avaient le nez dans les manettes du tableau de bord. Piper relayait leurs ordres à Gleeson Hedge, suspendu à l'extérieur du navire, qui redressait et lissait les rames tordues et cabossées à coups de marteau. L'entraîneur était parfait pour cette tâche.

Ils avançaient lentement mais, vu ce qu'ils avaient subi, c'était un miracle que le vaisseau soit encore en un seul morceau.

Jason frissonna en repensant à l'attaque de Chioné. Il avait été réduit à l'impuissance (congelé à *deux* reprises, carrément) tandis que Léo était catapulté dans le ciel, et Piper avait été obligée de les sauver tous à elle seule.

Loués soient les dieux qui leur avaient donné Piper. Elle vivait comme un échec de ne pas avoir pu empêcher la bombe à vents d'exploser, mais la vérité c'était que sans elle, tout l'équipage aurait fini en statues de glace au Québec.

En plus, elle était parvenue à canaliser l'explosion de la sphère de glace, de sorte que même si le navire avait été emporté de l'autre côté de la Méditerranée, il n'avait subi que des dégâts mineurs.

Hedge, sur le quai, cria :

– Allez-y, essayez !

Hazel et Frank actionnèrent quelques manettes. Les rames de bâbord s'agitèrent frénétiquement, de haut en bas et dans un mouvement de vague. L'entraîneur voulut esquiver, mais une rame le cueillit par-derrière et le projeta en l'air. Il retomba en hurlant dans l'eau du port.

Jason soupira. À cette cadence, ils ne pourraient jamais reprendre la mer, même si les *venti* du sud leur en donnaient la permission. Quelque part au nord, Reyna volait vers l'Épire, à supposer qu'elle ait trouvé le message qu'il lui avait laissé dans le palais de Dioclétien. Léo était perdu et sans doute en danger. Quant à Percy et Annabeth... au mieux, ils étaient encore en vie et s'acheminaient vers les Portes de la Mort. Jason ne pouvait pas les laisser tomber.

Un bruissement le fit se retourner. Nico di Angelo se tenait dans l'ombre de la colonne la plus proche. Il avait retiré son blouson et ne portait plus que son tee-shirt et son jean noirs. Son épée et le sceptre de Dioclétien étaient accrochés à sa ceinture, chacun d'un côté.

Des jours entiers en plein cagnard n'avaient pas hâlé sa peau. Limite, il était encore plus pâle qu'avant. Ses cheveux noirs lui tombaient dans les yeux. Son visage était toujours émacié, toutefois il était en bien meilleure forme qu'à leur départ de Croatie. Il s'était assez remplumé pour ne plus avoir l'air famélique. Ses bras étaient étonnamment musclés, comme s'il avait passé cette dernière semaine à s'exercer à l'épée. Jason n'aurait pas été surpris d'apprendre qu'il s'entraînait à invoquer des esprits avec le sceptre de Dioclétien, pour les affronter ensuite en duel. Après leur expédition à Split, plus rien ne pouvait l'étonner.

– Des nouvelles du roi ? demanda Nico.

Jason fit non de la tête et ajouta :

– Il me convoque de plus en plus tard.

– Il faut qu'on parte. Très bientôt.

Jason avait eu la même intuition, mais entendre Nico le dire renforça son malaise.

– Tu perçois quelque chose ?

– Percy approche des Portes. Il aura besoin de nous pour en sortir vivant.

Jason remarqua qu'il ne mentionnait pas Annabeth. Il décida de laisser glisser.

– D'accord, dit-il, mais si nous n'arrivons pas à réparer le vaisseau...

– J'ai promis de vous conduire à la Maison d'Hadès, interrompit Nico. Je le ferai, quel que soit le moyen auquel je devrai recourir.

– Tu ne peux pas nous emmener tous en vol d'ombre. Et pour arriver aux Portes de la Mort, nous aurons besoin de conjuguer nos forces.

Le globe qui ornait le sceptre de Dioclétien rougeoya. Au cours de la semaine passée, il semblait s'être aligné sur les humeurs de Nico di Angelo. Jason ne savait que penser de ce phénomène.

– Alors il faut absolument que tu convainques le dieu du Vent du Sud de nous aider, rétorqua Nico d'une voix blanche de colère. Je n'ai pas fait tout ce chemin, subi toutes ces humiliations...

Jason dut faire un effort pour se retenir de saisir son épée. Quand Nico se mettait en colère, l'instinct de Jason criait toujours au danger.

– Écoute, Nico, répondit-il. Je suis là si tu veux, tu sais, qu'on parle de ce qui s'est passé en Croatie. Je comprends combien c'est difficile de...

– Tu ne comprends rien du tout.

– Personne ne va te juger.

La bouche de Nico se tordit en rictus.

– Ah ouais vraiment ? Ce serait une première. Je suis le fils d'Hadès, Jason, tu percutes ? À voir comment les gens me traitent, ce serait pareil si j'étais couvert de sang ou de fumier. Je n'ai de place nulle part. Je ne suis même pas du même siècle que vous. Et au cas où tout ça ne suffirait pas à faire de moi un paria, il faut que je sois... faut que je sois...

– Hé, Nico ! C'est pas comme si tu avais le choix. C'est ton identité, c'est tout.

– Mon identité... (Le balcon trembla. Des motifs bougèrent dans le dallage du sol, comme si des os y affleuraient.) Facile à dire, pour toi. Tu es le chouchou de tout le monde, le fils de Jupiter. Moi, la seule personne qui m'ait jamais accepté, c'était Bianca, et elle est morte ! J'ai rien choisi de tout ça. Ni mon père ni mes sentiments...

Que dire ? Jason se creusait la cervelle. Il voulait être l'ami de Nico. Il savait que c'était la seule façon de l'aider. Mais Nico ne lui facilitait pas la tâche.

Il leva les mains dans un geste de soumission.

– D'accord, d'accord. Mais, Nico, c'est toi qui choisis comment tu vis ta vie. Est-ce que tu veux faire confiance à quelqu'un ? Si tu prenais le risque de croire que je suis vraiment ton ami et que je t'accepte comme tu es ? Ce serait mieux que de te cacher.

Le sol se fissura entre eux. Un chuintement monta de la brèche et l'air, autour de Nico, brilla d'un éclat spectral.

– Me cacher ? demanda Nico d'une voix horriblement calme.

Les doigts de Jason le démangeaient, appelés par son épée. Il avait rencontré un paquet de demi-dieux effrayants, dans sa vie, mais il commençait à se rendre compte qu'il n'était peut-être pas de taille à tenir tête à Nico di Angelo, tout blême et efflanqué qu'il fût.

Il soutint quand même son regard.

– Oui, dit-il, te cacher. Tu t'es enfui des deux colonies de demi-dieux. Tu as tellement peur d'être rejeté que tu n'essaies même pas. Il est peut-être temps que tu sortes de l'ombre.

Juste quand la tension devenait insupportable, Nico baissa les yeux. La fissure se referma. La lumière fantomatique s'éteignit.

– Je vais tenir ma promesse, dit Nico dans un souffle. Je vais vous emmener en Épire. Je vais vous aider à refermer les Portes de la Mort. Après ce sera fini. Je partirai pour toujours.

Derrière eux, les portes de la salle du trône s'ouvrirent brusquement, sous une rafale d'air brûlant.

Une voix désincarnée annonça : *Le Seigneur Auster va vous recevoir.*

Jason avait beau redouter cette entrevue, il fut soulagé. Pour l'heure, se disputer avec un dieu du vent frappadingue lui paraissait moins risqué que de chercher à créer des liens avec un fils d'Hadès en colère. Il se retourna pour dire au revoir à Nico, mais celui-ci avait disparu, déjà ravalé par l'obscurité.

58 JASON

C'était donc un jour de tempête. Auster, version romaine du Vent du Sud, donnait audience.

Les deux jours précédents, Jason avait eu affaire à Notos. Dans sa version grecque le dieu était fougueux, certes, et prompt à la colère, mais il était rapide, au moins. Auster ? c'était, hum... un autre style.

La salle du trône était flanquée de colonnes de marbre blanc et rouge. Le sol de grès fumait sous les pieds de Jason. L'air était embué de vapeur, comme dans les thermes du Camp Jupiter, à cette différence près qu'en général, dans les thermes, il n'y a pas d'orages qui éclatent au plafond et illuminent la salle d'éclairs déconcertants.

Les *venti* du sud tournoyaient dans la salle sous forme de nuages de poussière rouge et d'air surchauffé. Jason les évita soigneusement. Le premier jour, il en avait effleuré un par mégarde. Il avait eu tellement d'ampoules sur les mains que ses doigts s'étaient transformés en tentacules à ventouses.

Au fond de la salle se dressait le trône le plus bizarre que Jason eût jamais vu, fait d'eau et de feu à parts égales. Il reposait sur une estrade de flammes. D'autres flammes se mêlaient à des volutes de fumée pour former le siège. Un nuage d'orage tumultueux faisait office de dossier. Les accoudoirs crépitaient sous la rencontre de l'humidité et du feu.

Bref, ça n'avait pas l'air bien confortable, pourtant le dieu Auster s'y prélassait comme s'il s'apprêtait à passer une après-midi peinarde devant un match de foot à la télé.

Debout, il devait faire dans les trois mètres de haut. Une couronne de vapeur ornait sa tignasse blanche. Il avait une barbe en nuages qui n'arrêtaient pas d'éclater, traversés par des éclairs, et de pleuvoir sur sa poitrine en trempant sa toge couleur de sable. Jason se demanda si on pouvait raser une barbe en nuages d'orage. Il se dit que ça devait être agaçant de se pleuvoir dessus tout le temps, mais ça n'avait pas l'air de gêner Auster. Le dieu lui faisait penser à un Père Noël trempé, et plus indolent que jovial.

– Alors..., fit le dieu dans un grondement qui évoquait un front chaud à l'approche. Le fils de Jupiter est de retour.

Auster semblait sous-entendre que Jason était en retard. Il fut tenté de rappeler à ce stupide dieu du vent que ça faisait des jours qu'il attendait des heures, tous les matins, d'être reçu, mais il se contenta de s'incliner.

– Seigneur, dit-il. Avez-vous reçu des nouvelles de mon ami ?

– Ami ?

– Léo Valdez. (Jason fit un effort de patience.) Celui qui a été emporté par les vents.

– Ah oui. Enfin non, plutôt. Aucune nouvelle. Ce ne sont pas mes vents qui l'ont emporté. C'est sans aucun doute l'œuvre de Borée ou d'un de ses rejetons.

– Euh, oui. Nous le savions, ça.

– C'est la seule raison pour laquelle je vous ai accueillis, bien sûr. (Les sourcils d'Auster remontèrent jusque dans sa couronne de vapeur.) Il faut lutter contre Borée ! Il faut repousser les vents du nord !

– Oui, Seigneur. Mais pour lutter contre Borée, il faut vraiment qu'on puisse sortir notre bateau du port.

– Un bateau dans le port ! (Le dieu se cala contre son dossier en gloussant, la barbe dégoulinante de pluie.) Tu sais à quand remonte la dernière fois où des bateaux de mortels sont venus dans mon port ? C'était un roi de Libye. Un certain Psyollos. Il m'a accusé d'avoir brûlé ses récoltes avec mes vents chauds. Tu te rends compte ?

Jason serra les dents. Il avait appris qu'il était impossible de brusquer Auster. Sous sa forme pluvieuse, il était tiède, lent et capricieux.

– Aviez-vous brûlé ces récoltes, Seigneur ?

– Bien sûr ! (Le visage d'Auster se fendit d'un sourire bon enfant.) Mais qu'est-ce qu'il s'imaginait, ce Psyollos, en plantant ses champs à la lisière du Sahara ? Cet imbécile a lancé toute sa flotte contre moi. Il avait l'intention de raser mon bastion pour que le vent du sud ne puisse plus jamais souffler. Je l'ai détruite, bien sûr.

– Bien sûr.

Auster plissa les yeux.

– Tu n'es pas du côté de Psyollos, au moins ?

– Non, Seigneur Auster. Je suis Jason Grace, fils de...

– Jupiter ! Oui, bien sûr. J'aime bien les fils de Jupiter. Mais qu'est-ce que tu fabriques encore dans mon port ?

Jason réprima un soupir.

– Nous n'avons pas votre permission de partir, Seigneur. En plus, notre navire est endommagé. Nous avons besoin de notre mécanicien, Léo Valdez, pour réparer le moteur, sauf si vous connaissez un autre moyen.

– Hum. (Auster leva les mains et se mit à jouer avec un tourbillon de poussière qu'il retournait entre ses doigts.) Tu sais, les gens me reprochent d'être changeant. Certains jours je suis le vent brûlant qui détruit les récoltes, le sirocco d'Afrique ! D'autres jours je suis doux et j'annonce les pluies d'été tièdes et les brumes rafraîchissantes du sud de la Méditerranée. Et dans l'entre-saison, j'ai un charmant pied-à-terre à Cancún ! Toujours est-il qu'autrefois, dans les temps anciens, les mortels me craignaient et m'aimaient tout à la fois. Pour un dieu, c'est une force d'être imprévisible.

– Alors vous êtes très fort, dit Jason.

– Merci ! Oui ! Mais il n'en va pas de même pour les demi-dieux. (Auster se pencha, si près de Jason qu'il sentit son odeur de champs gorgés de pluie et de plages de sable chaud.) Tu me rappelles mes enfants, Jason Grace. Tu souffles d'un endroit à l'autre. Tu es indécis. Tu changes d'avis. Si tu pouvais retourner le manchon à air, dans quel sens soufflerait le vent ?

Un filet de sueur coula entre les omoplates de Jason.

– Pardon ?

– Tu dis que tu as besoin d'un navigateur. Que tu as besoin de ma permission. Je te dis que tu n'as besoin ni de l'un ni de l'autre. Il est temps de choisir une direction. Un vent qui souffle sans but ne sert à personne.

– Je... je ne comprends pas.

En fait, alors même qu'il faisait cette réponse, Jason comprit. Nico avait parlé de n'avoir sa place nulle part ; au moins était-il libre de toute attache, libre d'aller où il voulait.

Quant à lui, depuis des mois, il se sentait déchiré sans parvenir à trancher. Il avait toujours regimbé contre les traditions du Camp Jupiter, les jeux de pouvoir, les luttes intestines. Mais Reyna était quelqu'un de bien. S'il la laissait tomber... un Octave pouvait prendre le pouvoir et démolir tout ce que Jason aimait dans la Nouvelle-Rome. Pouvait-il vraiment faire preuve d'un tel égoïsme ? Cette pensée le rendait terriblement coupable.

Seulement au fond de son cœur, c'était à la Colonie des Sang-Mêlé qu'il voulait vivre. Les mois qu'il y avait passés avec Piper et Léo lui avaient paru plus épanouissants, plus *justes* que toutes ses années au Camp Jupiter. En plus, à la Colonie des Sang-Mêlé, il avait une petite chance de rencontrer un jour son père, alors qu'au Camp Jupiter, les dieux ne venaient quasiment jamais leur dire bonjour.

Jason respira à fond.

– Si, dit-il. Je sais quelle la direction je veux prendre.

– Bien ! Et ?

– Nous avons encore besoin d'un moyen de réparer le navire. Est-ce que... ?

Auster leva l'index.

– Tu comptes toujours sur l'aide des seigneurs du vent ? Allons, pour un fils de Jupiter !

Après une hésitation, Jason déclara :

– Nous partons, Seigneur Auster. Aujourd'hui même.

Le dieu du vent écarta les bras en souriant.

– À la bonne heure, tu énonces ton objectif ! Tu as donc ma permission de partir, même si tu n'en as pas besoin. Et comment comptes-tu naviguer, sans ton ingénieur pour réparer ton moteur ?

Les vents du sud soufflaient autour de Jason en poussant des hennissements de défi tels d'impétueux mustangs, testaient sa volonté.

Il avait attendu toute la semaine en espérant qu'Auster accepterait de les aider. Depuis des mois il se faisait du souci par rapport à ses obligations envers le Camp Jupiter, en espérant que sa voie allait lui apparaître clairement. Maintenant il comprenait qu'il devait agir et se donner les moyens de ses désirs. C'était à lui de contrôler les vents, et non l'inverse.

– Vous allez nous aider, dit Jason. Vos *venti* peuvent prendre la forme d'un cheval. Vous allez nous donner une équipe pour tirer l'*Argo II*. Ils nous emmèneront là où est Léo.

– Merveilleux ! (Auster avait la mine réjouie et la barbe qui crépitait d'étincelles électriques.) Alors... pourras-tu assurer, après ces paroles audacieuses ? Sauras-tu contrôler ce que tu demandes ou te feras-tu tailler en pièces ?

Le dieu tapa des mains. Des vents tourbillonnèrent autour de son trône puis prirent des formes de cheval. Ils n'étaient pas sombres et froids comme Tempête, l'ami de Jason. Les chevaux du Vent du Sud étaient faits de feu, de sable et d'orage de chaleur. Quatre d'entre eux passèrent au galop devant Jason, et leur chaleur fit roussir les poils de ses bras.

Ils tournoyèrent autour des colonnes de marbre en crachant des flammes par les naseaux, avec des hennissements chuintants de sableuse. Plus ils galopaient, plus ils devenaient fougueux. Ils commencèrent à reluquer Jason.

Auster caressa sa barbe pluvieuse.

– Sais-tu pourquoi les *venti* peuvent prendre la forme d'un cheval, mon garçon ? De temps à autre, nous autres dieux du vent parcourons la terre dans un corps de cheval. D'ailleurs, les chevaux les plus rapides du monde sont engendrés par nous, pendant ces virées.

– Vous m'en direz tant, bougonna ironiquement Jason, qui claquait pourtant des dents de peur.

Un des *venti* chargea. Jason l'esquiva de justesse, et ses vêtements fumèrent.

– Parfois, poursuivait Auster avec bonhomie, les mortels repèrent notre sang divin. Ils disent : *Ce cheval est rapide comme le vent.* Il y a une bonne raison à cela. Tout comme les étalons les plus rapides, les *venti* sont nos enfants !

Les chevaux de vent encerclèrent Jason.

– Comme mon ami Tempête, avança Jason.

– Hum... enfin, fit Auster avec une petite moue. Celui-là, malheureusement, c'est un enfant de Borée. Je me demande bien comment tu es arrivé à le dompter. Voici mes rejetons à moi, une fine équipe de vents du sud. Maîtrise-les, Jason Grace, et ils sortiront ton navire du port.

Maîtrise-les, pensa Jason. *C'est ça, ouais.*

Les étalons allaient et venaient et leur agitation montait. Comme leur maître le Vent du Sud, ils étaient tiraillés : mi-sirocco sec et brûlant, mi-nuages d'orage.

J'ai besoin de vitesse, songea Jason. *J'ai besoin de détermination.*

Il visualisa mentalement Notos, la version grecque du Vent du Sud : torride, mais très rapide.

Et dans cet instant, il choisit de basculer du côté grec. Il mit dans la balance tout son vécu de la Colonie des Sang-Mêlé... et les chevaux changèrent. Les nuages d'orage s'évaporèrent de leurs corps, ne laissant que poussière rouge et chaleur scintillante, comme les virages qu'on voit dans le Sahara.

– Bien joué, dit le dieu.

Sur le trône siégeait à présent Notos, vieil homme à la peau couleur de bronze, vêtu d'un *chiton* grec en feu, la tête ceinte d'une couronne d'orge fanée et fumante.

– Qu'est-ce que tu attends ? lança le dieu.

Jason se tourna vers les quatre étalons flamboyants. Soudain, il n'avait plus peur d'eux.

Il tendit le bras dans un geste vif et une volute de poussière se propulsa vers le cheval le plus proche. Un lasso – une corde de vent, plus serrée que n'importe quelle tornade – s'enroula autour du cou de l'animal et prit la forme d'un licou, l'obligeant à s'arrêter.

Jason fit naître une autre corde de vent. Il la lança à la tête d'un deuxième cheval, qu'il soumit à sa volonté. En moins d'une minute, il attacha les quatre *venti*. Il tira sur les rênes ; les étalons hennirent et se cabrèrent, mais ils ne pouvaient briser les cordes de Jason. Lequel avait l'impression de manœuvrer quatre cerfs-volants par grand vent : difficile, mais pas impossible.

– Très bien, Jason Grace, dit Notos. Tu es un fils de Jupiter, mais tu as choisi ta propre voie, comme l'ont fait avant toi les plus grands demi-dieux. Tu ne peux rien à tes origines, mais tu peux choisir ce que tu laisseras en héritage. Maintenant, pars. Attache ton attelage à la proue de ton navire et mets le cap sur Malte.

– Malte ?

Jason essaya de réfléchir, mais la chaleur qui émanait des chevaux lui tournait la tête. Il ne savait rien sur Malte, à part une vague histoire de faucon maltais. Il lui semblait avoir vu un vieux film là-dessus.

– Lorsque tu seras arrivé à la ville de La Vallette, reprit Notos, tu n'auras plus besoin de ces chevaux.

– Vous voulez dire qu'on va trouver Léo là-bas ?

Le dieu scintilla ; son corps commençait à se fondre en vagues de chaleur.

– Ta destinée se précise, Jason Grace, dit-il. Lorsque le choix se présentera de nouveau, entre le feu et la tempête, souviens-toi de moi. Et ne désespère pas.

Les portes de la salle du trône s'ouvrirent d'un coup. Les chevaux, sentant la liberté, foncèrent vers la sortie.

59 Jason

À seize ans, le problème de la plupart des jeunes Américains, c'est de réussir un créneau, de décrocher leur permis de conduire et de pouvoir s'acheter une voiture.

Le problème de Jason, c'était de maîtriser un attelage de chevaux enflammés avec des brides de vent.

Après s'être assuré que ses amis étaient tous remontés à bord et bien à l'abri dans les ponts inférieurs, il attela les *venti* à la proue de l'*Argo II* (ce qui déplut fort à Festus), se percha à califourchon sur la figure de proue et cria : « Allez, hue ! »

Les *venti* partirent en rasant les vagues. Ils n'étaient pas tout à fait aussi rapides que le cheval d'Hazel, Arion, mais ils dégageaient une sacrée chaleur. Ils levaient sous leurs sabots un sillage de vapeur tel que Jason avait le plus grand mal à voir où ils allaient. Le navire sortit de la baie comme une flèche. En quelques instants, l'Afrique ne fut plus qu'une ligne brumeuse derrière eux.

Jason devait faire appel à toute sa force de concentration pour tenir les brides de vent. Les chevaux s'efforçaient de se libérer, et seule sa volonté lui permettait de les maîtriser.

Malte, ordonna-t-il. *Droit sur Malte.*

Lorsque la terre se dessina enfin devant eux – une petite île vallonnée couverte de bâtiments de pierre bas – Jason était inondé de sueur. Ses biceps étaient engourdis comme s'il tenait des haltères à bout de bras depuis des heures.

Il espérait qu'ils étaient arrivés au bon endroit car il ne pouvait retenir davantage les chevaux. Il lâcha les brides et, aussitôt, les *venti* s'éparpillèrent en particules de poussière et de vapeur.

Exténué, Jason descendit de la proue. Il s'appuya un instant contre Festus. La tête de dragon pivota et lui donna un petit coup de menton.

– Merci, mon poto, dit Jason. Rude journée, hein ?

Derrière lui, le pont grinça.

– Jason ? appela Piper. Oh, par les dieux, tes bras...

Il ne l'avait pas remarqué, mais sa peau était couverte de cloques.

Piper déballa un carré d'ambroisie.

– Tiens, dit-elle, mange ça.

Il mastiqua. Un goût de brownie au chocolat s'épanouit dans sa bouche – son gâteau préféré, dans les pâtisseries de la Nouvelle-Rome. Les cloques disparurent de ses bras. Les forces lui revinrent, mais l'ambroisie au goût de brownie avait une pointe d'amertume inhabituelle, comme si elle percevait, d'une certaine façon, que Jason tournait le dos au Camp Jupiter. Ce n'était plus le goût de sa maison.

– Merci, Pip's, murmura-t-il. Combien de temps je... ?

– Environ six heures.

La vache, se dit Jason. Pas étonnant qu'il ait faim et soit claqué.

– Et les autres ?

– Ça va. Ils ont en juste marre d'être enfermés. Je vais les prévenir qu'ils peuvent monter sur le pont ?

Jason passa la langue sur ses lèvres desséchées. Malgré l'ambroisie, il se sentait secoué. Il ne voulait pas que les autres le voient comme ça.

– Donne-moi une seconde, dit-il. Pour reprendre mon souffle.

Piper s'appuya au bastingage près de lui. Avec son débardeur vert, son short beige et ses chaussures de marche, elle avait l'air prête à gravir une montagne – et à affronter une armée une fois arrivée au sommet. Son poignard était attaché à sa ceinture, sa corne d'abondance en bandoulière sur son épaule. Elle avait pris l'habitude de porter aussi l'épée de bronze à la lame crantée qu'elle avait héritée de Zétès le Boréade, et qui était juste un peu moins impressionnante qu'un fusil d'assaut.

Pendant leur séjour au palais d'Auster, Jason avait vu Piper et Hazel passer des heures à s'entraîner à l'épée, ce qui n'avait jamais intéressé Piper jusque-là. Depuis sa rencontre avec Chioné, Piper semblait sur le qui-vive, tendue intérieurement telle une catapulte prête à tirer, comme si elle était décidée à ne plus jamais se laisser prendre au dépourvu.

Jason comprenait ce qu'elle ressentait, mais il craignait qu'elle ne soit trop exigeante envers elle-même. Personne ne peut être vigilant et prêt à agir en permanence. Il était bien placé pour le savoir, lui qui avait passé le dernier combat en carpette congelée !

Sans doute s'était-il laissé aller à la regarder fixement, car elle lui décocha un sourire entendu.

– Hé, t'inquiète ! Je vais bien. *Nous* allons bien !

Elle se hissa sur la pointe des pieds et l'embrassa, ce qui était aussi délicieux que l'ambroisie. Elle avait les yeux mouchetés de tant de couleurs différentes que Jason aurait pu passer la journée à les regarder, à admirer les changements de motifs, comme les gens qui observent l'aurore boréale.

– J'ai de la chance de t'avoir, dit-il.

– Ouaip. (Elle lui enfonça doucement l'index dans la poitrine.) Alors, comment on amène ce navire à quai ?

Jason fronça les sourcils. Ils étaient encore à huit cents mètres de l'île, environ. Il n'avait aucune idée de comment faire marcher les moteurs ou se servir des voiles...

Heureusement, Festus avait entendu. Il pointa vers l'avant et cracha un jet de flammes. Le moteur du navire toussa, puis se mit à vrombir. Il faisait un bruit de bicyclette géante à la chaîne cassée – mais le navire fit un bond. Et, lentement, l'*Argo II* s'approcha de la côte.

– Gentil, dit Piper en caressant le cou de Festus.

Les yeux de rubis du dragon brillèrent comme s'il était content de lui.

– Il a l'air différent depuis que tu l'as réactivé, commenta Jason. Plus... vivant.

– Et c'est tant mieux. (Piper sourit.) Je crois qu'on a tous besoin d'une piqûre de rappel de la part de quelqu'un qui nous aime, de temps en temps.

Près d'elle, Jason se sentait si bien qu'il pouvait presque imaginer leur avenir ensemble à la Colonie des Sang-Mêlé, une fois la guerre finie – à supposer qu'ils survivent, à supposer qu'il existe encore un camp de demi-dieux où retourner.

Lorsque le choix se présentera de nouveau, avait dit Notos, *entre le feu et la tempête, souviens-toi de moi. Et ne désespère pas.*

Plus ils se rapprochaient de la Grèce, plus Jason était angoissé. Il avait fini par croire que Piper avait raison dans son interprétation du vers de la Grande Prophétie sur *les flammes ou la tempête*. L'un d'eux, Jason ou Léo, ne reviendrait pas vivant de cette expédition.

Voilà pourquoi ils devaient à tout prix trouver Léo. Jason avait beau adorer la vie, il n'était pas question qu'il laisse son ami mourir pour lui. Il ne pourrait pas vivre avec un tel sentiment de culpabilité.

Bien sûr, il espérait se tromper. Il espérait qu'ils s'en tireraient tous les deux. Mais si ce n'était pas le cas, Jason devait être prêt. Il protégerait ses amis et barrerait la route à Gaïa – quel que soit le prix à payer.

Ne désespère pas.

Ouais. Facile à dire pour un dieu du vent immortel.

Maintenant que l'île approchait, Jason découvrit un port grouillant de voiliers. De la côte hérissée de rochers s'élevaient des remparts hauts de quinze à vingt mètres. Au-dessus s'étendait une ville médiévale toute en dômes, en clochers et en maisons de pierre blonde blotties les unes contre les autres. Vue de là où était Jason, la ville semblait recouvrir l'île jusqu'au dernier centimètre carré.

Il balaya du regard les bateaux à quai. Son œil s'arrêta sur le plus long des pontons, à une centaine de mètres : à son extrémité était attaché un radeau de fortune, qui n'avait qu'un seul mât et une voile carrée. Le gouvernail, à l'arrière, était relié à une espèce de machine. Malgré la distance, Jason reconnut l'éclat du bronze céleste.

Il sourit. Il n'y avait qu'un demi-dieu pour construire un bateau pareil, et il l'avait amarré le plus au large et le plus à l'écart possible, à un endroit où l'*Argo II* ne pouvait pas ne pas le voir.

– Va chercher les autres, dit-il à Piper. Léo est là.

60 Jason

Ils trouvèrent Léo en haut des fortifications. Il prenait un café à une terrasse surplombant la mer, tranquille, en jean et... Waouh. Voyage dans le temps. Léo portait exactement la même tenue que le jour où ils avaient débarqué à la Colonie des Sang-Mêlé : un jean, un tee-shirt blanc, une vieille veste en treillis. Sauf que cette veste avait brûlé plusieurs mois plus tôt.

Piper l'embrassa si fort qu'elle faillit le faire tomber de sa chaise.

– Léo ! Par les dieux ! où étais-tu ?

– Valdez ! s'écria Gleeson Hedge avec un immense sourire, avant de se rappeler qu'il avait une réputation à tenir et de se forcer à prendre l'air furieux. Si tu me refais le coup de disparaître, petit tocard, je te botte le cul !

Frank lui donna une tape dans le dos si forte que Léo grimaça. Même Nico lui serra la main.

Hazel l'embrassa sur la joue.

– On a cru que tu étais mort ! s'écria-t-elle.

Léo esquissa un petit sourire.

– Salut les gars, fit-il. Nan, nan, c'est bon, je vais bien.

Jason voyait bien que ça n'allait pas. Léo ne les regardait pas dans les yeux. Ses mains reposaient sur la table, parfaitement immobiles. Léo, sans bouger les mains ? Complètement pas normal. Toute son énergie nerveuse semblait l'avoir quitté, remplacée par une sorte de mélancolie triste.

Jason se demanda pourquoi son expression lui disait quelque chose. Puis il se rendit compte que c'était exactement celle qu'il avait vue sur le visage de Nico di Angelo après sa rencontre avec Cupidon dans les ruines de Salone.

Léo avait le cœur gros.

Pendant que les autres allaient chercher des chaises aux tables voisines, Jason se pencha vers son ami et lui serra l'épaule.

– Hé, mon poto, dit-il, qu'est-ce qui s'est passé ?

Léo balaya le groupe du regard. Le message était clair : *Pas ici. Pas devant tout le monde.*

– Je me suis échoué quelque part, je vous raconterai plus tard. Et vous, les mecs ? Comment ça a fini avec Chioné ?

– Comment ça a fini ? (Gleeson Hedge plissa le nez.) Ça a fini que Piper lui a mis sa pâtée, voilà comment ! Crois-moi, cette fille a du talent !

– M'sieur Hedge..., protesta Piper.

Hedge se lança dans une version picaresque de l'épisode, où Piper était un as du kung-fu et les Boréades bien plus nombreux.

Pendant que l'entraîneur parlait, Jason observait Léo avec inquiétude. Ce café avait une vue parfaite sur le port. Léo devait avoir aperçu l'*Argo II* arriver. Pourtant il était resté là à boire son café – alors qu'il n'aimait même pas le café – en attendant qu'ils le trouvent. Ça ne lui ressemblait vraiment pas. Le vaisseau était ce qui comptait le plus dans sa vie. En le voyant venir à son secours, Léo aurait dû courir au port, dévaler les ruelles en hurlant de joie.

Gleeson Hedge racontait comment Piper avait achevé Chioné d'un coup pied circulaire, quand Piper l'interrompit.

– M'sieur Hedge ! dit-elle. Ça ne s'est pas du tout passé comme ça. Je n'aurais rien pu faire sans Festus.

Léo dressa les sourcils :

– Mais il était désactivé.

– Euh, pour ça, disons que je l'ai réveillé, si tu veux.

Et Piper expliqua comment elle l'avait réinitialisé par l'enjôlement.

Léo tapota la table du bout des doigts, comme si une partie de son ancienne énergie lui revenait.

– Ça devrait pas être possible, normalement, dit-il. Sauf si les mises à jour lui permettent de répondre aux commandes vocales. Mais s'il est activé de façon permanente, ça veut dire que le système de navigation et le cristal...

– Quel cristal ? demanda Jason.

Léo tressaillit.

– Rien, rien. Et alors, qu'est-ce qui s'est passé quand la bombe à vents a explosé ?

Hazel reprit l'histoire. Une serveuse vint leur apporter la carte. Quelques instants plus tard, ils attaquaient joyeusement des sandwichs et des sodas, profitant du soleil presque comme n'importe quel groupe d'ados.

Frank attrapa un dépliant touristique coincé sous le sucrier, et se mit à le lire. Piper tapota le bras de Léo comme si elle n'arrivait pas à croire qu'il était là pour de bon. Nico se tenait légèrement à l'écart du groupe et zyeutait les passants comme des ennemis potentiels. Gleeson Hedge grignotait la salière en plastique.

Malgré la joie des retrouvailles, ils étaient tous plus calmes que d'habitude, comme si l'humeur de Léo déteignait sur eux.

Jason n'avait jamais vraiment réfléchi à ce que l'humour de Léo apportait à l'ensemble du groupe. Même dans les situations les plus graves, ils avaient toujours pu compter sur Léo pour détendre l'atmosphère. Maintenant, c'était comme si le groupe entier s'était mis en sourdine.

– Et ensuite Jason a harnaché les *venti*, conclut Hazel. Et nous voici.

Léo siffla.

– Des chevaux d'air chaud ? Purée, Jason. En gros t'a retenu un paquet de gaz jusqu'à Malte, et là t'as tout lâché d'un coup.

Jason fronça les sourcils.

– Dis comme ça, évidemment, ça ne fait plus très héroïque.

– Eh ouais. Que veux-tu, je suis spécialiste en gaz. Ce que je me demande encore, c'est pourquoi Malte ? Je suis arrivé là avec le radeau, mais était-ce un hasard, ou...

– C'est peut-être à cause de ça. (Frank tapota du doigt sur son prospectus.) Ils disent que Malte est l'île où vivait Calypso.

Léo blêmit.

– Que... quoi ça ?

Frank haussa les épaules.

– D'après la brochure, au départ elle vivait dans une île du nom de Gozo, à quelques kilomètres au nord d'ici. Calypso c'est un machin de la mythologie grecque, nan ?

– Ah, un machin de la mythologie grecque ! (Gleeson Hedge se frotta les mains.) On va peut-être devoir la combattre, hein ! Dites, est-ce qu'on va devoir la combattre ? Parce que moi je suis prêt.

– Non, M'sieur Hedge, murmura Léo. On va pas devoir la combattre.

Piper fronça les sourcils.

– Léo, qu'est-ce qu'il y a ? Tu as l'air...

– Y a rien ! (Léo se leva d'un bond.) Hé, faudrait qu'on y aille. On a du boulot devant nous !

– Mais... où étais-tu ? demanda Hazel. Où as-tu eu ces vêtements ? Comment...

– C'est bon, les filles ! s'écria Léo. Je vous remercie, mais j'ai pas besoin de deux nouvelles mamans !

Piper eut un sourire hésitant.

– D'accord, mais...

– On a un navire à réparer ! renchérit-il. Festus à réviser ! La déesse de la terre à dégommer ! Qu'est-ce qu'on attend ? Léo est de retour !

Et il ouvrit les bras avec un grand sourire.

C'était une tentative courageuse, mais Jason voyait la tristesse s'attarder dans les yeux de Léo. Il lui était arrivé quelque chose... et c'était lié à Calypso.

Jason essaya de se souvenir de son histoire. C'était une magicienne, peut-être dans le genre de Médée ou de Circé. Mais si Léo s'était échappé du repaire d'une magicienne maléfique, pourquoi paraissait-il si triste ? Il fallait absolument que Jason lui parle plus tard, qu'il s'assure que son pote aille bien. Pour le moment, il était clair que Léo ne voulait pas qu'on lui pose de questions.

Jason se leva et lui donna une tape sur l'épaule.

– Léo a raison, dit-il. Faut qu'on bouge.

Ils obtempérèrent tous au quart de tour. Emballèrent leurs sandwichs restants, finirent leurs verres.

Soudain, Hazel laissa échapper un petit cri.

– Regardez, les mecs, dit-elle, montrant du doigt l'horizon nord-est.

Au début, Jason ne vit rien que la mer. Puis un rai de noirceur sillonna l'air tel un éclair noir – comme si l'essence même de la nuit transperçait le jour.

– J'vois rien, grommela l'entraîneur.

– Moi non plus, dit Piper.

Jason regarda ses amis. Pour la plupart, ils avaient l'air déroutés. Seul Nico semblait avoir vu l'éclair noir.

– Impossible, murmura ce dernier. La Grèce est encore à plusieurs centaines de kilomètres.

L'obscurité zébra de nouveau le ciel, le drainant un bref instant de son bleu.

– Tu crois que c'est l'Épire ? demanda Jason, qui sentait son squelette le piquer comme lorsqu'il recevait une décharge de mille volts.

Il ne comprenait pas pourquoi il pouvait voir les éclairs de ténèbres alors qu'il n'était pas un enfant des Enfers, et cela lui faisait froid dans le dos.

Nico hocha la tête.

– La Maison d'Hadès a ouvert ses portes, dit-il.

Quelques secondes plus tard, un grondement sourd leur parvint, semblable à de lointains coups de canon.

– Ça a commencé, dit Hazel.

– Qu'est-ce qui a commencé ? demanda Léo.

Il y eut un nouvel éclair de noirceur et les yeux dorés d'Hazel se voilèrent comme de l'aluminium dans les flammes.

– L'assaut final de Gaïa, répondit-elle. Les Portes de la Mort travaillent en surrégime. Ses troupes déferlent en masse dans le monde des mortels.

– On est refaits, dit Nico. Le temps qu'on arrive là-bas, les monstres seront beaucoup trop nombreux.

Jason serra les mâchoires.

– On va les battre, affirma-t-il. Et on va arriver là-bas en moins de deux. Léo est de retour, il va donner à l'*Argo II* le jus dont on a besoin.

Il se tourna vers son ami et ajouta :

– Ou pas ?

Léo parvint à sourire. Son regard semblait dire : *Merci.*

– Tous à bord, les potos, enchaîna-t-il. Tonton Léo n'a pas dit son dernier mot !

61 PERCY

Percy n'était pas encore mort et il en avait déjà assez d'être un cadavre.

Tout en crapahutant vers le cœur du Tartare, il ne cessait de regarder son corps en se demandant comment ça pouvait être le sien. Ses bras ressemblaient à des manches de cuir décoloré enfilées sur des bâtons. Ses jambes squelettiques avaient l'air de partir en fumée à chaque pas. Il avait appris à marcher normalement à l'intérieur de la Brume de Mort, plus ou moins en tout cas, mais il avait encore l'impression d'être enveloppé dans un voile d'hélium.

Il redoutait que la Brume de Mort ne lui colle à la peau pour toujours, même s'ils parvenaient à survivre au Tartare : finir ses jours avec un look de zombie, ce serait carrément l'horreur.

Percy essaya de porter son attention ailleurs, mais il n'y avait rien de rassurant dans aucune direction.

Le sol, sous ses pieds, était d'une écœurante teinte violacée, luisant et traversé par un réseau de veines bleuâtres. Dans la faible lumière rougeoyante des nuages de sang, Annabeth version Brume de Mort avait l'air droit sortie de la série des *Walking Dead.*

Le pire, c'était encore le panorama qui s'étendait devant eux.

À perte de vue, en rangs serrés, une armée de monstres... Il y avait là des bandes d'*arai* ailées, des tribus de Cyclopes balourds, des grappes d'esprits malveillants flottant dans l'air. Des milliers, voire des dizaines de milliers de méchants qui grouillaient et piétinaient sur place sans répit, se poussaient, se bousculaient les uns les autres, grognaient. Un peu comme dans les vestiaires de la salle de sport d'un grand lycée – si les jeunes étaient tous des mutants à l'haleine fétide.

Bob les emmenait vers les rangs extérieurs de l'armée. Il ne faisait aucun effort pour se cacher, ce qui de toute façon aurait été perdu d'avance. Avec ses trois mètres de haut et ses cheveux argentés, il n'avait pas un profil discret.

À une trentaine de mètres des premiers monstres, Bob se tourna vers Percy et Annabeth.

– Ne faites pas de bruit et restez derrière moi, dit-il. Ils ne vous remarqueront pas.

– On espère, marmonna Percy.

Sur l'épaule du Titan, Ti-Bob se réveilla de sa sieste. Il poussa un ronronnement tonitruant et fit le dos rond, prit sa forme de squelette, revint à celle de chaton écaille de tortue. En voilà un, au moins, qui n'était pas inquiet.

Annabeth examina ses mains de zombie.

– Bob, demanda-t-elle, si nous sommes invisibles, comment ça se fait que tu nous voies ? Je veux dire, techniquement parlant, tu es, tu sais...

– Oui, dit Bob, mais nous sommes amis.

– Nyx et ses enfants nous voyaient, eux aussi.

Bob haussa les épaules.

– C'était dans le royaume de Nyx. C'est différent.

– Ah... d'accord.

Annabeth n'avait pas l'air convaincue, mais ils étaient là, maintenant. Ils n'avaient pas d'autre choix que d'essayer.

Percy regarda la masse grouillante de monstres.

– Au moins, dit-il, on risque pas de tomber sur d'autres amis là-dedans.

– Oui, c'est une bonne nouvelle ! s'écria Bob avec un grand sourire. Allons-y, la Mort est proche.

– Les *Portes* de la Mort sont proches, corrigea Annabeth. Attention à la formulation.

Ils plongèrent dans la foule. Percy tremblait si fort qu'il craignait que la Brume de Mort ne se décroche de son corps. Il avait déjà vu de grands groupes de monstres. Il en avait affronté une armée lors de la bataille de Manhattan. Là, c'était différent.

Chaque fois qu'il s'était mesuré à des monstres dans le monde des mortels, Percy s'était senti soutenu par la pensée qu'il défendait son territoire. Ça lui donnait du courage, quelle que soit la situation. Mais là, c'était Percy l'intrus. Il n'avait rien à faire au sein de cette multitude de monstres, tout comme le Minotaure n'avait rien à faire à la gare de Penn Station à l'heure de pointe.

Deux ou trois mètres devant lui, une bande d'*empousai* déchiquetaient la carcasse d'un griffon, entourées de plusieurs autres griffons qui voletaient autour d'elles en poussant des cris scandalisés. Un Ogre de Terre à six bras et un Lestrygon se lançaient des pierres à la tête, mais Percy ne savait pas trop s'ils se battaient ou s'amusaient. Une volute de fumée noire – Percy devina qu'il s'agissait d'un eidolon – s'infiltra dans le corps d'un Cyclope, l'obligea à se donner lui-même un coup de poing en pleine figure, puis repartit en flottant dans l'air pour choisir une autre victime.

– Percy, regarde, murmura Annabeth.

À un jet de pierre, un type en tenue de cow-boy dressait des chevaux cracheurs de feu à grands coups de fouet. Il portait un Stetson enfoncé sur ses cheveux gras, un jean extralarge et des bottes en cuir noir. De profil, il aurait pu passer pour un humain... jusqu'au moment où il se retourna, permettant à Percy de voir son buste, ou plutôt ses *trois* bustes reliés à la taille et vêtu chacun d'une chemise western d'une couleur différente.

Pas de doute, c'était Géryon, qui avait essayé de tuer Percy deux ans plus tôt au Texas. Manifestement, l'horrible cow-boy voulait dresser un nouveau troupeau. À la pensée que ce type risquait de franchir les Portes de la Mort, Percy sentit se raviver la malédiction que les *arai* lui avaient infligée dans la forêt, prononcée par Géryon dans son dernier souffle, et d'horribles élancements lui traversèrent les côtes. L'envie le démangea de s'approcher du cow-boy à trois bustes et de lui coller un pain en criant : *Avec mes remerciements, triple andouille !*

Malheureusement, il ne le pouvait pas.

Combien d'anciens ennemis se trouvaient-ils dans cette foule ? Percy commençait à comprendre que chacune des batailles qu'il avait remportées dans sa vie n'avait été qu'une victoire temporaire. Peu importaient sa force ou sa chance, peu importait le nombre de monstres qu'il terrasserait, au bout du compte Percy serait battu. Il était un simple mortel. Fatalement il vieillirait, perdrait sa force, perdrait sa vitesse. Il mourrait. Tandis que ces monstres... ils étaient là pour l'éternité. Ils revenaient sans cesse. Il leur fallait peut-être des mois ou des années pour se reformer, peut-être même des siècles. Mais tôt ou tard ils finissaient par renaître.

En les voyant ainsi rassemblés au cœur du Tartare, Percy se sentit aussi désespéré que les esprits plongés dans le Cocyte. À quoi bon être un héros ? À quoi bon accomplir des actes de bravoure ? Le mal était toujours là, il se régénérait et bouillonnait sous la surface. Percy n'était guère plus qu'une petite contrariété pour ces créatures immortelles. Elles n'avaient qu'à attendre qu'il passe de vie à trépas. Un jour, peut-être, les fils ou les filles de Percy seraient amenés à les affronter à leur tour.

Les fils et les filles.

Cette pensée le secoua. Il s'arracha au désespoir aussi vite qu'il y avait sombré. Il jeta un coup d'œil à Annabeth. Elle était toujours en camouflage de cadavre brumeux, mais il l'imagina telle qu'elle était véritablement : avec ses yeux gris et déterminés, ses cheveux blonds attachés par un bandana, son visage las et maculé de crasse, mais plus beau que jamais.

OK, peut-être que les monstres revenaient éternellement. Mais les demi-dieux aussi. Génération après génération, la Colonie des Sang-Mêlé tenait bon. Le Camp Jupiter aussi. Même séparément, les deux colonies de demi-dieux avaient survécu. À présent, si les Grecs et les Romains parvenaient à s'unir, ils seraient encore plus forts.

Tout espoir n'était pas perdu. Ils avaient parcouru tant de chemin, Annabeth et lui. Les Portes de la Mort étaient presque à leur portée.

Les fils et les filles. Quelle idée idiote. Quelle idée magnifique. Au beau milieu du Tartare, Percy sourit jusqu'aux oreilles.

– Qu'est-ce qu'il y a ? murmura Annabeth.

Dans son déguisement de zombie, Percy avait sans doute paru grimacer de douleur.

– Rien, dit-il. Simplement je...

Quelque part devant eux, une voix de stentor tonna :

– JAPET !

62 Percy

Un Titan avançait à grands pas vers eux, chassant à coups de pied désinvoltes les monstres mineurs qui barraient son chemin. Il était à peu près de la taille de Bob et arborait une armure en fer stygien extrêmement ouvragée, au plastron serti d'un gros diamant. Ses yeux avaient le blanc bleuté d'une carotte de glace antarctique, et la même froideur. Ses cheveux étaient blanc bleuté également, coupés en brosse bien dégagée sur les oreilles. Il tenait un casque de combat en forme de tête d'ours sous le bras. Une épée de la taille d'une planche de surf pendait à sa ceinture.

Le visage du Titan était beau, malgré ses cicatrices, et disait vaguement quelque chose à Percy. Il était certain de n'avoir jamais vu ce Titan, pourtant ses yeux et son sourire lui rappelaient quelqu'un...

Le Titan s'arrêta devant Bob et lui donna une tape dans le dos.

– Japet ! Ne me dis pas que tu ne reconnais pas ton frère !

– Non ! protesta nerveusement Bob. Je ne te dirai pas ça.

Le nouveau venu rejeta la tête en arrière et partit d'un gros rire.

– J'ai entendu dire que tu avais été jeté dans le Léthé. Quelle horreur, mon pauvre ! Mais on savait tous que tu finirais par guérir. C'est Coéos ! Coéos !

– Bien sûr, dit Bob. Coéos, le Titan du...

– ... du Nord !

– Je sais ! cria Bob.

Ils rirent en se donnant des tapes dans le dos à qui mieux mieux.

Visiblement agacé par ce remue-ménage, Ti-Bob grimpa sur la tête de Bob et se fit un nid à coups de patte dans sa chevelure argentée.

– Pauvre vieux Japet, dit Coéos. Qu'est-ce qu'ils ne t'ont pas infligé ! Regarde-toi ! Un balai ? Un uniforme de domestique ? Un chat dans les cheveux ? Hadès doit payer pour tous ces affronts. C'est qui, le demi-dieu qui t'a privé de ta mémoire ? On va le réduire en chair à pâté, toi et moi, hein ?

– Ha, ha. (Bob ravala sa salive.) Oui, oui. En chair à pâté.

Les doigts de Percy se resserrèrent sur son stylo-bille. Même sans ses menaces de chair à pâté, le frère de Bob ne lui inspirait guère confiance. Comparé à Bob qui s'exprimait si simplement, Coéos donnait l'impression de réciter du Shakespeare. Rien que ça, trouvait Percy, c'était hyper agaçant.

Il était prêt à décapuchonner Turbulence s'il le fallait, mais jusqu'à présent Coéos n'avait pas l'air de le remarquer. Et Bob ne les avait pas trahis, bien qu'il en ait déjà eu amplement l'occasion.

– Ah, quel plaisir de te revoir... (Coéos pianota du bout des doigts sur son casque tête d'ours.) Tu te rappelles nos franches parties de rigolade ?

– Bien sûr ! renchérit Bob d'un ton guilleret. La fois où, euh...

– Où on a plaqué notre père Ouranos, dit Coéos.

– Oui ! On adorait se battre avec papa !

– On l'a maîtrisé.

– C'est ce que je voulais dire !

– Pendant que Cronos le découpait en morceaux avec sa faux.

– Oui, ha, ha. (Bob eut l'air un peu malade.) C'était très drôle !

– Je me souviens que tu tenais le pied droit de notre père, dit Coéos. En se débattant Ouranos t'a donné un coup de pied en pleine figure. Qu'est-ce qu'on a pu te taquiner là-dessus !

– Oui, c'était pas malin, acquiesça Bob.

– Malheureusement, ces impudents demi-dieux ont pulvérisé notre frère Cronos. (Coéos poussa un gros soupir.) Il reste bien des petits bouts de son essence, mais pas de quoi le reconstituer. Triste à dire, même Tartare ne peut tout guérir.

– Hélas !

– Mais nous autres, nous avons une seconde chance de briller, pas vrai ? (Il se pencha avec un air de comploteur.) Les géants s'imaginent qu'ils vont régner ; grand bien leur fasse ! Laissons-les intervenir en troupes de choc et anéantir les Olympiens, une bonne fois pour toutes. Mais lorsque notre mère la Terre se sera éveillée, elle se souviendra que nous sommes ses aînés. Écoute bien ce que je te dis : les Titans règneront sur le cosmos.

– Hum, fit Bob. Ça ne plaira peut-être pas aux géants.

– On s'en moque, répliqua Coéos. Ils ont déjà franchi les Portes de la Mort, de toute façon, pour retourner dans le monde des mortels. Polybotès est le dernier à être sorti, il n'y a pas une demi-heure. Il râlait parce qu'il avait manqué sa proie. Apparemment, des demi-dieux qu'il pourchassait se sont fait avaler par Nyx. On est pas près de les revoir, hein, ceux-là !

Annabeth serra le poignet de Percy. Difficile de décoder sûrement son expression, à travers la Brume de Mort, mais il crut voir de l'inquiétude dans ses yeux.

Si les géants avaient déjà franchi les Portes de la Mort, cela signifiait qu'ils ne parcouraient plus le Tartare à la recherche d'Annabeth et Percy, ce qui était déjà ça. Malheureusement, ça voulait dire aussi un danger accru pour leurs amis dans le monde des mortels. Tous leurs combats antérieurs avec les géants avaient été vains. Leurs ennemis revenaient plus forts que jamais.

– Bon, c'est pas le tout ! (Coéos dégaina son immense épée et la lame dégagea plus de froid encore que le glacier Hubbard.) Il faut que j'y aille. Léto doit s'être reconstituée, je veux la convaincre de combattre.

– Léto, murmura Bob. Bien sûr.

Coéos rit.

– Tu as oublié ma fille, elle aussi ? Sans doute parce que tu ne l'as pas vue depuis si longtemps. Les pacifiques comme elle mettent toujours plus de temps à se reconstituer. Mais cette fois-ci, je suis certain que Léto voudra se battre pour se venger. Tu as vu comment Zeus l'a traitée, alors qu'elle lui a donné ces deux beaux jumeaux ? C'est scandaleux !

Percy retint de justesse une exclamation.

Les jumeaux.

Il se souvint du nom de Léto : la mère d'Apollon et Artémis. Si ce Coéos lui disait vaguement quelque chose, c'était parce qu'il avait les yeux froids d'Artémis et le sourire d'Apollon. Le Titan, qui était le père de Léto, était donc leur grand-père. Retracer le fil donna la migraine à Percy.

– Bon, on se reverra dans le monde des mortels ! (Coéos donna à Bob un coup de poitrine qui faillit faire tomber le chaton de sa tête.) Ah, et puis tu vas vite voir nos deux autres frères, puisque ce sont eux qui gardent ce côté des Portes !

– Ah oui ?

– Oui, compte là-dessus !

Coéos tourna les talons, manquant de renverser Percy et Annabeth qui s'ôtèrent in extremis de son chemin.

Avant que les monstres ne remplissent l'espace libre qu'il laissait, Percy fit signe à Bob de se baisser.

– Tu te sens bien, Bob ? chuchota Percy.

Bob fronça les sourcils.

– Je ne sais pas, dit-il. Au milieu de tout ça (il fit un geste de la main), qu'est-ce que ça veut dire, bien ?

Il a raison, pensa Percy.

Annabeth porta les yeux dans la direction des Portes de la Mort, malgré la foule de monstres qui leur barraient la vue.

– Ai-je bien entendu ? dit-elle. Notre sortie est gardée par deux autres Titans ? C'est mauvais.

Percy regarda Bob. Son expression lointaine l'inquiéta.

– Est-ce que tu te souviens de Coéos ? lui demanda-t-il doucement. Et de ses histoires ?

Bob serra le manche de son balai.

– Lorsqu'il l'a raconté, ça m'est revenu. Il m'a tendu mon passé comme... comme une lance. Mais je ne sais pas si je dois le prendre ou non. Est-il encore à moi, si je n'en veux pas ?

– Non, trancha Annabeth d'une voix ferme. Tu es différent, maintenant, Bob. Tu es meilleur.

Le chaton sauta de la tête de Bob. Il se mit à tourner autour de ses pieds en se frottant la tête contre le bas de son pantalon. Bob n'avait pas l'air de s'en apercevoir.

Percy aurait aimé partager la belle assurance d'Annabeth. Il aurait aimé pouvoir affirmer à Bob en toute certitude qu'il devait oublier son passé.

Mais il comprenait le trouble de Bob. Lui-même n'avait pas oublié le jour où il avait ouvert les yeux à la Maison du Loup, en Californie, la mémoire oblitérée par Héra. Si quelqu'un avait été présent là-bas, guettant le moment où Percy allait se réveiller pour lui affirmer qu'il s'appelait Bob et qu'il était ami avec les Titans et les géants... Percy l'aurait-il cru ? Se serait-il senti trahi par la suite, lorsqu'il aurait découvert sa véritable identité ?

C'est différent, se dit-il. *On est les gentils, nous.*

Mais était-ce si vrai que ça ? Percy avait laissé Bob dans le palais d'Hadès, à la merci d'un nouveau maître qui le détestait. À présent il ne se sentait pas en droit de dire à Bob ce qu'il devait faire – même si leurs vies en dépendaient.

– Je crois que tu peux choisir, Bob, avança Percy. Prends ce que tu veux garder du passé de Japet. Laisse le reste. Ce qui compte, c'est ton avenir.

– L'avenir..., fit Bob d'un ton songeur. C'est un concept de mortels. Je ne suis pas censé changer, Percy mon ami. (Il balaya du regard la horde de monstres.) Nous sommes les mêmes..., pour l'éternité.

– Si tu étais le même, dit Percy, Annabeth et moi serions morts depuis longtemps. Nous n'étions peut-être pas faits pour devenir amis, mais nous le sommes. Nous n'aurions pas pu demander un meilleur ami que toi.

Les yeux argentés de Bob étaient plus foncés de d'habitude. Il tendit la main et Ti-Bob sauta au creux de sa paume. Le Titan se déplia de toute sa hauteur.

– Bien, les amis, en route. Ce n'est plus très loin.

Fouler le cœur de Tartare n'était pas aussi amusant qu'on aurait pu imaginer, loin de là.

Le sol violacé était glissant et palpitait sans interruption. De loin il avait l'air plat, mais vu de près il était fait de plis et de crêtes de plus en plus difficiles à franchir à mesure qu'ils s'enfonçaient. Les bosses noueuses que formaient les artères rouges et les veines bleues donnaient à Percy des appuis où poser les pieds quand il fallait grimper, mais la progression était lente.

Sans oublier qu'il y avait des monstres partout. Des meutes de chiens des Enfers arpentaient les plaines en aboyant et grondant, se jetant impitoyablement sur les monstres qui avaient le malheur de baisser la garde. Des *arai* tournoyaient en agitant leurs ailes parcheminées, traçant leurs lugubres silhouettes sur les nuages de sang.

Percy tituba. Sa main toucha une artère rouge et un picotement lui remonta dans le bras.

– Il y a de l'eau là-dedans, dit-il. De l'eau véritable.

– C'est un des cinq fleuves, dit Bob. C'est son sang.

– Son sang ? (Annabeth s'écarta du faisceau de veines le plus proche.) Je savais que tous les fleuves des Enfers se jetaient dans le Tartare, mais...

– Oui, acquiesça Bob. Ils traversent tous son cœur.

Percy passa la main sur un réseau de vaisseaux capillaires. Était-ce l'eau du Styx qui coulait sous ses doigts, ou celle du Léthé ? S'il faisait éclater une de ces veines en marchant dessus... Percy frissonna. Il se rendit compte qu'il était en train de se promener dans le système circulatoire le plus dangereux de tout l'univers.

– Dépêchons-nous, dit Annabeth. Si nous n'arrivons pas à...

Elle laissa la phrase en suspens.

Devant eux, des zigzags sombres fendirent l'air – comme des éclairs de foudre, mais d'un noir absolu.

– Les Portes, dit Bob. Il doit y avoir un grand groupe qui passe.

Percy eut un goût de sang de gorgone dans la bouche. Même si ses amis de l'*Argo II* parvenaient à trouver l'autre côté des Portes de la Mort, comment pourraient-ils résister aux vagues de monstres qui en déferlaient, en particulier si tous les géants les attendaient déjà ?

– Les monstres passent-ils tous par la Maison d'Hadès ? demanda-t-il. C'est grand comment, cet endroit ?

Bob haussa les épaules.

– Ils sont peut-être envoyés ailleurs en sortant des Portes. La Maison d'Hadès est sur la terre, non ? C'est le royaume de Gaïa. Rien ne l'empêcherait d'envoyer ses sbires où elle veut.

Percy accusa le coup. C'était déjà terrible d'imaginer des monstres se déversant des Portes de la Mort pour menacer leurs amis en Épire. Maintenant, en plus, il lui vint à l'esprit cette vision d'un immense métro souterrain, du côté des mortels, qui déposerait les géants et autres monstres là où Gaïa souhaiterait les dispatcher : à la Colonie des Sang-Mêlé, au Camp Jupiter ou sur le chemin de l'*Argo II*, avant son arrivée en Épire.

– Si Gaïa a autant de pouvoir, demanda Annabeth, peut-elle contrôler l'endroit où nous, nous allons déboucher ?

Quelle question affreusement pertinente... Parfois, Percy regrettait vraiment qu'Annabeth soit aussi futée.

Bob se gratta le menton.

– Vous n'êtes pas des monstres, dit-il. C'est peut-être différent pour vous.

Super, songea Percy.

Il n'adorait pas l'idée que Gaïa les attende de l'autre côté, prête à les téléporter au centre d'une montagne, mais les Portes de la Mort leur offraient une chance de sortir du Tartare. Ils n'avaient pas franchement d'autre option.

Bob les aida à escalader une crête. Soudain, les Portes de la Mort se dressèrent devant eux, sans rien pour masquer la vue : un parfait rectangle d'obscurité posé au sommet de la prochaine colline de muscle cardiaque, à environ quatre cents mètres, au pied duquel se pressait une horde de monstres si dense que Percy aurait facilement pu faire le trajet restant en marchant sur leurs têtes.

Les Portes étaient trop loin encore pour qu'ils puissent distinguer les détails de l'architecture, mais les Titans qui les flanquaient avaient un petit air connu. Celui qui se tenait sur la gauche portait une armure dorée rutilante qui émettait des vagues de chaleur.

– Hypérion, marmonna Percy. C'est pas vrai, il peut pas rester mort deux minutes, ce type !

Celui de droite avait une armure bleu marine et un casque orné de cornes de bélier. Percy l'avait vu en rêve seulement, mais c'était Crios, sans l'ombre d'un doute, le Titan que Jason avait tué dans la bataille du mont Tamalpais.

– Les autres frères de Bob, dit Annabeth. (La Brume de Mort scintilla autour de son visage, le transformant brièvement en crâne souriant.) Bob, s'il faut que tu te battes contre eux, le feras-tu ?

Bob leva son balai comme s'il se préparait à faire un grand ménage.

– Il faut qu'on se dépêche, dit-il sans vraiment répondre, ce que Percy ne manqua pas de remarquer. Suivez-moi.

63 PERCY

Jusque-là, le camouflage à la Brume de Mort avait fonctionné. Donc, naturellement, Percy s'attendait à un gros plantage de dernière minute.

À une quinzaine de mètres des Portes de la Mort, Annabeth et lui pilèrent net.

– Par les dieux, murmura Annabeth. Elles sont pareilles.

Percy savait ce qu'elle voulait dire. Le portail magique se composait d'un jeu de portes d'ascenseur, dans un encadrement de fer stygien : deux panneaux noir et argent gravés de motifs Art déco. À un détail près, à savoir que les couleurs étaient inversées, elles étaient exactement semblables à celles de l'ascenseur de l'Empire State Building, à New York, qui constituait l'entrée de l'Olympe.

En les voyant, Percy eut un tel coup au cœur qu'il sentit sa respiration se bloquer. Ce n'était pas seulement le mont Olympe qui lui manquait si violemment, soudain. C'était tout ce qu'il avait quitté : New York, la Colonie des Sang-Mêlé, sa mère et son beau-père. Ses yeux le piquèrent. Il préféra s'abstenir de parler.

Les Portes de la Mort lui faisaient l'effet d'un affront personnel, visant à lui rappeler tout ce qu'il ne pouvait pas avoir.

Remis du choc initial, il remarqua d'autres détails : le givre qui s'étendait au sol du bas des Portes, la lueur violacée dont elles étaient nimbées et, enfin, les chaînes qui les amarraient solidement.

Des filins de fer noir étaient tendus des deux côtés du cadre des portes, comme les câbles d'un pont suspendu. Ils étaient attachés à des crochets plantés dans le sol de chair. Les deux Titans, Crios et Hypérion, montaient la garde devant ces points d'ancrage.

Sous les yeux de Percy, l'encadrement de fer stygien trembla. Des éclairs noirs zébrèrent le ciel. Les chaînes vibrèrent et les Titans posèrent chacun le pied sur un crochet pour le retenir. Les Portes s'ouvrirent sur une cabine d'ascenseur entièrement dorée.

Percy se tendit, prêt à foncer, mais Bob posa la main sur son épaule.

– Attends, lui dit-il.

Hypérion se tourna vers la foule et cria :

– Groupe A-22 ! Dépêchez-vous, bande de traînards !

Une dizaine de Cyclopes accourut avec des cris excités, en agitant de petits tickets rouges. Normalement ils n'auraient pas dû tenir dans cet ascenseur de taille humaine, mais, quand ils arrivèrent devant, leurs corps se distordirent et rétrécirent, et les Portes de la Mort les avalèrent.

Crios le Titan appuya le pouce sur le bouton « Haut », qui se trouvait sur la droite de l'ascenseur. Les Portes se refermèrent.

L'encadrement trembla de nouveau. Les éclairs noirs s'estompèrent.

– Il faut que je vous explique comment ça marche, marmonna Bob. (Il s'adressait au chaton niché au creux de sa main, peut-être pour donner le change aux monstres qui les entouraient.) Chaque fois que les Portes s'ouvrent, elles tentent de se téléporter vers un nouvel emplacement. Thanatos les a créées comme ça pour être le seul à pouvoir les trouver. Mais maintenant, elles sont enchaînées. Elles ne peuvent pas changer de lieu.

– Alors nous allons sectionner les chaînes, murmura Annabeth.

Percy regarda la silhouette étincelante d'Hypérion. La dernière fois qu'il avait combattu le Titan, Percy avait donné jusqu'à la dernière miette de ses forces. Il avait failli mourir. Cette fois-ci, les Titans étaient deux, sans compter plusieurs milliers de monstres en renfort.

– Est-ce que notre camouflage peut disparaître si nous faisons quelque chose d'agressif, demanda-t-il, comme sectionner les chaînes ?

– Je ne sais pas, répondit Bob à son chaton.

– Miaou, ajouta Ti-Bob.

– Bob, il faudrait que tu les distraies, dit Annabeth. Et Percy et moi on se faufilera derrière les deux Titans pour sectionner les chaînes.

– Oui, très bien, dit Bob, mais ça ne règle qu'un problème. Une fois que vous aurez franchi les Portes, quelqu'un devra rester à l'extérieur pour appuyer sur le bouton et le défendre.

Percy tenta de ravaler sa salive.

– Euh... défendre le bouton ?

Bob hocha la tête et gratta Ti-Bob sous le menton.

– Il faut que quelqu'un appuie sur le bouton pendant douze minutes sans lâcher, sinon le trajet ne finira pas.

Percy jeta un coup d'œil aux Portes. Effectivement, Crios avait toujours le pouce scotché au bouton « Haut ». Douze minutes... Il fallait qu'ils trouvent un moyen d'éloigner les Titans de ces portes. Ensuite, Bob, Percy ou Annabeth enfoncerait ce bouton pendant douze longues minutes, au milieu d'une armée de monstres, au cœur du Tartare, pendant que les deux autres remonteraient vers le monde des mortels. C'était impossible.

– Pourquoi douze minutes ? demanda Percy.

– Je sais pas, dit Bob. Pourquoi douze Olympiens ou douze Titans ?

– Bien vu, répondit Percy, avec pourtant un goût amer dans la bouche.

– Qu'entends-tu par « le trajet ne finira pas » ? demanda à son tour Annabeth. Que deviennent les passagers ?

Bob ne répondit pas. À en juger par sa mine attristée, il valait mieux ne pas se trouver coincé dans cet ascenseur entre le Tartare et le monde des mortels.

– Si nous appuyons sur le bouton pendant douze minutes, dit Percy, et si nous coupons les chaînes...

– Les Portes devraient se réinitialiser, dit Bob. Elles sont conçues pour fonctionner comme ça. Elles disparaîtront du Tartare et referont surface ailleurs, dans un endroit où Gaïa ne pourra pas s'en servir.

– Thanatos pourra reprendre le contrôle dessus, ajouta Annabeth. La Mort retrouvera sa marche normale et les monstres perdront leur raccourci pour le monde des mortels.

Percy soupira.

– Fastoche, dit-il. À part... à part tout, en gros.

Ti-Bob ronronna.

– C'est moi qui appuierai sur le bouton, proposa Bob.

Différents sentiments s'agitèrent en Percy – le chagrin, la tristesse, la reconnaissance et la culpabilité, s'amalgamant en une sorte de ciment émotionnel.

– Bob, dit-il, on ne peut pas te demander ça. Toi aussi, tu veux franchir les Portes. Tu veux revoir le ciel, les étoiles et...

– Ça me plairait, acquiesça Bob. Mais il faut que quelqu'un appuie sur le bouton. Et une fois les chaînes sectionnées, mes frères se battront pour interrompre votre trajet. Ils ne voudront pas laisser les Portes disparaître.

Percy regarda la horde de monstres. Même s'il acceptait que Bob fasse ce sacrifice, comment leur ami le Titan pourrait-il se défendre seul contre tant d'assaillants pendant douze minutes, tout en maintenant le doigt sur un bouton ?

Le ciment se posa au creux de son ventre. Il avait toujours soupçonné que ça finirait de cette façon. Il resterait ici, dans le cœur du Tartare. Pendant que Bob repousserait l'armée de monstres, Percy appuierait sur le bouton de l'ascenseur et veillerait à ce qu'Annabeth regagne le monde des mortels.

Seulement il devait la convaincre de partir sans lui. Du moment qu'elle était en sécurité et que les Portes disparaissaient, il pouvait mourir en sachant qu'il avait bien agi.

– Percy… ?

Annabeth le regarda avec insistance, une pointe de méfiance dans la voix.

Elle était trop intelligente. Si elle croisait son regard, elle y lirait ce qu'il avait l'intention de faire, c'était sûr.

– Procédons par ordre, dit-il. Commençons par sectionner ces chaînes.

64 PERCY

– JAPET !! tonna Hypérion. Enfin te voilà. Je croyais que tu te cachais quelque part sous un seau.

Bob s'avança à pas lourds et répondit avec un rictus :

– Je ne me cachais pas.

Percy se glissa sur la droite des Portes tandis qu'Annabeth filait vers le côté gauche. Les Titans n'avaient pas l'air de les voir, mais Percy ne voulait prendre aucun risque. Il garda Turbulence sous sa forme de stylo-bille et avança plié en deux, le plus furtivement possible. Les monstres mineurs se tenaient à une distance respectable des Titans, ce qui laissait suffisamment d'espace de manœuvre autour des Portes – il n'empêche que Percy avait horriblement conscience de cette horde grondante dans son dos.

Annabeth avait estimé qu'il valait mieux que ce soit elle qui s'occupe du côté gardé par Hypérion, au cas où ce dernier serait susceptible de percevoir la présence de Percy. En effet, Percy était le dernier à l'avoir tué dans le monde des mortels. Percy avait accepté volontiers. Après tout ce temps passé au Tartare, il ne pouvait pas regarder Hypérion et son armure qui lançait des rayons dorés sans avoir des points rouges devant les yeux.

De son côté des Portes, Crios se tenait immobile, sombre et silencieux, le visage couvert par son casque à cornes de bélier. Il avait un pied sur le crochet qui retenait la chaîne et le pouce enfoncé sur le bouton de l'ascenseur.

Bob se tourna face à ses frères. Il planta sa lance-balai dans le sol et prit l'air aussi féroce qu'il le pouvait, avec un chaton sur l'épaule.

– Hypérion et Crios, dit-il. Je me souviens de vous.

– Vraiment, Japet ? (Le Titan doré rit et jeta un coup d'œil à Crios pour l'inclure dans ses railleries.) C'est bon à savoir ! J'ai entendu dire que Percy Jackson t'avait transformé en fille de cuisine. Comment t'a-t-il rebaptisé, déjà ? Betty ?

– Bob, lança sèchement Bob.

– Eh ben il était temps que tu te pointes, *Bob*. Avec Crios, on est coincés ici depuis des semaines...

– Des heures, corrigea Crios dans un grondement grave amplifié par son casque.

– C'est pareil ! dit Hypérion. C'est barbant, comme boulot, de garder ces portes et de faire passer des monstres selon les ordres de Gaïa. D'ailleurs, Crios, c'est quoi le prochain groupe ?

– Double Rouge, dit Crios.

Hypérion soupira. Les flammes redoublèrent d'ardeur sur ses épaules.

– Double Rouge. Pourquoi passe-t-on de A-22 à Double Rouge ? Qu'est-ce que c'est que ce système ? (Il fusilla Bob du regard.) Ce n'est pas une tâche pour moi, le Seigneur de la Lumière ! Le Titan de l'Est ! Le Maître de l'Aurore ! Pourquoi suis-je obligé d'attendre dans le noir que les géants partent au combat et récoltent toute la gloire ? Crios je peux comprendre...

– On me confie chaque fois les missions les pires, grommela Crios, le pouce toujours sur le bouton.

– Mais moi ? reprit Hypérion. C'est ridicule ! C'est toi qui aurais dû t'y coller, Japet. Tiens, remplace-moi donc un peu.

Bob avait les yeux rivés sur les Portes, mais son regard était lointain – perdu dans le passé.

– Tous les quatre, nous avons plaqué notre père Ouranos au sol, se souvint-il. Coéos, moi et vous deux. Cronos nous avait promis le contrôle des quatre coins de la terre si nous l'aidions à commettre le meurtre.

– Exact, dit Hypérion. Et je l'ai fait avec plaisir ! Si j'avais pu manier la faucille moi-même, je l'aurais fait ! Mais toi, *Bob*... tu avais des sentiments partagés, pas vrai ? Le Titan de l'Ouest au cœur tendre, tendre comme le coucher du soleil ! Je ne comprendrai jamais pourquoi nos parents t'ont appelé *Celui qui transperce. Le geignard*, ça t'irait mieux.

Percy arriva devant le crochet d'ancrage de la chaîne. Il retira le capuchon de son stylo-bille et Turbulence se déploya sur toute sa longueur. Crios ne réagit pas. Toute son attention était mobilisée par Bob, qui venait de pointer son javelot sur la poitrine d'Hypérion.

– Je peux toujours transpercer, dit Bob d'une voix égale. Tu es trop vantard, Hypérion. Tu brilles et tu lances des flammes, mais Percy Jackson t'a battu quand même. J'ai entendu dire que tu étais devenu un bel arbre à Central Park.

Les yeux d'Hypérion s'embrasèrent.

– Mollo, frérot.

– Au moins, portier c'est un boulot honnête, dit Bob. Je nettoie derrière les autres. Je laisse le palais plus propre que je ne l'ai trouvé. Mais toi... tu mets le bazar et tu t'en fiches. Tu as suivi Cronos aveuglément. Maintenant tu obéis aux ordres de Gaïa.

– C'est notre mère, je te signale ! tonna Hypérion.

– Quand c'est nous qui étions en guerre contre l'Olympe, elle ne s'est pas éveillée pour nous aider, se rappela Bob. Elle favorise ses autres enfants, les géants.

Crios poussa un grognement.

– C'est vrai, ça, dit-il. Les enfants de l'abîme.

– Tenez votre langue, vous deux ! dit Hypérion d'une voix marquée par la peur. On ne sait jamais qui écoute.

La sonnerie de l'ascenseur tinta. Les trois Titans sursautèrent.

Cela faisait-il déjà douze minutes ? Percy avait perdu la notion du temps. Crios lâcha le bouton et cria :

– Double Rouge ! Où sont les Double Rouge ?

Des hordes de monstres s'agitèrent et jouèrent des coudes, mais aucun n'avança.

Crios soupira.

– Je leur avais bien dit de garder leurs tickets, pourtant. Double Rouge ! Vous allez perdre votre tour !

Annabeth s'était postée juste derrière Hypérion. Elle brandit son épée à lame en os de dragon au-dessus de la base de la chaîne. Sous les vifs reflets jetés par l'armure du Titan, son camouflage en Brume de Mort lui donnait l'air d'une goule en flammes.

Elle leva trois doigts pour le compte à rebours. Il fallait qu'ils tranchent les chaînes avant que le groupe suivant essaie de prendre l'ascenseur, tout en veillant à ce que les Titans soient le plus distraits possible.

Hypérion jura.

– Manquait plus que ça ! dit-il. Ça va complètement chambouler notre emploi du temps ! (Il jeta un regard méprisant à Bob.) Décide-toi, frérot. Tu nous aides ou tu te bats contre nous ? J'ai pas le temps d'écouter tes salades.

Bob jeta un coup d'œil à Annabeth et Percy. Ce dernier crut que Bob allait provoquer un combat, mais le Titan se contenta de lever sa lance et de répondre :

– Très bien. Je vais prendre mon tour de garde. Qui de vous deux veut sa pause en premier ?

– Moi, bien sûr, dit Hypérion.

– Non, moi ! protesta Crios. J'appuie sur ce bouton depuis si longtemps que mon pouce va se détacher.

– Je suis là depuis plus longtemps que toi, bougonna Hypérion. Vous n'avez qu'à garder les Portes, tous les deux, pendant que je remonte au monde des mortels. J'ai une revanche à prendre sur certains héros grecs !

– Ah non ! fit Crios. Le jeune Romain est en route pour l'Épire – celui qui m'a tué au mont Othrys. Il avait eu de la chance, soit dit en passant. Maintenant c'est mon tour.

– Bah ! je vais t'étriper d'abord, tête de bouc ! rétorqua Hypérion en tirant son épée.

Crios fit de même.

– Essaie si tu veux, mais je ne vais pas me laisser enfermer une minute de plus dans cette fosse puante !

Annabeth croisa le regard de Percy. Elle articula silencieusement : *Un, deux...*

Avant qu'il pût trancher la chaîne de son côté, Percy eut les oreilles transpercées par un sifflement strident qui ressemblait à celui d'une roquette à l'arrivée. Il eut juste le temps de penser *Oh-oh !*, puis une explosion secoua la colline. Une vague de chaleur le projeta en arrière. Une pluie d'éclats d'obus noirs s'abattit sur Crios et Hypérion et les hacha menu comme du bois dans une déchiqueteuse.

FOSSE PUANTE. Une voix caverneuse déferla sur les plaines en faisant trembler le sol de chair tiède.

Bob se releva en titubant. L'explosion l'avait épargné. Il agita sa lance devant lui, essayant de localiser la source de la voix. Ti-Bob s'engouffra à l'intérieur de son bleu de travail.

Annabeth était retombée à cinq ou six mètres des Portes. Lorsqu'elle se releva, Percy fut tellement soulagé qu'elle soit encore en vie qu'il ne réalisa pas tout de suite qu'elle avait recouvré son apparence normale. La Brume de Mort s'était évaporée.

Il regarda ses mains. Son camouflage à lui aussi avait disparu.

TITANS, gronda dédaigneusement la voix. *CRÉATURES INFÉRIEURES. FAIBLES ET PLEINES DE DÉFAUTS.*

L'air, devant les Portes de la Mort, s'obscurcit et s'épaissit. L'être qui apparut était tellement gigantesque, il dégageait tant de malveillance, que Percy aurait voulu courir se cacher dans un trou.

Mais il se força à regarder le dieu des pieds à la tête, en partant de ses godillots en fer noirs, grand chacun comme un cercueil. Venaient ensuite des jambières foncées. Des cuisses aux muscles compacts et violets comme le sol. Une armure faite de milliers d'os noircis et tordus, entretissés comme les mailles d'une cotte et retenue par une ceinture en bras de monstres tressés.

À la surface du plastron du guerrier affleuraient des visages flous – géants, Cyclopes, gorgones, drakons... – qui poussaient tous vers l'extérieur comme s'ils essayaient de s'échapper de l'armure.

Le guerrier avait les bras nus, musclés, violets et luisants, et des mains grosses comme des pelleteuses.

Le pire était encore sa tête. Un casque en pierre et métal tordu, sans forme particulière, composé seulement de plaques de magma palpitant et de pics déchiquetés. Et en guise de visage un immense tourbillon, une spirale de noirceur qui s'enfonçait à l'infini. Sous les yeux de Percy, les ultimes particules d'essence de Titan d'Hypérion et Crios disparurent englouties dans la gueule du guerrier.

Percy parvint à articuler :

– Tartare.

Le guerrier fit un bruit de montagne qui s'ouvre en deux : un rire ou un rugissement, Percy n'aurait su dire.

Ce corps n'est qu'une modeste expression de mon pouvoir, dit le dieu, *mais elle suffira bien pour toi. Je ne me manifeste pas à la légère, petit demi-dieu. C'est indigne de moi de m'occuper de moucherons comme toi.*

– Euh... (Les jambes de Percy menaçaient dangereusement de le lâcher.) Ne... enfin... ne vous dérangez pas pour moi.

Tu as fait preuve d'une résistance étonnante. Tu t'es avancé trop loin. Je ne peux plus te regarder faire en spectateur.

Tartare ouvrit grands les bras. De la vallée monta l'immense clameur des milliers de monstres qui entrechoquaient leurs armes et poussaient des cris de triomphe. Les Portes de la Mort vibrèrent dans leurs chaînes.

C'est un honneur insigne que je vous accorde, petits héros, dit le dieu de l'abîme. *Même les Olympiens n'ont jamais été dignes de mon attention personnelle. Vous allez être anéantis par Tartare lui-même !*

65 FRANK

Frank avait espéré des feux d'artifice.

Ou une grande pancarte annonçant : BON RETOUR AU PAYS !

Il y avait plus de trois mille ans, son ancêtre grec – ce bon vieux métamorphe de Périclymène – avait fait voile vers l'Orient avec les Argonautes. Des siècles plus tard, les descendants de Périclymène s'étaient engagés dans les légions romaines d'Orient. Après une série de péripéties, la famille s'était retrouvée en Chine, pour finir par émigrer au Canada au XXe siècle. À présent Frank rentrait en Grèce, ce qui signifiait que la famille Zhang bouclait la boucle et terminait son tour du globe.

Il aurait fallu fêter ça, trouvait-il, mais le seul comité d'accueil auquel Frank eut droit fut une bande de harpies sauvages et affamées qui attaqua le vaisseau. Il eut plutôt mauvaise conscience en les décimant avec ses flèches car il ne pouvait s'ôter de l'esprit l'image d'Ella, leur copine harpie de Portland, à l'intelligence redoutable. Ces harpies-là, cependant, n'avaient rien à voir avec Ella. Si elles avaient pu, elles ne se seraient pas privées de dévorer le visage de Frank. Du coup, il les avait réduites en nuages de plumes et de poussière.

Le paysage grec qu'ils survolaient était tout aussi inhospitalier. Les collines étaient parsemées de rochers et de cèdres rabougris et tremblaient dans la brume de chaleur. Le soleil martelait la campagne comme s'il voulait en faire un bouclier de bronze céleste. Même à trente mètres d'altitude, Frank entendait le cri strident des cigales dans les arbres – un bourdonnement incessant et hypnotique qui lui donnait les paupières lourdes. Les voix du dieu de la guerre semblaient s'être assoupies, elles aussi. Elles avaient quasiment cessé leur joute verbale depuis que le navire était entré en territoire grec.

Des filets de transpiration coulaient dans le cou de Frank. Après avoir été congelé dans les ponts inférieurs de l'*Argo II* par cette dingue de déesse de la neige, Frank avait cru qu'il ne se réchaufferait jamais complètement, mais à présent le dos de son tee-shirt était trempé.

– Chaud et moite ! s'écria Léo, qui tenait la barre. Ça me donne la nostalgie de Houston ! Qu'est-ce que tu en dis, Hazel ? Il nous manque plus que quelques moustiques géants et on pourrait se croire dans le golfe du Mexique !

– Merci, Léo, grommela Hazel. On va sûrement se faire attaquer par des monstres-moustiques de l'Antiquité grecque, maintenant.

Frank les examina tous les deux, épaté de voir que l'ancienne tension s'était dissipée. Ce qui était arrivé à Léo pendant ses cinq jours d'exil demeurait un mystère, mais le fait était que ça l'avait changé. Léo plaisantait toujours, bien sûr, pourtant Frank sentait quelque chose de différent en lui – comme un bateau qui a une nouvelle quille. Même si on ne voit pas la quille, on sait qu'elle est là à la façon dont le bateau fend les vagues.

Léo ne semblait plus aussi acharné à charrier Frank. Il était plus détendu avec Hazel, bavardait avec elle sans lui couler ces regards mélancoliques qui mettaient toujours Frank mal à l'aise, avant.

Hazel avait donné son diagnostic en privé à Frank :

– Il a rencontré quelqu'un.

– Comment ? Où ça ? avait demandé Frank, très incrédule. Comment peux-tu le savoir ?

Hazel avait souri.

– Je le sais, c'est tout.

À croire qu'elle était fille de Vénus et non de Pluton. Frank ne pigeait pas.

Évidemment, il était soulagé que Léo n'en pince plus pour sa copine, mais en même temps il se faisait du souci pour lui. Bien sûr, ils avaient eu des différends, mais après tout ce qu'ils avaient traversé ensemble, Frank ne voulait pas que Léo ait le cœur brisé.

– Regardez ! (La voix de Nico arracha Frank à ses pensées. Comme d'habitude, di Angelo était perché sur le mât de misaine. Il montrait du doigt un fleuve vert et scintillant qui serpentait entre les collines, à un kilomètre de là.) Mettez le cap par là ! Nous sommes près du temple. Très près.

Comme pour lui donner raison, un éclair noir déchira le ciel ; Frank en eut la chair de poule et des points noirs devant les yeux.

Jason ceignit son baudrier.

– À vos armes, tout le monde ! ordonna-t-il. Léo, rapproche-nous mais ne te pose pas. Pas de contact avec le sol si ce n'est pas nécessaire. Piper, Hazel, préparez les amarres.

– Ça marche ! dit Piper.

Hazel embrassa Frank sur la joue et courut aider Piper.

– Frank, lança Jason. Va chercher M'sieur Hedge.

– Ouaip !

Il s'enfonça par l'écoutille et descendit au pont inférieur. En approchant de la cabine de l'entraîneur, il ralentit. Il ne tenait pas à l'effrayer en faisant du bruit. M'sieur Hedge avait tendance à bondir dans le couloir armé de sa batte de baseball s'il croyait que le bateau était attaqué par des intrus. Frank avait failli se faire assommer une paire de fois en allant aux toilettes.

Il leva la main pour frapper à la porte. Puis il se rendit compte qu'elle était entrebâillée. Il entendit la voix du satyre qui parlait.

– Voyons, poupée ! disait-il. Tu sais bien que c'est pas ça !

Frank se figea sur place. Il ne voulait pas écouter aux portes, mais il ne savait pas quoi faire. Hazel lui avait dit qu'elle s'inquiétait pour leur chaperon. Elle était persuadée que quelque chose le tracassait, mais Frank n'y avait pas accordé beaucoup d'importance jusqu'à maintenant.

Il n'avait jamais entendu Hedge parler aussi gentiment. En général, les seuls sons qui sortaient de sa cabine, c'étaient les commentaires d'une rencontre sportive à la télévision, ou l'entraîneur qui criait : « Vas-y ! Fais-lui sa fête ! » en regardant un de ses films d'arts martiaux. Or Frank était quasiment sûr que M'sieur Hedge n'appellerait pas Chuck Norris « poupée ».

Une autre voix parlait – féminine et à peine audible, comme si elle provenait de très loin.

– Promis, dit l'entraîneur. Mais, euh, on part au combat, là. (Il s'éclaircit la gorge.) Et il y aura peut-être de la casse. Toi, fais bien attention à toi. Je vais revenir. Sûr de sûr.

Frank n'y tenait plus. Il frappa vigoureusement à la porte.

– Hé, M'sieur Hedge ?

La conversation cessa.

Frank compta jusqu'à six. La porte s'ouvrit grand.

Le satyre surgit, le visage crispé et les yeux rouges comme s'il avait regardé la télé trop longtemps. Il portait ses sempiternels short de gym et casquette de base-ball, avec un plastron en cuir par-dessus son tee-shirt et un sifflet autour du cou, peut-être au cas où il aurait besoin de donner un carton jaune à un monstre.

– Zhang. Qu'est-ce que tu veux ?

– Euh, on se prépare à aller au combat. On a besoin de vous sur le pont.

La barbichette de l'entraîneur trembla.

– Ouais, bien sûr.

Il avait l'air étrangement peu motivé par la perspective d'une bataille.

– Je ne voulais pas... euh, je veux dire, je vous ai entendu parler, bafouilla Frank. Vous passiez un message-Iris ?

Hedge eut l'air prêt à gifler Frank ou du moins à donner un coup de sifflet très fort. Puis ses épaules s'affaissèrent. Il poussa un soupir et retourna à l'intérieur de sa cabine, laissant Frank planté sur le pas de la porte.

L'entraîneur se laissa tomber sur sa banquette. Il se prit la tête entre les mains et regarda sa cabine d'un œil morne. La pièce avait l'air d'une chambre d'ado après un ouragan : le sol était jonché de vêtements (destinés à être portés ou grignotés, avec les satyres c'était dur à dire) et de DVD ; des assiettes sales traînaient autour de la télé, sur la commode. Chaque fois que le navire tanguait, une grappe de ballons dépareillés roulait en travers de la pièce : des ballons de foot, de basket, de base-ball et même, curieusement, une boule de billard. Des touffes de poils de chèvre flottaient dans l'air ou formaient des boules sous les meubles... des moutons de chèvre ? des chèvres de poussière ?

Sur la table de chevet de l'entraîneur étaient disposés un bol d'eau, une pile de drachmes en or, une torche électrique et un prisme en verre pour faire des arcs-en-ciel. Visiblement, il avait prévu le nécessaire pour passer beaucoup de messages-Iris.

Frank se rappela ce que Piper lui avait raconté sur la petite amie nymphe des nuages de l'entraîneur, qui travaillait pour le père de Piper. Comment s'appelait-elle, déjà ? Melinda ? Mélissa ? Non, Mellie.

– Euh, votre petite amie Mellie va bien ? risqua Frank.

– C'est pas tes oignons ! rétorqua l'entraîneur.

– D'accord.

Hedge leva les yeux au plafond.

– Bon ! Si tu veux vraiment savoir, je parlais à Mellie. Mais c'est plus ma petite amie.

– Oh... (Frank se sentit tout triste.) Vous avez rompu ?

– Non, imbécile ! On s'est mariés ! C'est ma femme !

Frank aurait été moins sonné si l'entraîneur l'avait giflé.

– M'sieur Hedge, bafouilla-t-il, c'est... euh... c'est super ! Quand est-ce que... ? Comment... ?

– Pas tes oignons ! cria-t-il de nouveau.

– Euh, très bien.

– Fin mai, dit l'entraîneur. Juste avant le départ de l'*Argo II*. On n'a pas voulu faire un grand raout.

Frank crut que le bateau tanguait de nouveau, mais ce devait être juste une impression. Le tas de ballons resta calé contre le mur d'en face.

M'sieur Hedge avait été marié tout ce temps-là ? Il avait accepté de s'embarquer dans cette quête alors qu'il venait tout juste de se marier. Pas étonnant qu'il appelle si souvent. Pas étonnant qu'il soit d'humeur aussi grincheuse et belliqueuse.

Pourtant... Frank sentait qu'il y avait autre chose. Le ton de voix de l'entraîneur, pendant le message-Iris, donnait l'impression qu'ils discutaient d'un problème.

– Je ne voulais pas écouter aux portes, dit Frank. Mais... tout va bien ?

– C'était une conversation privée !

– Ouais. Vous avez raison.

– Bon ! Je vais te raconter. (Hedge arracha quelques poils de sa cuisse et les envoya voleter dans l'air.) Elle a pris un congé de son boulot de Los Angeles et elle est partie passer l'été à la Colonie des Sang-Mêlé parce qu'on s'était dit... (Sa voix se brisa). On s'était dit que ce serait plus sûr. Maintenant elle est coincée là-bas, avec les Romains qui se préparent à attaquer. Et... elle a assez peur.

Frank se sentit brusquement très embarrassé de son insigne de centurion sur son tee-shirt et de son tatouage *SPQR* sur le bras.

– Je suis désolé, murmura-t-il. Mais si c'est un esprit des nuages, est-ce qu'elle ne pourrait pas juste... enfin vous savez, partir par les airs, en s'envolant ?

L'entraîneur serra le manche de sa batte de base-ball.

– En temps normal, ouais. Seulement... elle est dans une position intéressante. Ce serait risqué.

– Une position... (Frank écarquilla les yeux.) Elle va avoir un *bébé* ? Vous allez être *papa* ?

– Crie plus fort, grogna Gleeson Hedge. Ils t'ont pas entendu en Croatie.

Frank ne put s'empêcher de sourire.

– Mais, M'sieur, c'est trop cool ! Un petit bébé satyre ? Ou une petite nymphette ? En tout cas vous serez super comme papa.

Frank ne savait pas trop pourquoi il avait cette impression, vu l'amour de l'entraîneur pour les battes de base-ball et les coups de pied circulaires, mais il en était certain.

Gleeson Hedge se rembrunit encore davantage.

– La guerre approche, Zhang. Il n'y a de sécurité nulle part. Je devrais assurer pour Mellie. Mais si je me retrouve à mourir quelque part...

– Hé, personne ne va mourir, dit Frank.

Hedge le regarda dans les yeux. Frank lut dans les siens que l'entraîneur ne partageait pas son optimisme.

– J'ai toujours eu un faible pour les enfants d'Arès, marmonna Hedge. Ou de Mars, peu importe. C'est peut-être pour ça que je ne te réduis pas en bouillie alors que tu me bombardes de questions.

– Mais je ne...

– Bon, d'accord, je vais te raconter ! (Hedge poussa un nouveau soupir.) C'était quand je débutais comme chercheur de demi-dieux. Je faisais ma première mission, en Arizona. J'étais parti chercher une gamine qui s'appelait Clarisse.

– Clarisse ?

– Une sœur à toi. Fille d'Arès. Violente, grossière, beaucoup de potentiel. Bref, pendant que j'étais là-bas, j'ai rêvé de ma mère. C'est... c'était une nymphe des nuages, comme Mellie. J'ai rêvé qu'elle avait des ennuis et qu'elle avait besoin de mon aide immédiatement. Mais je me suis dit : *Nan, c'est qu'un rêve. Qui ferait du mal à une gentille vieille nymphe des nuages ? En plus il faut que je conduise cette jeune demi-déesse en lieu sûr.* Donc j'ai fini ma mission, j'ai amené Clarisse à la Colonie des Sang-Mêlé. Après je suis parti à la recherche de ma mère. C'était trop tard.

Frank regarda la petite touffe de poils de chèvre se poser sur un ballon de basket-ball.

– Que lui est-il arrivé ?

Hedge haussa les épaules.

– Aucune idée, dit-il. Je ne l'ai jamais revue. Peut-être que si j'avais été là quand elle avait besoin de moi, si j'étais revenu plus tôt...

Frank aurait voulu dire des paroles réconfortantes, mais il n'en trouvait pas. Il avait perdu sa mère pendant l'intervention américaine en Afghanistan et il savait combien les mots « Je suis désolé » peuvent être creux.

– Vous faisiez votre travail, avança-t-il. Vous avez sauvé la vie d'une demi-déesse.

Hedge émit un grognement.

– Maintenant ma femme et mon enfant à naître sont en danger à l'autre bout de la planète et je ne peux rien faire pour eux.

– Mais vous faites quelque chose, dit Frank. Nous sommes ici pour empêcher les géants d'aider Gaïa à se réveiller. C'est la meilleure façon de protéger nos proches.

– Ouais, ouais, t'as sans doute raison.

Frank aurait aimé trouver d'autres arguments pour remonter le moral de l'entraîneur, mais cette conversation éveillait sa propre inquiétude pour tous ceux qu'il avait laissés en s'engageant dans cette quête. Il se demanda qui défendait le Camp Jupiter, maintenant que la légion avait pris la route de l'est, en particulier contre tous les monstres que Gaïa ramenait par les Portes de la Mort. Et ses amis de la Cinquième Cohorte... comment supportaient-ils qu'Octave leur donne l'ordre de marcher sur la Colonie des Sang-Mêlé ? Soudain, Frank aurait voulu être là-bas, au Camp Jupiter, ne serait-ce que pour enfoncer un ours en peluche dans la gorge de cet augure de malheur.

Le navire donna de la bande, et tous les ballons roulèrent sous la banquette de l'entraîneur.

– On descend, dit ce dernier. Il est temps de rejoindre les autres.

– Ouais, acquiesça Frank d'une voix rauque.

– T'es un fouineur de Romain, Zhang.

– Mais...

– Allez, viens. Et pas un mot de tout ça aux autres, Mister Grande Gueule.

Pendant que le reste de l'équipage attachait les amarres aériennes, Léo attrapa Hazel et Frank par les bras et les entraîna vers la baliste du gaillard d'arrière.

– Bon, commença-t-il, je vous explique le plan.

Hazel plissa les yeux :

– Je me méfie de tes plans.

– Je vais avoir besoin de ce tison magique, continua Léo. Fissa !

Frank manqua de s'étrangler. Hazel recula d'un pas, portant instinctivement la main à la poche de son blouson.

– Léo, dit-elle, tu ne peux pas...

– J'ai trouvé une solution. (Léo se tourna vers Frank.) C'est toi qui décides, mon malabar, mais j'ai trouvé le moyen de te protéger.

Frank pensa au nombre de fois où il avait vu les doigts de Léo s'enflammer. Un seul faux mouvement et Léo pouvait réduire en cendres le tison dont dépendait sa survie.

Pourtant, étrangement, Frank n'était pas terrifié. Depuis qu'il avait affronté les monstro-vaches à Venise, Frank n'avait pratiquement pas repensé à la fragilité du fil qui le rattachait à la vie. Oui, c'était vrai, il suffisait de quelques petites flammes pour le tuer. En même temps il avait survécu à des trucs incroyables et gagné la fierté de son père. Alors Frank avait décidé de ne plus s'inquiéter de son destin, quel qu'il pût être. Il voulait tout donner pour aider ses amis, et c'était tout.

En plus, Léo avait l'air sérieux. Ses yeux étaient toujours habités par cette drôle de mélancolie, comme s'il était dans deux endroits à la fois, mais rien dans son expression ne donnait à croire qu'il plaisantait.

– Vas-y, Hazel, c'est bon, dit Frank.

– Mais... (Hazel inspira à fond.) D'accord.

Elle sortit le tison de sa poche et le tendit à Léo.

Dans les mains de Léo, le bout de bois n'était guère plus gros qu'un tournevis. Il était encore noirci à un bout, celui dont Frank s'était servi en Alaska pour faire fondre les chaînes de glace qui retenaient le dieu Thanatos prisonnier.

D'une poche de sa ceinture à outils, Léo extirpa un carré de tissu blanc.

– Admirez !

– C'est un mouchoir ? demanda Frank avec une grimace.

– Un drapeau blanc ? suggéra Hazel.

– Non, bande d'incroyants ! répondit Léo. C'est une pochette tissée dans une matière grave performante, un cadeau d'une pote à moi.

Léo glissa le tison dans le sachet, puis tira et noua son cordon en fil de bronze.

– Le cordon, c'était mon idée, ajouta-t-il fièrement. C'était pas évident de le faire passer dans ce tissu, mais comme ça la pochette ne peut s'ouvrir que si tu le décides. Ça respire autant que n'importe quelle autre fibre, donc le tison ne sera pas plus isolé que dans la poche d'Hazel.

– Mais, euh..., demanda Hazel. Quel est l'intérêt ?

– Tiens ça pour que je te donne pas une crise cardiaque.

Léo lança la pochette à Frank, qui faillit la manquer.

Puis il fit naître une boule de feu dans sa main droite. Il plongea son avant-bras gauche dans les flammes et les regarda lécher sa manche avec un grand sourire.

– Vous voyez ? dit-il. Ça ne brûle pas !

Frank ne tenait pas à discuter avec un type qui tenait une boule de feu dans sa main, mais il objecta quand même :

– Euh... Léo, tu es insensible au feu.

Léo leva les yeux au ciel.

– Ouais, mais je dois me concentrer si je veux empêcher mes vêtements de brûler. Et là, je me concentre pas, tu vois ? Ce tissu est parfaitement ignifugé. Ce qui veut dire que ton tison ne pourra pas brûler tant qu'il sera dans cette pochette.

Hazel n'avait pas l'air convaincue.

– Comment tu peux en être sûr ? demanda-t-elle.

– Misère, vous êtes des clients difficiles. (Léo éteignit sa boule de feu.) Je crois qu'il y a un seul moyen de vous convaincre.

Sur ce, il tendit la main vers Frank.

– Euh, non, non. (Frank recula. Soudain, son beau courage à accepter son destin lui parut loin.) C'est bon, Léo. Je te remercie, mais je... je ne peux pas...

– Faut que tu me fasses confiance, mon poto.

Le cœur de Frank s'emballa. Faisait-il confiance à Léo ? Oui, bien sûr... pour réparer un moteur. Pour monter un canular. Mais pour être le garant de sa vie ?

Il se rappela le jour où ils s'étaient retrouvés enfermés dans l'atelier souterrain, à Rome. Gaïa avait juré qu'ils mourraient dans cette pièce. Léo avait juré qu'il ferait sortir Hazel et Frank de ce piège. Et il l'avait fait.

À présent, Léo parlait avec la même assurance dans la voix.

– D'accord, dit Frank en lui tendant la pochette. Essaie de ne pas me tuer.

La main de Léo s'enflamma. La pochette ne brûla pas, elle ne noircit même pas.

Frank attendait la catastrophe. Il compta jusqu'à vingt, mais il était toujours vivant. Il eut alors la sensation qu'un bloc de glace fondait juste derrière son sternum : un bloc de peur prise en glace auquel il s'était tellement habitué qu'il n'en prenait conscience que maintenant qu'il disparaissait.

Léo éteignit son feu et regarda Frank en jouant des sourcils.

– Alors ? C'est qui ton meilleur ami ?

– Ne réponds pas, dit Hazel. Mais, Léo, c'est vraiment fabuleux.

– Oui, hein ? renchérit Léo. Alors, à qui je remets ce tison magique hautement sécurisé ?

– Je vais le garder, dit Frank.

Hazel pinça les lèvres. Elle baissa les yeux, peut-être pour que Frank n'y voie pas sa peine. Elle avait protégé le tison pour lui au cours de nombreuses et rudes batailles. C'était devenu une marque de confiance entre eux, le symbole de leur relation.

– Hazel, ce n'est pas par rapport à toi, dit Frank le plus gentiment qu'il put. Je sais pas comment t'expliquer, mais j'ai l'intuition que je vais devoir passer à la vitesse supérieure, une fois qu'on sera à la Maison d'Hadès. Il faut que je porte mon fardeau.

Les yeux dorés d'Hazel étaient pleins d'inquiétude.

– Je comprends, dit-elle. Je me fais du souci, c'est tout.

Léo lança la pochette à Frank. Il l'attacha à sa ceinture. C'était étrange de porter aussi ouvertement sa faiblesse mortelle, après avoir passé des mois à la cacher.

– Et, Léo, ajouta-t-il. Merci.

Ça lui semblait un peu juste pour le cadeau que Léo lui avait fait, mais celui-ci se fendit d'un grand sourire.

– À quoi ça sert, sinon, d'avoir des amis de génie ?

– Hé, les gars ! appela Piper depuis la poupe. Venez vite ! Vous devez voir ça !

Ils avaient trouvé la source de la foudre noire.

L'*Argo II* planait au-dessus du fleuve. À quelques centaines de mètres de là, au sommet de la colline la plus proche, se massait un groupe de ruines. Elles n'avaient rien d'impressionnant : quelques murs à moitié éboulés qui encerclaient les coques vides d'anciennes maisons en pierre... mais du cœur des ruines s'échappaient des tentacules d'éther noir qui s'étiraient dans le ciel, tel un calamar de fumée se risquant hors de sa grotte. Sous les yeux de Frank, un éclair de sombre énergie déchira l'air ; le vaisseau tangua et une onde de choc glacée traversa le paysage.

– Le Nécromanteion, dit Nico. La Maison d'Hadès.

Frank agrippa le bastingage. C'était sans doute trop tard pour suggérer de faire demi-tour. Il commençait à regretter les monstres qu'il avait combattus à Rome. Que dire, même courir après les vaches venimeuses de Venise était plus réjouissant comme perspective que s'aventurer dans cet endroit.

Piper replia les bras sur la poitrine.

– Je me sens vulnérable, en suspension comme ça dans le ciel, dit-elle. On ne pourrait pas se poser sur le fleuve ?

– Je le déconseillerais, dit Hazel, c'est l'Achéron.

Jason cligna des yeux, ébloui par le soleil.

– Je croyais que l'Achéron était aux Enfers.

– Oui, dit Hazel, mais il prend sa source dans le monde des mortels. Ce fleuve que vous voyez au-dessous de nous s'enfonce sous terre, à un moment donné, et plonge directement dans le royaume de Pluton – euh, d'Hadès. Si un bateau de demi-dieux se pose sur...

– Ouais, restons là, décida Léo. Je veux pas d'eau de zombie sur ma coque.

À cinq cents mètres en aval, des bateaux de pêche allaient leur petit bonhomme de chemin. Frank devina qu'ils ignoraient l'histoire du fleuve ou s'en moquaient. Ça devait être sympa, d'être un simple mortel.

Nico di Angelo, à côté de Frank, leva le sceptre de Dioclétien. Le globe qui le coiffait rougeoya, comme à l'unisson avec l'orage de noirceur. Relique romaine ou pas, ce sceptre dérangeait Frank. S'il avait véritablement le pouvoir de réveiller une légion de morts... eh bien, Frank n'était pas persuadé que ce soit si génial que ça.

Jason lui avait dit un jour que les enfants d'Arès avaient la même faculté. En principe, Frank devait pouvoir invoquer des spectres de soldats vaincus, dans n'importe quelle guerre, et les soumettre à ses ordres. Il n'avait jamais usé de ce pouvoir avec grand succès, peut-être parce que ça lui donnait trop les jetons. Frank craignait de devenir lui-même un de ces spectres s'ils perdaient la guerre contre Gaïa – condamné pour l'éternité à payer le prix de ses échecs, à supposer qu'il y ait un survivant pour l'invoquer.

– Alors, euh, Nico, dit Frank en montrant le sceptre d'un geste. Tu as appris à te servir de cet engin ?

– On verra en temps voulu, répondit Nico, les yeux tournés vers les tentacules de noirceur qui montaient des ruines. Je n'ai pas l'intention d'essayer tant que je n'y serai pas obligé. Les Portes de la Mort sont déjà en surrégime pour déverser tous les monstres de Gaïa. Si on ajoute une invocation des morts par un autre moyen, elles pourraient bien s'écrouler définitivement et ça créerait une brèche impossible à refermer dans le monde des mortels.

Gleeson Hedge poussa un grognement et dit :

– J'aime pas les brèches dans ce monde. Allons casser du monstre.

Frank regarda le visage déterminé du satyre. Soudain, une idée lui vint en tête.

– M'sieur Hedge, vous devriez rester à bord pour nous couvrir avec les balistes.

– Rester à bord ? (Hedge fronça les sourcils.) Moi ? Je suis votre meilleur soldat !

– On pourrait avoir besoin d'un renfort aérien, insista Frank. Comme ça s'est passé à Rome. Vous nous avez sauvé le *culatus.*

Il n'ajouta pas : *Et j'aimerais bien que vous rentriez vivant auprès de votre femme et votre bébé.*

Hedge parut comprendre le message. Il se détendit et une lueur de soulagement s'alluma dans ses yeux.

– Mouais, grogna-t-il. Évidemment, il faut bien que quelqu'un vous couvre le *culatus.*

Jason donna une tape sur l'épaule à l'entraîneur. D'un coup de menton, il remercia Frank. Puis il dit :

– Alors c'est réglé. Les autres, en route pour les ruines. Il est temps de taper l'incruste à la fête de Gaïa.

66 Frank

Malgré le cagnard de midi et l'orage d'énergie mortifère, un groupe de touristes grimpait la colline pour visiter les ruines. Ils n'étaient pas nombreux, heureusement, et n'accordèrent aucune attention particulière aux demi-dieux.

Depuis les foules de Rome, Frank ne s'inquiétait plus outre mesure de se faire repérer. S'ils avaient pu débarquer au Colisée à bord d'un navire de guerre volant en faisant feu de toutes leurs balistes sans même provoquer d'embouteillages, ils pouvaient sans doute passer inaperçus n'importe où.

Nico avait pris la direction du groupe. Arrivés au sommet de la colline, ils escaladèrent un vieux mur de soutènement et descendirent dans une tranchée. Puis ils arrivèrent devant une porte en pierre qui ouvrait directement dans le flanc de la colline. L'orage mortifère semblait prendre sa source juste au-dessus de leurs têtes. En levant les yeux vers les tentacules d'ombre tourbillonnants, Frank eut l'impression d'être tombé au fond d'une cuvette de WC dont on venait de tirer la chasse d'eau. Ce qui ne fit rien pour calmer ses nerfs.

Nico se tourna face au groupe.

– À partir d'ici, annonça-t-il, ça devient dur.

– Tant mieux, dit Léo, parce que là je ronge mon frein.

Nico le gratifia d'un regard sévère :

– On va voir combien de temps tu vas garder ton sens de l'humour. Rappelez-vous, c'est ici que les pèlerins venaient communier avec leurs ancêtres défunts. Sous terre, vous verrez peut-être des choses difficiles à regarder, ou vous entendrez des voix qui chercheront à vous entraîner dans des tunnels pour vous perdre. Frank, tu as les galettes d'orge ?

– Pardon ?

Frank était absorbé par ses pensées ; il se demandait si sa grand-mère et sa mère allaient lui apparaître. Pour la première fois depuis des jours, les voix d'Arès et de Mars avaient repris leurs querelles dans sa tête, comparant leurs formes de mort violente préférées.

– C'est moi qui les ai, dit Hazel, en sortant les biscuits qu'ils avaient confectionnés avec l'orge magique que Triptolème leur avait donné à Venise.

– Mangez-en une chacun, recommanda Nico.

Frank mâcha sa galette de mort en essayant de ne pas s'étrangler. Ce truc avait un goût de biscuit dont on aurait remplacé le sucre par de la sciure de bois.

– Beurk, fit Piper.

Même la fille d'Aphrodite ne pouvait s'empêcher de faire la grimace.

– Bon. (Nico avala le dernier morceau de son biscuit.) Ça devrait nous protéger du poison.

– Poison ? Tu as dit poison ? fit Léo. Parce que j'adore le poison.

– Bientôt, promit Nico. Maintenant restons groupés, et on évitera peut-être de se perdre ou de devenir fous.

Sur ce conseil encourageant, Nico pénétra dans le tunnel.

Ce dernier s'enfonçait en spirale douce dans les profondeurs. Le plafond était soutenu par des voûtes de pierre blanche qui faisaient penser à une cage thoracique de baleine, trouva Frank.

Tout en marchant, Hazel passa la main sur la maçonnerie.

– Ça ne faisait pas partie d'un temple, ici, murmura-t-elle. Ce sont les fondations d'une résidence construite à une époque plus tardive de l'histoire grecque.

Frank était troublé par cette faculté qu'avait Hazel de « lire » un lieu souterrain rien qu'en s'y trouvant. Il ne l'avait jamais vue se tromper.

– Une résidence ? demanda-t-il. Ne me dis pas qu'on s'est trompé d'endroit.

– La Maison d'Hadès est au-dessous de nous, confirma Nico. Mais Hazel a raison, les niveaux supérieurs sont beaucoup plus récents. Lorsque les archéologues ont commencé les fouilles, ils ont d'abord cru qu'ils avaient trouvé le Nécromanteion. Puis ils se sont rendu compte que les ruines étaient trop récentes et ils en ont conclu qu'ils s'étaient trompés de lieu. Pourtant ils avaient vu juste, simplement ils n'avaient pas creusé assez profond.

Ils prirent un tournant dans le boyau et s'arrêtèrent net : un énorme bloc de pierre leur barrait le chemin.

– Un effondrement ? demanda Jason.

– Un test, répondit Nico. Hazel, tu veux bien faire les honneurs ?

Hazel s'avança. Elle posa la main sur le rocher, qui s'effrita en soulevant un nuage de poussière.

Le tunnel trembla. Le plafond se couvrit de fissures et dans une bouffée de terreur, Frank se dit qu'ils allaient tous finir écrasés sous des tonnes de terre – une mort décevante, après tout ce qu'ils avaient traversé. Puis le grondement cessa et la poussière retomba.

Un escalier s'enfonçait plus avant dans la terre, étayé par une nouvelle série de voûtes en pierre noire et lisse, toutes semblables et plus serrées que les précédentes. Les regarder donnait le tournis à Frank, comme s'il regardait dans un miroir reflétant à l'infini. Sur les parois étaient peints des dessins rudimentaires montrant un troupeau de ruminants à pelage noir en train d'avancer.

– J'aime vraiment pas les vaches, marmonna Piper.

– D'accord avec toi, dit Frank.

– Ce sont les troupeaux d'Hadès, expliqua Nico. C'est juste un symbole de...

– Regardez ! s'écria Frank en pointant du doigt.

Sur la première marche de l'escalier luisait un calice d'or. Frank était certain qu'il n'était pas là avant. Il était plein d'un liquide vert foncé.

– Youpi, dit Léo sans grand enthousiasme. Je suppose que c'est notre poison.

Nico prit la coupe entre ses mains.

– Nous sommes sur l'ancien seuil du Nécromanteion, dit-il. C'est ici qu'Ulysse est venu, comme des dizaines d'autres héros, pour demander conseil aux morts.

– Lui ont-ils conseillé de repartir immédiatement ? demanda Léo.

– Ça m'irait assez bien, avoua Piper.

Nico but au calice, puis le tendit à Jason avec ces mots :

– Tu m'as parlé de faire confiance et de prendre des risques ? Eh bien à toi, fils de Jupiter. Me fais-tu confiance ?

Frank ne voyait pas trop à quoi Nico faisait allusion, mais Jason n'hésita pas. Il prit le calice et but.

Ils firent circuler la coupe et chacun but une gorgée. En attendant son tour, Frank s'efforçait de maîtriser ses jambes tremblantes et son estomac qui menaçait de se retourner. Il se demanda ce que sa grand-mère lui aurait dit si elle avait pu le voir.

C'est stupide, Fai Zhang ! l'aurait-elle sans doute grondé. *Si tous tes amis buvaient du poison, en ferais-tu autant ?*

Frank fut le dernier à boire. Le liquide vert avait un goût de jus de pomme tourné, trouva-t-il. Il vida le calice jusqu'à la dernière goutte, et ce dernier se volatilisa en fumée entre ses mains.

Nico hocha la tête, l'air satisfait.

– Félicitations, dit-il. Si le poison ne nous tue pas, on devrait pouvoir parvenir au premier niveau du Nécromanteion.

– Le premier niveau seulement ? demanda Piper.

Sans répondre, Nico se tourna vers Hazel et désigna l'escalier d'un geste.

– Après toi, petite sœur.

En un rien de temps, Frank se sentit complètement perdu. L'escalier se divisa en trois directions différentes. Dès qu'Hazel en choisit une, il bifurqua de nouveau. Ils avançaient par des boyaux reliés entre eux, traversant des chambres funéraires taillées grossièrement dans la pierre et qui se ressemblaient toutes, avec leurs cavités poussiéreuses qui avaient peut-être abrité jadis des corps. Les voûtes qui encadraient les portes étaient ornées de dessins de vaches noires, de peupliers blancs et de chouettes.

– Je croyais que la chouette était le symbole d'Athéna, murmura Jason.

– La chouette effraie est un des animaux sacrés d'Hadès, dit Nico. Son cri est un mauvais présage.

– Par ici. (Hazel montrait du doigt une voûte en tous points semblable aux autres.) C'est la seule qui ne va pas s'effondrer sur nous.

– Choix judicieux, alors, dit Léo.

Frank avait le sentiment de quitter peu à peu le monde des vivants. Sa peau picotait et il se demanda si c'était un effet secondaire du poison. La pochette contenant son tison lui paraissait peser plus lourdement à sa ceinture. Dans la lueur sinistre de leurs armes magiques, ses amis ressemblaient à des fantômes vacillants.

Un souffle d'air froid lui passa sur le visage. Arès et Mars s'étaient tus dans son esprit, mais Frank croyait entendre d'autres voix qui chuchotaient dans les tunnels latéraux, qui l'invitaient à se détourner de son chemin pour se rapprocher d'elles et venir écouter leurs paroles.

Ils parvinrent enfin devant une voûte sculptée sur tout son pourtour de crânes de pierre – à moins que ce ne fussent des crânes humains incrustés dans la roche. À la lumière pourpre du sceptre de Dioclétien, leurs orbites creuses avaient l'air de clignoter.

Frank sauta en l'air quand Hazel posa la main sur son bras.

– C'est l'entrée du deuxième niveau, dit-elle. Il vaut mieux que je regarde.

Il ne s'était même pas rendu compte qu'il s'était placé juste devant la voûte.

– Euh, ouais, dit-il en s'écartant.

Hazel passa les doigts sur les crânes sculptés.

– Pas de pièges sur le seuil mais... il y a quelque chose de bizarre. Mon sens du souterrain est amorti, comme si quelqu'un travaillait contre moi et me cachait ce qui nous attend plus loin.

– La sorcière contre laquelle Hécate t'avait mise en garde ? devina Jason. Celle que Léo a vue en rêve ? Comment s'appelle-t-elle, déjà ?

Hazel se mordit la lèvre.

– Autant ne pas prononcer son nom, répondit-elle. Mais restez vigilants. Il y a une chose dont je suis certaine : à partir d'ici, les morts sont plus puissants que les vivants.

Frank ne savait pas trop d'où elle tirait cette certitude, mais il la croyait. Les voix tapies dans l'obscurité semblaient murmurer plus fort. Il surprit du mouvement dans les ombres. À voir les regards brusques que ses amis jetaient autour d'eux, il devina qu'eux aussi voyaient des choses.

– Où sont les monstres ? se demanda-t-il tout haut. Je croyais que Gaïa avait une armée de monstres qui gardaient les Portes.

– Je sais pas. (La peau claire de Jason paraissait aussi verte que le poison qu'ils avaient bu.) À la limite, j'aimerais autant un combat franco.

– Fais gaffe à ce que tu souhaites, man. (Léo fit naître une boule de feu dans sa main et pour une fois, Frank fut soulagé de voir des flammes.) Perso, j'espère qu'il n'y aura personne à la maison. On arrive, on trouve Percy et Annabeth, on détruit les Portes de la Mort et *ciao*, on se casse. Avec éventuellement un arrêt à la boutique souvenirs.

– Ouais, dit Frank.

Le tunnel trembla. Une pluie de débris tomba du plafond.

Hazel agrippa la main de Frank.

– On l'a échappé belle, marmonna-t-elle. Ces tunnels ne pourront plus tenir très longtemps.

– Les Portes de la Mort viennent de se rouvrir, expliqua Nico.

– On dirait que ça se produit tous les quarts d'heure, observa Piper.

– Toutes les douze minutes, rectifia Nico, sans préciser comment il le savait. Dépêchons-nous. Percy et Annabeth sont tout près. Et ils sont en danger. Je le sens.

Ils poursuivirent leur chemin et les tunnels s'élargirent ; les plafonds maintenant hauts de six mètres étaient peints de scènes représentant des chouettes perchées dans des peupliers blancs. Frank aurait dû être soulagé d'avoir plus d'espace, mais il ne pouvait penser qu'à la dimension tactique. Les tunnels étaient assez larges pour offrir passage à de grands monstres, et même à des géants. Il y avait des coins sombres partout, idéaux pour les embuscades. Leur groupe pouvait facilement se retrouver cerné. Ils n'auraient pas de bonnes possibilités de repli.

Son instinct lui hurlait de sortir de ce labyrinthe souterrain. Si aucun monstre n'était encore visible, ça voulait juste dire qu'ils étaient tapis quelque part et leur tendaient un piège. Frank avait beau le savoir, il n'y pouvait pas grand-chose. Ils devaient trouver les Portes de la Mort à tout prix.

Léo tenait sa main en flammes près des murs. Frank remarqua des graffitis en grec ancien gravés dans la pierre. Il ne savait pas lire le grec ancien, mais il supposa qu'il s'agissait de prières ou de supplications aux morts, écrites par les pèlerins d'il y a trois mille ans. Le sol était jonché de pièces de monnaie et de bris de céramique.

– Des offrandes ? devina Piper.

– Oui, dit Nico. Pour que tes ancêtres apparaissent, il fallait leur faire une offrande.

– Ne faisons pas d'offrande, suggéra Jason.

Personne ne discuta.

– À partir d'ici, prévint Hazel, le tunnel est instable. Le sol pourrait... écoutez, suivez-moi, c'est tout. Faites attention à poser les pieds exactement aux mêmes endroits que moi.

Sur ces mots, elle avança. Frank lui emboîta le pas, non qu'il se sentît spécialement courageux, mais parce qu'il voulait être près d'Hazel au cas où elle aurait besoin de lui. Les voix du dieu de la guerre se disputaient de nouveau dans ses oreilles. Il sentait le danger – tout près, maintenant.

Fai Zhang.

Il pila net. Cette voix... ce n'était ni Arès ni Mars. Elle était très proche, comme si quelqu'un lui chuchotait à l'oreille.

– Frank ? murmura Jason derrière lui. Hazel, attends une seconde. Frank, qu'est-ce qui se passe ?

– Rien, répondit Frank dans un souffle. Juste que je...

Pylos, reprit la voix. *Je t'attends à Pylos.*

Frank sentit le poison lui remonter dans la gorge. Il avait connu la peur de nombreuses fois. Il s'était même trouvé confronté au dieu de la mort.

Cette voix, cependant, le terrifiait d'une manière différente. Elle résonnait jusque dans la moelle de ses os, comme si elle connaissait tout de lui : sa malédiction, son histoire, son avenir.

Sa grand-mère avait toujours accordé une grande importance au culte des ancêtres. C'était un truc chinois. Il fallait apaiser les fantômes. Il fallait les prendre au sérieux.

Frank avait toujours estimé que sa grand-mère entretenait des superstitions idiotes. Il changeait d'avis, à présent. Pour lui, cela ne faisait pas l'ombre d'un doute : cette voix qui lui parlait était celle d'un de ses ancêtres.

– Frank, ne bouge pas, dit Hazel d'une voix tendue.

Il baissa les yeux et vit qu'il avait failli s'écarter du chemin.

Pour survivre, il faudra que tu mènes, dit la voix. *À la cassure, tu devras prendre le commandement.*

– Mener où ? dit-il tout haut.

Là-dessus, la voix s'éteignit. Frank sentit nettement son absence, comme si l'humidité était tombée d'un coup.

– Euh, mon malabar ? fit Léo. Tu pourrais éviter de péter les plombs ? S'il te plaît merci.

Les amis de Frank le regardaient tous d'un œil inquiet.

– Ça va, parvint-il à dire. Juste... une voix.

Nico hocha la tête.

– Je vous avais prévenus. Et ça ne va qu'empirer. On devrait...

Hazel leva la main pour demander le silence.

– Attendez-moi ici, vous tous, dit-elle.

Là-dessus, elle fila toute seule en éclaireur, à la grande inquiétude de Frank. Il eut le temps de compter jusqu'à vingt-trois avant qu'elle ne revienne, l'air pensif et les traits tirés.

– Elle fait peur, la pièce suivante, avertit-elle. Ne paniquez pas.

– Ça ne va pas ensemble, ces deux trucs-là, bougonna Léo – mais ils suivirent Hazel dans la caverne.

On aurait dit une espèce d'immense cathédrale, au plafond si haut qu'il se perdait dans l'obscurité. Des dizaines d'autres tunnels en rayonnaient, tous dans des directions différentes et tous bourdonnant de voix spectrales. Ce qui angoissa Frank, ce fut le sol. C'était une épouvantable mosaïque d'os humains et de pierres précieuses : des fémurs, des os iliaques, des côtes, tous fondus en une surface lisse et parsemée de diamants et de rubis. Les os dessinaient des motifs, pareils à des squelettes contorsionnistes qui faisaient des culbutes et se tordaient pour protéger les joyaux : une danse de mort et de richesse.

– Ne touchez à rien, dit Hazel.

– J'en avais pas l'intention, marmonna Léo.

Jason balaya du regard les nombreuses sorties.

– Par où, maintenant ?

Pour la première fois, Nico parut hésitant.

– Ici, je crois que c'est la pièce où les prêtres invoquaient les esprits les plus puissants, dit-il. Un de ces passages mène plus loin dans le temple, au troisième niveau et à l'autel d'Hadès. Mais lequel ?

– Celui-là, déclara Frank en le pointant du doigt.

Debout à l'entrée d'un tunnel, de l'autre côté de la pièce, le spectre d'un légionnaire romain leur faisait signe. Son visage était flou, pourtant Frank avait l'impression que le fantôme le regardait, lui en particulier.

– Pourquoi celui-là ? demanda Hazel en fronçant les sourcils.

– Tu ne vois pas le fantôme ?

– Quel fantôme ? demanda Nico.

D'accord... si Frank voyait un fantôme que les enfants des Enfers ne pouvaient pas voir, il y avait clairement un problème. Il eut l'impression que le sol vibrait sous lui. Puis il se rendit compte qu'il vibrait pour de bon.

– Il faut qu'on aille à ce tunnel, dit-il. Tout de suite !

Hazel dut le saisir à bras-le-corps pour l'arrêter.

– Attends, Frank ! Le sol n'est pas stable, et dessous, eh bien je ne sais pas trop ce qu'il y a. Laisse-moi repérer le chemin.

– Dépêche-toi, alors.

Il prit son arc et poussa Hazel vers l'avant autant qu'il l'osa. Léo crapahutait derrière lui pour les éclairer. Les autres fermaient la marche. Frank était conscient qu'il effrayait ses amis, mais il ne pouvait pas faire autrement. Il savait, instinctivement, qu'il ne leur restait que quelques secondes avant que...

Devant eux, le légionnaire fantôme s'évanouit dans l'air. La caverne résonna soudain de rugissements monstrueux : des dizaines, voire des centaines d'ennemis affluaient de toutes parts. Frank reconnut le mugissement de gorge des Ogres de Terre, le hurlement strident des griffons, les cris de guerre rauques des Cyclopes – autant de sons qu'il avait découverts sur le champ de bataille de la Nouvelle-Rome et qui, à présent amplifiés par les souterrains, couvraient même les voix du dieu de la guerre dans sa tête.

– Hazel, continue ! ordonna Nico, qui tira le sceptre de Dioclétien de sa ceinture.

Piper et Jason dégainèrent leurs épées tandis que les monstres déferlaient dans la caverne.

Une avant-garde d'Ogres de Terre à six bras lança une pluie de cailloux qui fracassèrent le sol d'os et de gemmes comme un plan de glace. Une fissure courut à sa surface, au milieu de la salle, en s'étirant vers Hazel et Léo.

L'heure n'était plus à la prudence. Frank attrapa ses amis et tous trois traversèrent la caverne en vol plané, dans le sifflement des pierres et des javelots qui fusaient tout autour d'eux, puis retombèrent à l'entrée du tunnel au fantôme.

– Partez ! hurla Frank. Partez !

Hazel et Léo entrèrent en titubant dans le boyau, le seul de tous les passages où il semblait n'y avoir aucun monstre. Frank n'était pas certain que ce soit bon signe.

Au bout de deux mètres, Léo se retourna :

– Les autres !

La caverne tout entière trembla. Frank se retourna et son courage s'effrita. Un gouffre de quinze mètres de large divisait à présent la caverne, traversé seulement par deux longueurs d'os branlantes. Le plus gros de l'armée des monstres était de l'autre côté et poussait des hurlements de rage en lançant tout ce qui leur tombait sous la main, y compris pour certains leur voisin. Certains tentèrent de traverser les fines passerelles, qui grincèrent sous leur poids.

Jason, Piper et Nico étaient du bon côté du gouffre, c'était déjà ça, mais encerclés par des Cyclopes et des chiens des Enfers. D'autres monstres déboulaient des tunnels tandis que des griffons tournoyaient dans l'air, nullement gênés par l'effondrement du sol. Les trois demi-dieux n'avaient aucune chance d'arriver jusqu'au tunnel. Même si Jason essayait de voler en portant les deux autres, ils seraient abattus en l'air.

Frank se souvint de la voix de son ancêtre : *À la cassure, tu devras prendre le commandement.*

– Il faut qu'on les aide, dit Hazel.

Frank passa en mode réflexion accélérée. Il fit les calculs de bataille et vit exactement ce qui allait se passer : quand et où ses amis seraient écrasés, comment ils mourraient dans cette caverne tous les six... sauf si Frank changeait la donne.

– Nico ! hurla-t-il. Le sceptre.

Nico brandit le sceptre de Dioclétien et une lueur pourpre et chatoyante se répandit dans l'air. Des fantômes surgirent de la crevasse et sortirent des murs : une légion romaine tout entière, en tenue de combat. Ils prirent corps, pareils à des morts-vivants, mais semblaient complètement perdus. Jason se mit à hurler en latin pour leur ordonner de former des rangs et d'attaquer. Les zombies se contentèrent d'avancer parmi les monstres en traînant des pieds, créant des poussées de panique qui ne duraient pas.

Frank se tourna vers Hazel et Léo.

– Allez-y, vous deux, continuez.

Hazel écarquilla les yeux.

– Comment ? Non !

– Il le faut. (Frank n'avait jamais pris de décision aussi difficile de sa vie, mais il savait qu'il n'y avait pas le choix.) Trouvez les Portes. Sauvez Annabeth et Percy.

– Mais... (Léo jeta un coup d'œil par-dessus l'épaule de Frank.) Couché !

Frank plongea au sol au moment où une volée de pierres s'abattait. Lorsqu'il parvint à se relever, toussant et couvert de poussière, l'entrée du tunnel avait disparu. Un pan de roche entier s'était effondré, ne laissant qu'une pente de gravats fumants.

– Hazel...

La voix de Frank se brisa. Il devait espérer qu'elle et Léo étaient vivants de l'autre côté. Il ne pouvait pas se permettre d'imaginer le contraire.

La colère monta dans sa poitrine. Il fit volte-face et chargea l'armée des monstres.

67 FRANK

Frank n'était pas un spécialiste des fantômes, mais il se dit que les légionnaires morts avaient tous dû être des demi-dieux de leur vivant, vu leur niveau d'hyperactivité.

Ils se hissèrent hors de la faille et se mirent à tourner en rond sans but, tantôt se bousculant et se donnant des coups de boule sans raison, voire faisant retomber un des leurs dans le gouffre, tantôt décochant des flèches en l'air comme s'ils chassaient les mouches, tantôt enfin – visiblement au hasard – lançant un javelot, une épée ou un allié à l'ennemi.

L'armée des monstres grossissait, pendant ce temps, et la colère montait dans ses rangs. Les Ogres de Terre criblaient de pierres les légionnaires zombies, qui se ratatinaient sous leurs attaques comme des feuilles de papier qu'on froisse. Des démones dotées de jambes dépareillées, à la chevelure enflammée, lançaient des ordres en claquant des crocs – Frank devina que c'étaient des *empousai*. Une douzaine de Cyclopes s'approchèrent des ponts croulants, escortés d'humanoïdes aux corps de phoque (des Telchines, Frank en avait vu à Atlanta), qui lançaient des fioles de feu grec vers l'autre côté du gouffre. Il y avait même quelques centaures sauvages dans la mêlée, qui tiraient des flèches de feu et piétinaient sous leurs sabots leurs alliés plus petits. En fait, la plupart des ennemis avaient des armes lance-flammes. Frank avait beau avoir sa pochette ignifugée, il trouvait ça extrêmement déplaisant.

Il se fraya un chemin entre les Romains morts, décimant des monstres jusqu'à avoir épuisé ses flèches et se rapprochant peu à peu de ses amis.

Un peu tard, il se rendit compte – ben ouais ! – qu'il aurait dû se changer en créature puissante et de grand gabarit, telle qu'un ours ou un dragon. À peine l'idée lui vint-elle qu'une vive douleur lui déchira le bras. Il tituba, baissa les yeux et découvrit avec stupeur une flèche fichée dans son biceps gauche. Sa manche était imbibée de sang.

Cette vue lui donna le tournis. Et, surtout, décupla sa colère. Il tenta de se transformer en dragon, vainement. La douleur l'empêchait de se concentrer. Peut-être qu'il était impossible de se métamorphoser en étant blessé.

Super, pensa-t-il. *C'est le bon moment pour l'apprendre.*

Frank lâcha son arc et s'empara de l'épée qui gisait dans les mains inertes d'une... euh, d'une quoi, au juste ? une espèce de guerrière reptilienne qui avait en guise de jambes des serpents. Il reprit son chemin, sourd à la douleur, aveugle au sang qui coulait le long de son bras.

À cinq mètres de lui, Nico maniait son épée noire d'une main et brandissait de l'autre le sceptre de Dioclétien. Il ne cessait de crier des ordres aux légionnaires, qui l'ignoraient complètement.

Évidemment, pensa Frank. *Il est grec.*

Jason et Piper se tenaient derrière Nico. Jason invoquait des rafales de vent pour dévier les flèches et les javelots. Il renvoya une fiole de feu grec en plein dans la gueule d'un griffon, qui s'enflamma et tomba en vrille dans le gouffre. Piper faisait bon usage de sa nouvelle épée, tout en piochant de l'autre main des missiles intercepteurs dans sa corne d'abondance : jambons, poulets rôtis, oranges et pommes... Au-dessus du gouffre, c'était un feu d'artifice de projectiles enflammés, de pierres explosives et de primeurs.

Cependant, les amis de Frank n'allaient pas pouvoir tenir indéfiniment. Le visage de Jason était couvert de sueur. Il n'arrêtait pas de crier en latin : « Formez les rangs ! », mais les légionnaires morts ne lui obéissaient pas non plus. Certains zombies aidaient malgré eux ; pris dans la ligne de tir, ils barraient le chemin aux monstres et essuyaient leurs coups. Mais s'ils continuaient à se faire décimer à ce rythme, il n'en resterait bientôt plus beaucoup à commander.

– Place ! cria Frank.

À sa grande surprise, les légionnaires morts s'écartèrent pour le laisser passer. Les plus proches se retournèrent et le regardèrent avec des yeux vides, comme s'ils attendaient ses ordres.

– Super, marmonna Frank.

À Venise, Mars l'avait averti que son autorité allait être bientôt mise à l'épreuve. L'ancêtre de Frank l'avait exhorté à prendre le commandement. Mais pourquoi ces Romains morts lui obéiraient-ils, alors qu'ils restaient sourds aux ordres de Jason ? Parce qu'il était fils de Mars, ou peut-être parce que...

La vérité lui apparut soudain dans son évidence. Jason n'était plus tout à fait romain. Son séjour à la Colonie des Sang-Mêlé l'avait changé. Reyna l'avait perçu. Apparemment, les légionnaires zombies le sentaient également. Si Jason ne dégageait plus les bonnes vibrations, s'il n'avait plus l'aura d'un chef romain...

Frank rejoignit ses amis au moment où une vague de Cyclopes se jetait sur eux. Il leva son épée pour parer la massue de l'un d'eux, puis lui planta sa lame dans la jambe et le fit basculer en arrière et retomber dans la faille. Un autre attaqua. Frank parvint à l'embrocher, mais la perte de sang l'affaiblissait. Sa vision se troubla. Ses oreilles tintaient.

Il avait confusément conscience de la présence de Jason sur son flanc gauche, qui déviait les missiles avec des rafales de vent ; Piper, à sa droite, enjôlait à pleins poumons, encourageant les monstres à s'attaquer les uns les autres ou à piquer une tête dans le gouffre.

– Ce sera sympa ! promettait-elle.

Certains l'écoutaient mais, de l'autre côté de la faille, les *empousai* donnaient des ordres inverses. Apparemment, elles maîtrisaient elles aussi l'enjôlement. Les monstres se resserrèrent si nombreux autour de Frank qu'il avait de plus en plus de mal à manier son épée. Leurs haleines fétides et leurs odeurs corporelles nauséabondes auraient suffi à le faire tourner de l'œil, sans la flèche qui lui déchirait le bras.

Qu'était-il censé faire ? Il avait eu un plan, mais ses pensées s'embrouillaient.

– Stupides fantômes ! cria Nico.

– Ils refusent d'obéir ! renchérit Jason.

C'était ça. Frank devait les faire obéir.

Il rassembla ses dernières forces et hurla :

– Cohortes, en formation !

Les zombies qui l'entouraient s'agitèrent. Ils se disposèrent en rangées devant Frank et levèrent leurs boucliers, en une formation défensive incertaine. Mais ils se mouvaient trop lentement, pareils à des somnambules, et ils n'étaient que quelques-uns à avoir réagi à sa voix.

– Frank, comment tu as fait ? cria Jason.

La douleur donnait le vertige à Frank. Il se força à ne pas s'évanouir.

– Je suis l'officier romain supérieur, dit-il. Ils... ils ne te reconnaissent pas comme chef. Désolé.

Jason fit la grimace, sans avoir l'air étonné pour autant.

– Qu'est-ce qu'on peut faire ?

Si seulement Frank avait la réponse. Un griffon passa en rase-mottes et faillit le décapiter avec ses serres. Nico lui asséna un coup de sceptre et le monstre dévia et rentra dans le mur.

– *Orbem formate !* ordonna Frank.

Une grosse vingtaine de zombies obéirent et, laborieusement, se déplacèrent pour former un cercle défensif autour de Frank et ses amis. C'était suffisant pour offrir un court répit aux demi-dieux, mais trop d'ennemis continuaient d'affluer. Et la majorité des légionnaires fantômes déambulait toujours dans un état semi-comateux.

– Mon grade, comprit alors Frank. Je ne suis qu'un centurion.

Piper le regarda d'un œil interrogatif.

Jason jura en latin.

– Il veut dire qu'il ne peut pas commander une légion entière. Son grade n'est pas assez élevé.

– Ben monte-le en grade ! lança Nico, qui pourfendit un autre griffon.

L'esprit de Frank moulinait. Il ne comprenait pas ce que disait Nico. Le monter en grade ? Comment ?

Jason cria alors, de sa plus belle voix de sergent instructeur :

– Frank Zhang ! Moi, Jason Grace, préteur de la Douzième Légion Fulminata, je te donne mon dernier ordre : je démissionne de mon poste et te nomme préteur par mesure d'urgence, avec les pleins pouvoirs du grade. Prends le commandement de cette légion !

Frank eut l'impression qu'une porte s'ouvrait quelque part dans la Maison d'Hadès, laissant entrer un grand souffle d'air frais qui balayait les tunnels. Soudain, la flèche fichée dans son bras ne comptait plus. Ses idées s'éclaircirent. Sa vue retrouva toute sa netteté. Dans sa tête, Mars et Arès unirent leurs voix pour l'exhorter avec force : *Écrase-les !*

Et c'est à peine si Frank reconnut sa propre voix quand il hurla :

– Légion, *agmen formate !*

Instantanément, les zombies-légionnaires, tous jusqu'au dernier, tirèrent leurs épées et levèrent leur bouclier. Ils se ruèrent vers Frank en bousculant et trucidant les monstres sur leur passage, pour venir se placer devant lui en formation carrée, aux rangs serrés. Il pleuvait des pierres, des javelots et des boules de feu, mais Frank disposait maintenant d'une ligne de défense disciplinée qui les protégeait avec un rempart de bronze et de cuir.

– Archers ! cria Frank. *Eiaculare flammas !*

Il avait lancé l'ordre sans trop y croire ; les arcs des zombies pouvaient difficilement être en bon état. Mais à sa surprise, plusieurs dizaines de zombies-légionnaires armèrent leurs arcs à l'unisson. Leurs flèches s'enflammèrent spontanément, et ce fut une vague de feu mortifère qui fusa en arc de cercle de la ligne de défense de la légion à la cohue ennemie. Des Cyclopes périrent sur le coup. Des centaures s'écroulèrent. Un Telchine se mit à courir en rond en poussant des cris aigus, une flèche en flammes plantée en plein front.

Frank entendit un rire. Il se retourna et n'en crut pas ses yeux : Nico di Angelo souriait.

– J'aime mieux ça ! dit le fils d'Hadès. Inversons la tendance !

– *Cuneum formate* ! hurla Frank. Levez *pila* !

La ligne de zombies s'étoffa en son centre et se redisposa en pointe offensive. Javelots pointés, rangs serrés, la formation attaqua la bande de monstres.

Les Ogres de Terre jetèrent des pierres en poussant des mugissements sauvages. Les Cyclopes abattirent poings et massues sur les boucliers, mais les zombies-légionnaires n'étaient plus des adversaires de papier. Leur force était surhumaine et les attaques les plus féroces les faisaient à peine tiquer. Le sol commença à se couvrir de poussière de monstre. La ligne de javelots disloquait les rangs ennemis telle une paire de mâchoires géantes dévorant ogres, femmes-serpents et chiens des Enfers. Pendant ce temps, les archers de Frank fauchaient les griffons en plein vol et semaient le chaos de l'autre côté du gouffre, dans le gros de l'armée des monstres.

Les soldats de Frank étaient en passe de prendre le contrôle de leur côté de la caverne. Une des passerelles céda, mais des monstres continuaient à déferler par l'autre. Frank devait y mettre un terme.

– Jason, lança-t-il, pourrais-tu aller de l'autre côté avec quelques légionnaires ? Tu vois que le flanc gauche de l'ennemi est faible ? Prends-le par là !

– Avec plaisir, dit Jason en souriant.

Trois Romains morts décollèrent du sol et franchirent le gouffre par la voie des airs. Trois autres les suivirent, puis Jason traversa à son tour, et son escouade se mit à tailler en pièces des Telchines stupéfaits, répandant la panique dans les rangs ennemis d'en face.

– Nico, dit Frank, essaie d'invoquer d'autres morts. Il nous faut plus de soldats.

– Entendu.

Nico leva le sceptre de Dioclétien, qui luisit d'un éclat pourpre encore plus foncé. Une nouvelle marée de zombies romains sortit des murs pour se joindre au combat.

De l'autre côté de la faille, des *empousai* criaient des ordres dans une langue inconnue de Frank, mais dont la teneur était facile à deviner. Elles essayaient de motiver leurs alliés pour leur faire traverser la passerelle et charger.

– Piper ! hurla Frank. Neutralise ces *empousai* ! Il nous faut du chaos !

– J'avais peur que tu m'oublies !

Là-dessus, Piper se mit à siffler les démones et les agonir de quolibets :

– Oh, la vilaine, t'as ton rimmel qui coule ! Toi, là-bas, ta copine dit que t'es moche ! Et il y a l'autre qui te fait une grimace dans le dos !

En quelques instants ces dames les vampires se retrouvèrent trop occupées à se disputer pour crier des ordres.

Les légionnaires avançaient toujours, maintenant la pression. Il fallait qu'ils prennent la passerelle avant que Jason ne soit écrasé.

– Il est temps de diriger depuis la ligne de front, décida Frank.

Il brandit l'épée qu'il avait empruntée et donna la charge.

68 FRANK

Frank ne remarqua pas qu'il irradiait. Ce n'est que plus tard que Jason lui raconta que la bénédiction de Mars l'avait nimbé de lumière rouge, comme à Venise. Les javelots ne pouvaient pas le toucher. Les trajectoires des pierres déviaient en arrivant sur lui. Même avec une flèche plantée dans le biceps gauche, Frank ne s'était jamais senti aussi vigoureux.

Le premier Cyclope qu'il affronta tomba si vite que c'en était presque une blague. Frank le pourfendit de l'épaule à la taille et le colosse vola en poussière. Comme le Cyclope suivant faisait mine de battre en retraite, Frank le faucha par les jambes et l'envoya dans le gouffre.

Les derniers monstres restants de ce côté-ci voulurent fuir, mais la légion les tailla en pièces.

– Formation en file unique ! cria Frank. Avancez !

Frank fut le premier à s'engager sur la passerelle. Les morts le suivirent, tenant leurs grands boucliers qui sur le côté, qui devant, qui au-dessus de leurs têtes, de manière à se protéger de tous côtés. À peine le dernier zombie eut-il traversé que la passerelle céda et disparut dans l'obscurité du gouffre, mais ça n'avait plus d'importance.

Nico continuait d'invoquer plus de légionnaires pour nourrir le combat. Durant l'histoire de l'Empire, des milliers de Romains avaient été en poste en Grèce et y étaient morts. À présent, ils répondaient à l'appel du sceptre de Dioclétien.

Frank avançait en détruisant tout sur son passage.

– Je vais te brûler ! cria un Telchine en agitant désespérément sa fiole de feu grec. J'ai des flammes !

Frank le trucida. La fiole tomba des mains du monstre et Frank la projeta d'un coup de pied dans le gouffre avant qu'elle ne touche le sol et n'explose.

Une *empousa* laboura la poitrine de Frank de ses griffes, mais il ne sentit rien. Il la réduisit en poussière d'un coup d'épée, sans même s'arrêter. La douleur était accessoire. L'échec inconcevable.

C'était un chef de légion, maintenant, et il faisait ce qu'il était né pour faire : combattre les ennemis de Rome, défendre son héritage, protéger la vie de ses amis et camarades. Il était le préteur Frank Zhang.

Ses troupes balayaient l'ennemi, anéantissaient toute tentative de regroupement dans ses rangs. Jason et Piper se battaient aux côtés de Frank en poussant des cris de défi. Nico traversa le dernier groupe d'Ogres de Terre en les réduisant en tas d'argile molle à grands coups de son épée de fer stygien.

Frank n'eut pas le temps d'y réfléchir que la bataille était finie. Piper embrocha la dernière *empousa*, qui se volatilisa avec une longue plainte angoissée.

– Frank, dit Jason. Tu brûles.

Il baissa les yeux. Quelques gouttes d'huile avaient dû éclabousser son pantalon, qui commençait à fumer. Frank tapa sur le tissu jusqu'à ce qu'il s'éteigne, mais il n'était pas plus inquiet que ça. Grâce à Léo, il n'avait plus à craindre le feu.

Nico s'éclaircit la gorge.

– Euh... tu as une flèche dans le bras, aussi, fit-il.

– Je sais. (Frank cassa la pointe et sortit la flèche par la hampe, en tirant par l'arrière. Il éprouva juste une sensation de brûlure.) Ça va aller.

Piper lui fit manger un carré d'ambroisie. Tout en pansant sa blessure, elle lui dit :

– Frank, tu as été spectaculaire. Absolument terrifiant, mais géant.

Frank eut du mal à digérer ses paroles. « Terrifiant » était un mot qui pouvait difficilement s'appliquer à lui ; il n'était que Frank.

Il sentit l'adrénaline retomber. Balayant la caverne du regard, il se demanda où étaient passés tous leurs ennemis. Les seuls monstres qui restaient étaient ses propres zombies romains, qui avaient baissé les armes et se tenaient dans une sorte de stupeur.

Nico brandit son sceptre, dont le globe sombre s'était éteint.

– Les morts ne vont pas s'attarder, dit-il, maintenant que la bataille est finie.

Frank se tourna vers ses soldats.

– Légion !

Les zombies-légionnaires se mirent au garde-à-vous.

– Vous vous êtes battus vaillamment. Vous pouvez vous reposer, à présent. Rompez les rangs.

Aussitôt, les légionnaires s'effondrèrent, ne laissant de leur passage que des tas d'os, d'armes, d'armures et de boucliers, qui à leur tour tombèrent en poussière.

Frank se sentait à deux doigts de s'effriter, lui aussi. Malgré l'ambroisie, son bras blessé commençait à lui faire mal. La fatigue pesait sur ses paupières. La bénédiction de Mars s'estompait, le laissant vidé de ses forces. Pourtant sa tâche n'était pas finie.

– Hazel et Léo, dit-il. Il faut qu'on les trouve.

Ses amis sondèrent la pénombre de la caverne. De l'autre côté du gouffre, le tunnel dans lequel Hazel et Léo s'étaient engagés était enseveli sous des tonnes de gravats.

– On ne peut pas passer par là, dit Nico. Peut-être que...

Brusquement, il tituba. Si Jason ne l'avait pas rattrapé, il serait tombé.

– Nico ! s'exclama Piper. Qu'est-ce qu'il y a ?

– Les Portes, dit Nico. Il se passe un truc. Percy et Annabeth... il faut qu'on y aille immédiatement.

– Mais comment ? fit Jason. Le tunnel n'existe plus.

Frank serra les dents. Il n'avait pas fait tout ce chemin pour rester impuissant quand ses amis étaient en danger.

– Ça ne va pas être marrant, dit-il, mais il y a un autre moyen.

69 ANNABETH

Annabeth n'était pas convaincue que se faire tuer par Tartare fût un tel honneur.

Levant les yeux vers le tourbillon noir de son visage, elle se dit que tout bien réfléchi elle préférait connaître une mort plus banale : une chute dans l'escalier, peut-être, ou partir paisiblement dans son sommeil à quatre-vingts ans, après une belle vie tranquille avec Percy. Oui, ça lui plairait.

Ce n'était pas la première fois qu'Annabeth se trouvait face à un ennemi qu'elle ne pouvait pas vaincre par la force. Normalement, là, elle aurait dû s'employer à gagner du temps par d'habiles bavardages à la Athéna.

Seulement sa voix refusait de sortir. Annabeth n'arrivait même pas à refermer la bouche. Elle n'aurait pas été étonnée d'apprendre qu'elle bavait aussi lamentablement que Percy dans son sommeil.

Elle avait vaguement conscience de l'armée de monstres qui les entourait mais, après les premiers rugissements de triomphe, la horde s'était tue. Annabeth et Percy auraient dû être réduits en charpie depuis longtemps. Toutefois les monstres gardaient leurs distances, attendant que Tartare passe à l'action.

Le dieu de l'abîme leva les mains à hauteur de son visage et contempla ses griffes noires et polies. Il n'avait aucune expression, mais il rejeta les épaules en arrière comme s'il était satisfait.

C'est bon d'avoir une forme, déclara-t-il. *Avec ces mains, je pourrai vous éviscérer.*

Sa voix faisait l'effet d'un enregistrement diffusé en marche arrière – comme si les paroles étaient toutes aspirées dans le vortex de son visage et non projetées vers l'extérieur. En fait, le visage du dieu tout semblait attirer tout vers lui : la pénombre, les nuages vénéneux, l'essence des monstres et même la fragile force vitale d'Annabeth. Elle regarda autour d'elle et se rendit compte qu'il n'était pas un objet, sur la vaste plaine, qui ne fût maintenant doté d'une queue de comète vaporeuse, et que toutes pointaient vers Tartare.

Annabeth savait qu'elle devait dire quelque chose, mais son instinct lui dictait de se cacher, de ne rien faire qui puisse retenir l'attention du dieu.

En plus, que pouvait-elle dire ? *Vous ne vous en tirerez pas comme ça !*

Ce n'était pas vrai. Si Percy et elle avaient survécu si longtemps, c'était parce que Tartare savourait sa nouvelle forme. Il voulait goûter au plaisir physique de les déchiqueter. Annabeth se doutait bien que s'il le souhaitait, Tartare aurait pu consumer son existence d'une simple pensée, aussi aisément qu'il avait pulvérisé Hypérion et Crios. Y aurait-il une renaissance possible après cela ? Elle préférait ne pas l'apprendre.

Percy, à ses côtés, fit une chose qu'elle ne l'avait jamais vu faire : il lâcha son épée. Elle lui glissa de la main et heurta le sol avec un bruit mat. La Brume de Mort ne voilait plus son visage mais il avait toujours la pâleur d'un cadavre.

Tartare émit un nouveau sifflement – un rire, peut-être ?

Votre peur a un fumet délicieux, dit le dieu. *Je vois l'attrait que peut présenter un corps physique doté de sens si nombreux. Ma Gaïa chérie a peut-être raison de vouloir s'éveiller de son sommeil.*

Il tendit son énorme main violacée et peut-être aurait-il cueilli Percy comme une mauvaise herbe si Bob ne s'était pas interposé.

– Arrière ! dit le Titan en pointant sa lance vers le dieu. Tu n'as rien à faire dans cette histoire !

Rien à faire ? Je suis le Seigneur de toutes les créatures des ténèbres, petit Japet. Je fais ce que je veux.

Il fit volte-face. Le cyclone noir de son visage tournoyait plus vite. Le hurlement qu'il produisait était si effrayant qu'Annabeth tomba à genoux et plaqua les mains sur les oreilles. Bob tituba et la légère queue de comète de sa force vitale s'étira, aspirée par la figure du dieu.

Bob poussa un rugissement de défi. Il chargea et s'apprêta à lancer son javelot à la poitrine de Tartare, mais ce dernier ne lui en laissa pas le temps – il le balaya d'un revers de la main, comme on le fait d'un insecte agaçant. Le Titan s'étala.

Comment se fait-il que tu ne te désintègres pas ? s'étonna Tartare. *Tu n'es rien. Tu es encore plus faible qu'Hypérion et Crios.*

– Je suis Bob, dit Bob.

Qu'est-ce que tu racontes ? cracha Tartare. *Ça veut dire quoi, Bob ?*

– J'ai choisi d'être plus que Japet, dit le Titan. Tu ne me contrôles pas. Je ne suis pas comme mes frères.

Le col de son uniforme fit une bosse. Ti-Bob en sortit d'un bond. Le chaton atterrit devant son maître, puis il fit le dos rond et souffla entre les crocs en regardant le seigneur de l'abîme.

Sous les yeux d'Annabeth, Ti-Bob se mit à grandir et son corps à clignoter, jusqu'à ce que le mignon chaton soit transformé en imposant tigre-squelette aux dents de sabre translucides.

– Et j'ai un bon chat, ajouta Bob.

Plus-Si-P'tit-Ti-Bob se jeta sur Tartare, planta les griffes dans la cuisse du dieu, grimpa le long de sa hanche et se glissa sous sa cotte de mailles. Tartare tapa du pied en hurlant, soudain nettement moins séduit par le fait d'avoir un corps. Bob en profita pour lancer son javelot dans le flanc du dieu, juste sous le plastron.

Tartare rugit. Il balança la main vers Bob, mais le Titan l'esquiva en reculant. Bob tendit vivement les doigts. Son javelot s'arracha à la chair du dieu, fendit l'air et revint dans sa main, ce qui fit hoqueter Annabeth de surprise. Elle n'avait jamais vu un balai qui pouvait faire autant de choses utiles. Ti-Bob se laissa tomber au sol et courut aux côtés de son maître, ses crocs pointus dégouttant d'ichor doré.

Tu mourras le premier, Japet, décida Tartare. *Après, j'enfermerai ton âme dans mon armure, où elle se délitera lentement et sans fin, dans un supplice éternel.*

Tartare donna un coup de poing contre son plastron. Des visages laiteux tourbillonnèrent dans le métal, suppliant par leurs cris silencieux qu'on les laisse sortir.

Bob se tourna vers Annabeth et Percy. Le Titan sourit, ce qui n'aurait sans doute pas été la réaction spontanée d'Annabeth à une menace de supplice éternel.

– Prenez les Portes, leur dit-il. Je vais m'occuper de Tartare.

Tartare rejeta la tête en arrière et mugit, créant un appel d'air si fort que les démons volants les plus proches furent happés dans le vortex de son visage et déchiquetés.

Tu vas t'occuper de moi ? railla le dieu. *Tu n'es qu'un Titan, un des rejetons inférieurs de Gaïa ! Je vais te faire souffrir pour ton arrogance. Quant à tes minuscules amis mortels...*

D'un geste du bras, Tartare invita l'armée des monstres à avancer.

TUEZ-LES !

70 ANNABETH

TUEZ-LES.

Annabeth avait entendu ces mots si souvent que ça la tira de sa paralysie. Elle brandit son épée en criant :

– Percy !

Il déploya Turbulence.

Annabeth plongea vers les chaînes qui retenaient les Portes de la Mort. D'un seul revers de sa lame en os de drakon, elle trancha les amarres du côté gauche. Pendant ce temps, Percy repoussait la première vague de monstres. Il embrocha une des *arai* et pesta : « Saletés de malédictions ! » Là-dessus il faucha une demi-douzaine de Telchines. Annabeth passa en flèche derrière lui et sectionna les chaînes du côté droit.

Les portes tremblèrent, puis s'ouvrirent avec un ding ! mélodieux.

Bob et son acolyte à dents de sabre louvoyaient toujours entre les jambes de Tartare : ils l'attaquaient à toute vitesse puis s'enfuyaient aussitôt pour échapper à ses griffes. Ils n'avaient pas l'air d'affaiblir le dieu, cependant Tartare n'avait visiblement pas l'habitude de se battre dans un corps d'humanoïde. Il les loupait systématiquement.

Les monstres affluaient toujours plus nombreux vers les portes. Un javelot siffla aux oreilles d'Annabeth. Elle se retourna et éventra une *empousa* vite fait, puis plongea vers les Portes qui commençaient à se refermer.

Elle les bloqua avec son pied tout en continuant à se battre. L'avantage, avec l'ascenseur dans le dos, c'était qu'elle n'avait plus à craindre les attaques par-derrière.

– Percy, dépêche-toi ! hurla-t-elle.

Il la rejoignit devant les Portes ; son visage en sueur saignait par plusieurs coupures.

– T'as rien de grave ? demanda-t-elle.

Il fit non de la tête.

– Juste une malédiction d'une de ces fichues *arai*. Ça me fait mal mais ça ne peut pas me tuer. (Il faucha un griffon au-dessus de leurs têtes.) Monte, je tiens le bouton.

– Ouais c'est ça ! (Elle asséna le manche de son épée sur les naseaux d'un cheval carnivore, qui recula dans la foule.) Tu as donné ta parole, Cervelle d'Algues. Qu'on ne se séparerait pas. Plus jamais !

– T'es infernale !

– Moi aussi, je t'adore !

Une phalange entière de Cyclopes chargea, piétinant les plus petits monstres sur leur passage. Annabeth se dit que sa dernière minute était arrivée.

– Tuée par des Cyclopes, je suis dégoûtée, grommela-t-elle.

Percy poussa un cri de guerre. Aux pieds des Cyclopes, une veine rouge éclata et un jet de feu liquide du Phlégéthon aspergea les monstres. L'eau de feu était peut-être salvatrice pour des mortels, mais elle ne faisait pas de cadeaux au Cyclopes. Ils disparurent carbonisés, dans un tsunami de chaleur. La veine cicatrisa et il ne resta pour toute trace des Cyclopes que quelques brûlures superficielles.

– Annabeth, insista Percy. Il faut que tu y ailles. On va pas rester tous les deux !

– Non ! s'écria-t-elle. Baisse-toi !

Sans demander pourquoi, Percy s'accroupit. Annabeth lui sauta par-dessus et abattit son épée sur la tête d'un ogre couvert de tatouages.

Percy et elle se placèrent côte à côte dans l'encadrement des Portes et attendirent le nouvel assaut. L'explosion de la veine avait temporairement refroidi l'ardeur des monstres, mais ils n'allaient pas tarder à reprendre leurs esprits : *Hé, on est soixante-quinze milliards et ils ne sont que deux.*

– Alors, fit Percy. T'as une meilleure idée ?

Annabeth aurait bien aimé.

Les Portes de la Mort, qui étaient leur seul moyen d'échapper à ce cauchemar, étaient juste derrière eux. Mais ils ne pouvaient pas s'en servir sans quelqu'un qui appuie sur le bouton pendant douze longues minutes. Annabeth était certaine que s'ils entraient dans l'ascenseur et laissaient les portes se refermer sans que personne ne veille aux commandes, ça se passerait mal. Et si, pour une raison ou pour une autre, ils s'éloignaient des Portes, elles se refermeraient sans doute et disparaîtraient sans eux.

La situation était tellement triste et désespérée qu'elle en était presque drôle.

Les monstres reprirent du poil de la bête et se mirent à avancer en grondant.

Pendant ce temps, les assauts de Bob ralentissaient. Tartare apprenait à maîtriser son nouveau corps. Ti-Bob à dents de sabre se jeta sur le dieu, mais Tartare l'envoya valdinguer d'un revers de la main. Le Titan chargea avec un cri de rage ; Tartare empoigna son javelot et le lui arracha, puis il envoya bouler Bob d'un coup de pied, fauchant par la même occasion une rangée de Telchines qui basculèrent comme des quilles.

CÈDE ! tonna Tartare.

– Non, répliqua Bob d'une voix ferme. Tu n'es pas mon maître.

Meurs donc par ton obstination à me défier, dit le dieu de l'abîme. *Vous autres Titans, vous n'êtes rien pour moi. J'ai toujours préféré mes autres enfants, les géants. Ils sont plus forts et plus méchants. Ils sauront plonger le monde d'en haut dans une obscurité pareille à celle de mon royaume !*

Sur ce, Tartare brisa le javelot en deux. Bob gémit de douleur. Ti-Bob à dents de sabre bondit à sa rescousse et toisa Tartare en feulant et montrant les crocs. Bob essayait vaillamment de se relever, mais Annabeth comprit que c'était joué. Même les monstres se tournèrent pour regarder, comme s'ils sentaient que leur maître Tartare allait prendre le devant de la scène. La mort d'un Titan, c'était un spectacle à ne pas manquer.

Percy serra brièvement la main d'Annabeth.

– Reste là, dit-il. Il faut que je l'aide.

– Percy, rétorqua-t-elle d'une voix rauque. Tu ne pourras pas. On ne peut pas se battre contre Tartare. Pas nous, en tout cas.

Elle savait qu'elle avait raison. Tartare était dans une catégorie à part. Il était plus puissant que les dieux ou les Titans. Si Percy chargeait pour porter secours à Bob, il serait écrasé comme une fourmi.

Mais Annabeth savait aussi que Percy ne l'écouterait pas. Il ne pouvait pas laisser Bob mourir seul. Son cœur ne le lui permettrait pas – c'était une des nombreuses raisons qui faisaient qu'elle l'aimait, même si c'était un casse-pieds de dimension olympienne.

– Nous irons ensemble, décida-t-elle, consciente que ce serait leur dernière bataille.

S'ils s'écartaient des Portes maintenant, ils ne quitteraient jamais le Tartare. Au moins mourraient-ils en luttant côte à côte.

Elle s'apprêtait à dire *Go !* quand...

Une vague de frayeur parcourut l'armée des monstres. Au loin, Annabeth entendit des cris, des hurlements et un *boum boum boum* incessant qui était trop rapide pour être le battement de cœur du sol, mais faisait plutôt penser à une créature énorme et lourde courant à toute vitesse. Un Ogre de Terre voltigea comme s'il avait été jeté en l'air par une main énorme. Un panache de gaz vert vif courut sur la horde monstrueuse tel le jet d'un canon d'eau, dissolvant tout sur son passage.

À l'autre bout du champ de bataille maintenant fumant et déserté, Annabeth vit ce qui était à l'origine du tumulte. Un immense sourire se dessina sur son visage.

Le drakon méonien déploya sa collerette et souffla, emplissant l'air de son souffle toxique qui sentait bon le pin et le gingembre. Il mut son corps long de trente mètres, agita sa queue verte tachetée et faucha un bataillon d'ogres.

Sur son dos était perché un géant à la peau rouge en justaucorps de cuir, des fleurs dans ses tresses rousses, qui brandissait une côte de drakon.

– Damasen ! s'écria Annabeth.

Le géant inclina la tête.

– J'ai suivi ton conseil, Annabeth Chase. Je me suis choisi un nouveau destin.

71 Annabeth

Qu'est-ce que c'est que ce cirque ? persifla le dieu de l'abîme. *Que fais-tu là, mon fils déchu ?*

Damasen lança à Annabeth un regard qui disait très clairement : *Partez. Tout de suite.*

Il se tourna face à Tartare. Le drakon méonien gronda.

– Père, tu réclamais un adversaire plus digne de toi ? demanda Damasen d'une voix calme. Je suis l'un de ces géants dont tu es si fier. Tu voulais que je sois plus guerrier ? Si je commençais par te détruire ?

Damasen pointa son javelot et chargea.

L'armée des monstres l'assaillit, mais le drakon méonien écrasait tout sur son passage, agitant la queue et projetant des jets de poison, tandis que Damasen forçait Tartare à reculer devant son javelot, tel un lion acculé.

Bob s'écarta de la bataille en titubant, son chat à dents de tigre à ses côtés. Percy les couvrit autant qu'il le put en faisant éclater des vaisseaux sanguins à la surface du sol. Certains monstres se virent dissous dans un jet d'eau du Styx ; d'autres, douchés par le Cocyte, éclatèrent en sanglots désespérés. D'autres encore, oblitérés par le Léthé, regardaient soudain autour d'eux d'un œil hébété, ne sachant plus où ils étaient, ni même qui.

Bob gagna les Portes en boitant. L'ichor doré coulait de plusieurs plaies sur ses bras et sa poitrine. Son uniforme de gardien était en lambeaux. Il se tenait de travers et voûté comme si, en cassant son javelot, Tartare avait cassé quelque chose en lui. Pourtant il souriait et ses yeux d'argent brillaient de satisfaction.

– Partez, ordonna-t-il. Je vais appuyer sur le bouton.

Percy le regarda bouche bée.

– Bob, tu n'es pas en état de...

– Percy. (La voix d'Annabeth menaçait de se briser. Elle s'en voulait à mort de laisser Bob se sacrifier ainsi, mais elle savait que c'était la seule issue.) Il le faut.

– On peut pas les laisser !

– Si, mon ami. (Bob donna à Percy une petite tape qui faillit le renverser.) Je suis encore capable d'appuyer sur un bouton. Et j'ai un bon chat pour me défendre.

Ti-Bob à dents de tigre confirma d'un grondement de gorge.

– En plus c'est votre destin de retourner au monde des mortels, poursuivit Bob. Et de mettre fin à la folie de Gaïa.

Un Cyclope hurlant passa en flèche au-dessus de leurs têtes, tout fumant de poison vert.

À une cinquantaine de mètres d'eux, le drakon méonien foulait la masse compacte des monstres avec d'horribles craquements mouillés, comme s'il écrasait du raisin sous ses pattes. Damasen, perché sur son dos, hurlait des insultes au dieu de l'abîme en agitant son javelot pour le détourner des Portes.

Tartare se rua vers lui ; des cratères s'ouvraient dans le sol sous ses bottes de fer.

Tu ne peux pas me tuer ! tonna-t-il. *Je suis l'abîme. Autant essayer de tuer la terre ! Gaïa et moi, nous sommes éternels. Tu nous appartiens, corps et esprit !*

Il abattit son énorme poing, mais Damasen l'esquiva et lui planta son javelot dans le cou.

Le dieu grogna, l'air plus agacé qu'autre chose. Il tourna son visage de tourbillon de vide vers le géant, mais une fois de plus, Damasen s'écarta à temps. Une dizaine de monstres disparurent aspirés par le vortex.

– Bob, non ! supplia Percy. Il va te tuer définitivement. Sans retour. Sans régénération possible.

Bob haussa les épaules.

– Qui sait ce que l'avenir nous réserve ? Vous devez partir, maintenant. Tartare a raison pour une chose : nous ne pouvons pas le vaincre. Nous pouvons juste vous faire gagner du temps.

Les portes essayèrent de se refermer sur le pied d'Annabeth.

– Douze minutes, dit le Titan. Je peux vous donner ça.

– Percy... retiens les Portes.

Annabeth se jeta au cou du Titan. Elle l'embrassa, les yeux tellement pleins de larmes que sa vue était brouillée. Les joues de Bob, piquantes de barbe, sentaient l'encaustique à la cire d'abeille et le savon de Marseille.

– Les monstres sont éternels, dit-elle en refoulant ses sanglots. Nous nous souviendrons de toi et de Damasen comme des héros, comme le meilleur des Titans et le meilleur des géants. Nous raconterons votre histoire à nos enfants et eux-mêmes la transmettront, et vous resterez vivants dans nos mémoires. Et un jour, tu te régénéreras.

Bob lui ébouriffa les cheveux ; il souriait.

– C'est bien, dit-il. D'ici là, mes amis, dites bonjour au soleil et aux étoiles de ma part. Et soyez forts. Ce n'est peut-être pas le dernier sacrifice que vous faites à Gaïa.

Sur ces mots, il la repoussa doucement.

– Partez, maintenant. Notre temps est écoulé.

Annabeth agrippa Percy par le bras et le tira à l'intérieur de l'ascenseur. Elle eut une dernière image du drakon méonien qui secouait un ogre comme une poupée de chiffon et de Damasen piquant les jambes de Tartare de son javelot.

Le dieu de l'abîme pointa du doigt vers les Portes de la Mort et hurla :

Monstres, arrêtez-les !

Ti-Bob à dents de tigre se tapit en grondant, prêt à l'action.

Bob fit un clin d'œil à Annabeth.

– Maintenez les portes fermées de votre côté, dit-il. Elles vont s'opposer à votre remontée. Maintenez-les...

Les panneaux se refermèrent.

72 ANNABETH

– Percy, aide-moi ! glapit Annabeth.

Elle se jeta de tout son poids sur le panneau de gauche et poussa vers le milieu. Percy en fit autant du côté droit. Il n'y avait pas de poignée, rien à quoi se retenir. Aussitôt que l'ascenseur se mit à grimper, les Portes se secouèrent et tentèrent de se rouvrir, menaçant de précipiter Annabeth et Percy dans les limbes mystérieux qui séparaient la mort de la vie.

Les épaules d'Annabeth étaient en feu. La musique diffusée dans l'ascenseur n'arrangeait rien. Si tous les monstres qui le prenaient étaient obligés d'écouter la rengaine sirupeuse du gars qui aime la piña colada et se faire surprendre par la pluie, ce n'était pas étonnant qu'ils déboulent dans le monde des mortels d'humeur à tout massacrer.

– Nous avons abandonné Bob et Damasen, dit Percy d'une voix cassée. Ils vont mourir pour nous et nous, on...

– Je sais, murmura-t-elle. Par les dieux de l'Olympe, Percy, je sais.

Annabeth était presque contente d'avoir à maintenir les Portes fermées. L'effort et la terreur qui emballaient son cœur avaient au moins le mérite de l'empêcher de céder à la détresse. Abandonner Bob et Damasen était la chose la plus difficile qu'elle ait faite de sa vie.

Pendant des années, à la Colonie, elle avait pesté et rongé son frein quand d'autres demi-dieux partaient pour des quêtes tandis qu'elle restait sur place. Elle avait regardé les autres se couvrir de gloire... ou échouer et ne jamais revenir. Depuis ses sept ans, elle s'était demandé : *Pourquoi ne puis-je pas moi aussi faire la preuve de mes talents ? Quand pourrai-je enfin mener une quête ?*

À présent, elle découvrait que l'épreuve la plus difficile pour une enfant d'Athéna n'était ni de diriger une quête ni d'affronter la mort dans un combat. C'était de prendre la décision stratégique de se mettre en retrait et de laisser quelqu'un d'autre s'exposer au danger – surtout si cette personne vous était chère. Elle devait accepter le fait qu'elle ne pouvait pas protéger tous ceux qu'elle aimait. Qu'elle ne pouvait pas régler tous les problèmes.

C'était insupportable, mais elle n'avait pas le temps de se lamenter. Elle refoula ses larmes.

– Percy, les Portes !

Les deux panneaux avaient commencé à s'écarter, laissant entrer une bouffée de... de quoi ? d'ozone ? de soufre ?

Percy poussa furieusement de son côté et l'interstice se combla. Se yeux brûlaient de colère. Elle espéra que ce n'était pas contre elle qu'il en avait, mais si c'était le cas, d'accord. *Si ça l'aide à tenir,* pensa-t-elle, *qu'il soit donc en colère.*

– Je tuerai Gaïa, marmonna-t-il. Je la déchiquetterai de mes mains.

Annabeth hocha distraitement la tête. Elle pensait aux dernières paroles de Tartare. Nul ne pouvait le tuer. Nul ne pouvait tuer Gaïa. Face à une telle puissance, même les Titans et les géants ne faisaient pas le poids. Les demi-dieux avaient zéro chance.

Elle se souvint aussi de la mise en garde de Bob : *Ce n'est peut-être pas le dernier sacrifice que vous faites à Gaïa.*

Elle ressentit la vérité de cette prédiction jusque dans la moelle de ses os.

– Douze minutes, murmura-t-elle. Rien que douze minutes.

Elle adressa une prière à Athéna, l'implorant d'aider Bob à tenir durant ces douze précieuses minutes. Pour elle-même, elle demanda de la force et de la sagesse.

Qui sait ce qu'ils allaient trouver, au terme de ce trajet en ascenseur. Si leurs amis n'étaient pas là, s'ils ne contrôlaient pas l'autre côté des Portes...

– On va y arriver, déclara Percy. On n'a pas le choix.

– Tu as raison, dit Annabeth. On n'a pas le choix.

Ils maintinrent les Portes fermées pendant que l'ascenseur grimpait en tremblant, que la chanson jouait en boucle, et que quelque part sous eux, au Royaume des Enfers, un Titan et un géant sacrifiaient leur vie pour permettre leur fuite.

73 HAZEL

Hazel n'en menait pas large.

Après l'effondrement du tunnel, elle avait fondu en larmes et poussé des cris comme une gamine de deux ans qui pique une crise. Elle ne pouvait pas déplacer les gravats qui les séparaient des autres, elle et Léo. Si la terre bougeait de nouveau, c'était tout l'édifice qui risquait de s'effondrer sur leurs têtes. Elle avait beau le savoir, elle se mit à donner des coups de poing dans les pierres en hurlant des jurons qui lui auraient valu, à Sainte-Agnès, de se faire laver la bouche au savon.

Léo la regardait en silence, bouche bée.

Elle n'était pas juste envers lui.

La dernière fois qu'ils s'étaient trouvés seuls tous les deux, elle l'avait transporté dans le passé et lui avait montré Sammy : le premier petit ami d'Hazel mais aussi l'arrière-grand-père de Léo. Elle l'avait chargé d'un poids d'émotions dont il ne savait que faire, le laissant dans un tel état de choc qu'ils s'étaient presque fait tuer par une espèce de homard géant.

À présent ils se retrouvaient tous les deux seuls pendant que leurs amis risquaient de mourir terrassés par une armée de monstres, et elle piquait une crise.

– Excuse-moi, dit-elle en essuyant ses larmes.

– Hé, pas de problème, dit Léo en haussant les épaules. Moi aussi, ça m'est arrivé d'attaquer des pierres, à l'occasion.

Elle ravala salive avec difficulté.

– Frank est... c'est...

– Écoute, fit Léo. Frank Zhang a de la ressource. Il va sans doute se changer en kangourou et leur faire quelques vieilles passes de jujitsu à la marsupial.

Il l'aida à se relever. Malgré la panique qui lui nouait le ventre, elle savait qu'il avait raison. Frank et les autres n'étaient pas démunis. Ils se débrouilleraient pour survivre. Quant à eux deux, ce qu'ils avaient de mieux à faire, c'était d'avancer.

Elle examina Léo. Ses cheveux s'étaient allongés et épaissis, son visage s'était creusé, de sorte qu'il avait perdu son air de lutin espiègle et ressemblait davantage à un elfe longiligne. Le plus grand changement, cependant, était dans ses yeux. Son regard s'échappait sans cesse, comme si Léo cherchait constamment un point à l'horizon.

– Léo, je suis désolée, dit-elle.

– Ouais d'accord, fit-il en levant un sourcil. À quel propos ?

– Pour... (Elle leva les bras avec impuissance.) Pour t'avoir pris pour Sammy, pour t'avoir fait croire que... Je veux dire, si j'ai...

– Écoute. (Il lui prit la main et la serra, mais Hazel ne sentit aucune intention romantique dans son geste.) Les machines sont conçues pour fonctionner.

– Euh, pardon ?

– En gros, je vois l'univers comme une machine. Je ne sais pas qui l'a fabriquée, si ce sont les Parques, les dieux ou Dieu avec un D majuscule, ou quoi ou qu'est-ce. Mais cette machine, elle tourne. Bien sûr, de temps en temps il y a un raté, une pièce qui casse ou un truc qui se détraque, mais dans l'ensemble, il y a une raison à chaque chose. Et nous deux, on ne s'est pas rencontrés par hasard.

– Léo Valdez, s'étonna Hazel, tu es philosophe.

– Non, moi je suis mécano. Mais je crois que mon *bisabuelo* Sammy comprenait les choses. Il t'a rendu ta liberté, Hazel. Mon boulot, c'est de te dire que c'est bien comme ça. Frank et toi, vous allez bien ensemble. Nous allons tous survivre à cette histoire. J'espère que vous deux, vous aurez la possibilité d'être heureux ensemble. En plus Zhang serait infichu de faire ses lacets sans toi.

– C'est méchant, protesta Hazel, mais elle sentit quelque chose se dénouer en elle – une boule de tension qui lui pesait depuis des semaines.

Léo avait vraiment changé. Hazel commençait à se dire qu'elle avait trouvé un bon ami en lui.

– Qu'est-ce qui t'est arrivé quand tu étais seul ? demanda-t-elle. Qui as-tu rencontré ?

Léo battit des paupières.

– C'est compliqué, dit-il. Je te raconterai un jour. Pour le moment j'attends de voir comment ça va évoluer.

– L'univers est une machine, dit Hazel. Donc ça va bien se passer.

– J'espère.

– Tant que ce n'est pas une de tes machines, ajouta-t-elle. Parce que tes machines ne font jamais ce qu'on leur demande.

– Ha ha, très drôle. (Léo alluma une boule de feu au creux de sa main.) Alors, par où, princesse des souterrains ?

Hazel balaya le tunnel du regard. À une dizaine de mètres il se divisait en quatre boyaux plus étroits, tous identiques. Celui de gauche, cependant, dégageait des vibrations de froid.

– Par là, décida-t-elle. C'est là que je perçois le plus de danger.

– Vendu, dit Léo.

Ils s'engagèrent dans le tunnel en pente.

Dès l'entrée du boyau, Galè la belette les trouva.

Elle grimpa le long de la jambe d'Hazel et se lova autour de son cou en couinant furieusement, l'air de dire : *Où étais-tu passée ? Tu es en retard.*

– Ah non, fit Léo, pas la belette pétomane. Si cette bestiole se met à lâcher des gaz dans cet espace confiné, avec mes flammes et tout, on va exploser.

Galè aboya une insulte en putois à Léo.

Hazel les fit taire tous les deux. Elle percevait que le tunnel continuait en pente douce sur une centaine de mètres, puis s'ouvrait sur une vaste salle. Il y avait là une présence... froide, lourde et puissante. Hazel n'avait rien ressenti de semblable depuis la grotte, en Alaska, où Gaïa l'avait obligée à ressusciter le roi géant Porphyrion. Hazel était parvenue à contrecarrer les plans de Gaïa, cette fois-là, mais au prix de sa vie et de celle de sa mère, puisqu'elle avait dû provoquer l'éboulement de la caverne. Elle n'avait pas hâte de revivre un moment pareil.

– Léo, prépare-toi, murmura-t-elle. On approche.

– De quoi ?

– De moi, fit une voix de femme, qui résonna le long du tunnel.

Une nausée si forte s'empara d'Hazel que ses genoux ployèrent. Tout tourna. Son sens de l'orientation, habituellement infaillible dans les souterrains, l'abandonna.

Sans avoir la sensation de bouger, elle et Léo se trouvèrent soudain cent mètres plus loin, au seuil de la salle.

– Bienvenue, dit la voix féminine. J'attendais ce moment avec impatience.

Hazel balaya la pièce du regard, mais ne vit personne.

L'endroit lui rappela le Panthéon de Rome, sauf que la décoration, ici, était en style Hadès contemporain.

Des scènes de mort étaient sculptées dans les murs d'obsidienne : victimes de la peste, cadavres sur les champs de bataille, chambres de torture avec squelettes pendus dans des cages en fer, le tout rehaussé de pierres précieuses qui rendaient curieusement ces fresques encore plus macabres.

Comme au Panthéon, la voûte était un plafond à caissons, mais ici chaque rectangle était occupé par une stèle : une pierre tombale gravée d'inscriptions en grec. Hazel se demanda s'il y avait réellement des corps ensevelis derrière. Maintenant que son sens de la perception souterraine était désactivé, elle était incapable de le savoir.

Elle ne vit aucune autre sortie que le boyau par lequel ils étaient arrivés. Au sommet de la voûte, là où le Panthéon donnait sur le ciel par une ouverture ronde, luisait un disque de pierre noire qui renforçait le sentiment qu'il n'y avait pas d'issue à cette cave, pas de ciel, rien que d'épaisses ténèbres.

Le regard d'Hazel se porta sur le centre de la caverne.

– Ouaip, marmonna Léo. Ce sont des portes, y a pas photo.

À une quinzaine de mètres d'eux, plantées au beau milieu de l'espace, se dressaient deux portes d'ascenseur dont les panneaux étaient en argent et en fer ciselés. Plusieurs rangs de chaînes, de part et d'autre, rattachaient l'encadrement des portes à de gros crochets au sol.

Au pied des portes, le sol était jonché de gravats noirs. Avec un sentiment de colère, Hazel comprit qu'il y avait eu là jadis un autel à Hadès. Il avait été détruit pour faire place aux Portes de la Mort.

– Où êtes-vous ? cria-t-elle.

– Tu ne nous vois pas ? railla la voix féminine. Je croyais qu'Hécate t'avait choisie pour ton talent.

Une nouvelle vague de nausée souleva l'estomac d'Hazel. Perchée sur son épaule, Galè aboya et lâcha un gaz, ce qui n'arrangea rien.

Des taches sombres se mirent à flotter devant les yeux d'Hazel. Elle tenta de les dissiper en battant des paupières, mais elles ne firent que s'assombrir davantage. Puis elles s'agglutinèrent en une seule masse : une silhouette d'ombre grande de six à sept pieds, debout à côté des Portes.

Clytios le géant était drapé de fumées noires, exactement comme dans la vision d'Hazel à la croisée des chemins, mais elle le distinguait mieux, à présent : des jambes de dragon couvertes d'écailles gris cendre, un torse d'humanoïde pris dans une armure de fer stygien, de longs cheveux tressés qui semblaient faits de fumée. Il avait le teint aussi terne et sombre que Thanatos (Hazel, qui avait rencontré le dieu de la mort personnellement, pouvait en juger), et des yeux qui brillaient avec l'éclat froid du diamant. Il n'était pas armé, mais cela ne le rendait pas moins terrifiant.

Léo siffla.

– Ben mon Clytios, dit-il, pour un type aussi maousse, t'as une bien jolie voix.

– Idiot, lança la femme.

À mi-chemin entre Hazel et le géant, l'air scintilla. Et la magicienne apparut.

Elle était vêtue d'une élégante robe sans manches en or tissé et ses cheveux étaient remontés en pyramide sur sa tête, retenus par un diadème d'émeraudes et de diamants. Elle portait en sautoir un pendentif en forme de labyrinthe miniature, sur une chaîne ornée de rubis qui ressemblaient, pensa Hazel, à des gouttes de sang cristallisées.

La femme avait une beauté majestueuse et intemporelle, comme une statue qu'on admire mais ne pourrait jamais aimer. La malveillance brillait dans ses yeux.

– Pasiphaé, dit Hazel.

La femme inclina la tête.

– Ma chère Hazel Levesque.

Léo s'éclaircit la gorge.

– Vous vous connaissez toutes les deux ? demanda-t-il. Vous êtes des copines des Enfers ou...

– Tais-toi, idiot. (La voix de Pasiphaé était douce, mais pleine de fiel.) Je n'ai que faire des demi-dieux – des garçons arrogants, toujours insolents et destructeurs.

– Hé, protesta Léo. Je ne détruis pas les choses, moi, ma petite dame. Je suis fils d'Héphaïstos.

– Un bricoleur, lâcha Pasiphaé. Encore pire. Je me souviens de Dédale. Ses inventions ne m'ont valu que des ennuis.

– Dédale... le grand Dédale ? fit Léo, les yeux écarquillés. Ben alors, vous devez tout savoir sur nous autres, les *bricoleurs*. Notre truc, c'est plutôt de réparer, de fabriquer... voire à l'occasion de fourrer une boule de tissu dans la bouche des dames malpolies...

– Léo. (Hazel mit la main sur la poitrine de Léo. Elle avait le pressentiment que Pasiphaé allait le transformer en créature peu ragoûtante s'il ne se taisait pas très vite.) Laisse-moi faire, tu veux bien ?

– Écoute ton ami, dit Pasiphaé. Sois un gentil garçon et laisse les femmes parler.

Là-dessus elle se mit à faire les cent pas devant eux en examinant Hazel avec une telle haine dans les yeux que cette dernière en eut la chair de poule. La puissance qui émanait de la magicienne était aussi forte que la chaleur d'une fournaise. Son expression était troublante et disait vaguement quelque chose à Hazel...

Pourtant, curieusement, le géant Clytios la déstabilisait davantage encore.

Il se tenait à l'arrière-plan, immobile et silencieux, dans le bouillonnement de la fumée noire qui s'échappait de son corps et s'amassait à ses pieds. C'était lui, la présence froide qu'Hazel avait perçue de loin. Il était pareil à un gisement d'obsidienne, bien trop grand pour qu'Hazel puisse songer à le déplacer, puissant, indestructible et entièrement privé d'émotion.

– Votre... votre ami ne parle pas beaucoup, observa Hazel.

Pasiphaé tourna la tête vers le géant et fit une moue dédaigneuse.

– Prie pour qu'il continue à se taire, ma chérie, dit-elle. Gaïa m'a confié la plaisante tâche de m'occuper de vous, mais Clytios est, disons, ma garantie. Entre toi et moi, de magicienne à magicienne, je crois qu'il est aussi là pour mettre la bride à mes pouvoirs, au cas où j'oublierais les ordres de ma nouvelle maîtresse. Gaïa a de ces prudences.

Hazel fut tentée de rétorquer qu'elle n'était pas magicienne. Elle préférait ne pas savoir comment Pasiphaé comptait « s'occuper » d'eux, ni comment le géant pouvait juguler sa magie. Elle rejeta les épaules en arrière et s'efforça de prendre l'air assuré.

– Quels que soient vos plans nous concernant, déclara-t-elle, ça ne marchera pas. Nous avons balayé tous les monstres que Gaïa avait mis sur notre chemin. Si vous êtes intelligente, vous éviterez de nous faire obstacle.

Galè la belette grinça des dents en signe d'approbation, mais Pasiphaé ne parut pas impressionnée.

– Vous ne payez pas de mine, dit la magicienne d'un ton songeur. Mais vous autres, les demi-dieux, vous ne payez jamais de mine. Tiens, mon mari, Minos, le roi de Crète ? C'était un fils de Zeus. On ne l'aurait jamais cru à le voir, il était presque aussi gringalet que celui-là.

Elle agita la main négligemment vers Léo.

– Ben dites donc, marmonna Léo. Minos a dû faire une sacrée boulette pour vous mériter.

Les narines de Pasiphaé tremblèrent.

– Oh, tu n'as pas idée... Monsieur était trop orgueilleux pour faire les sacrifices qu'il devait à Poséidon, résultat c'est moi que les dieux ont punie de son arrogance.

– Le Minotaure, se souvint soudain Hazel.

L'histoire était tellement choquante et grotesque qu'Hazel se bouchait toujours les oreilles quand quelqu'un la racontait au Camp Jupiter. Pasiphaé avait été condamnée par une malédiction à s'éprendre d'un magnifique taureau appartenant à son mari. Elle avait donné le jour au Minotaure – moitié homme, moitié taureau.

Pasiphaé la fusilla du regard et Hazel comprit pourquoi son expression lui donnait cette impression de déjà-vu.

La magicienne avait dans les yeux la même amertume et la même haine que la mère d'Hazel à ses pires moments. Parfois, quand tout allait vraiment mal, Marie Levesque regardait

Hazel comme si sa fille était un monstre, une malédiction envoyée par les dieux, la source de tous ses problèmes. C'était l'autre raison pour laquelle Hazel était révoltée par l'histoire du Minotaure, pas seulement l'idée repoussante de Pasiphaé avec le taureau, mais celle qu'un enfant, quel qu'il soit, puisse être considéré comme un monstre, une punition infligée à ses parents, et mérite d'être enfermé et haï. Hazel avait toujours trouvé que le Minotaure était une victime, dans cette histoire.

– Oui, répondit enfin Pasiphaé. J'ai connu une disgrâce insupportable. Après la naissance de mon fils et son emprisonnement dans le Labyrinthe, Minos n'a plus voulu entendre parler de moi. Il a prétexté que j'avais sali sa réputation ! Et sais-tu ce qu'il lui est arrivé, à lui, Hazel Levesque ? Pour ses crimes et son orgueil ? Il a été récompensé ! Il a été nommé juge des morts aux Enfers, comme s'il s'était qualifié pour juger les autres ! C'est Hadès qui lui a donné ce titre. Ton père.

– Pluton, en fait.

– Remarque déplacée, dit Pasiphaé avec une grimace. Alors tu comprends, je déteste les demi-dieux autant que les dieux. Gaïa m'a promis que je pourrais disposer de tous ceux qui survivront à la guerre et les regarder mourir doucement dans mon nouveau domaine. Mon seul regret est que vous deux, je ne pourrai pas vous torturer correctement. Hélas...

Au centre de la pièce, les Portes de la Mort émirent un tintement agréable. Le bouton vert, sur le côté droit de l'encadrement, s'alluma. Les chaînes se mirent à trembler violemment.

– Tu vois ? (Pasiphaé haussa les épaules comme pour s'excuser.) Les Portes sont en service. Dans douze minutes, elles s'ouvriront.

Les jambes d'Hazel tremblèrent aussi fort que les chaînes.

– D'autres géants ? demanda-t-elle.

– Non, heureusement, dit la magicienne. Les géants sont tous casés, tous dispatchés dans le monde des mortels pour l'assaut final. (Pasiphaé lui adressa un sourire glacial.) Non, je suppose que les Portes transportent d'autres personnes, des passagers illicites...

Léo avança d'un pas. Ses poings fumaient.

– Percy et Annabeth, dit-il.

Hazel était incapable de parler. Elle avait une boule dans la gorge et n'aurait su dire si c'était de la joie ou de l'inquiétude. Si leurs amis étaient parvenus aux Portes, s'ils devaient bel et bien débarquer dans cette salle dans douze minutes...

– Oh, ne t'en fais pas ! (Pasiphaé agita la main avec désinvolture.) Clytios va s'en occuper. Tu comprends, à la prochaine sonnerie de l'ascenseur, si personne n'appuie sur le bouton « haut » de notre côté, les Portes ne s'ouvriront pas et ceux qui sont dans l'ascenseur... pfftt ! disparaîtront. À moins que Clytios ne décide de les faire sortir et dispose d'eux lui-même. Ça dépendra de vous deux.

Hazel eut un goût de métal dans la bouche. Elle redoutait de poser la question, mais il le fallait :

– En quoi cela dépendra-t-il de nous, au juste ?

– Bien évidemment, nous avons seulement besoin de deux demi-dieux en vie, dit Pasiphaé. Les heureux élus seront emmenés à Athènes et sacrifiés à Gaïa lors de la fête de l'Espoir.

– Bien évidemment, marmonna Léo.

– Alors, de qui s'agira-t-il ? Vous deux, ou vos amis de l'ascenseur ? (La magicienne ouvrit les bras.) On verra qui est encore en vie dans douze minutes... dans onze minutes, en fait.

À peine eut-elle fini sa phrase que la caverne disparut, engloutie par l'obscurité.

74 HAZEL

La boussole interne d'Hazel s'affola.

Elle se souvint du jour, quand elle était toute petite, vers la fin des années 1930, où sa mère l'avait emmenée chez le dentiste pour qu'on lui extraie une dent. C'était à La Nouvelle-Orléans. Ce fut la première et la dernière fois qu'Hazel était anesthésiée à l'éther. Le dentiste lui avait promis que ça la détendrait et lui donnerait envie de dormir, mais en réalité elle avait eu l'impression de se détacher de son corps et de flotter sans aucune maîtrise sur rien. Lorsque l'effet de l'éther s'était dissipé, elle avait été malade pendant trois jours.

Là, c'était comme si on venait de lui en administrer une dose de cheval.

Elle avait en partie conscience d'être toujours dans la grotte. Pasiphaé était à quelques pas d'eux. Clytios attendait silencieusement devant les Portes de la Mort.

Mais des épaisseurs de Brume avaient pris Hazel dans leurs plis et déformaient sa perception de la réalité. Elle fit un pas en avant et se cogna dans un mur qui n'aurait pas dû être là.

Léo appuya les mains contre la pierre.

– Qu'est-ce que c'est que ce binz ? Où on est ?

Un couloir s'étirait dans les deux sens, sur leur gauche et sur leur droite. Aux murs, des flambeaux placés dans des appliques de fer brûlaient en crachotant. L'air sentait le moisi, comme dans un vieux caveau. Galè, sur l'épaule d'Hazel, belota furieusement en lui enfonçant les griffes dans la clavicule.

– Oui, je sais, lui dit Hazel. C'est une illusion.

Léo tapa du poing contre le mur.

– Plutôt solide comme illusion.

Pasiphaé rit et parla d'une voix qui semblait lointaine :

– Est-ce vraiment une illusion, Hazel Levesque, ou y a-t-il autre chose ? Ne vois-tu pas ce que j'ai créé ?

Hazel avait une telle sensation de perte d'équilibre qu'elle arrivait difficilement à tenir debout, et encore moins à réfléchir clairement. Elle essaya de déployer ses sens, de percer la Brume du regard et retrouver la caverne, mais tout ce qu'elle détectait, c'étaient des tunnels bifurquant dans une dizaine de directions différentes, mais pas un seul vers l'avant.

Des pensées s'allumaient au hasard dans son esprit, comme des pépites d'or affleurant à la surface du sol : *Dédale. Le labyrinthe du Minotaure. Mourir lentement dans mon nouveau domaine.*

– Le Labyrinthe, dit Hazel. Elle est en train de reformer le Labyrinthe.

– V'là autre chose ! (Léo, qui s'était mis à taper contre le mur avec un marteau à panne ronde, tourna la tête en fronçant les sourcils.) Je croyais que le Labyrinthe s'était effondré pendant cette fameuse bataille à la Colonie des Sang-Mêlé ? Vu qu'il dépendait de la force vitale de Dédale et que Dédale était mort ?

Ils entendirent Pasiphaé claquer la langue en signe de désapprobation.

– Ah, dit-elle, mais moi je suis vivante. Tu attribues donc tous les secrets du Labyrinthe à Dédale ? C'est moi qui ai insufflé la vie magique à son Labyrinthe. Dédale n'était rien comparé à moi, magicienne immortelle, fille d'Hélios, sœur de Circé ! Désormais, le Labyrinthe sera mon domaine.

– C'est une illusion, insista Hazel. Il faut juste qu'on arrive à la percer.

Alors même qu'elle prononçait ces paroles, le mur sembla se renforcer et l'odeur de moisi s'accentuer.

– Trop tard, trop tard, chantonna Pasiphaé. Le Labyrinthe s'est déjà réveillé. Il s'étirera sous la peau de la terre à nouveau pendant que nous raserons votre monde mortel. Vous autres demi-dieux, vous les *héros*, vous errerez dans ces couloirs et mourrez lentement de faim, de soif et de détresse. Sauf si, dans un élan de miséricorde, je vous accorde une mort rapide et extrêmement douloureuse !

Des trous s'ouvrirent dans le sol, aux pieds d'Hazel. Elle attrapa Léo par le poignet et le poussa sur le côté alors même qu'une rangée de piques fusa du sol et alla se ficher dans le plafond.

– Cours ! hurla-t-elle.

Le rire de Pasiphaé se répercuta dans le couloir.

– Où cours-tu, jeune magicienne ? Tu fuis une illusion ?

Hazel ne répondit pas. Elle était trop occupée à se maintenir en vie. Derrière eux, les piques, rangée après rangée, se plantaient dans le plafond – *schdung, schdung, schdung.*

Elle entraîna Léo dans un couloir latéral, franchit d'un bond un fil de détente, puis pila de justesse au bord d'un gouffre de six ou sept mètres de large.

– Il y a quelle profondeur, à ton avis ? demanda Léo, haletant.

Il avait une jambe de jean déchirée, lacérée par une des piques.

Les sens d'Hazel lui disaient que le trou faisait au moins quinze mètres de profondeur et qu'il y avait une mare de poison au fond. Pouvait-elle croire ses sens ? Que Pasiphaé ait ou non recréé un Labyrinthe, Hazel pensait qu'ils étaient toujours dans la même caverne et que Pasiphaé les faisait courir dans un va-et-vient dépourvu de sens juste pour les amuser,

Clytios et elle. Illusion ou non, si Hazel ne trouvait pas le moyen de sortir de ce dédale, les pièges les tueraient.

– Plus que huit minutes, dit la voix de Pasiphaé. Sincèrement, je serais ravie que vous surviviez. Cela prouverait que vous êtes des sacrifices dignes d'être offerts à Gaïa à Athènes. Seulement nous n'aurions plus besoin de vos copains de l'ascenseur, bien sûr.

Le cœur d'Hazel battait à se rompre. Elle se tourna face au mur situé à sa gauche. Malgré ce que lui disaient ses sens, elle calcula que les Portes devaient être dans cette direction, et Pasiphaé pile devant elle.

Hazel aurait voulu démolir le mur et étrangler la magicienne. Il fallait que Léo et elle soient aux Portes de la Mort d'ici à huit minutes pour ouvrir à leurs amis.

Seulement Pasiphaé était une magicienne immortelle, qui exerçait des sortilèges depuis plusieurs milliers d'années. Hazel n'arriverait pas à la battre par sa seule volonté. Elle avait floué Sciron le bandit en lui donnant à voir ce qu'il attendait. Hazel devait deviner ce que Pasiphaé désirait le plus vivement.

– Plus que sept minutes, minauda Pasiphaé. Quel dommage de ne pas avoir plus de temps ! J'aimerais vous faire subir tant d'outrages.

Oui, c'était ça, comprit Hazel. Il fallait qu'elle en passe par là. Qu'elle rende le dédale encore plus dangereux, encore plus spectaculaire, et qu'elle amène Pasiphaé à penser plus aux pièges qu'à la direction que prenait le Labyrinthe.

– Léo, dit-elle, on va sauter.

– Mais...

– Ce n'est pas aussi loin que ça en a l'air. *Go !*

Elle l'attrapa par la main et ils se propulsèrent vers l'autre côté de la fosse. Lorsqu'ils touchèrent le sol, Hazel se retourna et vit qu'il n'y avait pas de fosse du tout : juste une fissure de dix centimètres au sol.

– Viens !

Ils se remirent à courir, poursuivis par la voix plaintive de Pasiphaé.

– Aïe, aïe, aïe, non. Vous ne survivrez jamais, en passant par là. Plus que six minutes.

Le plafond se craquela au-dessus de leurs têtes. Galè la belette couina, mais Hazel imagina un nouveau boyau partant sur la gauche – un qui serait encore plus dangereux et les mènerait dans une mauvaise direction. La Brume mollit sous sa volonté. Le tunnel apparut et ils s'y engouffrèrent.

Pasiphaé poussa un soupir de déception.

– Vous n'êtes pas très doués, mes chéris.

Hazel, en revanche, reprit espoir. Elle avait créé un tunnel. Elle avait enfoncé un coin dans le tissu magique du Labyrinthe.

Le sol s'écroula sous leurs pieds. Hazel sauta sur le côté en traînant Léo. Elle imagina un autre boyau qui formerait une boucle pour les ramener dans la direction d'où ils venaient, mais qui serait plein de gaz toxique. Le dédale se plia aimablement à sa demande.

– Léo, avertit-elle. Retiens ton souffle.

Ils plongèrent en courant dans l'âcre brouillard. Hazel eut l'impression qu'elle s'était rincé les yeux au jus de piment, mais elle ne ralentit pas la cadence.

– Plus que cinq minutes ! s'écria Pasiphaé. Ah ! Si seulement je pouvais vous regarder souffrir plus longtemps !

Ils déboulèrent dans un couloir où l'air était respirable. Léo toussa.

– Elle pourrait pas se taire, bougonna-t-il.

Ils se penchèrent pour passer sous une cordelette de bronze tendue au travers du tunnel pour les prendre à la gorge. Hazel imagina que ce dernier décrivait un coude imperceptible pour revenir vers Pasiphaé. De nouveau, la Brume se plia à sa volonté.

Les parois du tunnel commencèrent à se refermer sur eux. Hazel n'essaya pas de les en empêcher. Au contraire, elle les poussa à accélérer le mouvement ; le sol trembla et la voûte se fissura. Léo et Hazel coururent de toutes leurs forces en suivant la courbe qui les ramenait, espérait-elle, vers le centre de la pièce.

– Quel dommage, dit Pasiphaé. J'aurais aimé vous tuer tous les quatre, vous et vos amis de l'ascenseur, mais Gaïa tient à ce que deux d'entre vous restent en vie jusqu'à la fête de l'Espoir, où bon usage sera fait de votre sang ! Enfin. Je trouverai bien d'autres victimes pour mon Labyrinthe. Vous deux, je vous considère comme des ratés pitoyables.

Hazel et Léo pilèrent net. Devant eux s'ouvrait un gouffre si large qu'Hazel n'en voyait pas l'autre bord. De ses profondeurs obscures montait un sifflement polyphonique produit par des milliers et des milliers de serpents.

Hazel fut tentée de battre en retraite, mais le tunnel se refermait derrière eux, les isolant sur une petite corniche. Galè la belette arpentait les épaules d'Hazel en pétant d'angoisse.

– Bon d'accord, marmonna Léo. Les murs du tunnel sont des éléments mobiles. Mécaniques, forcément. Donne-moi une seconde.

– Non, Léo, dit Hazel. Pas de retour en arrière.

– Mais...

– Prends ma main. À trois.

– Mais...

– Trois !

– *Quoi ?*

Hazel sauta dans la fosse en entraînant Léo. Elle essaya d'ignorer ses cris ainsi que la belette pétomane qui s'accrochait à son cou. Et appliqua toute la force de sa volonté à changer le cours de la magie du Labyrinthe.

Pasiphaé riait de plaisir, sachant que d'un instant à l'autre ils allaient s'écraser au fond de la fosse ou être mortellement mordus par les serpents.

Hazel imagina un toboggan s'enfonçant dans l'obscurité, juste sur leur gauche. Par une torsion du corps, elle obliqua dans l'air, Léo dans son sillage. Tous deux tombèrent brutalement dans le toboggan, glissèrent vers la caverne et atterrirent pile sur Pasiphaé.

– Argh !

La tête de la magicienne heurta le sol quand Léo lui tomba dessus en pleine poitrine.

Pendant quelques secondes, ce ne fut qu'un fouillis de bras, de jambes et de pattes de belette. Hazel essaya de tirer son épée, mais Pasiphaé parvint à se dégager la première. La magicienne recula, le chignon de travers comme une pièce montée qui s'écroule et la robe couverte de taches de graisse à moteur faites par la ceinture à outils de Léo.

– Petits misérables ! hurla-t-elle.

Le Labyrinthe avait disparu. Deux ou trois pas plus loin, Clytios leur tournait le dos, surveillant les Portes de la Mort. D'après les calculs d'Hazel, ils avaient encore une trentaine de secondes avant l'arrivée de leurs amis. Hazel était épuisée d'avoir couru dans le Labyrinthe tout en contrôlant la Brume, mais il lui restait encore un tour à accomplir, et non le moindre.

Elle était arrivée à montrer à la magicienne ce qu'elle désirait voir le plus au monde. Maintenant elle devait lui donner à voir ce qu'elle redoutait le plus au monde.

– Vous devez réellement détester les demi-dieux, dit Hazel en essayant d'imiter le rictus cruel de Pasiphaé. Nous finissons toujours par gagner, pas vrai ?

– N'importe quoi ! hurla Pasiphaé. Je vais vous écarteler ! Je vais...

– Nous vous faisons toujours de sales coups, reprit Hazel d'un ton faussement compatissant. Votre mari vous a trahie. Thésée a tué le Minotaure et enlevé votre fille Ariane. Maintenant deux ratés pitoyables ont retourné votre Labyrinthe contre vous. Mais vous vous y attendiez, n'est-ce pas ? Chaque fois, vous finissez par vous faire battre.

– Je suis immortelle ! mugit Pasiphaé, qui recula d'un pas en tripotant son collier. Vous ne pouvez pas me tenir tête !

– Et vous, rétorqua Hazel, vous ne pouvez même pas tenir sur vos jambes. Regardez !

Elle pointa du doigt vers les pieds de la magicienne. Une trappe s'ouvrit sous elle. Pasiphaé dégringola en hurlant dans une fosse sans fond qui en fait n'existait pas.

Le sol se solidifia. La magicienne avait disparu.

Léo regarda Hazel avec stupéfaction.

– Comment as-tu... ?

À ce moment, l'ascenseur tinta. Plutôt que d'appuyer sur le bouton d'appel, Clytios recula, laissant leurs amis à l'intérieur.

– Léo ! hurla Hazel.

Ils étaient à une dizaine de mètres, beaucoup trop loin pour atteindre l'ascenseur. Léo sortit un tournevis et le lança comme un poignard – une tentative désespérée ? Le tournevis vola droit au-dessus de Clytios et se planta dans le bouton « haut ».

Les Portes de la Mort s'ouvrirent en chuintant. Des volutes de fumée noire s'en déversèrent et deux corps en tombèrent et s'étalèrent à plat ventre sur le sol : Percy et Annabeth, inertes comme des cadavres.

– Oh, par les dieux..., sanglota Hazel.

Léo et elle s'avancèrent, mais Clytios leva la main en un geste qui disait très clairement : *Pas un pas de plus.* Puis il plaça son énorme patte de reptile au-dessus de la tête de Percy.

Le linceul de fumée du géant coula sur le sol et enveloppa Annabeth et Percy dans une nappe de brouillard noir.

– Clytios, railla Hazel, tu as perdu. Laisse-les partir ou tu finiras comme Pasiphaé.

Le géant inclina la tête. Ses yeux de diamant brillèrent. À ses pieds, Annabeth se tordit comme si elle avait été touchée par une ligne de haute tension. Elle roula sur le dos et une volute de fumée noire s'échappa de sa bouche.

Je ne suis pas Pasiphaé, dit Annabeth d'une voix qui n'était pas la sienne, aussi grave qu'une guitare basse. *Vous n'avez rien gagné.*

– Arrête !

Même à dix mètres de distance, Hazel sentait la force vitale d'Annabeth décliner, son pouls faiblir. Ce que faisait Clytios pour lui arracher des mots de la bouche, ça la tuait.

Du bout du pied, Clytios poussa légèrement la tête de Percy, qui roula sur le côté.

Il n'est pas tout à fait mort, gronda le géant, par la bouche de Percy cette fois-ci. *Ça doit être un choc terrible pour le corps d'un mortel, de revenir du Tartare. Ils en ont pour un moment avant de reprendre connaissance.*

Il reporta son attention sur Annabeth. De nouveau, elle se mit à cracher de la fumée noire.

Je vais les ligoter et les emmener à Athènes pour les remettre à Porphyrion. C'est exactement le sacrifice qu'il nous faut. Malheureusement, ça veut dire que nous n'avons plus besoin de vous deux.

– Ah tu crois ça ? fit Léo. Ben mon poto, tu as peut-être de la fumée, mais moi j'ai du feu.

Ses mains s'embrasèrent. Il projeta deux colonnes de flammes blanches vers le géant, mais l'aura de fumée de Clytios les happa à leur arrivée et les absorba. Des tentacules de fumée noire remontèrent les lignes de feu dans l'autre sens, soufflant la chaleur et la lumière au fur et à mesure, et enveloppèrent Léo de leur noirceur.

Léo tomba à genoux en portant les mains à la gorge.

– Non !

Hazel s'élança vers lui, mais Galè glapit frénétiquement – l'avertissement était clair.

Je m'abstiendrais, à ta place. La voix de Clytios sortait de la bouche de Léo. *Tu ne comprends pas, Hazel Levesque. Je dévore la magie. Je détruis la voix et l'âme. Tu ne peux pas t'opposer à moi.*

Un brouillard noir se répandit dans la pièce, recouvrit Percy et Annabeth et déferla en bouillonnant vers Hazel.

Le sang battait à ses tempes. Il fallait qu'elle agisse, mais comment ? Si cette fumée noire avait pu mettre Léo hors-service aussi vite, quelles étaient ses chances ?

– Le... le feu, balbutia-t-elle dans un filet de voix. Tu es censé être vulnérable au feu.

Le géant gloussa, utilisant maintenant les cordes vocales d'Annabeth.

Vous comptiez là-dessus, hein ? C'est vrai que je n'aime pas le feu. Mais les flammes de Léo Valdez ne sont pas assez virulentes pour me déranger.

Quelque part derrière Hazel, une voix douce dit avec emphase :

– Et moi, vieil ami, que dis-tu de mes flammes ?

Galè poussa un couinement excité, sauta à bas de l'épaule d'Hazel et trottina vers l'entrée de la caverne. Une femme blonde se tenait sur le seuil, vêtue d'une robe noire ; la Brume tournoyait autour d'elle.

Le géant recula en titubant et se cogna dans les Portes de la Mort.

Toi ! dit-il par la bouche de Percy.

– Moi, confirma Hécate. (Elle écarta les bras et des torches enflammées apparurent dans ses mains.) Voilà des millénaires que je n'ai pas combattu aux côtés d'un mortel, mais Hazel Levesque a prouvé sa valeur. Qu'en dis-tu, Clytios ? Tu veux qu'on joue avec le feu ?

75 HAZEL

Si le géant s'était enfui en hurlant, Hazel se serait estimée très chanceuse. Et ils auraient tous pu prendre le reste de leur journée.

Mais Clytios la déçut.

En voyant les torches flambantes de la déesse, le géant retrouva du mordant. Il tapa du pied, manquant de justesse d'écraser le bras d'Annabeth, et le sol trembla. La fumée noire se mit à bouillonner et grossir autour de lui, et en quelques instants masqua entièrement Annabeth et Percy. De Clytios, Hazel ne distinguait plus que les yeux de diamant.

Paroles audacieuses que voilà, dit le géant par la bouche de Léo. *Tu as la mémoire courte, déesse. À notre dernière rencontre, tu avais le soutien d'Héraclès et de Dionysos, les deux héros les plus puissants du monde, tous deux destinés à devenir des dieux. Aujourd'hui, c'est... ça que tu amènes ?*

Le corps inanimé de Léo se tordit de douleur.

– Arrête ! hurla Hazel.

La suite, elle ne la planifia pas. Simplement, elle savait qu'elle devait protéger ses amis. Elle les imagina derrière elle, tout comme elle avait imaginé de nouveaux tunnels s'ouvrant dans le Labyrinthe de Pasiphaé. Léo se volatilisa. Il réapparut aux pieds d'Hazel, avec Percy et Annabeth. La Brume tourbillonna autour d'elle en débordant sur les pierres et enveloppa ses amis. Là où la Brume Blanche rencontrait la fumée noire de Clytios, elle fumait et grésillait, comme de la lave qui coule dans la mer.

Léo ouvrit les yeux et hoqueta.

– Hein ?!

Annabeth et Percy demeuraient immobiles, mais Hazel perçut que le battement de leurs cœurs se raffermissait et que leur respiration retrouvait un rythme régulier.

Galè la belette, perchée sur l'épaule d'Hécate, poussa un glapissement admiratif.

La déesse avança, ses yeux sombres luisant à la lumière de la torche.

– Tu as raison, Clytios. Hazel Levesque n'est ni Héraclès ni Dionysos, mais je crois que tu vas la trouver tout aussi redoutable.

À travers le voile de fumée, Hazel vit le géant ouvrir la bouche. Aucun mot ne sortit. Clytios grimaça de rage impuissante.

Léo essaya de se relever.

– Qu'est-ce qui se passe ? demanda-t-il. Qu'est-ce que je peux...

– Surveille Percy et Annabeth. (Hazel dégaina sa *spatha*.) Reste derrière moi. Reste dans la Brume.

– Mais...

Le regard qu'Hazel lui décocha devait être plus sévère qu'elle ne le croyait.

Léo ravala sa salive.

– C'est bon, j'ai pigé, dit-il. Brume Blanche ça va, fumée noire ça craint.

Hazel s'avança. Le géant écarta les bras. Le plafond en dôme trembla et la voix du géant résonna dans la salle, amplifiée au centuple.

Redoutable ? demanda le géant, dont la voix semblait émaner d'un chœur d'âmes mortes, asservissant tous les malheureux ensevelis derrière les stèles du dôme. *Parce que la gamine a appris tes tours de magie, Hécate ? Parce que tu laisses ces mauviettes s'abriter dans ta Brume ?*

Une épée apparut dans la main du géant : une arme de fer stygien pareille à celle de Nico, mais cinq fois plus grande.

Je ne comprends pas comment Gaïa peut trouver ces demi-dieux dignes d'un sacrifice. Je vais les écraser comme des coques de noix, tous autant qu'ils sont.

La peur d'Hazel se mua en rage. Elle hurla. Les murs de la salle se fissurèrent avec un craquement de glaçon plongé dans l'eau chaude, libérant des dizaines de pierres précieuses qui fusèrent vers le géant et traversèrent son armure comme des chevrotines.

Clytios tituba. Sa voix désincarnée se mua en mugissement de douleur. Son plastron de fer était criblé de trous.

Un filet d'ichor doré s'écoulait d'une plaie à son bras droit. Son linceul d'obscurité s'éclaircit et Hazel découvrit l'expression meurtrière de son visage.

Misérable bonne à rien, gronda Clytios. *Petite...*

– Bonne à rien ? reprit Hécate d'une voix calme. Je dirais au contraire qu'Hazel Levesque maîtrise certains tours que même moi, je n'aurais pu lui enseigner.

Hazel était plantée devant ses amis, décidée à les protéger coûte que coûte, mais son énergie l'abandonnait. Déjà son épée pesait lourdement dans sa main, alors qu'elle ne l'avait même pas encore brandie. Si seulement Arion était là... le cheval lui aurait prêté sa force et sa vitesse. Malheureusement, cette fois-ci, son ami ne pouvait pas l'aider. C'était une créature des grands espaces, non du monde souterrain.

Le géant planta les doigts dans la blessure à son biceps, en extirpa un diamant et le jeta négligemment par terre. La plaie se referma.

Alors, fille de Pluton, gronda-t-il, *crois-tu vraiment qu'Hécate prenne tes intérêts à cœur ? Circé était une de ses protégées. Médée aussi. Pasiphaé aussi. Et tu sais comment la chanson s'est terminée pour elles trois, hein ?*

Hazel entendit, dans son dos, Annabeth se retourner en gémissant. Percy marmonna des paroles indistinctes, un truc du genre « Bob-bob-bob ? ».

Clytios avança en balançant son épée le long du corps, plus comme s'ils étaient des camarades que des ennemis.

Hécate ne te dira pas la vérité. Elle envoie des acolytes comme toi faire son boulot et prendre tous les risques. C'est seulement si, par miracle, tu parvenais à m'affaiblir qu'elle pourrait me brûler. Et à ce moment-là, elle revendiquerait la gloire entière de ma mise à mort. Tu sais comment Bacchus s'est joué des Aloades au Colisée. Hécate est pire. C'est un Titan qui a trahi les Titans. Ensuite elle a trahi les dieux. Crois-tu vraiment qu'elle sera loyale envers toi ?

Le visage d'Hécate demeurait imperturbable.

– Je ne peux pas répondre à ces accusations, Hazel, dit la déesse. Cette croisée des chemins est la tienne. C'est à toi de décider.

Une croisée des chemins, oui ! (Le rire du géant résonna dans la vaste caverne. Ses plaies semblaient complètement guéries.) *Hécate t'offre de l'obscurité, des choix, de vagues promesses de magie. Je suis l'anti-Hécate. Je t'offrirai la vérité. J'éliminerai les choix et la magie. Je détruirai la Brume une fois pour toutes et te montrerai le monde tel qu'il est, dans toute son horreur.*

Léo se leva avec effort, toussant comme un asthmatique.

– J'adore ce type, dit-il d'une voix éraillée. Sérieux, on devrait l'embaucher pour animer des stages de motivation. (Ses mains s'allumèrent comme deux chalumeaux). Ou alors je pourrais l'allumer.

– Non, Léo, dit Hazel. C'est le temple de mon père. C'est à moi de jouer.

– Ouais, d'accord, mais...

– Hazel, fit Annabeth dans un râle.

Hazel fut tellement contente d'entendre son amie qu'elle faillit se retourner, mais elle savait qu'elle ne devait pas quitter Clytios des yeux.

– Les chaînes..., parvint à dire Annabeth.

Hazel sursauta. Mais comment avait-elle pu oublier ? Les Portes de la Mort étaient encore ouvertes et tiraient sur leurs chaînes en tremblant. Hazel devait les libérer pour qu'elles disparaissent – et échappent enfin au contrôle de Gaïa.

Seul problème : un immense géant nimbé de fumée lui barrait le chemin.

Franchement, Hazel Levesque, tu ne crois pas sérieusement que tu en as la force ? railla Clytios. *Que vas-tu faire ? Me bombarder d'autres rubis ? Me cribler de saphirs ?*

Pour toute réponse, Hazel brandit sa *spatha* et chargea.

Visiblement Clytios ne s'était pas attendu à une attaque aussi suicidaire. Il marqua un temps avant de lever son épée. Hazel en profita, avant qu'il frappe, pour se glisser entre ses jambes et lui planter sa lame d'or impérial dans le *gluteus maximus*. Pas très correct, de la part d'une jeune fille. Les bonnes sœurs de Sainte-Agnès auraient fortement désapprouvé. Mais c'était efficace.

Clytios rugit, arqua le dos et s'éloigna en se dandinant. La Brume tourbillonnait toujours autour d'Hazel et crépitait là où elle rencontrait la fumée noire du géant.

Hazel se rendit compte qu'Hécate l'aidait bel et bien, en lui donnant la force de maintenir un voile défensif. Hazel savait aussi qu'à la seconde où sa concentration flancherait et qu'elle laisserait la fumée noire la toucher, elle s'écroulerait. Si cela se produisait, elle n'était pas sûre qu'Hécate pourrait – ou voudrait – empêcher le géant de les réduire en bouillie, elle et ses amis.

Hazel fonça vers les Portes de la Mort. D'un coup d'épée, elle trancha les chaînes du côté gauche comme si c'était du beurre. Puis elle allongea une botte vers la droite, mais Clytios hurla : *NON !*

Hazel ne dut qu'à sa chance de ne pas être coupée en deux. Elle reçut le plat de l'épée du géant en pleine poitrine, voltigea, s'écrasa contre le mur – et sentit ses os craquer.

À l'autre bout de la caverne, Léo cria son nom.

Sa vision se troubla. Elle distingua un éclair de feu. Hécate se tenait non loin d'elle et sa silhouette scintillait comme si elle allait se dissoudre. Ses torches aussi semblaient sur le point de s'éteindre, mais peut-être était-ce seulement Hazel qui commençait à perdre connaissance.

Elle ne pouvait pas abandonner maintenant. Elle se força à se redresser. Tout son côté gauche brûlait comme si des centaines de lames de rasoir s'y étaient fichées. Son épée gisait par terre, à un mètre cinquante, peut-être. Hazel mobilisa ses dernières forces.

– Clytios ! cria-t-elle.

Elle avait voulu lancer un cri de défi, mais le son qui sortit de sa bouche tenait plus du croassement.

Peu importe, l'attention du géant était captée. Il se désintéressa de Léo et des autres et se tourna vers elle. Lorsqu'il la vit crapahuter péniblement pour récupérer son épée, il éclata de rire.

Jolie tentative, Hazel Levesque, reconnut Clytios. *Je ne m'attendais pas à ce que tu sois aussi bonne. Mais la magie à elle seule ne peut pas me vaincre, et tu n'as pas assez de force physique. Hécate t'a lâchée comme elle finit toujours par lâcher toutes ses adeptes.*

Autour d'Hazel, la Brume se raréfiait. Léo, à l'autre bout de la salle, essayait de faire avaler un peu d'ambroisie à Percy, qui était encore dans les vapes. Annabeth avait repris conscience, mais luttait pour retrouver ses forces et peinait à tenir sa tête droite.

Quant à Hécate, elle était plantée là avec ses torches, en spectatrice. Cela mit Hazel dans une telle colère qu'elle eut un ultime sursaut d'énergie.

Elle lança son épée – non pas vers le géant, mais vers les Portes de la Mort. Les chaînes de droite volèrent en éclats. Hazel s'effondra, le flanc gauche dévoré par la douleur, tandis que les Portes tremblaient puis disparaissaient dans un éclair de lumière pourpre.

Clytios rugit si fort qu'une demi-douzaine de stèles se décrocha du plafond et s'écrasa au sol.

– C'était pour mon frère Nico, hoqueta Hazel. Et pour avoir détruit le temple de mon père.

Tu as perdu ton droit à une mort rapide, gronda le géant. *Je vais t'asphyxier sous l'obscurité, lentement et douloureusement. Hécate ne pourra pas t'aider. PERSONNE ne pourra t'aider !*

La déesse leva ses torches.

– À ta place, j'en serais moins sûre, Clytios. Les amis d'Hazel avaient juste besoin d'un peu de temps pour la retrouver et tu le leur as donné, avec tes fanfaronnades.

Clytios grimaça.

Quels amis ? Ces freluquets ? Ils ne font pas le poids.

Devant Hazel, l'air ondula. La Brume s'épaissit et s'ouvrit pour former une porte, que quatre personnes franchirent.

Hazel pleura de soulagement. Frank avait le bras bandé et ensanglanté, mais il était vivant. À ses côtés venaient Nico, Piper et Jason, tous trois l'épée au clair.

– Désolé pour le retard, dit Jason. Alors c'est lui, le gars qu'il faut tuer ?

76 Hazel

Pour un peu, Hazel aurait eu de la peine pour Clytios.

Ils l'attaquèrent de tous les côtés en même temps : Léo lui envoyait des flammes dans les jambes, Frank et Piper le harcelaient de coups d'épée au torse, et Jason décolla dans l'air pour lui cribler le visage de coups de pied. Hazel vit avec fierté que Piper tirait bon parti de ses leçons d'escrime.

Chaque fois que le linceul de fumée du géant commençait à envelopper l'un d'eux, Nico était là pour le pourfendre et absorber la noirceur avec sa lame en fer stygien.

Percy et Annabeth étaient debout, l'air affaiblis et secoués mentalement, mais l'épée à la main. Depuis quand Annabeth avait-elle une épée ? En quoi était-elle, d'ailleurs... en ivoire ? Tous les deux semblaient vouloir participer, mais ce n'était pas la peine. Le géant était encerclé.

Clytios grondait et se tournait en tous sens comme s'il n'arrivait pas à choisir quel demi-dieu il allait tuer en premier. *Attends ! Bouge pas ! Non ! Aïe !*

Son linceul d'ombre se dissipa entièrement et il ne lui resta plus, pour toute protection, que son armure cabossée. Il perdait son ichor par une dizaine de blessures. Les plaies avaient beau se refermer presque aussi vite qu'elles étaient infligées, le géant fatiguait.

Jason décolla une dernière fois pour lui envoyer un grand coup de pied dans la poitrine, et le plastron du colosse se fracassa. Clytios chancela. Son épée lui échappa et s'écrasa au sol. Il tomba à genoux et le cercle des demi-dieux se referma sur lui.

Ce fut à ce moment-là seulement qu'Hécate avança, tenant bien haut ses torches. La Brume s'enroula autour du géant en crépitant et bouillonnant au contact de sa peau.

– Et c'est ainsi que l'histoire s'achève, dit-elle.

Ce n'est pas la fin. (La voix de Clytios leur parvint de quelque part en haut de la caverne, hésitante et assourdie.) *Mes frères se sont éveillés. Gaïa n'attend plus que le sang de l'Olympe. Vous avez dû conjuguer toutes vos forces pour me vaincre. Comment ferez-vous quand notre mère la Terre aura rouvert les yeux ?*

Hécate renversa ses torches, flammes en bas. Elle les plongea comme des poignards vers la tête de Clytios. La chevelure du géant s'enflamma plus vite que du petit bois et le feu se propagea sur son visage, son cou et tout son corps, dégageant rapidement une chaleur intense qui fit grimacer Hazel. Clytios s'effondra sans un son, à plat ventre dans les décombres de l'autel d'Hadès. Son corps tomba en cendres.

Au début, tous se turent. Hazel entendit un bruit rauque et se rendit compte que c'était sa propre respiration. Son côté lui faisait mal comme si on l'avait martelée de coups de bélier.

Hécate se tourna face à elle.

– Il faut partir, maintenant, Hazel Levesque, dit la déesse. Emmène tes amis hors d'ici.

Hazel serra les dents et s'efforça de contenir sa colère.

– Comme ça ? rétorqua-t-elle. Pas un « merci » ? Pas un « bien joué » ?

La déesse inclina la tête. Galè la belette belota – peut-être un au revoir, peut-être un avertissement – puis disparut dans les plis de la robe de sa maîtresse.

– Si tu veux de la reconnaissance, tu frappes à la mauvaise porte, dit Hécate. Quant à « bien joué », ça reste à voir. Dépêchez-vous de rejoindre Athènes. Clytios n'avait pas tort. Les géants se sont levés, tous, et plus forts que jamais. Gaïa est à deux doigts de s'éveiller. La fête de l'Espoir sera bien mal nommée si vous n'arrivez pas à lui faire barrage.

La pièce trembla. Une nouvelle stèle se détacha du plafond et s'écrasa au sol.

– La Maison d'Hadès est instable, dit Hécate. Partez, maintenant. Nous nous retrouverons.

La déesse se volatilisa. La Brume s'évapora.

– Sympathique, marmonna Percy.

Les autres se tournèrent vers Annabeth et lui comme s'ils prenaient soudain conscience qu'ils étaient là.

– Hé, vieux, fit Jason en serrant Percy dans ses bras.

– Trop de la balle, les potos ! s'écria Léo. Ils sont revenus du Tartare !

Piper se jeta au cou d'Annabeth en pleurant.

Frank courut auprès d'Hazel et la prit doucement dans ses bras.

– Tu es blessée, dit-il.

– Sans doute quelques côtes cassées, reconnut-elle. Mais, Frank, qu'est-ce qui t'est arrivé au bras ?

Il sourit avec effort.

– Trop long à raconter, dit-il. On est en vie, c'est l'essentiel.

Elle était tellement grisée par le soulagement qu'il lui fallut un moment pour remarquer Nico, debout dans son coin, l'air malheureux et tiraillé.

– Hé ! appela-t-elle en lui faisant signe avec son bon bras.

Il hésita, puis la rejoignit et l'embrassa sur le front.

– Je suis content que tu sois saine et sauve, dit-il. Les fantômes avaient raison. Un seul de nous deux est parvenu aux Portes de la Mort. Toi... Papa aurait été fier de toi.

Elle sourit et posa doucement la main sur son visage.

– Sans toi, dit-elle, on n'aurait jamais pu battre Clytios.

Elle passa le pouce sous l'œil de Nico et se demanda s'il avait pleuré. Elle désirait si fortement le comprendre, comprendre ce qui lui était arrivé au cours des dernières semaines. Après tout ce qu'ils venaient de vivre, Hazel était plus heureuse que jamais d'avoir un frère.

Elle s'apprêtait à le lui dire quand le plafond frémit. Des fissures s'ouvrirent dans les caissons restants et des trombes de poussière s'en déversèrent.

– Il faut qu'on se tire d'ici, dit Jason. Euh, Frank... ?

Frank secoua négativement la tête.

– Je crois qu'une faveur est le maximum que je puisse obtenir des morts aujourd'hui, dit-il.

– Attends, de quoi tu parles ? demanda Hazel.

Piper haussa les sourcils.

– Ton incroyable copain a fait valoir qu'il était fils de Mars pour exiger un service des morts. Il a invoqué les esprits de plusieurs guerriers morts et il leur a demandé de nous conduire ici, en passant par... en fait je ne sais pas exactement. Les corridors des morts ? Tout ce que je sais, c'est qu'il y faisait très, très sombre.

Sur leur gauche, un pan de mur se fissura. Les yeux de rubis d'un squelette de pierre sculptée sautèrent de leurs orbites et roulèrent par terre.

– On va devoir y aller en vol d'ombre, dit Hazel.

Le visage de Nico se crispa.

– Hazel, objecta-t-il. C'est tout juste si j'y arrive pour moi seul. Alors avec sept autres personnes...

– Je vais t'aider, affirma-t-elle avec toute l'assurance qu'elle put mettre dans sa voix.

Hazel n'avait jamais pratiqué le vol d'ombre ; elle ne savait pas si elle en était capable mais après avoir travaillé avec la Brume et modifié le Labyrinthe, il fallait qu'elle le croie.

Une rangée entière de dalles se décrocha du plafond.

– Tenez-vous tous par la main ! cria Nico.

Ils formèrent rapidement un cercle. Hazel se représenta mentalement la campagne grecque au-dessus d'eux. La caverne s'effondra et elle se sentit fondre dans l'obscurité.

Ils émergèrent au flanc de la colline qui surplombait l'Achéron. Le soleil levant faisait étinceler le fleuve et tintait les nuages d'une lueur orangée. L'air frais de l'aurore embaumait le chèvrefeuille.

Hazel était entre Frank et Nico. Ils étaient tous en vie et à peu près entiers. Elle n'avait jamais rien vu d'aussi beau que le soleil jouant dans les branchages et elle se dit qu'elle aurait voulu vivre à l'intérieur de cet instant, où n'existaient ni monstres, ni dieux, ni esprits maléfiques.

Ses amis commencèrent à bouger.

Nico se rendit compte qu'il tenait la main de Percy et la lâcha vivement.

Léo tituba.

– Vous savez quoi, les potos ? fit-il. Je vais m'asseoir.

Il s'écroula par terre. Les autres en firent autant. L'*Argo II* flottait toujours au-dessus du fleuve, à quelques centaines de mètres d'eux. Hazel savait qu'ils devaient donner signe de vie à Gleeson Hedge. Combien de temps avaient-ils passé dans le temple, toute la nuit ? Ou *plusieurs* nuits ? Mais pour le moment, ils étaient tous trop claqués pour faire autre chose que s'asseoir sur l'herbe, se reposer et s'émerveiller d'être sains et saufs.

Ils se mirent à partager leurs aventures.

Frank raconta la bataille entre la légion de zombies et l'armée de monstres, depuis Nico activant le sceptre de Dioclétien jusqu'à la bravoure de Jason et Piper au combat.

– Frank fait le modeste, dit Jason. Il a commandé la légion entière à lui seul, c'était incroyable, vous auriez dû voir ça. Oh, à propos... (Jason jeta un coup d'œil à Percy.) J'ai démissionné de mon poste et j'ai nommé Frank préteur. Promotion sur le champ de bataille. Sauf si tu veux contester cette décision.

– Pas le moins du monde, répondit Percy avec un grand sourire.

Hazel, quant à elle, regardait Frank avec des yeux ronds.

– *Préteur ?!*

Frank haussa les épaules, l'air gêné.

– Ouais, je sais, dit-il. Ça fait bizarre.

Hazel voulut se jeter au cou de Frank, mais ses côtes cassées se rappelèrent à son bon souvenir et elle dut se contenter d'un bisou sur la joue.

– Moi, rétorqua-t-elle, je trouve ça... *parfait.*

Léo donna une tape dans le dos à Frank.

– Bien joué, Zhang. Tu vas pouvoir ordonner à Octave de tomber sur son épée.

– C'est tentant, acquiesça Frank, qui se tourna alors vers Annabeth et Percy, le regard plein d'appréhension. Mais vous, les gars, racontez-nous... C'est le Tartare, la vraie histoire. Qu'est-ce qui s'est passé là-bas ? Comment avez-vous pu... ?

Percy prit la main d'Annabeth dans la sienne.

Hazel croisa par hasard le regard de Nico à ce moment-là et elle y vit du chagrin. Elle ne pouvait pas en être sûre, mais peut-être son frère était-il en train de penser que Percy et Annabeth avaient de la chance d'être ensemble. Lui, il avait traversé le Tartare tout seul.

– On vous racontera, promit Percy. Mais pas tout de suite, d'accord ? Je ne suis pas prêt à me rappeler cet endroit.

– Moi non plus, ajouta Annabeth. Pour le moment... (Elle porta le regard vers le fleuve et tressaillit.) Euh, je crois qu'on vient nous chercher.

Hazel tourna la tête. L'*Argo II* vira à bâbord, rames aériennes en mouvement, les voiles prenant le vent. La tête de Festus brillait au soleil. Même de loin, Hazel l'entendait grincer et cliqueter de joie.

– Voilà mon bébé ! cria Léo.

Quand le vaisseau approcha, Hazel aperçut Gleeson Hedge debout à la poupe.

– Pas trop tôt ! leur cria l'entraîneur. (Il déployait des efforts visibles pour les fusiller du regard mais une lueur, dans ses yeux, suggérait que peut-être, peut-être, il était content de les voir.) Qu'est-ce que vous avez fabriqué tout ce temps-là, les cocos ? Vous faites attendre votre invitée !

– Invitée ? murmura Hazel.

Une jeune fille rejoignit le satyre au bastingage, brune, drapée d'une cape pourpre, le visage tellement couvert de suie et d'égratignures qu'Hazel faillit ne pas la reconnaître.

Reyna était arrivée.

77 PERCY

Percy contemplait l'Athéna Parthénos en se demandant quand elle allait le frapper.

Le nouveau palan mécanique de Léo avait déchargé la statue sur le flanc de la colline avec une étonnante facilité. À présent la déesse regardait sereinement l'Achéron du haut de ses douze mètres et sa robe dorée brillait comme du métal en fusion au soleil.

– Incroyable, admit Reyna.

Elle avait les yeux encore rougis par les larmes. Peu après s'être posé à bord de l'*Argo II*, Scipion, son pégase, s'était écroulé, miné par les coups de griffes empoisonnés d'un griffon qui les avait attaqués la nuit précédente. Reyna avait dû l'achever avec son poignard en or, et le cheval volant s'était volatilisé en poussière et dispersé dans l'air embaumé de la côte grecque. Ce n'était peut-être pas une mauvaise fin pour un pégase, mais Reyna avait perdu un ami fidèle. Percy songea qu'elle avait déjà dû renoncer à trop de choses dans sa vie.

La préteur fit le tour de la statue en la regardant d'un œil suspicieux.

– Elle a l'air récente, dit-elle.

– Ouais, expliqua Léo. On a enlevé les toiles d'araignée et passé un petit coup d'éponge. C'était pas compliqué.

L'*Argo II* planait juste au-dessus de leurs têtes. Comme Festus montait la garde à l'aide de son radar, l'équipage au complet avait décidé de déjeuner sur la colline tout en discutant de la suite des opérations. Percy estimait qu'après les semaines qu'ils venaient de vivre, ils méritaient bien de partager un bon repas tous ensemble – n'importe quoi, en fait, du moment que ce n'était pas de l'eau de feu ou du ragoût de drakon.

– Reyna ! appela Annabeth. Viens manger ! Joins-toi à nous.

La préteur jeta un coup d'œil en fronçant ses sourcils noirs, comme si *Joins-toi à nous* la faisait tiquer. C'était la première fois que Percy voyait Reyna sans son armure, qui avait été confiée à Buford le guéridon magique pour réparations. En jean et tee-shirt pourpre du Camp Jupiter, Reyna avait presque l'air d'une adolescente ordinaire, à part le poignard à sa taille et son expression de combattante sur le qui-vive, prête à repousser une attaque à tout instant.

– D'accord, finit-elle par dire.

Ils se poussèrent pour lui faire de la place dans le cercle. Elle s'assit en tailleur à côté d'Annabeth, prit un sandwich au fromage et commença à grignoter le bord.

– Alors, dit-elle. Frank Zhang, te voilà préteur.

Frank gigota et essuya quelques miettes sur son menton.

– Ben, ouais. Promotion sur le champ de bataille.

– Pour diriger une légion différente, observa Reyna. Une légion de fantômes.

Hazel passa un bras protecteur sous celui de Frank. Après une heure à l'infirmerie, ils avaient tous les deux bien meilleure mine, mais Percy voyait qu'ils ne savaient pas trop quoi penser de la visite surprise de leur ancienne chef du Camp Jupiter.

– Reyna, dit Jason, tu aurais dû le voir.

– Il était phénoménal, renchérit Piper.

– Frank est un leader-né, insista Hazel. C'est un excellent préteur.

Reyna gardait les yeux rivés sur Frank, comme si elle essayait de deviner son poids.

– Je te crois, dit-elle. J'approuve.

Frank battit des paupières, interloqué.

– Vraiment ?

– Un fils de Mars, le héros qui a contribué à rapporter l'aigle de la légion... oui, voilà un demi-dieu avec qui je peux travailler, répondit-elle avec un fin sourire. Je me demande juste comment je vais convaincre la Douzième Fulminata.

Frank grimaça.

– Oui, dit-il. Je me demandais la même chose.

Percy n'arrivait toujours pas à se remettre du changement qui s'était opéré chez Frank. « Poussée de croissance » était très en deçà de la réalité. Il avait pris au moins dix centimètres, perdu en rondeur et gagné en muscle, ce qui lui donnait une charpente de joueur de football américain. Sa mâchoire était plus marquée, son expression plus déterminée. C'était un peu comme si Frank s'était transformé en taureau, puis était revenu à sa forme humaine en gardant quelques traces de ce passage.

– La légion t'écoutera, Reyna, dit Frank. Tu es parvenue toute seule jusqu'ici, jusqu'aux terres anciennes.

Reyna mâchait son sandwich comme si c'était du carton.

– En faisant cela, j'ai enfreint les lois de la légion.

– Jules César a enfreint la loi quand il a traversé le Rubicon, dit Frank. Les grands chefs doivent savoir prendre des initiatives audacieuses, parfois.

Reyna secoua la tête.

– Je ne suis pas Jules César, objecta-t-elle. Après avoir trouvé le mot de Jason au palais de Dioclétien, ça a été facile de vous retrouver. J'ai juste fait ce que j'estimais nécessaire.

Percy ne put s'empêcher de sourire.

– Reyna, tu es trop modeste. Traverser la moitié du globe pour répondre à l'appel d'Annabeth parce que tu savais que c'était notre meilleure chance de ramener la paix ? C'est plutôt carrément héroïque.

Reyna haussa les épaules.

– Dixit le héros qui est tombé dans le Tartare et qui a su en sortir.

– Il a été aidé, dit Annabeth.

– Ah oui, c'est clair, dit Reyna. Sans toi, je crois que Percy serait fichu de se perdre dans un sac en papier.

– Exact, confirma Annabeth.

– Hé ! protesta Percy.

Les autres se mirent à rire, mais Percy ne le prit pas mal. C'était bon de les voir de bonne humeur. Hé, c'était bon d'être dans le monde des mortels, tout simplement, de respirer un air qui n'était pas toxique, de se chauffer au soleil...

Soudain, il pensa à Bob. *Dites bonjour au soleil et aux étoiles de ma part.*

Le sourire de Percy s'effaça. Bob et Damasen avaient donné leurs vies pour que Percy et Annabeth puissent être là maintenant, entourés de leurs amis, à rire et savourer le soleil.

Ce n'était pas juste.

Léo sortit un tournevis minuscule de sa ceinture à outils et embrocha une fraise déguisée au chocolat, qu'il tendit à Gleeson Hedge. Puis il sortit un autre mini-tournevis et embrocha une deuxième fraise pour lui.

– Alors, dit Léo, la question à vingt millions de pesos. Nous avons cette statue d'Athéna de douze mètres de haut en relativement bon état. Qu'est-ce qu'on en fait ?

Reyna regarda l'Athéna Parthénos en plissant les yeux.

– Elle a de l'allure sur cette colline, dit-elle, mais je n'ai pas fait tout ce trajet pour l'admirer. D'après Annabeth, elle doit être apportée à la Colonie des Sang-Mêlé par un chef romain. Si j'ai bien compris ?

Annabeth hocha la tête.

– J'ai fait un rêve quand j'étais... vous savez, au Tartare. J'ai rêvé que j'étais à la Colonie des Sang-Mêlé et que la voix d'Athéna disait : *Je dois me tenir ici. C'est aux Romains de m'amener.*

Percy examina la statue avec appréhension. Il n'avait jamais eu de bons contacts avec la mère d'Annabeth. Il s'attendait à ce que la statue de Big Maman prenne vie à tout instant et l'engueule pour avoir exposé sa fille à tant de périls – ou peut-être l'écrase sous son pied sans un mot.

– Ça me semble fondé, dit Nico.

Percy tressaillit. À croire que Nico avait lu dans ses pensées et qu'il était partisan qu'Athéna l'écrase sous son pied.

Le fils d'Hadès était assis à l'autre bout du cercle et se contentait de grignoter une demi-grenade, le fruit des Enfers. Percy se demanda si c'était de l'humour de sa part.

– La statue est un symbole très puissant, ajouta Nico. Si c'est une Romaine qui la rapporte aux Grecs, cela pourrait mettre fin au désaccord historique, peut-être même guérir les dieux de leur problème de double personnalité.

M'sieur Hedge croqua sa fraise et la moitié du tournevis avec.

– Non, une seconde. Je suis bien sûr pour la paix, comme tous les satyres...

– Vous détestez la paix, l'interrompit Léo.

– Ce que je veux dire, Valdez, c'est que nous sommes à quoi, quelques jours seulement d'Athènes ? Une armée de géants nous attend là-bas. On en a bavé pour récupérer cette statue...

– C'est surtout moi qui en ai bavé, rappela Annabeth.

– ... parce que la prophétie la qualifiait de *fléau des géants*, poursuivit l'entraîneur. Alors pourquoi ne l'emportons-nous pas à Athènes avec nous ? C'est notre arme secrète, c'est clair. (Il jeta un coup d'œil à l'Athéna Parthénos.) Moi je trouve qu'on dirait un engin balistique. Peut-être que si Valdez fixait quelques moteurs dessus...

Piper s'éclaircit la gorge.

– Bonne idée, M'sieur, dit-elle. Mais nous sommes nombreux à avoir eu des visions ou fait des rêves de Gaïa s'éveillant à la Colonie des Sang-Mêlé...

Elle tira Katoptris de son fourreau et le posa sur son assiette. Pour l'heure, la lame ne montrait rien que le reflet du ciel, mais le regarder mettait quand même Percy mal à l'aise.

– Depuis notre retour au vaisseau, dit Piper, j'ai vu des choses assez terribles dans le poignard. La légion romaine est presque à distance de frappe de la Colonie. Elle rassemble des renforts : des esprits, des aigles, des loups.

– Octave, dit Reyna d'une voix grave. Je lui avais pourtant donné l'ordre d'attendre.

– Lorsque nous prendrons le commandement, suggéra Frank, notre première mesure devrait être de charger Octave dans une catapulte et de l'expédier le plus loin possible.

– Entendu, dit Reyna. Mais pour le moment...

– Il veut la guerre à tout prix, dit Annabeth. Et il l'aura si nous ne l'arrêtons pas.

Piper retourna son poignard.

– Malheureusement, dit-elle, ce n'est pas ça le pire. J'ai vu des images d'un avenir possible : la Colonie en feu, le sol jonché de cadavres de demi-dieux grecs et romains. Et Gaïa...

La voix de Piper s'étrangla.

Percy repensa au dieu Tartare sous sa forme physique, le dominant de toute sa hauteur. Il ne s'était jamais senti aussi impuissant et terrorisé de sa vie qu'à cet instant-là. Il se revit lâchant son épée de frayeur et la honte lui serra la gorge.

Autant essayer de tuer la terre, avait dit Tartare.

Si Gaïa était tellement puissante et si elle disposait d'une armée de géants, Percy voyait mal comment sept demi-dieux pouvaient lui faire barrage, et encore moins maintenant que la plupart des dieux étaient incapables d'apporter leur soutien. Ils devaient à tout prix arrêter les géants avant que Gaïa s'éveille, estimait-il, sinon c'était fichu.

Et si l'Athéna Parthénos était une arme secrète, pourquoi ne pas l'emporter à Athènes, effectivement ? Percy aimait assez l'idée de Gleeson Hedge de s'en servir comme d'un missile et de faire disparaître Gaïa dans un champignon nucléaire divin.

Seulement voilà... son instinct lui disait qu'Annabeth avait raison. La place de la statue était à Long Island, où elle pourrait mettre un terme à la guerre entre les deux camps de demi-dieux.

– Donc Reyna emporte la statue, dit Percy, et nous reprenons notre route vers Athènes.

Léo haussa les épaules.

– Moi je veux bien, dit-il. Mais il y a quelques petits soucis logistiques... Il nous reste quoi, quinze jours avant cette fête romaine où Gaïa est censée s'éveiller ?

– La fête de Spes, dit Jason. C'est le 1er août. Aujourd'hui on est le...

– 18 juillet, dit Frank. Ouais, à partir de demain, ça fera exactement quatorze jours.

Hazel grimaça.

– On a mis dix-huit jours pour venir de Rome, dit-elle, alors que ça aurait dû nous prendre deux ou trois jours au maximum.

– Alors avec notre chance habituelle, reprit Léo, peut-être qu'on aura le temps d'emmener l'*Argo II* à Athènes, de trouver les géants et de les empêcher d'éveiller Gaïa. Peut-être. Mais comment Reyna était-elle censée apporter cette gigantesque statue à la Colonie des Sang-Mêlé avant que les Grecs et les Romains se hachent menu les uns les autres ? Elle n'a plus son pégase. Euh, excuse-moi...

– Y a pas de mal, lança sèchement Reyna.

Certes, elle les traitait maintenant en alliés plutôt qu'en ennemis, mais Percy sentait que Reyna gardait une dent contre Léo, sans doute parce qu'il avait démoli la moitié du Forum à la Nouvelle-Rome.

Elle soupira.

– Malheureusement, dit-elle, Léo a raison. Je ne vois pas comment je peux transporter quelque chose d'aussi volumineux. J'avais supposé – enfin, j'espérais – que vous autres aviez la solution.

– Le Labyrinthe, dit Hazel. Je veux dire, si Pasiphaé l'a vraiment rouvert, et je crois que c'est le cas... (Elle regarda Percy avec appréhension.) N'est-ce pas, vous aviez dit que le Labyrinthe pouvait vous emmener n'importe où. Alors, peut-être que...

– Non, firent Percy et Annabeth d'une seule voix.

– Ce n'est pas pour te contredire, Hazel, dit Percy, mais c'est carrément...

Comment trouver les mots justes ? Comment pouvait-il décrire le Labyrinthe à quelqu'un qui ne s'y était jamais risqué ? Dédale l'avait conçu comme un réseau inextricable et vivant, en perpétuelle expansion. Au fil des siècles, il s'était étendu sous la surface entière du globe comme les racines d'un arbre. C'était vrai, il pouvait vous emmener n'importe où. À l'intérieur du Labyrinthe, la distance ne voulait rien dire. On pouvait y entrer par un point donné à New York, marcher trois mètres et ressortir à Los Angeles – encore fallait-il trouver un moyen fiable de s'orienter. Autrement, le Labyrinthe vous induisait en erreur et tentait de vous tuer à chaque tournant. Lorsque ce réseau de souterrains s'était effondré à la mort de Dédale, Percy avait été soulagé. La pensée qu'il était en train de se régénérer, de se déployer de nouveau sous la terre en offrant un nouvel et immense abri aux monstres n'avait rien pour le réjouir. Ils avaient assez de problèmes comme ça.

– Pour commencer, dit-il, les tunnels du Labyrinthe sont bien trop étroits pour l'Athéna Parthénos. Je ne vois pas comment on pourrait la descendre...

– Et même si le Labyrinthe est vraiment en train de se rouvrir, enchaîna Annabeth, on ne sait pas à quoi s'attendre. Il était déjà assez dangereux quand il était sous le contrôle de Dédale, qui n'était pas un être maléfique. Alors si c'est Pasiphaé qui l'a recréé selon ses aspirations... (Elle secoua la tête.) Hazel, toi seule, avec ton sens des souterrains, parviendrais peut-être à y guider Reyna, mais pour tous les autres, ce serait fichu d'avance. Or nous avons besoin de toi ici. En plus, si tu te perdais dans ses profondeurs...

– Tu as raison, admit Hazel, l'air abattue. Tant pis.

Reyna balaya le groupe du regard :

– D'autres idées ?

– Je pourrais y aller, proposa Frank, sans grand enthousiasme. Si je suis préteur, ce serait de mon devoir d'y aller. On pourrait bricoler une sorte de traîneau ou...

– Non, Frank Zhang, l'interrompit Reyna avec un sourire las. J'espère que nous travaillerons côte à côte à l'avenir, mais pour le moment, ta place est parmi l'équipage de ce navire. Tu es un des sept de la prophétie.

– Pas moi, dit Nico.

D'un coup, tous s'arrêtèrent de manger. Percy regarda Nico, en face de lui dans le cercle, en se demandant s'il plaisantait ou non.

Hazel posa sa fourchette.

– Nico...

– Je vais partir avec Reyna, dit-il. Je peux transporter la statue par vol d'ombre.

– Hum... (Percy leva la main.) Je sais que tu viens de nous ramener tous à la surface et c'était géant. Mais l'année dernière, tu avais dit que voyager par vol d'ombre, rien que toi seul, c'était dangereux et imprévisible. Tu t'es retrouvé en Chine deux fois, non ? Alors emmener une statue de douze mètres de haut et deux personnes de l'autre côté de la planète...

– J'ai changé depuis que je suis revenu du Tartare.

Les yeux de Nico brillaient d'une vive colère, dont Percy ne comprenait pas bien l'intensité. Il se demanda s'il l'avait blessé sans le savoir.

– Nico, intervint Jason, nous ne doutons pas ton pouvoir. Ce qu'on veut éviter, c'est que tu te tues en essayant.

– Je peux y arriver, insista Nico. Je le ferai en plusieurs fois, par sauts de quelques centaines de kilomètres chacun. C'est vrai qu'à l'arrivée de chaque étape, je ne serai pas en état de repousser des monstres. J'aurai besoin que Reyna nous défende, moi et la statue.

Reyna conservait une étonnante impassibilité. Elle les passa tous en revue, scruta leurs visages, mais sans rien trahir de ses propres pensées.

– Y a-t-il des objections ? demanda-t-elle.

Tous se turent.

– Très bien, trancha-t-elle d'un ton sans réplique. (Percy l'imagina en juge, assénant un coup de maillet.) Je ne vois pas de meilleure solution. Mais nous allons essuyer de très nombreuses attaques de monstres. Je serais plus tranquille si on partait à trois. Trois est le nombre optimal pour une quête.

– M'sieur Hedge, dit aussitôt Frank.

Percy le dévisagea en se demandant s'il avait bien entendu.

– Euh, pardon, Frank ?

– Notre entraîneur est le choix idéal, dit Frank. C'est notre seul choix, en fait. Il assure au combat et c'est un protecteur qualifié. Il a le profil parfait pour cette quête.

– C'est un faune, dit Reyna.

– Un satyre ! protesta l'entraîneur. Et, oui, je vais venir avec vous. En plus, en arrivant à la Colonie des Sang-Mêlé, vous aurez besoin de quelqu'un qui ait des relations et le sens de la diplomatie pour empêcher les Grecs de vous attaquer. Donnez-moi juste deux minutes pour passer un... je veux dire pour aller chercher ma casquette.

Il se leva et lança à Frank un regard que Percy eut du mal à interpréter. Alors qu'il venait d'être désigné pour une mission suicide ou presque, leur entraîneur avait l'air reconnaissant. Il partit en trottinant vers l'échelle du vaisseau, faisant claquer ses sabots comme un gamin excité.

Nico se leva.

– Je vais me retirer, moi aussi, dit-il. Me reposer avant la première étape. Rendez-vous à la statue au coucher du soleil.

Après son départ, Hazel fronça les sourcils.

– Il se comporte bizarrement, dit-elle. Je ne suis pas certaine qu'il se prépare comme il faut.

– Ne t'inquiète pas, dit Jason. Il sait ce qu'il fait.

– J'espère que tu as raison. (Elle passa la main sur le sol et des diamants affleurèrent à la surface : une voie lactée de joyaux scintillants.) Nous sommes à une nouvelle croisée des chemins. L'Athéna Parthénos part à l'ouest, l'*Argo II* part à l'est. J'espère que nous avons fait le bon choix.

Percy aurait aimé trouver quelque chose d'encourageant à dire, mais lui-même était troublé. Malgré tout ce qu'ils avaient surmonté, tous les combats qu'ils avaient remportés, ils étaient encore très loin de battre Gaïa. Certes, ils avaient libéré Thanatos. Certes, ils avaient refermé les Portes de la Mort. Au moins, maintenant, quand ils tueraient des monstres, ils les expédieraient au Tartare pour un bon moment. Mais les géants étaient de retour, au grand complet.

– Il y a une chose qui me travaille, dit-il. Si la fête de Spes est dans quatorze jours et si Gaïa a besoin du sang de deux demi-dieux pour s'éveiller – le sang de l'Olympe, comment a dit Clytios – alors, en allant à Athènes, ne faisons-nous pas exactement ce que souhaite Gaïa ? Si on n'y allait pas, elle ne pourrait sacrifier aucun de nous, donc vous ne croyez pas que ça l'empêcherait de s'éveiller pleinement ?

Annabeth lui prit la main. C'était un bonheur pour lui de la regarder maintenant qu'ils étaient de retour dans le monde des mortels, sans la Brume de Mort, de regarder les reflets du soleil dans ses cheveux blonds, même si elle était encore blême et amaigrie, comme lui, et si la réflexion donnait des couleurs d'orage à ses yeux gris.

– Percy, les prophéties sont à double tranchant, dit-elle. Si nous n'y allons pas, nous risquons de perdre notre seule et unique chance d'arrêter Gaïa. C'est à Athènes que se joue notre bataille. Nous ne pouvons pas l'éviter. En plus, ça ne marche jamais d'essayer de déjouer une prophétie. Gaïa pourrait nous capturer ailleurs, ou sacrifier d'autres demi-dieux.

– Ouais, admit Percy, ça me plaît pas, mais tu as raison.

L'atmosphère, dans le groupe, devint aussi lugubre que le Tartare. Jusqu'au moment où Piper rengaina son poignard et brisa la tension :

– Alors, dit-elle en tapotant sa corne d'abondance. Qui veut du dessert, pour conclure ce bon pique-nique ?

78 PERCY

Au coucher du soleil, Percy trouva Nico en train d'attacher des cordes autour du socle de l'Athéna Parthénos.

– Merci, dit Percy.

– De quoi ? demanda Nico en fronçant les sourcils.

– Tu avais promis de conduire les autres à la maison d'Hadès, dit Percy, et tu l'as fait.

Nico noua les extrémités des cordes entre elles de façon à former une sorte de licou.

– C'était normal. Tu m'as sorti de la jarre de bronze à Rome. En me sauvant la vie une fois de plus.

Sa voix était dure, sur la défensive. Percy aurait bien aimé comprendre comment ce gars fonctionnait, mais il se dit qu'il n'y arriverait jamais. Nico n'était plus le geek obsédé par ses cartes Mythomagic qu'ils avaient trouvé gamin à Westover Hall. Ce n'était plus non plus le garçon solitaire et plein de rage qui avait suivi le fantôme de Minos dans le Labyrinthe. Mais qui était-ce ?

– Et puis aussi, dit Percy, tu es allé voir Bob...

Il raconta à Nico leur traversée du Tartare. Si quelqu'un pouvait comprendre, pensait-il, c'était Nico.

– Tu as convaincu Bob qu'il pouvait me faire confiance même si moi, je ne lui avais jamais rendu visite. Je n'avais plus jamais repensé à lui, pour être honnête. Tu nous as sans doute sauvé la vie en le traitant gentiment.

– Ouais ben... ça peut être dangereux d'oublier les gens.

– Nico, j'essaie de te dire merci.

Nico rit, mais sans entrain.

– J'essaie de te dire que c'est pas la peine, dit-il. Maintenant j'ai besoin de finir ce truc, si tu peux me laisser la place de travailler ?

– Ouais, ouais, OK.

Percy resta en retrait tandis que Nico réglait ses cordages. Il les passa sur ses épaules comme si l'Athéna Parthénos était un sac à dos géant.

Percy ne pouvait s'empêcher d'être un peu blessé que Nico l'ait envoyé sur les roses. Mais bon, Nico en avait bavé. Ce type avait survécu au Tartare tout seul ; Percy était bien placé pour savoir la force incroyable que cela demandait.

Annabeth gravit la colline pour les rejoindre. Elle prit la main de Percy, qui se sentit tout de suite mieux.

– Bonne chance, dit-elle à Nico.

– Ouais, répondit-il sans la regarder. Toi aussi.

Une minute plus tard, Reyna et Gleeson Hedge arrivèrent, en armure et chargés de leurs bardas. Reyna avait l'air sévère, prête au combat. L'entraîneur, en revanche, souriait comme s'il allait à une fête.

Reyna serra Annabeth dans ses bras.

– Nous réussirons, lui promit-elle.

– J'en suis certaine, répondit Annabeth.

Gleeson Hedge passa sa batte de base-ball sur son épaule.

– Ouais, t'inquiète pas, dit-il. Je vais rentrer à la Colonie et voir ma poupée ! Euh, rectifia-t-il en donnant une tape sur la jambe de l'Athéna Parthénos, je veux dire, je vais emmener cette poupée à la Colonie !

– Bien, lança Nico. Attrapez les cordes, s'il vous plaît. Nous partons.

Reyna et Hedge obéirent. L'air s'obscurcit. L'Athéna Parthénos sombra, avalée par son ombre, et disparut avec son escorte.

L'*Argo II* partit à la nuit tombée.

Il fit cap sur le sud-ouest jusqu'à la côte, puis piqua pour se poser sur la mer Ionienne. Percy fut soulagé de sentir de nouveau les vagues sous la coque.

Pour gagner Athènes, il aurait été plus rapide de survoler la terre, mais après les rencontres épiques avec les esprits des montagnes en Italie, tous furent d'accord pour ne traverser le territoire de Gaïa que lorsqu'ils ne pouvaient pas faire autrement. Ils allaient faire le tour du continent grec par la mer, en reprenant les itinéraires des héros grecs des anciens temps.

Cela convenait parfaitement à Percy. Il était ravi de se retrouver dans l'élément de son père, de sentir l'air marin lui emplir les poumons, les embruns lui caresser les bras. Debout au bastingage de tribord, il ferma les yeux et se concentra sur les courants qui parcouraient les flots, sous le navire. Mais sans cesse, des images du Tartare s'imposaient violemment à son esprit. Le Phlégéthon, le sol cloqué où les monstres se régénéraient, la forêt sombre où les *arai* voletaient en cercle au-dessus des nuages de brume de sang. Et, surtout, il repensait à une cabane dans le marais où brûlait un bon feu, revoyait les rangées d'herbes et les quartiers de viande de drakon séchée. Il se demandait si cette cabane était vide, maintenant.

Annabeth s'appuya au bastingage, tout contre lui, et sa chaleur le rassura.

– Je sais, dit-elle en voyant l'expression de son visage. Moi non plus, je n'arrive pas à m'ôter cet endroit de la tête.

– Damasen, dit Percy. Et Bob...

– Je sais. (La voix d'Annabeth était frêle.) Nous devons honorer leur sacrifice. Nous devons battre Gaïa.

Percy regarda le ciel étoilé. Il aurait tant aimé être avec Annabeth sur la plage de Long Beach pour l'admirer, plutôt qu'à l'autre bout de la planète, en route vers une mort quasi certaine.

Il se demanda où étaient Nico, Reyna et Hedge en ce moment, et combien de temps ils mettraient pour revenir, à supposer qu'ils survivent. Il imagina les Romains en train de dresser des lignes de bataille en cet instant même, pour encercler la Colonie des Sang-Mêlé.

Quatorze jours pour arriver à Athènes. Alors, gagnée ou perdue, la guerre serait jouée.

À la proue, Léo sifflotait gaiement en bricolant le cerveau mécanique de Festus et marmonnait tout seul – une histoire d'« astrolabe » et de « cristal ». Au milieu du pont, Piper et Hazel s'entraînaient à l'épée, et leurs lames d'or et de bronze tintaient dans la nuit. Jason et Frank étaient au gouvernail et bavardaient à mi-voix ; ils se racontaient peut-être des histoires sur la légion, ou échangeaient leurs impressions sur la vocation de préteur.

– Nous sommes une bonne équipe, dit Percy. S'il faut que je vogue vers ma mort...

– Tu ne me feras pas le coup de mourir, Cervelle d'Algues, interrompit Annabeth. Tu te souviens ? Jamais plus séparés. Et quand on sera enfin rentrés...

– Ouais ? demanda Percy.

Elle l'embrassa.

– Repose-moi la question quand nous aurons vaincu Gaïa.

Il sourit, heureux d'avoir une perspective qui l'encourage.

– Comme tu voudras, dit-il.

Ils s'éloignèrent de la côte et dans le ciel plus sombre s'allumèrent d'autres étoiles.

Percy examina les constellations qu'Annabeth lui avait appris à reconnaître, il y avait de cela tant d'années.

– Vous avez le bonjour de Bob, dit-il aux étoiles.

L'*Argo II* s'enfonça dans la nuit.

Glossaire

Achéloüs : un *potamos*, ou divinité fluviale.

Achéron : le cinquième fleuve des Enfers ; fleuve de la Douleur, c'est le châtiment ultime pour les âmes damnées.

Achlys : déesse grecque du malheur et des poisons ; contrôle la Brume de Mort ; fille de Chaos et de Nuit.

Aegis : bouclier de Thalia Grace, provoquant la terreur. Le nom francisé de ce bouclier de Zeus, qu'il confiait souvent à sa fille Athéna, est l'Égide.

Aloades (les) : deux géants jumeaux qui tentèrent de prendre le mont Olympe d'assaut en empilant trois montagnes grecques l'une sur l'autre. Arès voulut leur faire barrage, mais fut vaincu et emprisonné dans une urne de bronze, dont Hermès le délivra. Plus tard, Artémis causa la perte des géants en leur apparaissant sous la forme d'une biche dans un bois touffu : les jumeaux voulurent la chasser ; chacun lança son javelot sans voir l'autre, caché par les arbres, et les deux frères, manquant leur cible, s'entretuèrent.

Aphrodite : déesse grecque de l'amour et de la beauté. Elle était mariée à Héphaïstos mais aimait Arès, le dieu de la guerre. Forme romaine : Vénus.

Aquilon : dieu romain du vent du nord. Forme grecque : Borée.

Arachné : tisseuse qui prétendait avoir un talent supérieur à celui d'Athéna. Irritée, la déesse détruisit ses tapisseries et son métier à tisser. Arachné se pendit et Athéna la ramena à la vie sous la forme d'une araignée.

Arai : esprits des malédictions ayant l'aspect de sorcières fripées aux ailes de chauve-souris, aux griffes de cuivre et aux yeux rougeoyants ; filles de Nyx (Nuit).

Archimède : mathématicien, physicien, ingénieur et astronome grec, qui vécut entre 287 et 212 avant J.-C. Il est considéré comme l'un des plus grands savants de l'Antiquité gréco-romaine. C'est lui qui a découvert comment calculer le volume d'une sphère.

Arès : dieu grec de la guerre, fils de Zeus et d'Héra, demi-frère d'Athéna. Forme romaine : Mars.

Argentum : argent en latin. Nom d'un des deux lévriers de Reyna capables de détecter les mensonges.

Argo II : le fantastique vaisseau construit par Léo, qui peut voyager par air et par mer. Il a pour figure de proue la tête du dragon de bronze Festus. Il doit son nom à l'*Argo*, le navire à bord duquel Jason et les Argonautes, un groupe de héros grecs, étaient partis à la recherche de la Toison d'or.

Argonautes : dans la mythologie grecque, un groupe de héros mené par Jason, parti en quête de la Toison d'or à bord de l'*Argo*.

Ariane : fille de Minos ; a aidé Thésée à s'enfuir du Labyrinthe.

Arion : un cheval magique incroyablement rapide. Il vit en liberté mais répond parfois à l'appel d'Hazel ; ses gourmandises préférées sont les pépites d'or.

Astrolabe : instrument de navigation utilisant la position des planètes et des étoiles.

Athéna : déesse grecque de la sagesse. Forme romaine : Minerve.

Athéna Parthénos : statue géante d'Athéna et la plus célèbre statue grecque de tous les temps.

Augure : présage, signe annonciateur d'un événement ; pratique de la divination de l'avenir.

Aurum : or en latin. Nom d'un des deux lévriers de Reyna capables de détecter les mensonges.

Auster : Dieu romain du vent du sud. Forme grecque : Notos.

Bacchus : dieu romain du vin et de la fête. Forme grecque : Dionysos.

Baliste, ou baliste-scorpion : machine de guerre de siège romaine permettant de propulser de grands projectiles vers des cibles lointaines.

Bellone : déesse romaine de la guerre.

Boréades : Calaïs et Zéthès, fils de Borée, dieu du vent du nord.

Borée : dieu du vent du nord. Forme grecque : Aquilon.

Bronze céleste : métal rare, mortel pour les monstres.

Brume : force magique qui masque certaines choses aux yeux des mortels.

Bunker 9 : atelier secret découvert par Léo à la Colonie des Sang-Mêlé, plein d'armes et d'outils. Il date d'au moins deux siècles et avait été utilisé pendant la guerre civile qui avait opposé les demi-dieux.

Calypso : nymphe et déesse de l'île mythique d'Ogygie, fille du Titan Atlas. Elle a retenu le héros Ulysse sur son île pendant des années.

Camp Jupiter : centre d'entraînement des demi-dieux romains, situé en Californie, entre les collines d'Oakland et celles de Berkeley.

Catapulte : machine de guerre utilisée pour projeter des objets.

Catoblépas : vache monstrueuse dont le nom signifie « Qui regarde vers le bas ». Les catoblépas ont été amenés par accident d'Afrique à Venise, où ils se nourrissent des racines de plantes vénéneuses qui poussent près des canaux ; leur regard et leur haleine sont toxiques.

Centaure : créature mi-humain, mi-cheval.

Centurion : officier de l'armée romaine.

Cercopès : duo de nains aux allures de chimpanzés qui volent tout ce qui brille et sèment le désordre sur leur passage.

Cérès : déesse romaine de l'agriculture. Forme grecque : Déméter.

Champs de l'Asphodèle : partie des Enfers où sont envoyées les personnes qui ont eu une vie « neutre » : ni bonne ni mauvaise.

Champs du Châtiment : partie des Enfers où sont envoyées les personnes qui ont fait du mal durant leur vie ; ils y subissent des châtiments éternels pour leurs crimes.

Cheval de Troie : épisode de la guerre de Troie qui amena sa fin. Les Grecs avaient construit un immense cheval de bois dans lequel s'étaient cachés quelques-uns de leurs guerriers les plus valeureux, et l'avaient laissé aux abords de Troie. Les Troyens s'emparèrent du cheval comme d'un trophée et le traînèrent à l'intérieur de la ville ; les Grecs attendirent alors la nuit pour sortir du cheval, faire entrer le reste de leur armée et détruire Troie.

Chioné : déesse grecque de la neige, fille de Borée.

Chiton : vêtement grec, tunique de lin ou de laine retenue aux épaules par des broches et à la taille par une ceinture.

Circé : déesse grecque et magicienne.

Clytios : géant créé par Gaïa pour désactiver et absorber la magie d'Hécate.

Cocyte : fleuve des lamentations au Tartare, dont les flots sont exclusivement composés de malheurs.

Cohorte : groupe de soldats constituant une des dix divisions d'une légion grecque.

Colisée : amphithéâtre de forme ovale bâti au temps de la Rome antique et qui se trouve au centre de la ville. Le Colisée, où pouvaient s'asseoir 50 000 spectateurs, servait à des combats de gladiateurs et à des jeux et spectacles publics tels que des reconstitutions de batailles navales et terrestres célèbres, des chasses, des exécutions et des pièces de théâtre.

Colonie des Sang-Mêlé : centre d'entraînement des demi-dieux grecs, situé à Long Island, dans l'État de New York.

Corne d'abondance : grand récipient en forme de corne débordant de choses à manger et d'autres richesses. La corne d'abondance fut créée quand Héraclès (forme romaine : Hercule) se battit contre le dieu du fleuve Achéloüs et lui arracha une corne.

Cronos : le plus jeune des douze Titans, fils d'Ouranos et de Gaïa, père de Zeus. Tua son père à la demande de sa mère. Seigneur du destin, des moissons, de la justice et du temps. Forme romaine : Saturne.

Cupidon : dieu romain de l'amour. Forme grecque : Éros.

Cyclope : membre d'une race de géants primitifs ayant un seul œil au milieu du front.

Damasen : géant fils de Tartare et de Gaïa, conçu pour s'opposer à Arès. Condamné par Tartare pour avoir tué un drakon qui faisait des ravages.

Dédale : dans la mythologie grecque, artisan talentueux qui avait conçu le Labyrinthe, en Crète, où le Minotaure (moitié homme, moitié taureau) était tenu prisonnier.

Déméter : déesse grecque de l'agriculture, fille des Titans Rhéa et Cronos. Forme romaine : Cérès.

Denarus **(pluriel :** ***denarii*****)** : la pièce de monnaie romaine la plus courante.

Dioclétien : le dernier grand empereur païen de l'Empire romain, et le premier à s'être retiré pacifiquement du pouvoir ; un demi-dieu (fils de Jupiter). Selon la légende, son sceptre avait le pouvoir de lever une armée de fantômes.

Diomède : un des grands héros grecs de la guerre de Troie.

Dionysos : dieu grec du vin et de la fête, fils de Zeus. Forme romaine : Bacchus.

Drachme : pièce d'argent de la Grèce antique.

Drakon : gigantesque monstre aux allures de serpent jaune et vert, doté d'une collerette, d'yeux reptiliens et de très grosses griffes ; cracheur de poison.

Dryades : nymphes des arbres.

Eidolon : esprit possesseur.

Élysée : partie des Enfers réservée à ceux qui ont été bénis par les dieux pour y reposer dans la paix éternelle après la mort.

Empousa (pluriel : *empousai*) : vampires femelles dotées de griffes et de crocs, à la peau blanche comme l'os, à la chevelure faite de flammes. Elles ont pour jambes à gauche une prothèse en bronze, à droite une patte d'âne, et ont les pouvoirs magiques de contrôler la Brume, changer de forme et pratiquer l'enjôlement pour attirer leurs victimes humaines.

Enjôlement : bénédiction accordée par Aphrodite à ses enfants, qui leur permet de convaincre en usant de leur voix.

Éole : dieu de tous les vents.

Éphialtès et Otos : jumeaux géants, fils de Gaïa.

Épire : région qui se trouve actuellement à cheval sur le nord-ouest de la Grèce et le sud de l'Albanie.

Éris : déesse de la discorde.

Éros : dieu grec de l'amour. Forme romaine : Cupidon.

Faune : dieu sylvestre romain, mi-homme, mi-bouc. Forme grecque : satyre.

Favonius : dieu romain de vent de l'ouest. Forme grecque : Zéphyr.

Fer stygien : tout comme le bronze céleste et l'or impérial, métal magique mortel pour les monstres.

Feu grec : arme incendiaire utilisée dans les batailles navales car il continue de brûler dans l'eau.

Forum : le Forum romain était le cœur de la Rome antique. C'était une place où les Romains concluaient des affaires, tenaient des procès et célébraient des offices religieux.

Furies : déesses romaines de la vengeance, représentées en général comme trois sœurs : Alecto, Tisiphone et Mégère, filles d'Ouranos et de Gaïa. Elles vivent aux Enfers où elles s'emploient à tourmenter les pécheurs. Forme grecque : Érinyes.

Gaïa : déesse de la terre ; mère des Titans, des géants, des Cyclopes et d'autres monstres. Forme romaine : Terra.

Géras : déesse de la vieillesse.

Géryon : monstre à trois bustes qui avait été tué par Héraclès/Hercule.

Gladius : glaive.

Graecus : mot utilisé par les Romains pour désigner un Grec.

Griffon : créature à tête et ailes d'aigle et corps de lion.

Gris-gris : dans le vaudou pratiqué à La Nouvelle-Orléans, un gris-gris (ou gri-gri) est une petite pochette de tissu rouge contenant un mélange d'herbes et d'autres ingrédients que l'on porte sur soi ou range quelque part pour restaurer l'équilibre entre l'aspect noir et l'aspect blanc de sa vie.

Guerre de Troie : dans la mythologie grecque, guerre menée par les Achéens (les Grecs) contre la ville de Troie après que Pâris de Troie eut enlevé Hélène, épouse du roi Ménélas de Sparte.

Hadès : dieu grec de la mort et des richesses matérielles. Forme romaine : Pluton.

Hannibal : commandant en chef de l'armée carthaginoise ayant vécu entre 247 et 183 ou 182 avant J.-C., considéré comme un des plus grands stratèges de son époque. Un de ses exploits les plus célèbres fut de faire traverser à son armée, qui comprenait des éléphants de guerre, les Pyrénées en venant d'Ibérie ainsi que les Alpes pour pénétrer dans le nord de l'Italie.

Harpie : créature ailée féminine, aux gestes vifs et rapides.

Hécate : déesse de la magie et des carrefours ; contrôle la Brume ; fille des Titans Persès et Astéria.

Héméra : déesse du jour, fille de Nuit.

Héphaïstos : dieu grec du feu, des artisanats et des forgerons ; fils de Zeus et d'Héra, marié à Aphrodite. Forme romaine : Vulcain.

Héra : déesse grecque du mariage ; épouse et sœur de Zeus. Forme romaine : Junon.

Héraclès : équivalent grec d'Hercule ; fils de Zeus et d'Alcmène, le plus fort de tous les mortels.

Hercule : équivalent romain d'Héraclès ; fils de Jupiter et d'Alcmène, né avec une force exceptionnelle.

Hermès : dieu grec des voyageurs, guide des esprits des morts ; dieu de la communication. Forme romaine : Mercure.

Hésiode : poète grec. Il imagina qu'il faudrait neuf jours, en tombant, pour arriver au fond du Tartare.

Horatius : général romain ayant repoussé à lui seul une horde d'envahisseurs, sacrifiant sa vie sur un pont pour empêcher les Barbares de traverser le Tibre. En donnant à ses concitoyens le temps d'ériger leurs défenses, il sauva la République.

Hôtel-Casino du Lotus : un casino à Las Vegas où Percy, Annabeth et Grover ont perdu un temps précieux pendant leur quête après avoir mangé des fleurs de lotus enchantées.

Hypérion : un des douze Titans, seigneur de l'Est.

Hypnos : dieu grec du sommeil. Forme romaine : Somnus.

Hypogée : salle souterraine située sous un colisée pour loger les éléments de décor et les machines à effets spéciaux.

Ichtor : liquide doré qui est le sang des dieux et des immortels.

Janus : dieu romain des seuils, des débuts et des transitions ; décrit comme ayant deux visages car il se tourne à la fois vers le passé et vers l'avenir.

Japet : un des douze Titans, seigneur de l'Ouest. Son nom signifie « Celui qui transperce ». Lorsque Percy l'a combattu dans le royaume d'Hadès, il est tombé dans le Léthé, le fleuve de l'oubli, et a perdu la mémoire ; Percy l'a renommé Bob.

Junon : déesse romaine des femmes, du mariage et de la fertilité ; épouse et sœur de Jupiter ; mère de Mars. Forme grecque : Héra.

Jupiter : dieu romain des dieux, également nommé Jupiter Optimus Maximus (le meilleur et le plus grand). Forme grecque : Zeus.

Kampê : monstre féminin doté d'un buste de femme à la chevelure faite de serpents et d'un bas du corps de dragon, chargé par le Titan Cronos de surveiller les Cyclopes emprisonnés au Tartare. Zeus l'a tuée et a libéré les Cyclopes pour qu'ils lui apportent leur soutien dans sa guerre contre les Titans.

Katoptris : poignard de Piper, qui avait jadis appartenu à Hélène de Troie.

Labyrinthe : réseau souterrain construit à l'origine sur l'île de Crête par l'inventeur Dédale, pour y emprisonner le Minotaure (moitié taureau, moitié homme).

Lare : esprit ancestral, protecteur du foyer.

Légionnaire : soldat romain.

Lémures : terme latin désignant des fantômes en colère.

Lestrygon : ogre cannibale originaire du Grand Nord.

Léthé : un des nombreux fleuves des Enfers ; qui boit de son eau oublie son identité.

Léto : fille du Titan Coïos ; elle eut de Zeus des jumeaux : Artémis et Apollon ; déesse de la maternité.

Livres sibyllins : recueils de prophéties en vers grecs rimés. Tarquin le Superbe, un roi de Rome, les acheta à une prophétesse du nom de Sibylle et les consultait en périodes de grand danger.

Lupa : louve romaine sacrée qui allaita les jumeaux abandonnés Romulus et Remus.

Maison d'Hadès : lieu des Enfers où Hadès, dieu grec de la mort, et son épouse Perséphone règnent sur les âmes des défunts ; ancien temple dans la région de l'Épire, en Grèce.

Maison du Loup : c'est là que Percy Jackson a été formé comme demi-dieu romain par Lupa.

Manticore : créature à tête humaine, corps de lion et queue de scorpion.

Mars : dieu romain de la guerre, également nommé Mars Ultor. Protecteur de l'Empire ; père divin de Romulus et Remus. Forme grecque : Arès.

Médée : adepte d'Hécate, c'est une des grandes enchanteresses du monde antique.

Mercure : messager romain des dieux ; dieu du commerce, du profit et des affaires. Forme grecque : Hermès.

Minerve : déesse romaine de la sagesse. Forme grecque : Athéna.

Minos : roi de Crète, fils de Zeus ; tous les ans, le roi Égée devait lui livrer sept jeunes garçons et sept jeunes filles qui étaient conduits au Labyrinthe et dévorés par le Minotaure. Après sa mort, il devint l'un des juges des Enfers.

Minotaure : monstre ayant une tête de taureau sur un corps d'homme.

Mont Tamalpais : site de la baie de San Francisco, en Californie, où les Titans avaient construit un palais.

Naïades : nymphes aquatiques.

Nécromanteion : l'oracle de la Mort, ou Maison d'Hadès en grec. C'est un temple de plusieurs étages où les pèlerins allaient consulter les morts.

Neptune : dieu romain de la mer. Forme grecque : Poséidon.

Niké : déesse grecque de la force, de la vitesse et de la victoire. Forme romaine : Victoria.

Notos : dieu grec du vent du sud. Forme romaine : Auster.

Nouvelle-Rome : ville voisine du Camp Jupiter où les demi-dieux peuvent vivre ensemble en paix, sans intrusion ni de mortels ni de monstres.

Nymphe : divinité féminine qui anime la nature.

Nymphée : sanctuaire dédié aux nymphes.

Nyx : déesse de la nuit ; fait partie des dieux primordiaux.

Ogygie : île – et prison – de la nymphe Calypso.

Ombres : esprits.

Or impérial : métal rare, mortel pour les monstres ; consacré au Panthéon ; son existence était un secret jalousement gardé par les empereurs.

Ourae : nom grec des dieux de la montagne. Forme romaine : *numina montanum.*

Ouranos : père des Titans

Palais de Nyx : maison de la Nuit.

Panthéon : temple érigé à Rome à la demande de Marcus Agrippa pour honorer tous les dieux de la Rome antique, puis reconstruit par l'empereur Hadrien de 118 à 125 environ.

Pasiphaé : épouse de Minos, condamnée par une malédiction à tomber amoureuse de son plus beau taureau et à donner naissance au Minotaure (mi-homme, mi-taureau) ; experte des herbes magiques.

Pégase : dans la mythologie grecque, cheval ailé divin engendré par Poséidon en sa qualité de dieu des chevaux et mis au monde par la gorgone Méduse ; frère de Chrysaor.

Periclymène : Argonaute, fils de deux demi-dieux et petit-fils de Poséidon, qui lui accorda la capacité de se transformer en divers animaux.

Péristyle : entrée de la résidence privée d'un empereur.

Perséphone : reine grecque des Enfers, épouse d'Hadès, fille de Zeus et de Déméter. Forme romaine : Proserpine.

Phalange : groupe compact de soldats fortement armés.

Phlégéthon : le fleuve de feu qui coule du royaume d'Hadès au Tartare ; son feu liquide maintient les damnés suffisamment en vie pour subir les supplices des Champs du Châtiment.

Pilum (pluriel : *pila*) : javelot utilisé dans l'armée romaine.

Pluton : dieu romain de la mort et de la richesse. Équivalent grec : Hadès.

Polybotès : géant fils de Gaïa, la Terre nourricière.

Polyphème : le gigantesque fils de Poséidon et Thoosa ; un des Cyclopes (n'a qu'un seul œil au milieu du front).

Porphyrion : roi des géants dans les mythologies grecque et romaine.

Portes de la Mort : passage secret qui, ouvert, permet aux âmes d'aller des Enfers au monde des mortels.

Poséidon : dieu grec de la mer, fils des Titans Cronos et Rhéa, frère de Zeus et d'Hadès. Forme romaine : Neptune.

Préteur : magistrat romain nommé par suffrage et commandant de l'armée.

Proserpine : reine romaine des Enfers. Forme grecque : Perséphone.

Psyché : jeune mortelle qui tomba amoureuse d'Éros et fut forcée par sa mère, Aphrodite, de traverser plusieurs épreuves pour le retrouver.

Romulus et Remus : fils jumeaux de Mars et de la vestale Rhéa Sylvia, qui furent jetés dans le Tibre par leur père humain, Amulius. Ils furent sauvés et élevés par une louve, et, à l'âge adulte, fondèrent Rome.

Saturne : dieu romain de l'agriculture, fils d'Uranus et de Gaïa, père de Jupiter. Équivalent grec : Cronos.

Satyre : divinité grecque de la forêt, moitié homme, moitié bouc. Équivalent romain : faune.

Scipion : le pégase de Reyna.

Sciron : bandit tristement célèbre qui tendait des embuscades aux voyageurs en exigeant comme droit de passage qu'ils lui lavent les pieds. Lorsque l'infortuné voyageur s'agenouillait pour s'acquitter de la tâche, il le précipitait d'un coup de pied dans la mer, où une tortue géante le dévorait.

Spatha : arme de cavalerie.

SPQR : ***Senatus Populusque Romanus*** : « Le Sénat et le Peuple de Rome » ; la formule se rapporte au gouvernement de la République romaine et sert d'emblème officiel à Rome.

Tantale : dans la mythologie grecque, ce roi était en si bons termes avec les dieux qu'il était autorisé à partager leur table – jusqu'au jour où il répéta leurs secrets sur terre. Il fut alors envoyé aux Enfers et condamné à rester dans un bassin d'eau claire, sous un arbre chargé de fruits, sans jamais pouvoir ni boire ni manger : d'où l'expression « le supplice de Tantale ».

Tartare : mari de Gaïa ; esprit de l'abîme ; père des géants. Désigne également la région du monde la plus basse.

Telchine : démon de mer doté d'une tête de chien et de nageoires à la place des mains.

Tempête : ami de Jason ; esprit du vent qui a la forme d'un cheval.

Terminus : dieu romain des frontières et des jalons.

Terra : déesse romaine de la terre. Forme grecque : Gaïa.

Thanatos : dieu grec de la mort ; serviteur d'Hadès. Équivalent romain : Letus.

Thésée : roi d'Athènes célèbre pour ses nombreux exploits, notamment pour avoir tué le Minotaure.

Tibre : le plus long fleuve d'Italie. Rome fut fondée sur ses rives. Dans la Rome antique, les criminels exécutés étaient jetés dans le Tibre.

Titans : groupe de puissantes divinités grecques, descendantes de Gaïa et d'Ouranos, qui régnèrent durant l'Âge d'or et furent renversées par une nouvelle génération de dieux, les Olympiens.

Triptolème : dieu de l'agriculture ; il aida Déméter lorsqu'elle cherchait sa fille Perséphone, enlevée par Hadès.

Trirème : ancien vaisseau de guerre grec ou romain, équipé de trois rangées de rames de chaque côté.

Les Trois Parques : dans la mythologie grecque, elles préexistent aux dieux : Clotho, qui file le fil de la vie ; Lachesos, qui le mesure et détermine la durée de la vie de chacun ; Atropos, qui tranche le fil de la vie de ses ciseaux.

Turbulence : nom de l'épée de Percy Jackson (*Anaklusmos* en grec).

Ulysse : roi légendaire de l'île grecque d'Ithaque et héros du poème épique d'Homère *L'Odyssée*.

Venti : esprits de l'air.

Vénus : déesse romaine de l'amour et de la beauté. Elle était mariée à Vulcain mais aimait Mars, le dieu de la guerre. Forme grecque : Aphrodite.

Vol d'ombre : moyen de transport propre aux créatures des Enfers et aux enfants d'Hadès qui leur permet de se rendre n'importe où sur terre ou dans les Enfers, au prix cependant d'une grande fatigue.

Vulcain : dieu romain du feu, des artisanats et des forgerons ; fils de Jupiter et de Junon, marié à Vénus. Forme grecque : Héphaïstos.

Zéphyr : dieu grec de vent de l'ouest. Forme romaine : Favonius.

Zeus : dieu grec du ciel et roi des dieux. Forme romaine : Jupiter.

RICK RIORDAN

L'AVENTURE
CONTINUERA EN 2015

HÉROS DE L'OLYMPE

LE SANG DE L'OLYMPE

*****

D'autres livres

Rafael ÀBALOS, *Grimpow, l'élu des Templiers*
Rafael ÀBALOS, *Grimpow, le chemin invisible*
Rafael ÀBALOS, *Gótico*
Rafael ÀBALOS, *Poliedrum*
Rafael ÀBALOS, *Poliedrum, la prophétie du héros*
John et Carole E. BARROWMAN, *Le Réveil des créatures*
Nina BLAZON, *Jade, fille de l'eau*
Stephen COLE, *Code Aztec*
Fabrice COLIN, *La Malédiction d'Old Haven*
Fabrice COLIN, *Le Maître des dragons*
Fabrice COLIN, *Bal de Givre à New York*
Neil GAIMAN, *Coraline*
Neil GAIMAN, *L'Étrange Vie de Nobody Owens*
Neil GAIMAN, *Odd et les géants de glace*
Rachel HAWKINS, *Hex Hall*
Rachel HAWKINS, *Hex Hall, le Maléfice*
Rachel HAWKINS, *Hex Hall, le Sacrifice*
Rebecca MAIZEL, *Humaine*
Rebecca MAIZEL, *Âmes soeurs*
Jackson PEARCE, *Sisters Red*
Angie SAGE, Magyk, *Livre Un*
Angie SAGE, Magyk, *Livre Deux : Le Grand Vol*
Angie SAGE, Magyk, *Livre Trois : La Reine maudite*
Angie SAGE, Magyk, *Livre Quatre : La Quête*
Angie SAGE, Magyk, *Livre Cinq : Le Sortilège*
Angie SAGE, Magyk, *Livre Six : La Ténèbre*
Angie SAGE, *Magyk Book*
Jonathan STROUD, *La Trilogie de Bartiméus I. L'Amulette de Samarcande*
Jonathan STROUD, *La Trilogie de Bartiméus II. L'Œil du golem*
Jonathan STROUD, *La Trilogie de Bartiméus III. La Porte de Ptolémée*
Jonathan STROUD, *L'Anneau de Salomon*
Jonathan STROUD, *Les Héros de la vallée*
Ulrike SCHWEIKERT, *Nosferas*

www.wiz.fr
Logo Wiz : Cédric Gatillon

Composition Nord Compo
Impression: Imprimerie Lebonfon Inc. en février 2014
Éditions Albin Michel
22, rue Huyghens 75014 Paris
ISBN : 978-2-226-25492-4
ISSN : 1637-0236
N° d'édition : 20878/01.
Dépôt légal : mars 2014
Loi n° 49-956 du 16 juillet 1949 sur les publications destinées à la jeunesse.
Imprimé au Canada.